HUGO VON HOFMANNSTHAL

HUGO VON HOFMANNSTHAL

Der Dichter im Spiegel der Freunde

Herausgegeben von Helmut A. Fiechtner

FRANCKE VERLAG BERN
UND MÜNCHEN

Zweite, veränderte Auflage mit neuen Beiträgen und einer Hofmannsthal-Biographie.
(Die erste Auflage erschien 1949 im Humboldt-Verlag, Wien)

©

A. Francke AG Verlag Bern, 1963
Satz und Druck: Merkur AG, Langenthal
Printed in Switzerland

HELMUT A. FIECHTNER

Hugo von Hofmannsthal

LEBEN

Hugo von Hofmannsthal wurde am 1. Februar 1874 in Wien, Salesianergasse 12, geboren und am 22. Februar in der Karlskirche auf die Namen Hugo Laurenz August (Hofmann Edler von Hofmannsthal) getauft. Er war der erste und einzige Sohn des Hugo August Peter Hofmann Edler von Hofmannsthal (1841–1915), der, nach absolviertem Jus-Studium an der Wiener Universität, als Beamter in die Central-Bodencreditbank eintrat und vom Referenten und Präsidialsekretär zum Prokuristen und Direktor des angesehenen Bankinstituts avancierte. Der Vater des Dichters vermählte sich am 5. Mai 1873 mit Anna Maria Josefa Fohleutner (1852–1904), der Tochter des k. k. Notars und Richters Laurenz Fohleutner, dessen Familie aus Oberthern im Waldviertel stammt. Die Fohleutner (auch Fachleitner) waren Weinbauern und Gewerbetreibende. Die Familie der Großmutter mütterlicherseits (Josefa Leonarda Schmid) stammte aus dem Bayrischen. Der Urgroßvater Christian Schmid wurde in Günzburg an der Donau geboren und starb in Wien als Milchmaier und Gastgeber. Die beiden Urgroßmütter mütterlicherseits stammten aus Niederösterreich (Wetzdorf und Witzelsdorf).

Der Großvater väterlicherseits, Augustin Emil Hofmann Edler von Hofmannsthal (1815–1881), leitete eine Zweigstelle des von seinem Vater begründeten Handelshauses in Mailand und heiratete dort, nachdem er zum katholischen Glauben übergetreten war, die Witwe Petronilla Antonia Cäcilia Ordioni (1815–1898), eine Tochter des herzoglich Leuchtenbergschen Sekretärs Anton Maria Rho und der Cäcilia Bossi. Die Familie von Hofmannsthals Urgroßvater stammt aus Bayern und war zur Zeit Maria Theresias aus Bayreuth nach Prostebor in Böhmen eingewandert. Dieser Isaak Löw (1761–1849) kam über Prag nach Wien, wo er sich 1794 als Großhändler niederließ. Er hatte ein bedeutendes Vermögen erworben und beschäftigte zuletzt in 36 Fabriken 1400 Arbeiter sowie, als «Manufakturisten», weitere 49 000 Familien. Franz I. sprach ihm das «allerhöchste Wohlgefallen über sein wohltätiges Wirken» aus, und Ferdinand II. verlieh ihm am 18. Juni 1835 den österreichischen Adelstitel samt dem Prädikat «Edler von Hofmannsthal». Das viergeteilte Wappen der Familie Hofmannsthal zeigt im ersten Feld einen Steinadler auf einem Felsen (in Gold), im zweiten einen silbernen Opferstock (in Blau), im dritten auf einem rot eingebundenen Buch die silbernen Gesetzestafeln des Alten Bundes und im vierten auf einem grünen

Maulbeerblatt eine Seidenraupe (zur Erinnerung an die Verdienste des Neu-
geadelten um die Hebung der Seidenraupenzucht in Ungarn).

In seinem Tagebuch (Eintragung vom 10. Oktober 1906) setzt sich Hofmannsthal mit dem ewig wiederholten Vorwurf auseinander, daß seine Jugendwerke aus einer egoistischen, ästhetischen Einsamkeit, einer unmenschlichen, der Sympathie baren Natur hervorgegangen seien, der es an menschlichen Kontakten gefehlt habe. In Wirklichkeit war seine Jugend gefährdet
und verwirrt, weil sie von zu vielen und zu komplizierten menschlichen Verhältnissen belastet war. Dann fährt er fort: «Auch wüßte ich nicht, woher mir
das menschenfeindliche Element gekommen sein sollte. Meine beiden Groß-
väter, der Notar und der Seidenfabrikant, waren, jeder nach seiner Art, recht-
liche, gesellige, in allen menschlichen Verhältnissen heimische Männer. Meine
zwei Großmütter waren zwei merkwürdige Frauen: die italienische (von
Hofmannsthal besonders geliebt, verehrt und häufig besucht) die Urbanität
selber, und die deutsche eine Frau, in deren Kopf die Privatverhältnisse von
Tausenden von Menschen Platz hatten, die sich mindestens mit der Phantasie
in zahllose Existenzen mischte. Meine Mutter konnte an Leuten, die sie nur
dem Namen nach und aus Erzählungen kannte, einen unglaublichen Anteil
nehmen: fremde Schicksale konnten bei ihrer geheimnisvoll erregbaren Natur die schönste Lebhaftigkeit in ihr entfesseln und die schwersten Verdüsterungen verursachen. Wie mein Vater aus seinem Amt die Verhältnisse von
zahllosen Menschen, Gutsherren, Finanzleuten, Agenten, Geldjuden, Beam-
ten, Politikern in sich herumträgt, und soviel Widersprechendes ebenso
scharf auffaßt als mit Humor sich gefallen läßt, ist unvergleichlich, und dann
ist noch seine liebste Lektüre das Lesen von Memoiren, Selbstbiographien,
historischen Charakteristiken, von denen er jährlich seine zweihundert hinter
sich bringt, so daß er die Porträts von soviel Menschen vielleicht in sich trägt
wie Browning oder Dickens, – wo soll da der Einsame, Weltscheue herkom-
men?»

Von Privatlehrern vorbereitet, trat Hugo von Hofmannsthal in das 1553
von den Jesuiten begründete, in der 2. Hälfte des 19. Jahrhunderts ver-
staatlichte «Akademische Gymnasium» ein, das er mit Auszeichnung absolvierte (Maturitätszeugnis vom 6. Juli 1892). Bereits zwei Jahre vorher war
unter dem Pseudonym «Loris Melikow» in der Wiener Zeitschrift «An der
schönen blauen Donau» ein Gedicht von ihm («Frage») erschienen. («Loris»
ist vielleicht eine Reminiszenz an den Dichter des altfranzösischen «Roman
de la Rose», Guillaume de Loris. Loris-Melikow war der Name eines russischen Generals (1826–1888), der einem vornehmen armenischen Geschlecht
entstammte und 1880–1881 russischer Innenminister war.) Das war im Juni
1890. Im gleichen Sommer lernte er in Bad Fusch, wo er mit seinen Eltern die
Ferien verbrachte, den Schauspieler und Schriftsteller Gustav Schwarzkopf

kennen, der ihn im Café Griensteidl einführte, zu dessen Stammgästen Hermann Bahr, Arthur Schnitzler, Richard Beer-Hofmann, Felix Salten und andere gehörten – die Repräsentanten der Wiener «Moderne» –, und das er, zunächst in Gesellschaft seines Vaters, häufig zu besuchen begann. Weitere Gedichte erschienen in den folgenden Heften der genannten Wiener Zeitschrift und in der «Modernen Rundschau»; die Berliner «Moderne» brachte Hofmannsthals ersten literarischen Essay, eine Besprechung von Paul Bourgets «Physiologie der modernen Liebe» (Februar 1891) und, in zwei aufeinanderfolgenden Nummern, Hofmannsthals dramatischen Erstling «Gestern» (Oktober und November 1891). Im Frühjahr 1891 war Henrik Ibsen, das Idol der jungen Wiener Literaten, der «Führer zur Selbstbefreiung», in Wien. Nach der Aufführung der «Kronprätendenten» fand im Kaiserhof ein Bankett statt, an dem auch Hofmannsthal teilnahm. Am 18. April besuchte Hofmannsthal Ibsen in dessen Wiener Stadthotel und sprach ihm seine und seiner Generation Verehrung aus. – Am 27. April stellte er sich im Caféhaus Hermann Bahr vor. Im gleichen Jahr bat Hofmannsthal den vom «Jungen Wien» bewunderten Maurice Maeterlinck um die Erlaubnis, dessen Stück «Les Aveugles» übersetzen zu dürfen, das zusammen mit «L'Intruse» nach einem einleitenden Vortrag von Hermann Bahr im «Modernen Theaterverein» aufgeführt wurde. Am 21. Dezember lernte er, gleichfalls im Caféhaus, Stefan George kennen. Dieses erste Gespräch hatte die zeitgenössischen französischen und englischen Dichter Baudelaire, Verlaine, Mallarmé, Poe und Swinburne zum Gegenstand. Im Mai des folgenden Jahres, anläßlich eines zweiten Besuches von George in Wien, weihte ihn dieser in den Plan zur Gründung einer Zeitschrift ein und gewann Hofmannsthal als Mitarbeiter. (Bereits im 1. Band der 1. Folge der «Blätter für die Kunst», Oktober 1892, erschien Hofmannsthals «Tod des Tizian». Fast in allen Bänden bis 1897, dann wieder 1903 und 1904, veröffentlichte Hofmannsthal Beiträge in Georges Zeitschrift.) Vom 20. bis 27. Februar 1892 war Eleonora Duse in Wien. Hofmannsthal sah sie als Fédora, Nora und Kameliendame und schrieb über sie. Ein anderer, sehr moderner und bewunderter Stern am Wiener Theaterhimmel war Josef Kainz. Im März sah er bei Ludwig von Hofmann mehrere Klingersche Radierungen, die einen großen Eindruck auf ihn machten. Von früh auf galt Hofmannsthals Interesse ebensosehr der bildenden Kunst, speziell der zeitgenössischen Malerei. Angeregt und beeinflußt von Hermann Bahr, begann in dieser Zeit eine umfangreiche Lektüre, die auch vom eifrigsten und fleißigsten Hofmannsthal-Forscher nicht nachzuvollziehen ist. In einem der ersten Briefe des 17jährigen an Hermann Bahr lesen wir z.B.: «...ich bitte, ich habe MM de la Rochefoucauld, de la Bruyère, de St. Simon, de Montesquieu, de Buffon, sowie die Herren Chamfort, Courier, Chateaubriand, Voltaire, La Mettrie, Louvet, Jean Jacques, Diderot, Prévost, Gresset,

Mably und (hélas!) Volney *auch* gelesen.» Im August 1892 lernte Hofmannsthal die hochbetagte Josephine von Wertheimstein, geb. Gomperz, in Aussee
kennen, in deren schöner, in einem großen Park gelegenen Villa er bis zum
Tod der Besitzerin (1894) viel verkehrte und wohin er sich auch später, als
Gast Franziskas von Wertheimstein, oft zur Arbeit zurückzog. Im Spätherbst
des folgenden Jahres machte Hofmannsthal im Hause Oskar Walzels die Bekanntschaft des ein Jahr jüngeren Leopold von Andrian. Diese Lebens-
freundschaft, die bis zum Tod Hofmannsthals währte, ist durch 350 (noch
nicht veröffentlichte) Briefe Hofmannsthals und 175 Briefe Andrians bezeugt. Andrian vermittelte Hofmannsthal die Bekanntschaft mit den Brüdern
Georg und Clemens Freiherrn zu Franckenstein, des k.k. Linienschiffsleute-
nants Edgar Karg von Bebenburg, des Grafen Josef Schönborn sowie des
Offiziers und Schriftstellers Robert Michel. Im Februar 1894 begegnete Hofmannsthal dem berühmten Chirurgen und Brahms-Freund Ludwig Billroth,
der einen großen Eindruck auf ihn machte («aus ganzem Holz geschnitten»).
Während der Monate April und Mai war Hofmannsthal besonders viel mit
Andrian zusammen, und wahrscheinlich bezieht sich auf eines der vielen Gespräche mit dem Freund, dessen dichterische Ader früh versiegte, die Tagebucheintragung vom 29. April 1894: «Ich bin ein Dichter, weil ich bildlich
erlebe.»

Nach der Matura unternahm Hofmannsthal in Begleitung seines (privaten)
Französischlehrers Gabriel Dubray, Verfasser des Buches «Gentillesses de la
langue française», der einen größeren Einfluß auf ihn hatte als irgendeiner
seiner Mittelschulprofessoren, seine erste weitere Auslandreise. Sie führte
zunächst in die Heimatstadt M. Dubrays, nach Lelex in der Suisse Romande,
von dort in die Provence und rhôneabwärts nach Marseille und über die Riviera nach Venedig, der Stadt, in der mehrere Stücke Hofmannsthals spielen,
die ihn Zeit seines Lebens magisch angezogen hat und ihm fast zweite Heimat
wurde. Auf Wunsch seines Vaters begann Hofmannsthal im Herbst 1892 das
Jus-Studium und inskribierte an der juridischen Fakultät der Wiener Universität, unterbrach aber nach vier Semestern. Am 3. November 1893 hatte er
sich zum Eintritt in das Österreichische Heer gemeldet, und zwar als Einjährig-Freiwilliger, mit der Verpflichtung auf 10 Jahre und zwei Jahre Landwehr beim Dragonerregiment 6. Am 13. Juli 1894 legte er die erste Staatsprüfung ab und rückte am 1. Oktober des gleichen Jahres zu seinem Truppen-
körper ein. Nach Beendigung seines Einjährigenjahres wurde Hofmannsthal
zum Wachtmeister und Ende 1895 zum Kadettoffizierstellvertreter der Reserve im Ulanenregiment 8 befördert. Am 1. Januar 1897 wurde er Leutnant
der Reserve; weitere Beförderungen erfolgten nicht. Am 31. Dezember 1905
trat Hofmannsthal aus der Landwehr aus und legte die Offizierscharge ab.
Das militärische Abenteuer, das er voller guter Erwartungen begonnen hatte,

endete ohne Kasernenhofpsychose und ohne intellektuellen Protest, aber doch mit einer Enttäuschung. Die einzelnen Phasen dieser Episode spiegeln sich in den Jugendbriefen (1890–1901); einen dichterischen Niederschlag finden wir in der «Reitergeschichte» von 1898. Das Einjährigfreiwilligenjahr absolvierte Hofmannsthal in Göding und Klein-Tesswitz bei Znaim, in Mähren. Die Waffenübungen während der folgenden Jahre führten ihn nach Tlumacz, Czortków, Chyrów, Ustrzyki Dolne, in den Karpaten, nach Zagórz, Sanok, Iwanowice und anderen Orten im nördlichen Raum der Monarchie, den er auf weiten Ritten kennenlernte. Während des Einjährigfreiwilligenjahres reifte in Hofmannsthal der Entschluß, das juristische Studium aufzugeben. «Nicht eine Stunde lang», schrieb er an seinen Freund Harry Gomperz, den Sohn des bekannten Altphilologen und Universitätslehrers Theodor Gomperz, «hab ich zu diesem Fach eine lebendige Beziehung gewinnen können, nicht einmal das System daran ist mir recht zum Verständnis gekommen, das Einzelne ist mir irrelevant oder gekünstelt, das Ganze höchst untergeordnet erschienen, und nicht zu einer Ahnung von Idee hab ich durchdringen können. Die Erinnerung daran ist mir, ohne Affektation, widerlich wie die an ein lästiges physisches Unwohlsein.» Er möchte die Fakultät wechseln, ein anderes Studium beginnen, das ihm die «gelehrte Laufbahn» ermöglichen soll. Wahrscheinlich auf Anraten des konsultierten Freundes inskribierte Hofmannsthal zu Beginn des Wintersemesters 1895/96 an der philosophischen Fakultät der Universität Wien Vorlesungen über romanische Philologie und Literatur bei den Professoren Adolf Mussafia und Wilhelm Meyer-Lübke. Außerdem hörte er den von ihm sehr geschätzten Alfred Freiherr von Berger über verschiedene Themen aus dem Gebiet der Ethik und Ästhetik vortragen und besuchte im 8. Semester auch Vorlesungen von Ernst Mach und Friedrich Jodl («Über einige allgemeine Fragen der Naturwissenschaft» und «Grundfragen der Logik»). Gegen Ende des 9. Semesters bat Hofmannsthal um Zulassung zu den Rigorosen (Hauptfach: Romanische Philologie, Nebenfach: Latein), legte im Juni 1898 die Fachprüfung, im Februar das Nebenrigorosum ab und wurde am 20. März 1899 zum Doctor der Philosophie promoviert. – Hofmannsthals Dissertation handelt nicht, wie man zuweilen lesen kann, von Victor Hugo, sondern ist einem rein philologischen Thema gewidmet. Professor Meyer-Lübke als Referent hat über diese Arbeit am 23. Mai 1898 das folgende Gutachten abgegeben:

«In seiner dissertation: ,sprachgebrauch bei den dichtern der Plejade' giebt stud. phil. H. v. Hofmannsthal zunächst einen gut geschriebenen und von feinem verständnis für stilistische und dichterische eigenart zeugenden überblick über die theoretischen vorschriften der Plejadendichter auf dem gebiet der syntax und ihr verhältnis in der praxis. Dann stellt er nach dem üblichen schema die syntaktischen erscheinungen zusammen und hebt die eigentümlichkeiten namentlich gegenüber der Marotschen schule hervor. Ist auch hier und da eine lücke zu bemerken, sind die äusserungen über altfranzösisch nicht immer zutreffend, und hätte man öfter auch eine erklärung der nachgewiesenen erscheinungen gewünscht, so zeugt die arbeit doch von aufmerksamer und umsichtiger lektüre, von einer guten beherrschung der einschlägigen litteratur und von erfreulichem verständnis für wissenschaftliche forschung.»

Im August und September 1897 hatte Hofmannsthal eine große Radtour nach Italien unternommen. Der Weg führte von Toblach nach Cortina, Feltre, Belluno, Castelfranco, Vicenza, Desenzano, Brescia, Bergamo, Pusiano und über Como nach Varese, wo er sich vom 24. August mit kleinen Unterbrechungen bis etwa 20. September aufhielt. Hier schrieb er in den ersten 14 Tagen über 2000 Verse, er mußte die Arbeit und den Aufenthalt unterbrechen, da er fürchtete, «daß das Einzelne doch zuviel an Glanz und Nachdruck verlieren muß, wenn man so weiterschreibt». Es ist dies vielleicht Hofmannsthals glücklichste und produktivste Zeit, da «Das kleine Welttheater», «Der weiße Fächer» und die «Frau im Fenster» niedergeschrieben wurden und Pläne zur «Hochzeit der Sobeide» und zu «Der Kaiser und die Hexe» auftauchten. Am 5. Mai des folgenden Jahres (1898) wurde zum ersten Mal eines seiner Theaterstücke aufgeführt, und zwar «Die Frau im Fenster» im Rahmen einer Matinee der Berliner «Freien Bühne». Am 18. März 1899 brachte Paul Schlenther am Burgtheater an einem Abend «Der Abenteurer und die Sängerin» und «Die Hochzeit der Sobeide», am selben Abend fand die Doppelpremiere der beiden Stücke an dem von Brahm geleiteten «Deutschen Theater» in Berlin statt. (Im gleichen Jahr erschien auch Hofmannsthals erster Beitrag in der «Neuen Freien Presse», der damals angesehensten bürgerlichen Zeitung, deren Mitarbeiter Hofmannsthal dreißig Jahre lang geblieben ist. Seit 1897 veröffentlichte er Verschiedenes in der 1895 gegründeten und 1899 wieder eingestellten Zeitschrift PAN, deren Herausgeber Eberhard von Bodenhausen war.) Diese beiden Stücke schrieb Hofmannsthal während seiner nächsten Italienreise, die von Mitte August bis 6. Oktober 1898 währte. Er hielt sich in Lugano und Venedig auf, wohin er über Bologna und Florenz gereist war.

Von besonderer Bedeutung war ein Aufenthalt in Paris, der vom 11. Februar bis zum 2. Mai 1900 währte. Unterwegs, in München, war Hofmannsthal zum ersten Mal Rudolf Alexander Schröder begegnet. In Paris erwarteten ihn seine Freunde Georg und Clemens Freiherrn zu Franckenstein sowie sein späterer Schwager Hans Schlesinger. Hofmannsthal war in der österreichischen Botschaft zu Gast und traf zahlreiche Landsleute, so Julius Meier-Gräfe und Walter Heymel, den Besitzer des Insel-Verlags. Gesellschaftliche und literarische Kreise waren dem in Paris nicht ganz Unbekannten durch Vermittlung seiner Freunde leicht zugänglich, er sah sehr viele Menschen, machte

interessante Bekanntschaften, von Anatole France bis Rodin, besuchte zahlreiche Theater, einschließlich des Grand-Guignol, interessierte sich für den
Kunsthandel und übersetzte aus dem Handgelenk Jules Renards Stück «Poil
de Carotte», das gerade in Paris gespielt wurde. Besonders häufig traf er
Maurice Maeterlinck, dessen Stück «Les Aveugles» er vor einigen Jahren
übersetzt hatte und der seinerseits die Absicht hatte, «Die Frau im Fenster»
ins Flämische zu übertragen. Man flanierte auf den Boulevards, Ausflüge ins
Bois und in die Umgebung von Paris wurden unternommen. An anderen
Tagen arbeitete er intensiv 10 bis 12 Stunden in seinem Zimmer. In einem
Brief an die Eltern vom 1. Mai resümierte er, was ihm dieser Aufenthalt in
Paris bedeutete: einen unerschöpflichen Reichtum an Beziehungen, die er
zwischen den Erscheinungen und sich selbst kennen und empfinden gelernt
hat. Was er an fertigen Arbeiten mitbrachte, war nicht viel. Umso mehr lag
ihm daran, seinen Eltern gegenüber, die ihm diesen Aufenthalt ermöglicht
hatten, den Beruf des Dichters zu verantworten.

Nach Wien zurückgekehrt, war er damit beschäftigt, die Voraussetzungen
für die «gelehrte Laufbahn» zu schaffen und erwog noch einen anderen Plan,
seine Betätigung im «öffentlichen Dienst» betreffend. Am 31. Mai 1901 legte
er dem Professorenkollegium der philosophischen Fakultät der Universität
Wien eine Studie «Über die Entwicklung des Dichters Victor Hugo» vor, die
er im Selbstverlag, d.h. auf eigene Kosten in Wien hatte drucken lassen.
Diese Arbeit reichte er, zusammen mit einem Verzeichnis der beabsichtigten
Vorlesungen und mit der Bitte ein, ihm die «venia docendi für das Gebiet der
romanischen Philologie zuzuerkennen». Eine direkte Ablehnung des Ge-
suches von seiten der Fakultät erfolgte nicht, doch verlangte man von Hof-
mannsthal nähere Angaben über die Abgrenzung seines Gebietes innerhalb
der gesamten romanischen Philologie. Hofmannsthal hat dann, knapp vor
Weihnachten 1901, wahrscheinlich nach persönlicher Rücksprache mit einem
Vertreter der Fakultät, sein Gesuch zurückgezogen, wobei er «eine ernste
Nervenerkrankung» als Grund angab.

Das andere Projekt wurde durch Vermittlung Hermann Bahrs – wahrscheinlich nicht ohne Initiative Hofmannsthals – an ihn herangetragen. Der
österreichische Unterrichtsminister Wilhelm Ritter von Hartel, Altphilologe
und von 1900 bis 1905 im Amt, ließ bei Hofmannsthal anfragen, in welchem
Umkreis ihm eine Betätigung im öffentlichen Dienst möglich und wün-
schenswert erschiene. In einem ausführlichen Schreiben an Minister von
Hartel (undatiert, wahrscheinlich Herbst 1900) entwarf Hofmannsthal einen
großzügigen Kulturplan, vor allem im Hinblick auf die Klärung und Ver-
besserung des Verhältnisses zwischen Schaffenden, Publikum und Staat.
Es sind ähnliche Gedanken, wie sie viele Jahre später zur Gründung der
«Kulturämter» in vielen Städten und Ländern geführt haben, für die aber um

die Jahrhundertwende die Voraussetzungen keineswegs gegeben waren. Bei aller Freiheit, die der einzelnen schöpferischen Persönlichkeit selbstverständlich zu gewähren ist, plädiert Hofmannsthal für einen gewissen «Zentralismus der Administration». Der Geist, in dem eine solche Tätigkeit ergriffen werden müßte, wäre ein Geist der Ehrfurcht und ein Geist der Unabhängigkeit, da es sich um unwägbare Güter handelt. Zwar bot sich Hofmannsthal für ein solches Vermittleramt an, zu dem er, seiner eigenen Meinung nach, die notwendigen Voraussetzungen und Fähigkeiten mitbrachte. Aber aus dem letzten Absatz seines Briefes spricht Skepsis («Wenn auch die Umstände dem Einzelnen die erwünschteste Betätigung, die unter dem Himmel der geliebten und unendlich ehrwürdigen Heimat, nicht immer gestatten, so ist es doch wohltuend, nicht ganz im Vaterland der wohlgesinnten Aufmerksamkeit entbehren zu müssen ...»). Dieser Brief blieb, wie so manche andere geistige Initiative in Österreich, folgenlos. Allerdings dürfen hierfür nicht allein der Minister und das Ministerium verantwortlich gemacht werden. Hofmannsthal selbst war schwankend. Bereits ein Jahr später hatte er zu diesen Plänen so viel Distanz, daß er an Theodor Gomperz in einem Brief resümieren konnte: Das nach Vollendung seiner Habilitationsschrift gewaltsame Hervordrängen seiner poetischen Produktion habe ihn darüber belehrt, daß er «nach beiden Seiten hin etwas Unmögliches, ja beinahe Unmoralisches angestrebt» habe, als er sich beredet hatte, es würde sich eine solche innere Doppelexistenz führen lassen. («Ich vertrage nämlich anhaltende sehr konzentrierte und schwere Arbeit mit Leichtigkeit, dagegen bringt mich Disharmonie, ein latenter Konflikt furchtbar herunter und nahezu aufs Krankenbett.») Hofmannsthal beschloß diese Episode ganz ohne jedes Ressentiment mit einem Dank an alle, die ihm während seiner Berufsbemühungen Gutes und Freundliches erwiesen hatten, und versprach, «durch den steigenden sittlichen und künstlerischen Gehalt» seiner Produktion sich des Wohlwollens seiner Freunde würdig zu erweisen. Dies war der letzte Versuch Hofmannsthals, zu einem «Amt» zu gelangen.

Seit mehreren Jahren kannte er seine künftige Frau: Gertrud Schlesinger, die Schwester seines Jugendfreundes Hans. Am 8. Juni 1901 fand in der Wiener Schottenkirche die Trauung statt. Gertrud Maria Laurentia Petronilla, geb. am 16. Februar 1880, also sechs Jahre jünger als Hofmannsthal, war die Tochter des Generalsekretärs der Anglo-Österreichischen Bank, Emil Schlesinger, und seiner Frau Franziska geb. Kuffner (aus einer bekannten Wiener Industriellenfamilie). Im gleichen Jahr fand Hofmannsthal auch das Haus, das er bis zu seinem Tod bewohnen sollte. (Dessen Beschreibung von der Hand der Freunde, die bei Hofmannsthal zu Gast waren, findet sich auf mehreren Blättern im Hauptteil dieses Buches und kann daher an dieser Stelle ausgespart werden). Die Adresse lautete früher Badgasse, bzw. Stelzergasse 5, heute: Ketzergasse 471. Dieses Haus in Rodaun aus der Zeit Maria Theresias ist, nach Hofmannsthals Kommentar, «von einem Fürsten Trautsohn, der ein Schwarzkünstler gewesen sein soll, für seine Geliebte gebaut worden». Es war nicht, wie manche Gäste annahmen, Hofmannsthals Eigentum. Er hatte nur einen langfristigen Mietvertrag (bis 1937) und, seit 1921, das Vorkaufsrecht, von dem er aber keinen Gebrauch machte. Hier, zwanzig Bahnminuten von Wien entfernt, in einer damals noch mehr dörflichen als städtischen Umgebung, lebte Hofmannsthal in den folgenden drei Jahrzehnten. Nur einige Waffenübungen, der Kriegsdienst, die Herbstwochen in Aussee und alljährliche Auslandreisen unterbrachen seinen Aufenthalt in Rodaun, das er sehr geliebt hat, während ihm Wien, besonders im letzten Jahrzehnt seines Lebens, immer unbegreiflicher und unerträglicher wurde.

Die (kurze) Hochzeitsreise ging nach Venedig. Die Übersiedlung nach Rodaun erfolgte am 1. Juli 1901. Der erste Besuch, den Hofmannsthal im neuen Heim empfing, war Rudolf Alexander Schröder. Der nächste Gast war Rudolf Borchardt, der die letzte Februarwoche 1902 in Rodaun verbrachte. Im Sommer 1901 hatte Hofmannsthal – nicht zum ersten Mal – Otways «Venice Preserved» gelesen und wollte eine Novelle daraus machen. Im August 1902, während er am «Brief des Lord Chandos» schrieb, entwarf er das Szenarium zu einem fünfaktigen Stück («Das Gerettete Venedig»). Ende September ging er nach Rom, um Calieróns «Das Leben ein Traum» zu bearbeiten. Aber der andere Stoff drängte sich vor: innerhalb von 12 Tagen schrieb er auf der Terrasse des Hotels Hassler (Trinità dei Monti) den 1. Aufzug des «Geretteten Venedig» nieder. Wegen der Operation seiner Mutter unterbrach er seinen Aufenthalt in Italien, kehrte aber am 2. November wieder zurück und schrieb in Venedig (vom 2. bis 19. November) den 2. und 3. Aufzug. Kurz nach Weihnachten wurde in Rodaun der 5. Aufzug beendet.

Anfang Mai 1903 sah Hofmannsthal in Berlin Gertrude Eysoldt in Gorkis «Nachtasyl» und traf mit der Künstlerin bei einem Frühstück mit Max Reinhardt zusammen. Hier mag der unmittelbare Anstoß erfolgt sein, «Elektra» (zu deren Bearbeitung, bzw. Erneuerung ihm der erste Einfall Anfang September 1901 während eines Waldspaziergangs gekommen war) zu beginnen. Das geschah nach einem Aufenthalt Anfang Juli am Grundlsee – während einer Sommerreise nach Oberitalien (Cortina, Asolo, Castelfranco, Vicenza). Von Ende Juli bis 18. August wurde in Rodaun das meiste niedergeschrieben. Ende August las Hofmannsthal das ganze Stück Harry Graf Kessler vor, und am 30. Oktober hat Max Reinhardt am «Kleinen Theater» in Berlin «Elektra» uraufgeführt. Es wurde das, was man einen «durchschlagenden Bühnenerfolg» nennt (Hofmannsthals erster übrigens): «Elektra» wurde en suite gespielt, in den ersten vier Tagen von 22 Bühnen zur Aufführung angenommen, und drei Auflagen des Buches waren bald vergriffen. Das Stück ist deshalb von besonderer Bedeutung, weil es Hofmannsthals schicksalhafte und lebenslange Beziehung zu Max Reinhardt und zu Richard Strauss herstellte, der «Elektra» vermutlich während der Spielzeit 1904/05 (mit der Eysoldt in der Titelrolle) sah.

Anfang Februar 1903 hatte Hofmannsthal etwa eine Woche lang Stefan George in München gesehen. Ende Oktober begegnete er ihm wieder in Berlin, und zwar im Hause Lepsius. Am 22. März 1904 starb Hofmannsthals Mutter, und eine Woche später war George zu Besuch in Rodaun. Am 25. Juli wurde das «Gerettete Venedig» in Bad Fusch im Pinzgau beendet und am 8. August die Reinschrift auf dem Ramgut abgeschlossen (die Uraufführung fand am 21. Januar des folgenden Jahres am Berliner Lessingtheater statt). Hofmannsthals Phantasie war mit antiken Themen und Gestalten beschäftigt. Er plante einen «Orest in Delphi», einen «Pentheus» nach den «Bacchen» des Euripides (daraus wurde die Oper «Die Bakchantinnen» von Egon Wellesz, den Hofmannsthal zu diesem Werk ermunterte und den er bei der Textgestaltung beraten hat); die entscheidende Wendung für «Das Leben ein Traum» (der spätere «Turm») wurde gefunden. Am 29. und 30. Juli besprach Hofmannsthal alle diese Pläne mit Hermann Bahr im Hotel «Europe» zu Salzburg. Zu Fuß, zu Rad und mit der Lokalbahn begab sich Hofmannsthal anschließend nach St. Lorenz, Mondsee, Fürberg, Lueg und St. Wolfgang über Ischl nach Aussee, wo er vom 2. bis 25. August auf dem Ramgut arbeitete. Im Herbst begann Hofmannsthal in Venedig «Ödipus und die Sphinx», im November nahm er an einem Instruktionskurs für nichtaktive Offiziere in Olmütz teil. Aus seinen Werken hatte er im Lauf des Jahres in Breslau, Dresden, Leipzig, Kassel, Köln und Bonn vorgelesen, und in Heidelberg hatte er Eberhard von Bodenhausen aufgesucht.

Am 9. Februar 1905 besuchte Hofmannsthal seinen schwerkranken Freund Edgar Karg von Bebenburg, im März war er in Ragusa, Ende April zu einem Shakespeare-Vortrag in Weimar. Im Juni schickte er an Harry Graf Kessler nach Weimar die Texte und einen Editionsplan seiner Jugendwerke («Anordnung einer Ausgabe seiner frühesten Schriften»). Er enthält die Gedichte und Kleinen Dramen, Aufsätze und Rezensionen, dazwischen eingereiht und von I bis XIII numeriert, die «Briefe an den Schiffsfähnrich E.K.» (Edgar Karg von Bebenburg, der Ende Juni 1905 gestorben ist). Diese Briefe stammen aus den Jahren 1892–1895 und wurden von Hofmannsthal als wesentliche Ergänzung seiner dichterischen und essayistischen Produktion angesehen. – In diesem Jahr begann auch, wahrscheinlich durch Richard Dehmel vermittelt, die Beziehung mit Florens Christian Rang, den Walter Benjamin als «den tiefsten Kritiker des Deutschtums seit Nietzsche» bezeichnet hat. Zehn Jahre älter als Hofmannsthal, katholisch getauft und protestantisch erzogen, war Rang, nach Beendigung des Jusstudiums und bereits im Staatsdienst, unter den Einfluß des ostdeutschen Pietismus geraten, er begann, bereits verheiratet, in Greifswald Theologie zu studieren, wurde 1895 Pfarrer in Posen, legte nach knapp zehn Jahren sein Amt nieder, wandte sich von der Theologie und der Kirche ab und wurde wieder Staatsbeamter. Von ihm stammt das Buch «Deutsche Bauhütte», seine Gedanken haben Hofmannsthal intensiv beschäftigt, und Rang wurde Hofmannsthals kritischer Berater bei der Herausgabe der «Neuen Deutschen Beiträge». Rangs Persönlichkeit und Gedanken waren wahrscheinlich im Spiel bei der Abfassung der «Briefe des Zurückgekehrten», sie waren mitbestimmend bei der großen Münchener Rede Hofmannsthals über «Das Schrifttum als geistiger Raum der Nation» von 1927. Es ging hier um die Frage, die Rang in seinem Brief vom 18. Juli 1907 (den Hofmannsthal als «mir sehr bedeutend» bezeichnete) so formulierte: «Führt Dichtung unserer Zeit nur dahin, daß jenseits der Symbole der äußeren Dinge eine Seelen-Verfassung entsteht, oder fühlt sie den Imperativ, von dieser Verfassung aus auch der Dinge äußere Ordnung zu umfassen, und die Kraft zu diesem Umschmelzungsprozeß?»

Im März 1906 tauschte Hofmannsthal die letzten Briefe mit Stefan George. Zum ersten Mal tauchte der Plan einer eigenen Zeitschrift auf. Während der Sommermonate, bis Mitte September, hielt sich Hofmannsthal in Lueg auf. Hier entwarf er wahrscheinlich, gemeinsam mit Rudolf Alexander Schröder, den Plan zu den «Rodauner Anfängen», deren Schema am 1. Oktober niedergeschrieben wurde und die mit der Wiedergabe einiger Gespräche zwischen Hofmannsthal und Schröder eingeleitet werden sollten. In Dresden sah und hörte er «Salome» von Richard Strauss und war sehr beeindruckt. Den Vortrag «Der Dichter und seine Zeit» hielt er in München, Frankfurt a.M., Göttingen und Berlin.

1907 war ein an Anregungen besonders reiches und «expansives» Jahr. Im Januar traf er in Wien die Tänzerin Ruth Saint-Denis und hatte mit ihr längere Gespräche. Im Februar berichtete ihm die Fürstin Marie Taxis über das Buch des amerikanischen Arztes Morton Prince «Dissociation of a Personality» (New York 1906), das Hofmannsthal sich gleich kommen lassen wollte. Dieses Werk ist wichtig zum Verständnis von «Gestern», «Kleines Welttheater», «Das Märchen der 672. Nacht», des Chandos-Briefes und späterer Werke wie «Andreas», «Der Turm» und «Arabella» («Die Frage nach dem Ich»; dazu Hofmannsthals Notiz, etwa 1923: «Meine antiken Stücke haben es alle drei mit der Auflösung des Individualbegriffes zu tun.»). Im gleichen Jahr willigte er ein, seinen Namen – als den eines «Redakteurs» – auf das Titelblatt einer Zeitschrift setzen zu lassen. Sie hieß «Morgen» und führte folgendes Impressum: «Wochenschrift. Richard Strauss: Musik, Werner Sombart: Sozialpolitik, Georg Brandes: Literatur, Richard Muther: Kunst, unter Mitwirkung von Hugo von Hofmannsthal: Lyrik». Am 12. März schrieb er an R.A. Schröder: «In dieser Zeitschrift soll unter meiner Kontrolle wenige und anständige Lyrik erscheinen. Ich rechne mit ganz wenigen Menschen: mit Dir, mit Borchardt... mit Gundolf, mit Dehmel... mit Baron Taube und Alberti.» Vom 15. bis 30. Juni war er am Lido von Venedig. Hier las er u.a. Philippe Mouniers Buch «Venise au XIII-ième siècle». Das Szenarium zu «Florindo» – «Cristinas Heimreise» wurde niedergeschrieben, «Jedermann» und «Silvia im Stern» in diesem Jahr begonnen. Vom 7. bis 15. Juli war er in Cortina, vom 15. bis 24. Juli gemeinsam mit Arthur Schnitzler in Welsberg (Tirol), wo «Die Briefe des Zurückgekehrten» und «Erinnerung schöner Tage» entstanden sind. Im August weilte Hofmannsthal nochmals in Venedig, im September in Alt-Aussee, das ihm mit den Jahren immer lieber wurde («kein Baum, keine Biegung des Weges, die mir nicht fast Herzklopfen machte»). In diesem Jahr erschienen auch Hofmannsthals «Gesammelte Gedichte» und «Die prosaischen Schriften gesammelt» Band 1 und 2.

Das wichtigste Ereignis des Jahres 1908 war eine Griechenlandreise, die er zusammen mit Harry Graf Kessler und dem französischen Bildhauer Aristide Maillol unternahm («Diese Reise gibt mir zum erstenmal im Leben das Gefühl, wirklich zu reisen. Das Fremde, das absolut Fremde, fremdes Licht, fremde Menschen – ich bin sehr glücklich, dies endlich einmal kennengelernt zu haben» ... «Ich hatte ganz fälschlich irgendeine Art von Italien erwartet und habe den Orient gefunden.»). Der Aufenthalt in Griechenland dauerte 11 Tage. Am 5. Mai weilte Hofmannsthal in Athen, wohin er vermutlich auf dem Seeweg gekommen war. Von hier fuhr er durch den Kanal von Korinth bis Ithea, dann mit einem Wagen nach Delphi. Dort blieben die Freunde zwei Tage, dann ging es, eine Tagereise, auf Pferden zum Kloster des hl. Lukas (Hosios Lukas), weiter zu einer (nicht bekannten) Bahnstation und von dort zurück nach Athen, von wo über Triest und Venedig die Heimreise angetreten wurde. Die Griechenlandreise war «ein ganz starker Eindruck», weshalb es ihm «vielleicht gerade deshalb fast unmöglich ist, darüber zu sprechen oder zu schreiben» (an die Fürstin Marie Taxis und an Hans Schlesinger). Die drei Griechenstücke («Elektra», «Ödipus und die Sphinx» und die Übertragung des «König Ödipus» von Sophokles) waren, als Hofmannsthal diese Reise unternahm, schon geschrieben. – Die stärksten Erlebnisse hat er in «Augenblicke in Griechenland», 1908 und 1912, festgehalten. 1922 schrieb er das Vorwort für H. Holdts Griechenlandbuch (Wasmuth-Verlag, 1923). Die Monate Juli bis September verbrachte er in Mähren, auf dem Schloß Oslawan, in Sils Maria, St. Moritz-Dorf, Bad Fusch und Alt-Aussee (Ramgut), die ersten Oktobertage auf dem Semmering. Zu Beginn des Jahres 1908 weilte er in Dresden, Weimar (wo er mit Graf Kessler das Szenarium zum «Rosenkavalier» erfand und besprach) und in Berlin (Konferenzen mit Reinhardt und Richard Strauss). Im Juni reiste er nach München, Juli und August nach

Aussee, Obertressen, mit kleinen Ausflügen an den Traun- und Attersee, im Oktober weilte er in Neubeuern, einem Schloß bei Rosenheim in Bayern (das durch Stiftung ein Landschulheim geworden war), Ende November verbrachte er auf dem Semmering, ständig auf der Flucht vor dem schlechten Wetter, vor allem dem Föhn und tiefen Luftdruck, und auf der Suche nach den günstigsten Arbeitsbedingungen («Es gehört nun einmal zu meinem Metier und meiner Natur, d. h. das Metier paßt nicht zu der Natur, die Natur nicht zum Klima.» ... «Es gibt immerhin zu denken, daß ich hier nie eine schlechte Nacht, nie Kopfschmerzen, nie irgendwelche Gesundheitsstörungen hatte und keine Form des Wetters mich hier im geringsten geniert, einfach weil ich keine Zeit habe, mich damit zu beschäftigen. Die neidige, nörgelnde und stagnierende Atmosphäre von Wien muß jedenfalls mit Vorsicht und mit Unterbrechungen genossen werden...», März 1909 aus Berlin an den Vater). Im Insel-Verlag erschien das von Hofmannsthal, Borchardt und Schröder herausgegebene Jahrbuch «Hesperus». Zu einer Fortsetzung ist es nicht gekommen, obwohl das Vorhaben immer wieder in den Briefen der Freunde erwähnt wird. Im August 1910 unternahm Hofmannsthal eine vierzehntägige Autotour: von Rodaun über Salzburg und München, Konstanz und das Stilfserjoch nach Brescia, Bozen, das Fassatal und zurück nach Aussee. Im Oktober weilte er in Neubeuern. Im Mai 1911 hielt er sich in Paris, im Dezember in Berlin auf (wo «Jedermann» mit großem Publikumserfolg gespielt wurde).

Nach einer vorübergehenden Trennung von Borchardt stellte ein Besuch bei diesem, gemeinsam mit Frau von Hofmannsthal, der Gräfin Degenfeld und Max Mell, die alte Freundschaft wieder her und auf eine neue Grundlage. Das Treffen fand im Mai 1912 in Lucca und Sassi, kleinen Orten in den apuanischen Alpen, statt. Von dort ging die Rückreise via Modena übers Gebirge nach Padua, Cortina d'Ampezzo und Kufstein. Am 24. Mai weilte Hofmannsthal in München, am 25. Mai in Paris, um sich eine Aufführung des «Ballet Russe» unter der Leitung Serge de Diaghilews anzusehen. Diese Begegnung eröffnete Perspektiven auf einen neuen Horizont, der sich leider bald wieder verdunkeln sollte. Hofmannsthal erkannte sofort das Format und die Bedeutung Diaghilews, die Qualität seiner Truppe, das Genie des Bühnenbildners Leon Bakst und die Möglichkeiten, die sich ihm auf europäischen und amerikanischen Bühnen bieten würden, zumal «die wundervollen Russen» ihn ein wenig «zum Hausdichter» haben wollten. Gemeinsam mit Harry Graf Kessler hatte er ein Szenarium «Josephslegende» entworfen, das er Richard Strauss zur Komposition anbot. Aber die Sonne steht nicht mehr im Mittag, die Schatten wachsen, Hofmannsthal hat keinen rechten Glauben mehr an die Verwirklichung so schöner Pläne, über Länder und Grenzen hinweg. Die Weltlage ist bedrohlich. Sein der Sorge zugeneigtes Gemüt kreiste immer wieder um sein Vaterland, das alte Österreich, sein Schicksal, seine Zukunft. «Es kann, das ist mein Gefühl», schreibt er im April 1912 an seinen vertrautesten Freund, Eberhard von Bodenhausen, «nur schlimm kommen. Das Innere ist das furchtbare Problem... Wir gehen einer dunklen Zeit entgegen, das fühlt jeder Mensch, können von Schritt zu Schritt alles verlieren – und – das ist das Schlimmste, auch wo wir siegen nichts Rechtes gewinnen, als nur Verlegenheit.» Im gleichen Jahr war er dem in der Jugend als Dichter verehrten Gabriele d'Annunzio mit der «Antwort auf die Neunte Canzone» entgegengetreten. Im Oktober arbeitete er, nach dem traditionellen Herbstaufenthalt in Alt-Aussee, in München an der «Frau ohne Schatten», im Dezember sah er in Dresden «Ariadne», traf in Berlin Richard Strauss und wohnte in Darmstadt einer Generalprobe zu «Jedermann» bei. Ende März, erste April-Hälfte 1913 machte er, von Richard Strauss eingeladen, in dessen Auto eine Italienreise mit folgender Route: Bologna–Pesaro– Urbino–Gubbio–Perugia–Orvieto–Rom. Unterwegs wurde das Szenarium der «Frau ohne Schatten» besprochen. Nach einem etwa einwöchigen Aufenthalt in Lucca bei Borchardt holte Strauss seinen Librettisten dort ab und fuhr mit ihm über Modena, Verona und Brixen zurück. Im Juni arbeitete Hofmannsthal auf dem Semmering und in Aussee, im September in Venedig an der «Frau ohne Schatten», wo er auch Diaghilew und Bakst traf, um mit ihnen die Ausstattung der «Josephslegende» («unter dem Stern Tintorettos, Veroneses und Tiepolos») zu beraten. Ende September hielt sich Hofmannsthal in München auf, im Dezember spielte ihm Strauss in Darmstadt Teile aus der «Josephslegende» vor. Am 1. Januar 1914 hörte Hofmannsthal in München die «Ariadne» und den «Bürger als Edelmann» mit Straussens Musik. Seine Neubeuerer Freunde, bei denen Hofmannsthal zum Jahresende weilte, Clemens Franckenstein und Kaulbach, waren mit ihm. Eine Woche später fuhr er nach Berlin, um dort Diaghilew und Richard Strauss zu treffen. Im Mai 1914, also unmittelbar vor Kriegsbeginn, wurde in Paris durch Diaghilews Truppe die «Josephslegende» in Anwesenheit der beiden Librettisten und des Komponisten uraufgeführt. Der lebhafte Erfolg war geeignet, eine engere Zusammenarbeit Hofmannsthals mit den Russen einzuleiten. Im Juni wurde die «Josephslegende» mit dem gleichen Erfolg in London gegeben, Hofmannsthal erhielt darüber erfreut Nachricht von Richard Strauss. Auf der Rückreise kam er über Straßburg, wo er zum ersten Mal das Münster sah. Den Juni und Juli über arbeitete Hofmannsthal intensiv an der «Frau ohne Schatten» in Alt-Aussee (Obertressen) und war viel mit Jakob Wassermann und Clemens Franckenstein zusammen. Bereits am 26. Juli bekam Hofmannsthal seine Einberufung zu einem Landsturmfeldregiment, mit dem er nach Istrien zog. Rudolf Borchardt hatte sich bei Kriegsausbruch von Lucca aus freiwillig gemeldet, Schröder wurde auf Wangeroog als «Telephonordonnanz» verwen-

det. So steckten die drei Freunde gleich nach Kriegsanfang in Uniform. Im
August wurde Hofmannsthal nach Wien zurückberufen und im Kriegsfürsorgeamt des Kriegsministeriums beschäftigt, aus der «militärdienstlichen
Tätigkeit ganz in die politische» hinüberwechselnd. Hofmannsthal übernahm
Aufgaben, die ihm angemessen erschienen – sein Komponist distanzierte sich
von allem Zeitgeschehen, war skeptisch, was die «Regeneration der deutschen Kunst» durch den Krieg betraf, empfahl Hofmannsthal, sich an die
Arbeit zu halten und glaubte an eine baldige siegreiche Beendigung des Krieges. Hofmannsthal stellte sich ganz in den Dienst seines Vaterlandes. In ge-
heimer politischer Mission reiste er nach Warschau (Mai 1915), dann nach
Brüssel (Oktober) und im Lauf des folgenden Jahres ins neutrale Ausland: in
die Schweiz und in die nordischen Länder. Zwischendurch hatte er die Möglichkeit, an dem Textbuch zur «Frau ohne Schatten», auf dessen Fertigstel-
lung Strauss ungeduldig wartete, weiterzuarbeiten. In den Jahren 1914/15 erschienen in der «Neuen Freien Presse» zahlreiche Artikel von ihm: patrio-
tische – und die Auswüchse des Patriotismus kritisierende (den Boykott fremder Sprachen, die scherzhaften Kriegspostkarten u.a.). Für die Jugend schrieb
er den «Prinzen Eugen», 1915 bis 1917 gab er, in sechsundzwanzig Bändchen,
die «Österreichische Bibliothek» heraus (gemeinsam mit Leopold von Andrian, unterstützt und beraten von Josef Redlich). Mit dem Freund Eberhard
von Bodenhausen wurden hochpolitische Briefe gewechselt, sorgenvolle,
aber auch kriegerische, unter diesen solche «ostensiblen» Charakters, dazu
bestimmt, höheren Orts vorgelegt zu werden, um Schwierigkeiten zwischen
den Verbündeten aus dem Weg zu räumen. Hofmannsthal hatte überall Zu-
tritt, sein Rat wurde gehört – aber wohl nur selten befolgt. Von Ende Mai bis
Ende Juni 1915 war er im Auftrag des Ministeriums des Äußeren in Südpolen
und dort zur Verfügung des Armee-Etappen-Oberkommandos, im Oktober
und November reiste er in halbdienstlicher Mission nach Belgien. Der Titel
eines von ihm verfaßten, umfangreichen, mit der Maschine geschriebenen
Memorandums von 1915 oder 1916 lautet «Gedanken über eine österreichische Vereinigung zur Verbreitung politischer Bildung, d.i. zur Erwerbung
solcher Kenntnisse und Einsichten, welche den einzelnen Individuen in diesem Staate die Geltendmachung ihres im Kriege gereiften politischen Willens
zum Wohl des Staates ermöglichen würden». Am 11. Dezember 1915 war
Hofmannsthals Vater gestorben. Seit 1916 dominieren in seinen Reden und
Schriften die der Zukunft, der Zeit nach dem Krieg zugewandten Gedanken.
Der Titel der Vorträge in Kristiania und Stockholm im November und Dezember 1916 lautet «Ein neues Europa» und der der Berner Rede vom 31.
März 1917 «Die Idee Europa».

Während der Kriegsjahre erreichten auch die Beziehungen und der Briefwechsel mit Josef Redlich ihren Höhepunkt. Hofmannsthal kannte den fünf

Jahre älteren, aus Mähren gebürtigen Rechtsgelehrten, Universitätsprofessor und späteren Finanzminister im letzten k.u.k.-Kabinett Lammasch, seit 1907. Mit Josef Redlich, dem Biographen Franz Josephs, hat Hofmannsthal mehrere staatspolitische Briefe gewechselt, die sich u.a. auf Redlichs Besprechungen mit Coolidge und Hofmannsthals Gespräche mit dem französischen Unterhändler Haguenin bezogen, den bevorstehenden Friedensschluß und die Konstruktion eines neuen Österreich als «Staatenbund» betreffend, wie ihn Hofmannsthal imaginierte (Mit «cantonaler Existenz der alten Kronländer innerhalb Deutsch-Österreichs», der Internationalisierung von Triest usw., Brief an Redlich vom 13. 1. 1919).

Bereits 1912 hatte Hofmannsthal das Ende vorausgeahnt: den Feinden von außen stand ein in Auflösung begriffenes Österreich gegenüber («Das Innere ist das furchtbare Problem. Die südlichen Slawen innerhalb der Monarchie, nicht nur die Serben, auch die Croaten, in halbem Aufruhr..., die Böhmen tückisch lauernd mit gefletschten Zähnen, Galizien, der ruthenische Teil, unterwühlt von russischen Agitatoren –, Italien ebenso gern Feind als Bundesgenosse, Rußland, das halbe Land, lechzend, mit uns anzubinden – und im Inneren, halb Indolenz, halb Kopflosigkeit –, die Probleme zu verwickelt, zu gordisch verflochten, Bravheit hie und da, wie bei Conrad, aber auch diese ohne rechten Glauben...»). So traf ihn der Zusammenbruch nicht unvorbereitet, aber er hat dennoch die Zerstörung der alten Habsburgermonarchie wie ein persönliches Unglück empfunden und diesen Verlust nie ganz verschmerzt. Seither war sein Herz mit dieser Welt nicht mehr ganz fest verbunden – trotz vielfacher und auch erfolgreicher Betätigung: für sein kleingewordenes Vaterland Österreich, für die Weltgeltung deutscher Kultur, für Europa, für seine Freunde und ungezählte Unbekannte, die sich an ihn mit der Bitte um Hilfe und Förderung wandten. 1918 war das Jahr der großen Verluste. Nun starb ihm auch der nächste Freund, Eberhard von Bodenhausen, an den er, kurz vor dessen Tod, geschrieben hatte: «Furchtbar verlassen ist der Geist in dieser Welt. Und nur wenigen, wenigen ist es gegeben, ihm zu dienen. Es kann sich nur im Innigen, Nahen vollziehen – wie wenige sind dessen fähig ... Ich habe über vieles nachgedacht, reifer werdend beständig in diesen Jahren ... Es wäre schlimm, habe ich nachgedacht, wenn ich stürbe oder nicht da wäre, weil es offenbar meine Aufgabe war und ist, gewisse Menschen zu sammeln und sie dann in der Vereinigung zu erhalten. Dies erfordert einen beständigen effort, der sehr groß ist, aber zu dem ich fähig bin, weil ich biegsam bin ...»

Im Juli 1916 war Hofmannsthal in Warschau bei Leopold von Andrian, dem Experten in osteuropäischen Fragen, dem k.u.k. Generalkonsul in Warschau, jetzt Außerordentlicher Gesandter bei der Deutschen Zentralverwaltung Ober-Ost, dann vorübergehend am Ballhausplatz in Wien und als Spezialist in polnischen Fragen bei den Friedensverhandlungen von Brest-Litowsk. In den Kriegsjahren konnte Andrian, der bisher von Hofmannsthal Betreute, sich dank seiner Stellung verschiedentlich für seinen Freund verwenden. Er veranlaßte Vorträge Hofmannsthals vor Offizieren der Verwaltung und im neutralen Ausland und unterstützte Hofmannsthal bei der Herausgabe der «Österreichischen Bibliothek». In jenen Tagen (Juli 1916) notierte Hofmannsthal: «Ich bin allein und beginne Verschiedenes auf eigene Hand, das eigentlich durch Übereinstimmung aller in einer Generation unternommen werden sollte: das Repertorium der deutschen Bühnen neu wieder aufzubauen, die dramatische Musik auf ein anderes Gebiet zu führen. Der geistige Zusammenhang in diesen Versuchen wird von wenigen erkannt.» 1918 gelingt es Hofmannsthal mit Hilfe seines Freundes, des Grafen Coloredo, daß Andrian zum Intendanten der Hoftheater ernannt wurde. Aus der kurzen Amtszeit Andrians, die nur vier Monate (bis zur Abdankung Kaiser Karls) währte, stammen etwa zwanzig ausführliche Briefe und Memoranden Hofmannsthals, die sich vor allem auf die Hofoper beziehen (Spielplan, Besetzung, Regie, Bühnenbild u.a.). Auf Hofmannsthals Anregung verhandelte Andrian mit Max Reinhardt, Moissi und Richard Strauss, um diese als ständige künstlerische Mitarbeiter für die Hoftheater zu gewinnen. Zwar wurde Strauss vorübergehend (übrigens: gegen den Rat und Willen Hofmannsthals!) Direktor der Wiener Oper, aber von den übrigen Projekten wurde nicht viel verwirklicht.

Eines jener Unternehmen, bei dem es Hofmannsthal gelang, bedeutende Menschen um sich zu versammeln, waren die Salzburger Festspiele. Hofmannsthal war zwar nicht ihr Initiator, aber wohl ihr eifrigster und einflußreichster Fürsprecher. Und er hat ihnen, so wie sie heute noch bestehen, die Idee und das Programmkonzept gegeben. Bereits am 1. August 1917, also noch im Krieg, wurde in Wien der «Verein Salzburger Festspielhausgemeinde» gegründet. Am 7. Dezember des gleichen Jahres konstituierte sich in Salzburg ein Zweigverein; am 15. August 1918 fand die erste Generalversammlung des Gesamtvereins statt; am 11. September wurde der Antrag auf Bildung eines «Kunstrates» gestellt, der die Direktion beim Bau des Festspielhauses beraten und das jährliche Festspielprogramm vorschlagen sollte. In diesen «Kunstrat», der (wenigstens auf dem Papier) auch heute noch existiert, wurden Max Reinhardt, Richard Strauss und Franz Schalk berufen; einige Monate später wurden Hofmannsthal und Alfred Roller kooptiert. Dem Salzburger Land, besonders dem Salzkammergut, war Hofmannsthal sein ganzes Leben lang verbunden. In den Orten Bad Aussee, Alt-Aussee, der Fusch, hat er – neben Rodaun – den größten Teil des Jahres verbracht, und zwar seit seiner Kindheit. «Die Tage in der Fusch», schrieb er am 24. August 1924 an den Freund Carl J. Burckhardt, «waren sonderbar genug: das enge grüne Hochtal mit den herantretenden Bergwänden, dem vielen fallenden Wasser, den zwei bescheidenen Wirtshäusern, die auch schon über siebzig Jahre stehen; alles so unverändert – nicht weniger Bäume sondern mehr, die halbhohen Tannen hochgeworden, die Wege vielfach überwachsen, die Steige kaum mehr findbar. Aber aus den gleichen Holzröhren da und dort gefaßtes Bergwasser springend, aus denen ich getrunken mit zehn Jahren, so hastig hinzulaufender kleiner verspielter-verträumter Bub, und wieder mit zwanzig, wieder mit dreißig, wieder mit vierzig, jetzt mit fünfzig; alle diese Wendejahre war ich da – so voll ist das feuchte kühle Tal mit meiner eigenen Gestalt, daß es mich fast beklemmt.» So war ihm auch die Stadt Salzburg innerlich nah. Hier freilich kam noch das Bewußtsein und Erlebnis einer vielhundertjährigen Kultur und Geschichte dazu, Salzburgs einzigartige Lage zwischen Ost und West, Nord und Süd. Darüber hat Hofmannsthal in vielen Artikeln und Aufsätzen gehandelt. Den Salzburger Festspielen diente er ein volles Jahrzehnt, bis zu seinem Tod: angefangen von dem Aufruf zur Begründung der Festspiele und dem ersten Salzburger Programmentwurf von 1919 («Festspiele in Salzburg») über die gemeinsam mit Max Reinhardt geschaffene Adaptierung des «Jedermann» für den Domplatz und das «Salzburger Große Welttheater», das in der Kollegienkirche uraufgeführt wurde, bis zu dem Essay «Das Publikum der Salzburger Festspiele» von 1928.

Doch zurück zum Jahr 1919. In Wien herrschte bitterste Hungersnot, und Hofmannsthal mußte sich zum Verkauf eines geliebten Bildes entschließen, der «Seelandschaft» von Hodler (März 1919). Ein Jahr später sah er sich gezwungen, auch seine Rodin-Plastik zu veräußern. Es ging nicht um Geld allein, sondern vor allem um den Gewinn von ein wenig Bewegungsfreiheit... Beidemal bat er den Freund C. J. Burckhardt um Vermittlung. Etwa von Juli 1918 bis Januar 1919 beschäftigte ihn das Projekt einer Kodirektion Richard Strauss–Franz Schalk an der Wiener Oper. Nach langem Zögern verwandte er sich dafür, aber diese Künstlerehe gestaltete sich wenig harmonisch und war von kurzer Dauer. Im August 1919 hielt er sich für 25 Tage in einem 1200 Meter hoch gelegenen Bergtal, im Tauernhaus in Ferleiten auf, «wirklich absolut allein, mit dem alten Wirt und zwei Bauernmägden». Das Jahr 1920 begann trüb: bis Februar-März war er an der grassierenden Hungergrippe erkrankt, mit Fieber und rheumatischen Schmerzen «von der Stirn bis zur Zehenspitze». Seine Wetterempfindlichkeit war krankhaft gesteigert. Das Frühjahr brachte Erholung auf einer schönen Italienreise nach Verona, von dort nach Genua, S. Margherita ligure, die Riviera, Mailand und Stresa nach Sion, Freiburg in der Schweiz, wo er Josef Nadler besuchte, und Basel. Der Plan einer eigenen Zeitschrift gewann Gestalt. Sie sollte im Untertitel als Mitwirkende folgende Namen nennen: Leopold Andrian, Carl J. Burckhardt, Rudolf Borchardt, Rudolf Alexander Schröder und Rudolf Pannwitz.

«Eine absurde Gesellschaft», schreibt er am 6. Oktober 1920 an Burckhardt, «aber eben gerade meine». Daraus wurden im nächsten Jahr die «Neu-
en Deutschen Beiträge». Von 1922 bis 1927 erschienen, im Verlag der Bremer
Presse, insgesamt 6 Hefte. Bei diesem Hofmannsthal sehr am Herzen liegen-
den Unternehmen spielte während der ersten Jahre – als Mitarbeiter, Berater
und Kritiker – Florens Christian Rang eine wichtige Rolle, dessen umfangreiche Abhandlung über Goethes «Selige Sehnsucht» Hofmannsthal in der
1. Folge veröffentlichte. Im Briefwechsel mit Rang kamen allerwichtigste,
grundsätzliche Fragen zur Sprache. Rang, dem Hofmannsthal nur ein einziges Mal, im Mai 1909, anläßlich von dessen Wiener Vortrag über «Die historische Psychologie des römischen Carneval» begegnet war, kritisierte nicht
nur die einzelnen Beiträge, sondern auch die Mitarbeiter, darunter Hofmannsthal sehr Nahestehende wie Borchardt, Kassner, Vossler. Hofmannsthal konzidierte (in einem Brief vom 30. April 1923): «...der Wert ist durchaus problematisch wie bei allen Lebenden dieser Epoche. Aber ich kann doch
nicht in die Capuzinergruft flüchten – der ich selbst ein Lebender bin, und *wie*
problematischen, zweifelhaften Wertes!» Vergleicht man dazu eine andere
Briefstelle an einen anderen Adressaten aus dem gleichen Jahr (21. 11. 1923),
so hat man einen ungefähren Begriff von dem Spannungsfeld, innerhalb dessen sich Hofmannsthals kulturelles Wirken vollzog: «Was soll mir das Reden
über Deutschland, das ist alles nur Hypochondrie und Geschwätz – Deutschland sind wir, geheim verbunden den Geistern der Vorwelt und Geistern, die
nach uns an den Tag kommen – was sollen mir Klagen über die Epoche,
Epochen waren immer fürchterlich, wir aber sind da, nur das Unsere zu tun,
und es mit Entzücken zu tun.» Rang führte Hofmannsthal und seinen «Neuen
Deutschen Beiträgen» jüngere Mitarbeiter zu, von denen Hofmannsthal besonders Walter Benjamin schätzte. Dessen Essay über Goethes «Wahlver-
wandtschaften» bezeichnete er als «unvergleichlich» und sagte, «daß er in
meinem Leben Epoche gemacht hat». Rang kritisierte auch das «Zuvielerlei»,
einen gewissen eklektischen Charakter der Beiträge, worauf Hofmannsthal
antwortete: «Zu vielseitig! Ganz fühle ich, lieber verehrter Herr, das Gewicht
dieses Vorwurfs. Möge das, was ich hier und andernwärts unternehme, diesem Tadel nicht unterliegen, denn unterliegt es ihm völlig, dann ist es vertan.»

Während der Monate Juni und Juli 1921 weilte Hofmannsthal in Salzburg
und Neubeuern am Inn, wo er bis August blieb, im September und Oktober
arbeitete er in Aussee und Bad Aussee intensiv am «Salzburger Großen Welttheater». Im Juni und Juli des folgenden Jahres war Hofmannsthal in Cortina d'Ampezzo, auf dem Iselsberg in Kärnten und in Bozen. Er bemühte sich,
für Reinhardt ein Theater in Wien zu erhalten und war mit der Organisation
der Salzburger Festspiele beschäftigt. Der Monat Oktober in Bad Aussee war
dem «Turm» gewidmet. Im Herbst 1922 fuhr er mit Burckhardt von Salzburg

über Strobl nach Bad Aussee. Hundert Tage, von der letzten Augustwoche
bis zur ersten Dezemberwoche, arbeitete er auf dem Ramgut. Zu Beginn des
nächsten Jahres lag er wieder grippekrank. Im Februar 1923 las er in Garmisch
Max Pallenberg und dessen Frau Fritzi Massary seine neue Komödie, den
«Unbestechlichen», vor. Anfang Mai weilte er in Berlin, anschließend bei
Burckhardt auf dem Schönenberg bei Basel. Die Reise dorthin führte, mit je
eintägigem Aufenthalt, über Bamberg, Nürnberg und Stuttgart. Mit Burckhardt fuhr er im Auto nach Lothringen und Burgund. Die Kinder waren inzwischen herangewachsen: Raimund, der jüngste, ist viel unterwegs, Franz
in einem Wiener Büro, Christiane studiert in Berlin. Im Juli arbeitete Hofmannsthal in Rodaun am «Rosenkavalier»-Film, schrieb die «Vienna Letters»
für die amerikanische Zeitschrift «The Dial» und betrieb den Umbau der
Salzburger Felsenreitschule zu einer Breitwandbühne. September und Oktober weilte er in Bad Aussee, wo er konzentriert am Textbuch der «Ägyptischen Helena» für Strauss arbeitete und den Besuch Max Mells und Burckhardts empfing. (August und September waren, seit seinem 20. Lebensjahr,
Hofmannsthals produktivste Monate, bestimmend auch für den Rest des Jahres. Er brauchte «den geheimnisvollen Dreiklang aus Luft, Gestein und
Wasser, von dem für den Hochsommer alles abhängt.») Im April 1924 fuhr er
mit Frau und Tochter nach Venedig und Neapel, von dort nach Sizilien
(Syrakus). In Palermo traf er Burckhardt und besuchte mit ihm Segesta, Seli-
nunt und Akragas. Am 7. Juli reiste er über Buchs nach Basel, von dort mit
Burckhardt über Schwyz nach Brunnen und ins Tessin. Im August weilte
Hofmannsthal wieder in Bad Aussee, den 9. bis 11. Oktober in Leipzig, den
12. und 13. in Dresden. Am 18. November kündigte Strauss seinen Vertrag
mit der Wiener Oper. Als Huldigung der Freunde war anläßlich Hofmannsthals fünfzigstem Geburtstag, von Rudolf Borchardt redigiert, in der Bremer
Presse die Festschrift *Eranos* erschienen, sie machte dem Gefeierten aber wenig
Freude und führt zwischen ihm und einem seiner nächsten Freunde, Rudolf
Borchardt, zu einer monatelangen Verstimmung. In der Korrespondenz zwischen Hofmannsthal und Strauss tauchte jetzt der Plan auf, ihren (redigierten
und gekürzten) Briefwechsel seit Beginn ihrer Kollaboration bis zum Jahr
1918 in Buchform herauszugeben. Zu Beginn des Jahres 1925 bot sich Hofmannsthal die Möglichkeit einer Reise ins nördliche Afrika, vermutlich eine
Einladung der französischen Regierung. Er unternahm diese langerwünschte
Reise unter den angenehmsten äußeren Umständen gemeinsam mit Dr. Zif-
ferer, dem Kultur- und Presseattaché bei der österreichischen Gesandtschaft
in Paris, und dessen Frau. Am 15. Februar fuhr er von Wien ab, hielt sich
anderthalb Tage in Basel, vom 18. bis 24. Februar in Paris auf und schiffte sich
am 25. Februar in Marseille ein. Die Route führte über Marrakesch, Fez, Tlem-
cen nach Biskra und über Tunis zurück. Von Marrakesch trennte er sich be-

sonders schwer, von dieser «reinen, ewigen, uralten und kindlich frischen Welt». Vom 31. März bis 9. April weilte Hofmannsthal in Paris, über Ostern, vom 10. bis 13., bei Burckhardt auf dem Schönenberg, am 14. April hatte er eine Vorlesung in Stuttgart. Er arbeitete am Textbuch zur «Ägyptischen Helena» und war bemüht, eine mustergültige Aufführung der «Ariadne» im Rahmen der Salzburger Festspiele zu ermöglichen, zum Teil mit Hilfe schwer beschaffter privater Spenden. In dieses Jahr fällt auch Hofmannsthals zweite, nach den bisher veröffentlichten Briefen nicht genau datierbare Reise nach London. (Die erste, ebenfalls nicht datierbare England-Reise hatte er im Jahr seiner Verlobung unternommen.) Im März 1926 spielte ihm Richard Strauss in Wien die Musik zum 1. Helena-Akt vor. Die Klagen über körperliches und seelisches Übelbefinden häuften sich. Ende Juni weilte er in Weimar, in der ersten Juli-Hälfte am Lido, im August in Salzburg und anschließend, im September, in Aussee. In diesem Herbst traten beide Söhne ihre erste Reise in die Neue Welt an: Franz am 29. September von Hamburg, Raimund am 1. Oktober von Cherbourg aus. Mit Martin Buber korrespondierte er (letzter Brief vom 25. Dezember 1926) über den «Turm» und berücksichtigte dessen Einwände bei der Neufassung des Stückes.

Anfang Februar 1927 plante Hofmannsthal eine Schiffsreise nach Sizilien. Am 15. Juli schrieb er, er fühle sich so wenig Herr seiner Kräfte wie nur möglich – das ist genau zwei Jahre vor seinem Tod. «Ich verstehe sehr wohl», schrieb er an Burckhardt, mit Bezug auf den Roman «Andreas», «was mir, in so dunklen Augenblicken gerade, die Feder führt: es ist das alte Österreich, das aus der Welt gedrängt wurde, aber doch irgendwo wieder zum Leben will». Vom 2. bis 4. November hielt er sich zu Besprechungen mit Reinhardt in Berlin auf, im gleichen Monat begann er in Bad Aussee die Notizen zu dem Konversationsstück «Der Fiaker als Graf» auf ihre Eignung für ein Opernlibretto zu prüfen. Daraus entstand Hofmannsthals letzter vollendeter Text für Richard Strauss: «Arabella».

Anfang Februar 1928 fuhr Hofmannsthal zu den Proben für den «Turm» nach München, von dort nach Heidelberg, zu seiner Tochter Christiane, die den Indologen Heinrich Zimmer geheiratet hatte, er verweilte am Grab seines Freundes Eberhard von Bodenhausen im Park von dessen Landgut und reiste über Leipzig nach Berlin, wo er mit Max Liebermann, der Massary, Jenny de Margerie und anderen zusammentraf. Über Neubeuern kehrte er nach Aussee und Rodaun zurück, wo der Sohn Raimund erwartet wurde.

An der Wiener Staatsoper wurde indes die Premiere der «Ägyptischen Helena» vorbereitet. Besetzung, Ausstattung und das voraussehbare Unverständnis der Kritik machten den beiden Autoren große Sorgen. «Sind denn diese Menschen solche Botokuden?!» schrieb Hofmannsthal am 30. April an Strauss. «Irgendeine Art Bildung muß man doch voraussetzen.» Und Strauss antwortete am 3. Mai: «Wir beide können uns immer noch nicht vorstellen, wie groß die Unbildung heutzutage ist.» Anfang Mai schickte Hofmannsthal den 1. Akt des letzten gemeinsam geschaffenen Werkes, der Spieloper «Arabella», an Strauss nach Karlsbad. Zu des Dichters Enttäuschung erwärmte sich der Komponist nur sehr langsam für den Stoff. Im Juni weilte Hofmannsthal für zwei Wochen bei Reinhardt auf Schloß Leopoldskron, um mit ihm das Szenarium eines Films, dem ein religiöser Stoff zugrunde liegen sollte, zu besprechen. Er erwartete sich von dieser Arbeit eine Summe, mit der er seiner Tochter Christiane in Heidelberg ein kleines Haus bauen lassen wollte. Aber das Film-Projekt wurde nicht verwirklicht. Im August war er in Salzburg, am 8. Oktober bei der Premiere der «Ägyptischen Helena» in München, bis in den November in Aussee, erst ab 28. November wieder in Rodaun. – Die Verständigung mit Strauss über «Arabella» war schwierig, mühsam und langwierig, wurde aber mit gewohnter Gründlichkeit und Zähigkeit zu einem guten Ende gebracht. Nur wich Hofmannsthal Gesprächen aus und beschränkte sich auf briefliche Auseinandersetzungen. Am 1. Januar 1929 abends schrieb er einen freudig bewegten Brief an Strauss, dem er am 29. Dezember die beiden letzten Akte vorgelesen und dem alles gut gefallen hatte.

Wir sind in Hofmannsthals letztes Lebensjahr eingetreten. Nach diesem freundlichen Auftakt kamen Verdüsterungen verschiedener Art über ihn. Am 12. Januar berichtete ihm Carl Burckhardt über die Faszination, die Lehre und Werk Karl Barths (besonders dessen Interpretation des Römerbriefes) auf die jungen Studenten übten. Hofmannsthal bedrückte diese Nachricht «von der Recrudeszenz des finsteren deutsch-protestantischen Wesens – gepfropft auf dieses finsterste paulinische Judentum, zwei Dämonen, einer auf dem Rücken des andern hockend». Am gleichen Tag las er «aufregende Mitteilungen über die Publication von Einstein – wovon man sich nur gerade eine Ahnung zu eigen machen kann...» (Brief vom 20. Januar). Von Ende Januar bis Mitte März weilte Hofmannsthal bei Burckhardt auf dem Schönenberg. Aber es ging ihm nicht gut. Er hatte seit Jahren einen abnorm hohen Blutdruck, die von der Mutter ererbte Wetterempfindlichkeit hatte mit den Jahren zugenommen, dazu kam eine Magengrippe und – auf der Rückreise in München – eine fiebrige Bronchitis. Es war ihm in Basel «ärmlich zumute», in Heidelberg, wohin er zum Besuch der Tochter reiste, ist ihm «ganz elend». Nach Rodaun zurückgekehrt, fand er Gassen und Garten tief verschneit, am Ostermontag erlitt er einen Rückfall und hatte Untertemperatur. Am 6. April schrieb er an den Freund Burckhardt: «... ich bin der Mann von 55 Jahren, den das Alter und der Tod nur mit einer Speerspitze anrühren, noch nicht mit ihrer Verklärung umgeben.» Erst Anfang Mai fühlte er sich besser «nach 2½ wirklich elenden Monaten». In der zweiten Maihälfte unternahm er, gemeinsam mit seiner Frau und dem aus Kärnten stammenden, seit vielen Jahren mit ihm befreundeten Maler Sebastian Isepp, eine Italienreise, wahrscheinlich im Auto: über den Apennin nach Florenz, von dort aus nach Ravenna, Padua, Mont'Oliveto und zum Trasimenischen See. Zum letzten Mal sah er die «beiden Meere». Ende Juni tauchte Raimund, von einer Weltreise, über China zurückkehrend, in Rodaun auf, «braun, aber ziemlich mager, ein dünnes Stöckchen schwingend...». An den anschaulichen Berichten des Sohnes hatte Hofmannsthal eine große Freude. Am 10. Juni schrieb er den letzten Brief an Richard Strauss und schickte den geänderten 1. Akt der «Arabella» mit. Einige Tage zuvor hatte er an Burckhardt geschrieben: «Ich arbeite vielerlei und viel, mit Laune – wenn auch von außen das ewige gewittrige Föhnwetter immer retardiert.» Während eines dieser Gewitter geschah das Unglück: der älteste Sohn Franz, 26 Jahre alt, erschoß sich in der elterlichen Wohnung. Am übernächsten Tag, den 15. Juli, als sich Hofmannsthal um drei Uhr nachmittags zur Beisetzung des Sohnes anschickte und nach seinem schwarzen Hut griff (eine Szene, die er kurz vorher geträumt hatte), wurde er vom Schlag getroffen und starb kurz darauf auf der Chaiselongue seines Arbeitszimmers, während sein Sohn auf dem nahen Kalksburger Friedhof beigesetzt wurde, im gleichen Grab, das auch den Leichnam des Vaters aufnahm. «Und mein Teil ist mehr als dieses Lebens / Schlanke Flamme oder schmale Leier» steht auf dem Stein.

WERK

«Er, der Liebhaber der höchsten Schönheit, hielt, was er schon gesehen hatte, nur für ein Abbild dessen, was er noch nicht gesehen hatte, und begehrte dieses selbst, das Urbild, zu genießen.» Das Wort des Neuplatonikers Gregor von Nyssa aus der «Vita Mosis», das Hofmannsthal über die Selbstinterpretation «Ad me ipsum» gesetzt hat, kann auch als Motto über seinem Leben und den Bemühungen des Schriftstellers stehen. – Das Jugendwerk spiegelt den «glorreichen aber gefährlichen» Zustand der Präexistenz, aus dem sich der Dichter durch sittliche Selbstverwirklichung im Sinne eines christlichen Humanismus befreit.

Hofmannsthal trat mit 17 Jahren als literarisches Wunderkind vor die Öffentlichkeit, mit Werken, für die jeder Maßstab fehlte: nichts von Sturm und Drang und jugendlichem Pathos, ohne schwungvolle Rhetorik und eifernd vorgetragene Weltverbesserungssentenzen. «Frühreife», «Neuromantik», «Symbolismus», «Ästhetizismus», «Décadence», «Fin de siècle» – die Schlagworte waren bald zur Hand. Der Verkehr mit den Dichtern des «Jungen Wien» und in dem berühmten Café Griensteidl, die entschiedene Abwendung vom Naturalismus zugunsten des l'art pour l'art, gewisse impressionistische Merkmale sowie Auslassungen Hofmannsthals über literarische Gegenstände in Zeitungen und Zeitschriften gaben diesen Mißdeutungen, die dem Dichter bis an sein Lebensende anhaften sollten, Nahrung. Hofmannsthal selbst hat der Deutung seines Werkes in den für den Wiener Germanisten Walther Brecht gemachten Aufzeichnungen den Weg gewiesen.

Noch vor der eigenen Welterfahrung und der rationalen Bewältigung der Lebensprobleme hat Hofmannsthal ein umfassendes Weltbewußtsein, ein Gefühl der Alleinheit, der Allverbundenheit, vergleichbar dem «Pantheismus» des jungen Goethe: nicht etwa im Sinne christlicher Mystik, sondern eher als eine Art Panpsychismus. In den frühen Gedichten (besonders charakteristisch «Welt und Ich», «Der tiefe Brunnen», «Ich lösch das Licht») wechseln Allverbundenheit und extreme Introversion: Ich als Welt, Welt als Ich. Welterfahrung erhält für ihn den Charakter der Anamnesis, der platonischen Wiedererinnerung. Hinzu kommt beim jungen Hofmannsthal ein rational kaum ganz erklärbares Kulturbewußtsein. Dem Erben des vielgestaltigen Kulturbesitzes der Habsburgermonarchie ist das Fernste und Seltenste nah und lebendig:

> *Ganz vergessener Völker Müdigkeiten*
> *Kann ich nicht abtun von meinen Lidern*
> *Noch weghalten von der erschrockenen Seele*
> *Stummes Niederfallen ferner Sterne.*

Diesem Verhältnis zur Welt, zur Geschichte und zum Kulturbesitz entspricht auch das zum einzelnen Stoff. Eklektizismus und Plagiat infolge mangelnden schöpferischen Vermögens wurden ihm oft vorgeworfen. Aber es handelt sich bei Hofmannsthal um ein Wiederbesinnen, um Anverwandlung, organische Erneuerung der großen und kleinen Motive der Weltliteratur, die er als ein einheitliches «Corpus» empfand. Der eigentlich erst im 19. Jahrhundert ausgeprägte Begriff der «Originalerfindung» hat für Hofmannsthal keine Gültigkeit. An seine Stelle tritt ein unendlich reiches assoziatives Denken, dessen Spuren man in seinen Tagebüchern, in den Aufzeichnungen zu dem Romanfragment «Andreas» und in den Dramenentwürfen deutlich verfolgen kann. Über das «Salzburger Große Welttheater» notiert er, etwa 1923: «Die Fackel war nur einen Augenblick zur Erde gefallen und ich habe sie noch glimmend aufnehmen können. Es ist kein Arrangement, es ist neu und alt: So alle meine Sachen.»

Die große Lebens- und Schaffenskrise um 1900 wurde verursacht durch das Heraustreten aus der Präexistenz, diesem «glorreichen, aber gefährlichen Zustand». Gefährlich: weil jenseits sittlicher Problematik, ohne ethische Verantwortung. Dichterische Zeugnisse dieser Krise sind «Der Brief des Lord Chandos» und «Das Bergwerk zu Falun». Die Schwierigkeit, aus dem mystisch-präexistenten Zustand ins Leben zu finden, war umso größer, als zunächst kein religiöser Glaube vorhanden war. Das Opfer, das Hofmannsthal als Dichter zu bringen hatte, bezeichnet der Satz in «Ad me ipsum»: «Die magische Herrschaft über das Wort, das Bild, das Zeichen, darf nicht aus der Präexistenz in die Existenz herübergenommen werden.» Jetzt heißt es aus eigener Erfahrung, eigenem oft schweren Erleben bewußt und verantwortungsvoll gestalten. Nach der Preisgabe des mystisch-magischen Weltbesitzes muß er nunmehr zur dichterischer Welt-Eroberung schreiten, durch Selbstbewußtsein zu Selbstbesitz, zu Tat und Leiden. «Der Geist entfaltet seine größte Kraft corps à corps mit dem Sinnlichen» und «In Er-leben ist ein aktivischer Ursinn», heißt es im «Buch der Freunde», in dem Hofmannsthal auch beziehungsvoll das Goethewort anführt: «Geist ist überwundene Wirklichkeit. Was sich von der Welt absentiert, ist nicht Geist.» Diese Zeit des Überganges war für Hofmannsthal, nach einem Wort K. Naefs «wie die Not eines gefallenen Engels, wie die Vertreibung aus dem Garten Eden». Erstaunlich und bewunderungswürdig, daß er, an diesem Punkt seiner Entwicklung angelangt, nicht resignierte und verstummte. Aber seit dieser Krise schrieb Hofmannsthal keine Gedichte mehr. Aus dem Lyriker wurde der Dramatiker, der «Essayist» – in einem sehr hohen Sinn –, der Bewahrer eines großen Erbes, der Kulturpolitiker.

«Gestern» (1891) zeigt als einziges Stück Hofmannsthals in der Diktion Züge der Fin-de-siècle-Literatur. Aber auch hier wird bereits der «Lebenskünstler» Andrea ad absurdum geführt. «Der Tod des Tizian» (1892) spielt in jener «höchsten Welt», dargestellt als Welt der Kunst. In «Der Tor und der Tod» (1893) wird die Schuld des passiven Helden als Lebensferne dargestellt, aber auch die «Süßigkeit der Verschuldung», weil diese zugleich Verknüpfung mit dem Leben ist. «Der weiße Fächer» (1897) behandelt das Problem Treue-Untreue ironisch, «Die Frau im Fenster» (1897) tragisch. «Alkestis» (nach Euripides, 1893, erschienen 1911) rettet ihren Gemahl durch Selbstaufgabe. «Der Abenteurer und die Sängerin» (1898) läßt das Motiv Ehe-Vaterschaft-Kind zum ersten Mal (ironisch) anklingen. Sobeide in «Die Hochzeit der Sobeide» (1899) scheitert, als sie ihren Lebenstraum verwirklichen will. In «Der Kaiser und die Hexe» (1897) wird die Lösung aus zauberischer Liebesverstrickung durch die Tat dargestellt. «Das Bergwerk zu Falun» (1899) zeigt den tragisch scheiternden Versuch, noch einmal in das Reich der Präexistenz zurückzugelangen. «Das kleine Welttheater» (1903) zieht die Summe und weist voraus. Der pantheistische Zustand der Allverbundenheit ist hier zugleich auch als Alliebe, Allbrüderlichkeit im Sinne franziskanischer Mystik dargestellt. Im «Geretteten Venedig» (1904–05) nach Otways Drama «Venice Preserved» klingt die Auseinandersetzung mit Stefan George nach. Auf «Elektra» (1903) und «Oedipus und die Sphinx» (1905) scheint der naturwissenschaftliche Determinismus ebenso abgefärbt zu haben wie die Erkenntnisse Bachofens und Freuds. Das Blut erscheint als Träger des Schicksals und erblicher Belastung (nicht viel anders als in Ibsens «Gespenstern»). Elektra ist «Unbewegliches brütendes und wartendes Gestern» (Nadler); Kreon und Oedipus verkörpern die Hybris von Ratio und Sexus (Naef).

Mit den Komödien, die Hofmannsthal als «das erreichte Soziale» bezeichnet, beschreitet er den Weg der nichtmystischen Weltverknüpfung. Diese erfolgt – so beschreibt es Hofmannsthal in «Ad me ipsum» – durch die Tat, durch das Werk, durch das Kind: «Cristinas Heimreise» (1910), «Der Rosenkavalier» (1911) und «Ariadne auf Naxos» (1912, beide für Richard Strauss), «Der Bürger als Edelmann» (1918, nach Molière), «Der Schwierige» (1920) und «Dame Kobold» (1920 nach Calderón), «Florindo» (1923, Komödie in 2 Szenen), «Der Unbestechliche» (1923) und «Arabella» (für Richard Strauss, im Todesjahr 1929 beendet und posthum 1933 veröffentlicht). Alle diese Komödien sind durch die behandelten Probleme (Treue und Untreue, Beharren und Von-einem-zum-andern-Kommen, Ehe und Vaterschaft) nicht nur untereinander, sondern auch mit den anderen «ernsten» Stücken verknüpft. Auffallend und bezeichnend ist dabei, daß fast alle positiven «Helden» Hofmannsthals Frauengestalten sind (man beachte allein die Titel der für Richard Strauss geschriebenen Werke). Die gleichen Themen behandeln, auf höchster Ebene, auch «Die Frau ohne Schatten» (Operntext und Märchen 1919) und «Die Ägyptische Helena» (1928). Darüber wölbt sich der Bogen von «Jedermann» (1911) zum «Salzburger Großen Welttheater» (1922) und zum «Turm» (begonnen als Calderón-Übertragung etwa 1902, 1. und 2. Aufzug 1923, 3. bis 5. Aufzug 1925, neue Fassung 1927).

«Jedermann» (nach dem im 15. Jahrhundert in England aufgezeichneten «Everyman») zeigt zum ersten Mal eine streng christliche Fragestellung. Sterben bedeutet nicht mehr «Verwandlung» oder dionysische Erhöhung, sondern das Ende dieses menschlichen Lebens auf Erden. Glaube und Werke sind in katholischem Sinn aufgefaßt. Im «Salzburger Großen Welttheater» wird die von Loris geahnte Welttotalität als teatrum mundi dargestellt, und zwar in enger formaler Anlehnung an Calderón. Die Aktualisierung erfolgt hauptsächlich in der Gestalt des Bettlers, der auf die rächende Tat in freier Willensentscheidung verzichtet: «höchstmögliche Annäherung ans katholische Christentum, Bildwerdung der kirchlichen Sozialdoktrin». – «Der Turm», gleichfalls nach Calderón (La vida ès sueño) ist eine Staatstragödie und zugleich Hofmannsthals Vermächtnis. Das Thema ist der Sinn der geschichtlichen Welt, die Ordnung des Staates und der Gesellschaft, der Familie und der sittliche Aufbau des Individuums. Zugrunde liegt das Zeiterlebnis der sozialen Revolution, verkündet wird das Evangelium der Gewaltlosigkeit, symbolisiert in der 1. Fassung im Kinderkönig, in der letzten vor allem in der Figur des Prinzen Sigismund. In ihm ist das Königtum als geistig-sittliche Autorität und Repräsentation verkörpert, in seinem Vater Basilius der persongewordene Lust- und Machttrieb, in Julian der hybride Verstand, in Oliver, der in der letzten, pessimistischeren Fassung als Sigismunds Gegenspieler besonders hervortritt, die politische Fatalität. Bruder Ignatius erscheint als der magische Seher; der Arzt, helfend, rettend, verkörpert den Glauben an die natürliche Ordnung und trägt paracelsische Züge. Die hochstilisierte Sprache ist zuweilen gewollt primitiv, dann wieder hat sie die Getragenheit und Weihe des hohen liturgischen Stils. «Großes Welttheater» und «Turm» sind Hofmannsthals Antworten auf das Sozialproblem, und zwar in christlichem Sinn.

Die Sorge um die Vollendung des «Turm» verdüsterte die letzten zehn Lebensjahre Hofmannsthals. «Der Turm» stand auch hemmend vor einem freundlicheren Projekt, dem Roman «Andreas oder Die Vereinigten», der 1932 aus dem Nachlaß herausgegeben wurde. Mit der Idee eines «Bildungsromans» beschäftigte sich Hofmannsthal seit 1910, im folgenden Jahr wurden die Anfangskapitel niedergeschrieben, 1913 folgten Überarbeitungen des Geschriebenen unter dem Titel «Die Dame mit dem Hündchen» und «Die wunderbare Freundin». Während des Ersten Weltkrieges entstanden zahlreiche andeutungsvolle Notizen, die erkennen lassen, daß hier ein österreichischer «Wilhelm Meister» im Entstehen war: Zur Zeit Maria Theresias reist ein junger Herr aus Wiener Bagatelladel über Kärnten (Begegnung mit dem Mädchen Romana auf dem Finazzerhof) nach Venedig und erlebt hier Abenteuer und Verwandlung. – Gleichfalls aus dem Nachlaß wurden 1955 die Aufzeichnungen zu einem «Xenodoxus» veröffentlicht. Das frühbarocke Werk Bidermanns («Cenodoxus») ist nur Ausgangspunkt. Der Einblick in die Werkstatt, den diese Aufzeichnungen ermöglichen, erweist, daß sich Hofmannsthal seinem Gegenstand vom Sprachatmosphärischen her nähert. Seine Quellen fließen aus drei Bereichen: Esoterik, Physiognomik und Folklore. Gezeigt werden sollte: der Symbolcharakter der Welt. So schließt sich, von den frühesten Gedichten bis zu den letzten veröffentlichten Aufzeichnungen, der neuplatonische Kreis.

Hofmannsthal wollte das festliche Theater, und er wollte auf der Bühne den Erfolg. Das begründete eher seine mehr als 20jährige Zusammenarbeit mit Richard Strauss als die «Wortmusik» der frühen Dramen. Gemeinsam schufen sie 12 Bühnenwerke (außer den genannten Opern noch die Ballette «Josephslegende», 1914, zusammen mit Harry Graf Kessler, und «Die Ruinen von Athen», 1925, nach Beethovens Musik zu «Die Geschöpfe des Prometheus», schließlich den «Rosenkavalier»-Film mit Bauten und Kostümen von Alfred Roller). «Elektra», bereits 1903 geschrieben, wurde von Strauss erst vier Jahre später fast unverändert als Musikdrama komponiert. Von diesem wollte später der Dichter den Musiker wegführen: zur Komödie mit Musik, zur Buffa, zur mythologischen Semiseria, zum musikalischen Konversations-Lustspiel. Das gelang nur äußerlich. Die seiner Diktion und seinem Stil, ja dem Geist seiner Stücke mitunter widersprechende Musik von Strauss konnte Hofmannsthal nicht ändern. Weder menschlich noch künstlerisch stand die Beziehung Strauss-Hofmannsthal im Zeichen prästabilierter Harmonie. Die ständigen Erklärungen und Auseinandersetzungen führten schließlich zu einer gewissen Erschöpfung. Der Briefwechsel mit Strauss dokumentiert, auf welch hoher Ebene diese Meinungsverschiedenheiten, die sich so ziemlich auf alles bezogen, ausgetragen wurden. Zu ihren Lebzeiten haben beide es sich nicht leicht gemacht. Nach Hofmannsthals Tod fand Strauss rührende Worte der Wertschätzung und Würdigung für den «wundervollen Hofmanns-thal», seinen «wahren Dichter». – Die Vertonungen Hofmannsthalscher Stücke durch Strauss waren zwar die weitaus erfolgreichsten, aber keineswegs die einzigen. Für Egon Wellesz schrieb er das Szenarium zu dem Ballett «Achilles auf Skyros», dessen Partitur 1922 beendet wurde, gleichfalls für Wellesz bearbeitete er die ersten Szenen seiner «Alkestis» als Libretto, er überließ diesem das Stück zur Komposition und beriet ihn bei der Oper «Die Bakchantinnen». Alexander von Zemlinsky komponierte eine Ballettmusik nach dem aus dem Jahr 1901 stammenden Szenarium «Der Triumph der Zeit», Edgar Varèse schrieb eine (leider verschollene) Oper «Ödipus und die Sphinx», Alexander Tscherepnin komponierte «Die Hochzeit der Sobeide»

Das essayistische Werk Hofmannsthals umfaßt die «Erfundenen Gespräche und Briefe», «Reden und Aufsätze» in den «Gesammelten Werken» von 1924, ergänzt durch «Loris – Die Prosa des jungen Hofmannsthal» (1930) und «Die Berührung der Sphären» (1931). Diese Aufsätze und Reden bezeugen Hofmannsthals Anknüpfung an die deutsche Klassik und Romantik, an das «Jahrhundert deutschen Geistes» von 1750–1850, dem er auch die Auswahl «Deutsche Erzähler» (1912) und das «Deutsche Lesebuch» (1922/23) widmete. Zahlreiche Essays kreisen um das Thema «Wert und Ehre deutscher Sprache» (so nannte er seine letzte Sammlung von 1927). – Charakteristisch ist, daß die literarischen und sprachlichen Verhältnisse immer wieder am romanischen Vorbild, insbesondere an Frankreich, gemessen werden. Auch im dichterischen Werk ist der Einfluß der Romania immer nachweisbar, von frühen Anklängen an Musset, Gautier, Maeterlinck und Verlaine über Molière, als Geist und Stoff, bis zu den letzten an Calderón anknüpfenden Spätwerken. Auch in dieser Hinsicht tritt Hofmannsthal in die Fußstapfen Grillparzers, als dessen Fortsetzer er zu gelten wünschte.

Aber auch England und der skandinavische Norden waren in seinem Geist stets gegenwärtig. (Die ununterbrochene Verbindung zum Süden und Osten

Europas war für einen Österreicher aus der Generation Hofmannsthals eine Selbstverständlichkeit.) Seine Beziehung zu England reicht von der Auseinandersetzung des Zwanzigjährigen mit dem englischen Ästhetizismus über die Lektüre (und den Einfluß) von Shelley, Keats, Browning, Swinburne, Rossetti, Ruskin, Wilde, Pater, Yeats und Joyce bis zu persönlichen Beziehungen zu Gordon Craig, Lord Vansittard, Galsworthy, Murray u.a. Lafcadio Hearn ist einer der Autoren, denen Hofmannsthal seine Kenntnis des fernen Ostens dankt, und über das Leben Defoes verfaßte er ein Filmszenarium. Shakespeare aber, dem er beredt gehuldigt hat, stand als hohes Gestirn über dem Werk nicht nur des Dramatikers, sondern auch des Lyrikers Hofmannsthal. – Mit George verband ihn nur die gegenseitige Hochschätzung des dichterischen Werkes. Menschlich und dem kulturpolitischen Konzept nach war ihr Verhältnis eher antithetisch. Hofmannsthal wollte keinen Kreis und keine literarische oder sonstige Herrschaft. Jedes Mittel, auch das eines gehobenen Journalismus, war ihm recht, dem Geist seiner Epoche beizukommen. Es ging ihm darum, «daß der Geist Leben werde und das Leben Geist», um die «politische Erfassung des Geistigen und die geistige des Politischen, zur Bildung einer wahren Nation».

Von Österreich aus, an das sich Deutschland anzuschließen habe (und nicht umgekehrt), unternahm er den bisher umfassendsten und letzten Versuch, für die Deutschen einen neuen Bildungskosmos zu begründen. Das verband ihn mit Borchardt, Schröder, Burckhardt, Pannwitz, Kassner, Curtius, Vossler, Nadler, Florens Christian Rang u.a. Diesem Zweck dienten seine Herausgebertätigkeit, die Gründung der Salzburger Festspiele und die Beteiligung an vielerlei kulturpolitischen Unternehmungen. Was Hofmannsthal mit all dem zu fördern strebte, war: ein neues, aus antiken, humanistischen und christlichen Beständen erneuertes Europa, das Deutsche, Engländer, Skandinavier, Slawen und Romanen gleichermaßen umschließen sollte.

EDMUND v. HELLMER

Hofmannsthal als Gymnasiast

Ich weiß noch ziemlich gut, wie er mit zehn Jahren ausgesehen hat. So alt war er ja, als wir beide in die erste Klasse des Akademischen Gymnasiums eintraten. Schlank, doch nicht eigentlich zart und gewiß nicht schmächtig oder gar schwächlich, war er von Gestalt; auf feinen Schultern saß ihm schmal der Kopf, den er gewöhnlich etwas vorgeneigt hielt; und das Haar, das dunkelblonde, trug er – was mir höchlichst mißfiel – in der Mitte fadengerade gescheitelt. Auch sonst war mir am Aspekt manches nicht recht. Das leicht gebräunte Gesicht zum Beispiel hatte trotz des feinen Schnittes der Nase und der reich ausgeformten Stirn etwas Schlaffes, gleichsam Nachlässiges; und vollends die Unterlippe, die fast eine Hängelippe zu nennen war, ließ ihn nicht bloß altklug, sondern geradezu alt und jedenfalls weit älter erscheinen als er war. In einem wundersamen Widerspiel dazu standen seine schönen goldbraunen Augen. Keine lustigen Kinderaugen, vielmehr meist ernsten Blickes; aber eine reine, kinderreine Seele spiegelte sich in ihnen.

*

Er war ein sehr aufgeweckter und ungemein lebhafter Junge; beinahe schußlig. Sprach viel, immer fließend und außerordentlich schnell, dabei stets in Bewegung, immer im Zimmer herumlaufend, mit den Händen gestikulierend. Seine Stimme, ohne eigene Farbe und rechten Klang, schien mir etwas schwach, war jedoch sehr angenehm anzuhören – ich weiß noch, daß sie mich manchmal an das rührende Aufflattern eines kleinen Vogels erinnerte.

Sobald seine sanfte, freundliche Erscheinung aufsteigt, steht mir auch schon die liebe, gleichsam schwebende Stimme im Gedächtnis. Schlechthin unvergeßlich aber ist und bleibt mir seine Rede, die mir schon damals auffiel und gefallen hat. Ausdrucksvoll war sie und doch frei von jeder falschen Inbrunst und bestand, zumal auf ihren Höhepunkten, fast ausschließlich aus zierlich zugespitzten und lieblich angeleuchteten Worten, mit denen er spielte, wie der Gaukler, der seine Bälle steigen und fallen läßt in kunstvollem Durcheinander und Übereinander.

*

Was mich von Anfang an fesselte, war die erstaunliche Reife seiner Gedanken und Meinungen sowie die Sicherheit seines Auftretens, seiner Haltung – auch diese erstaunlich, und um so mehr, als er, durch Hauslehrer auf das Gymnasium vorbereitet, nun zum erstenmal in eine öffentliche Schule geriet. Ein richtiger Schulbub ist freilich aus ihm nicht geworden, obgleich er durchaus

kein Spielverderber war und sich nur selten von einem Spiel oder Streich aus-
schloß. Aber er machte all das – so dünkt es mich jetzt – eben nur mit, ohne
daß seine Teilnahme einer eigenen, inneren Vorliebe für derlei entsprungen
wäre, vielmehr dem bloßen Wunsche, sich auch um diesen kleinen Tumult
des Lebens zu kümmern und ihn aus nächster Nähe wie von einem guten
Platz aus zu beobachten.

Mit der nämlichen inneren Kühle, denk ich, war er als vierter dabei, als wir
anderen «drei Musketiere» – die, nebenbei bemerkt, eigentlich auch vier an
der Zahl gewesen sind –, beim Biertrinken und Kartenspiel anlangten; und
wie er uns früher mehr oder weniger aktiv in der Schneeballenschlacht Gesellschaft geleistet hatte, so hielt er nun auch wacker mit und durch beim Tur-
nen und Tanzen und Fechten, last not least beim Flirten oder «Säuseln», wie
man damals noch sagte. Empfänglich für all die Dinge um ihn herum, schien
er sich doch an keines von ihnen zu verlieren und, so seltsam es klingen mag,
nur da zu sein, um Eindrücke zu empfangen und – als Dichter, der er war oder
doch werden sollte – damit und davon zu leben.

*

Schon in den ersten Jahren des Gymnasiums zeigte sich der Stilist in ihm an.
Ich erinnere mich ganz deutlich: Wir hatten in einer deutschen Hausarbeit
den kürzlich gemachten Schulausflug zu beschreiben. Hofmannsthal hatte
ihn infolge Unpäßlichkeit nicht mitmachen können, und nun durfte er, anstatt unserer Wanderung durch den Wienerwald, eine Segelfahrt auf dem
Wolfgangsee schildern, die er in den letzten Ferien unternommen haben wollte. Die besten Arbeiten, darunter die seine, wurden dann verlesen; und ich
weiß noch, daß ich von dem Prunk der Worte, mit dem er das einfachste Geschehen von der Welt zu bekleiden und zu überhöhen wußte, ganz benom-
men war.

Ähnlich erging es ihm und mir in den Briefen, die er mir in diesen Jahren
aus verschiedenen Sommerfrischen, meist aus Bad Fusch und Strobl, geschrieben hat. Ein wahrer Frühlingsregen ging in ihnen über ihn und – mich hernie-
der, von Gedichten und Gedichtchen, in denen sich seine ursprünglich so kind-
lich-heitere Natur Luft machte. Er hat sie freilich später, da er «Berufslyriker»
geworden, als «Gedudel» bezeichnet – mit Unrecht. Mir imponierten sie jedenfalls mächtig durch die Gewandtheit und Glätte des Ausdruckes, und die
unleugbaren Anklänge an den «Prinzen Rosa Stramin», an die «Harzreise»,
wohl auch an Baumbach, gefielen mir mehr, als sie mich störten. Und heute,
wenn ich die sorgsam gesammelten und aufbewahrten Jugendbriefe des
Freundes durchsehe, finde ich in ihnen und in den Versen, in die sie oft wie
von selbst «ausarten», doch schon die goldene Spur seiner späteren Eigenart.

*

Von den übrigen Gegenständen des Unterrichtes interessierten ihn wohl am meisten die alten Sprachen; und er ging in diesem Interesse so weit, daß er eine Zeitlang nicht bloß in seine mündliche, sondern auch in seine schriftliche Rede sowohl lateinische Worte und Wendungen einzuflechten pflegte als auch griechische – zu meiner nicht seltenen Verlegenheit, da ich höchstens ein befriedigender Lateiner und Grieche war. Sonstigen maßgebenden Einfluß hat er von der Schule her gewiß keinen erfahren. Dagegen wurde seine geistige Entwicklung durch den häuslichen Unterricht, den er neben der Schule genoß, sichtbar beschleunigt und begünstigt. Von wem diese Nebenerziehung eigentlich ausging, von wem sie geleitet wurde, ließ sich nur vermuten, da er selbst nichts oder so gut wie nichts darüber verlauten ließ. Jedenfalls geschah alles – mir kam es wenigstens so vor – wie von selbst und wie nach einem wohlüberlegten, sinnvollen Plan. Wie nach einem solchen studierte er, früh und eifrig, Französisch und Englisch; er betrieb eine ausgedehnte, darum nicht minder bedachtsam und zweckmäßig ausgewählte Privatlektüre; und selbst seine verhältnismäßig häufigen Besuche der Theater, vornehmlich des alten Burgtheaters, schienen mit zu diesem Erziehungsplan zu gehören, dem er sich übrigens in allem und jedem wie einer besseren Einsicht stets willig fügte und gern angepaßt hat.

Denn ganz im Gegensatz zu dem Helden seines «Gestern», der sich von der Stimmung tragen läßt, anstatt sie zu tragen, und sich selbst so treulos ist, wie seine Geliebte ihm, hat *er* die «Treue zum Ziel» gehabt; und es gab keine Stunde des Tages, die unausgefüllt von ihr geblieben wäre. Gaben, Talente – wer hätte sie nicht? Er aber besaß dazu den Ernst und Fleiß, die, nach einem Worte des alten Fontane, erst den Mann und das Genie machen.

*

Als wir das Gymnasium hinter uns hatten, die Schule uns freigab, fuhren unsere Schifflein weit auseinander, aber doch nur, um sich immer wieder zu kreuzen, wenngleich viel öfter infolge Zufalls, als verabredetermaßen. So kam es, daß wir uns zuweilen Woche für Woche, um nicht zu sagen Tag für Tag sahen, zuweilen des Jahres nur einmal, manchmal auch seltener. Aber jedesmal, wann wir uns sahen, geschah es uns beiden zur Freude.

Das letztemal begegneten wir einander im Vorjahr seines Todes bei unserer Maturafeier, der soundsovielten. Er hatte, wie sich's versteht, den Ehrenplatz an der Tafel und hielt auch, da er darum gebeten wurde, die Festrede. Wieder dasselbe Aufschweben seiner Stimme, wie damals, und das zierliche Schreiten und Tanzen der Worte... Und wenn ich ihn ansah, schien mir auch das helle, reine Gesicht des Knaben, das voll von Wahrheit, guten Gedanken und edlem Streben gewesen, nur ganz wenig nachgedunkelt.

PETER PRIOR

Jugenderinnerungen

Im Jahre 1892 und schon vorher herrschte grimmige Feindschaft zwischen den Schülern der Realschule in der Heßgasse im ersten Bezirk von Wien und den Gymnasiasten in der Wasagasse. Die Realschüler, aber nur diejenigen im Alter von 13 bis 15 Jahren, sammelten sich nach Schulschluß und zogen über den Schottenring hin zur Wasagasse, wo die Gymnasiasten auf dem Heimwege begriffen waren. Da gab es stets Schlägereien. Der Kampf zog sich über die Berggasse hinunter bis zum Tandelmarkt, war aber stets nach einer Viertelstunde beendet, denn die Eltern warteten zu Hause mit dem Mittagessen. Da passierte es mir einst, daß ich von vier Gymnasiasten umringt wurde. Es waren derbe Kerle und hatten Turnerabzeichen! Ich hätte jämmerliche Prügel bekommen, wenn sich nicht ein hochgewachsener Junge in den Kampf gemischt hätte. Mit ruhiger Überlegenheit riß er die ganze Bande auseinander, holte gegen einen Gymnasiasten mit der Faust aus, ohne zu schlagen, und begleitete mich ein Stück des Weges zur Liechtensteinstraße hin. Mir fielen damals die kühn geschwungenen Augenbrauen des Gymnasiasten auf. Seine Bücher hatte er in Glanzleder gewickelt unter dem Arm, wie wir alle. Er erzählte mir, daß er Briefmarken sammle und sich auch für Mineralien interessiere; er fragte, ob ich auch sammle, was ich natürlich tat. Ich hatte einige nette Dubletten in meiner Briefmarkensammlung und wollte sie gern vertauschen.

Wir trafen uns nachmittags im Volksgarten. Mein Retter saß auf den Steinstufen des Theseustempels und machte sich Notizen in ein Heft. Um den Tempel herum tollten Mädchen und Jungen. Die Mütter saßen auf den Bänken und strickten dicke Strümpfe für den Winter.

Mein Freund, frisch gewonnen wie er war, kam mir jetzt recht groß vor auf den Steinstufen. Und so ernst, daß ich mich mit meinen zwei «Japanern» und einer «Persierin» gar nicht an ihn herantraute. Aber bald begrüßte er mich, beguckte meine Marken und sagte, er habe sie schon in seiner Sammlung. Aus dem Geschäft wurde also nichts.

Er sprang plötzlich auf und grüßte einige andere junge Leute, die zum Konzert hingingen. Ich nahm sein Heft von der Steinstufe und las seinen Namen: Hugo von Hofmannsthal. Das Heft, ein unscheinbares Ding, das wohl nur drei Kreuzer kostete, enthielt Gedichte. Der Gymnasiast kam zurück und fragte mich, ob ich mit zum Konzert kommen wollte. Aber ich mußte nach Hause, Schularbeiten machen.

Bei der nächsten Schlägerei traf ich Hofmannsthal wieder. Er stand mit drei anderen langen Gymnasiasten an der Ecke der Liechtensteinstraße und winkte mir zu. Ich drückte mich schleunigst und ging zu ihm, blutrot im Gesicht, denn ich schämte mich meines Kampfesmutes. Wir sprachen nur einige Worte miteinander und verabredeten eine Zusammenkunft nachmittags im Liechtensteinpark.

Dorthin nahm ich mein Aufsatzheft mit. Hofmannsthal saß auf einer Bank und schrieb mit einem Bleistift in sein Heft. Er war wieder ganz geistesabwesend und nahm anfangs keine Notiz von mir. Er bat mich, ihm mein Heft zu zeigen. Ich hatte etwas geschrieben, einen Aufsatz über einen Ausflug nach der Ruine Greifenstein. Hofmannsthal las den Aufsatz genau durch, auch die älteren Aufsätze, die mit einer Zwei und einer Drei ausgezeichnet worden waren. Er sagte kein Wort, und ich bat ihn, mich doch seine Gedichte lesen zu lassen. Ich verstand sie nicht, aber um mir keine Blöße zu geben, sagte ich: «Jaja! Im Hexameter steigt des Springquells flüssige Säule, im Pentameter drauf fällt sie melodisch herab!»

Hugo von Hofmannsthal riß den Aufsatz aus meinem Heft, auf den ich eine glatte Drei erhalten hatte. Er handelte von den «Eindrücken eines Dreizehnjährigen auf einem Fünfkreuzertanz im Prater.» Ein selbstgewähltes Thema. «Den Aufsatz werde ich meiner Zeitung schicken!» sagte Hugo von Hofmannsthal. Und tatsächlich stand drei Tage später mein Aufsatz im «Extrablatt». Mein Vater freute sich, meine Mutter nicht.

Ich traf Hofmannsthal dann einmal im Prater, und er fragte mich, ob ich mein Honorar schon abgeholt hätte. Ich verneinte, und wir fuhren zusammen in die Redaktion des «Extrablatt», wo ich einen Gulden ausbezahlt erhielt. Hofmannsthal kassierte sechs Gulden für irgendeines seiner Gedichte. «Du mußt weiterschreiben, Peter», sagte er damals zu mir, «und dich nicht mit den Gymnasiasten herumschlagen!»

Ich kam dann noch öfter mit dem ernsten Menschen zusammen, da und dort, im Dianabad, in Schönbrunn. Er war immer freundlich, aber ernst und zurückhaltend. Und als ich ihm erzählte, daß ich bei der «Grazer Tagespost» einmal zehn Gulden verdient habe, freute sich Hofmannsthal. Er wurde dann Student, und schon hörte und las man öfter einmal von ihm. Im Burgtheater überließ er mir einmal bei «Uriel Acosta» seinen Platz auf der Galerie. Er war größer als ich und konnte über mich hinwegblicken. Aber immer war die erste Frage, die er an mich richtete, die, ob ich etwas geschrieben habe. Hofmannsthal hat mich zu dem bißchen Literaten gemacht, der ich geworden bin. Ohne daß er es vielleicht wollte. Vielleicht hat er andere junge Menschen zu größeren Leuten gemacht. Jedenfalls ging eine ganz eigenartige Kraft aus von ihm, die heute nach seinem jähen Tode noch nachwirkt. Sein Bild steht heute, nach 31 Jahren, noch lebhaft vor mir, ebenso unvergeßlich wie der Geruch des Buchsbaums im Liechtensteinpark, als ich zum ersten Male seine Gedichte las, die ich erst heute verstehe.

HERMANN BAHR

Loris

Es war im April, vor drei Jahren (1891), daß ich von Petersburg schied, aus
schöner Güte fort, mit dem Gefühle, ich würde sie nicht wieder erleben. Eine
trübe, einsame, ängstliche Fahrt in verhängte Zukunft. Und ich sehnte mich
nach Sonne, Sommer, Süden.

Endlich war ich wieder in Wien, im Café, über den Blättern, die ich sechs
Wochen nicht gesehen: wir waren so analphabetisch glücklich gewesen. Gegenwart, Nation, Freie Bühne, Gesellschaft, Magazin – immer noch die alten
Tiraden, immer noch jeder an der gleichen Walze! Man gibt mir die «Moderne
Rundschau». Da ist etwas über mich, eine lange Recension. Das auch noch –
und meine Sehnsucht nach Sonne! Loris heißt der Herr – was das nur schon
für ein Name ist! So kann ein Pudel heißen oder ein herziges Koköttchen,
aber freilich ein vornehmer, sehr gekämmter Pudel und eine in den achtbaren
Kreisen, wo sie wieder anständig werden, mit Coupé. Es roch nach «Welt»
in diesem wunderlichen Namen: er klang so wohlerzogen und manierlich –
für einen Kritiker viel zu nobel. Aber egal: hören wir einmal, wie der Kerl
schimpft – vielleicht hat er wenigstens eine neue Methode. Und mit dem bla-
sirt mitleidigen Wohlwollen, das man diesen Recensenten schenkt, begann ich.

Da erging es mir sonderbar, gleich nach zwei Sätzen. Ich weiß keinen rechten Ausdruck dafür. Es gab mir plötzlich einen heftigen Klaps – anders kann
ich's nicht sagen. Meine Seele blinzelte vor unvermuthetem Lichte. So stellte
ich mir den berühmten coup de foudre vor, von dem die Romane so viel wissen. Ich warf bestürzt den Löffel weg und rührte den Kaffee nicht weiter.

Man muß das Elend der deutschen Kritik an den eigenen Nerven erlebt
haben, um meine Verblüffung zu begreifen. Da war endlich einmal einer, der
nicht nach abgegrasten Phrasen, nicht nach den Schlagworten der Schulen,
auch nicht aus der zufälligen Stimmung seines besonderen Geschmackes
sprach, sondern in den Künstler ging, auf seine wirren Dränge horchte und
an ihrem Maaße seine Kunst entschied. Da war einmal einer, der die ganze
Zeit, wie tausendfältig sie sich widersprechen und bestreiten mag, in seinem
Geiste trug, mit jener ängstlichen Gerechtigkeit des Bourget, von dem man
gesagt hat, daß er se croirait perdu d'honneur si une seule manifestation d'art
lui était restée incomprise. Da war endlich ein Psychologe und Psychagoge.
Und alles das in der leichten, ungesuchten, gern ein wenig ironischen Anmuth
des Lemaître; mit so viel Grazie wurde ich von ihm zerzaust und zerzupft, daß
ich es vielmehr wie eine Liebkosung empfand. Es konnte nur ein Franzose
sein, unbedingt.

Nun rannte ich besessen durch die Stadt: Wer ist Loris? Wer ist Loris? Ich traf ein paar Herren von der Redaktion dieser Zeitschrift: um Gotteswillen, wer ist Loris? Ein Franzose, von dem ich nichts wußte – ich schämte mich so tief! Sie lächelten seltsam, gutmüthig von oben, wohlwollend und spöttisch zugleich, wie wenn ein vorlauter «Fratz» nach dem Christkindel fragt. Und es ist doch natürlich ein Franzose? Da wurde es schon ganz unhöflich, wie sie lachten. Sie machten mich nervös. Aber sie versprachen, daß ich ihn sehen sollte in den allernächsten Tagen... und dabei lachten sie noch immer in sich hinein, wie über einen Hauptspaß. Es war nichts weiter herauszukriegen, als daß es kein Franzose, sondern nur ein simpler Wiener war. – Sie werden schon sehen!

Sondern nur ein simpler Wiener! Es ließ mir keine Rast. Ich suchte sein Bild. Das konnte doch keine solche Hexerei sein – ich las den Aufsatz noch einmal und las ihn wieder. Das war eine feinhörige Empfindsamkeit für die leisesten und leichtesten Nuancen tiefer, dunkler Triebe, so vom Stamme der Stendhal und Barrès, und auch in der Liebe des farbigen Wortes, in der Emp-fänglichkeit für den Geruch der Dinge jüngstes Frankreich; aber darauf eine ausgeglichene, vielleicht sogar absichtlich etwas pedantische, nach den «Wan-derjahren» hin kokette Würde, wie das Alter sie liebt, wenn Leid und Freude überwunden sind; eine fast klösterliche Beschaulichkeit und Besonnenheit über der Welt – aber offenbar stieg dieser weise Mönch gern bisweilen zu Tortoni auf einen five o'clock-Absynth. Bloß daß es ein simpler Wiener, kein Franzose sein sollte –!

Aber ich kam jetzt schon langsam darauf. Es stimmte schon allmählig. Wir haben diesen Schlag in Österreich, wenn er sich freilich meist geflissentlich versteckt und von seiner spröden Schönheit nichts verrathen will, den Schlag der heimlichen Künstler. Ich dachte an Villers, von dem die Briefe eines Un-bekannten sind, an Ferdinand von Saar und die Ebner-Eschenbach; das war offenbar seine Race und seine Generation. Nur daß er noch die besondere Note des Boulevard enthielt; er muß lange französisch gelebt haben, um so an Schnitt und Tracht des Geistes durchaus pariserisch zu werden, wozu die Wiener Neigung und Talent besitzen. Ja, ich kannte ihn jetzt ganz genau.

Ich kannte ihn jetzt ganz genau. So zwischen 40 und 50 etwa, in der Reife des Geistes – sonst konnte er diese verzichtende Ruhe nicht haben, welche die Dinge nur noch als fremdes Schauspiel nimmt und nicht mehr begehrt; aus altem Adel augenscheinlich, wo Schönheit, Maaß und Würde mühelose Erbschaft ist; in Kalksburg bei den Jesuiten aufgezogen, daher die dialekti-sche Verve, die logische Akrobatie, das Schachspielerische seines Verstandes. Zwanzigjährig bei unserer Legation in Paris, ein geistreicher Bummler durch alle Raffinements, Viveur im großen Stil jener wilden Tage – davon klebt an seiner Sprache dieser schwüle, süßliche Parfüm, wie letzter Nachgeschmack am anderen Tage von Champagner, und ich dachte mir ihn gern, wie er damals mit der glücklichen Neugier der Jugend den Musenhof der Prinzeß Mathilde streifte, an Flaubert, den Goncourts und Turgenjew vorbei, und jene gelebte Kunst durch die Spalten schimmern sah. Aber dann, nach dem Falle des Reiches, enttäuscht, ernüchtert, müde, vom Dienst weg in einsames Sinnen verzogen, auf langen, langsamen Reisen erweitert und vertieft, ein stiller, heimlich freudiger Dilettant. Jetzt mochte er in einem stadtentrückten Winkel irgendwo seine heiteren Träume verspinnen, zwischen großen Büchern, tiefen Bildern, seltenen Krystallen, auf stumme Gärten hinaus, von hellen Comtessen verwöhnt, Sonderling, ein bißchen schrullenhaft, manchmal wohl auch ein wenig Poseur, um fremden Gefühlen, unverträglichen Erlebnissen, getrennten Erinnerungen Einheit zu geben, dem inneren Sinne des Lebens beschaulich zugethan, aller vergangenen Schönheit voll und lüstern eine künftige zu vermuthen. So stand er in jedem Satze – nur wie er wohl bloß auf die närrische Marotte gekommen sein konnte, sich auch um das irre Stammeln der neuen deutschen Kunst zu kümmern, das blieb vorläufig ein Rätsel...

Nächsten Tag wieder im Café. Ich sitze, lese, plausche. Plötzlich schießt, aus der andern Ecke quer durchs Zimmer, wie von einer Schleuder, ein junger Mann mit unheimlicher Energie auf mich, mir mitten ins Gesicht sozusagen. Ich erschrecke ein wenig; er lacht, gibt mir die Hand, eine weiche, streichelnde, unwillkürlich caressante Hand der großen Amoureusen, wie die leise, zähe Schmeichelei verblaßter Seide, und sagt beruhigend: Ich bin nämlich Loris. Damals muß ich wohl das dümmste Gesicht meines Lebens gemacht haben.

Ganz jung, kaum über zwanzig, und ganz wienerisch. Cherubin – Gontram oder Guy, aber ins Theresianische übersetzt – und Kainz, so etwa lassen sich die Elemente der ersten Empfindung sagen. Das Profil des Dante, nur ein bißchen besänftigt und verwischt, in weicheren, geschmeidigeren Zügen, wie Watteau oder Fragonard es gemalt hätte; aber die Nase, unter der kurzen, schmalen, von glatten Ponnys überfransten Stirn, wie aus Marmor, so hart und entschieden, mit starken, starren, unbeweglichen Flügeln. Braune, lustige, zutrauliche Mädchenaugen, in denen was Sinnendes, Hoffendes und Fragendes mit einer naiven Koketterie, welche die schiefen Blicke von der Seite liebt, vermischt ist; kurze, dicke, ungestalte Lippen, hämisch und grausam, die untere umgestülpt und niederhängend, daß man in das Fleisch der Zähne sieht. Ein feiner, schlanker, pagenhafter Leib von turnerischer Anmuth, biegsam wie eine Gerte, und gern in runden Linien ein wenig geneigt, mit den fallenden Schultern der raffinierten Culturen, von ungeduldiger Nervosität, aber die nicht wie jene des Kainz, an den man immer wieder denken muß, aus den Fingern sprüht, sondern in den Beinen ist, die immer zappeln. Aber vor allem in jeder Geste, jedem Ton, der ganzen Haltung was unsäglich Liebes: das gewisse österreichische «lieb», das sich wie ein ewiger Mai in dem linden, lauen, traulichen Accent des Wieners und in seinen Walzern wiegt.

Von diesem Tage an fanden wir uns oft und gingen gerne in die Gärten, zwischen Akazien und Jasmin. Er konnte plaudern, leicht, ungesucht, ohne daß er erst ein Thema brauchte; vom nächsten Wegerich des zufälligen Gespräches seitwärts nach versteckten Gründen, wo in wunderlichen Dolden seltene Gefühle blühen, und zugleich über fünferlei, kunterbunt durcheinander, und wenn er was erzählen will, erzählt er sicher was anderes. Ohne Pose, nur daß er jedem ein besonderes Stück seiner Natur bietet. Ich erkannte ihn jetzt täglich deutlicher und tiefer.

Und nun ist der junge Herr über Nacht auf einmal berühmt; man muß es schon mit solchem großen Worte nennen. So jäh, so heftig und so weit hat lange nichts in Wien gewirkt als dieser kurze Akt von raschen, scheuen Versen. – Alle Gruppen der Moderne, sonst so tausendfach entzweit, und die empfindlichsten Hüter der ältesten Schablonen wetteifern an Jubel und Begeisterung. Das geschwinde, flüchtige Gedicht («Gestern») heißt bald das definitive Werk des Naturalismus, bald der Erstling jener künftigen Kunst, die den Naturalismus überwunden haben wird, bald die Wiedergeburt des klassischen Stiles, von dem man sich überhaupt niemals entfernen dürfte – jeder findet seine Kunst darin, die Formel seiner Schönheit. Und es wird wohl eines ebenso richtig sein als das andere.

Ich wäre dem Heftchen ein schlechter Kritiker. Es fehlt mir die Distanz. Ich würde ungerecht im Lobe wie im Tadel. Ich trage aus seiner Natur in diese bunten Reime, was in ihnen vielleicht garnicht ist, und umgekehrt wieder, indem ich den Ausdruck seiner ganzen Natur von ihnen verlange, finde ich manches dürftig und unzulänglich, das sonst wohl für makellos und ohne Tadel gelten mag. Ich will lieber bloß die zwei Momente sagen, welche diesem Werke und seiner Weise überhaupt solche Besonderheit geben – ich begreife sie noch kaum, aber mir ist, als könnten sie wohl auf die nächsten Probleme der Entwicklung zeigen.

Man sieht es auf den ersten Blick, man hört es an jedem Worte, daß er der Moderne gehört. Er enthält den ganzen Zusammenhang ihrer Triebe, von den Anfängen des Zolaismus bis auf Barrès und Maeterlinck, und ihren unaufhaltsamen Verlauf über sich selber hinaus. Sie sind alle in ihm, in festen, deutlichen Spuren, aber er ist mehr als sie, mehr als jeder einzelne, mehr als ihre Summe. Er ist durchaus neu – weitaus der neueste, welchen ich unter den Deutschen weiß, wie eine vorlaute Weissagung ferner, später Zukunft; aber an ihm fehlt jenes Krampfhafte, Mühsame, Erzwungene der anderen Neuerer. Sein Geist «schwitzt» nicht... Er hat das Fröhliche, das Leichte, das Tänzerische, von dem die Sehnsucht Nietzsche's träumte. Was er berührt, wird Anmuth, Lust und Schönheit. Von den suchenden Qualen weiß er nichts, von den Martern der ungestillten Begierde, die rathlos irrt und sich nicht verstehen kann. In ihm ist kein Ringen und Stürmen und Drängen, kein Zwist von unverträglichen Motiven, kein Haß zwischen erworbenen Wünschen und geerbten Instincten; in ihm ist alles zu heiterer Einheit wirksam ausgesöhnt. Das muthet so klassisch, geradezu hellenisch an, daß er in der Weise der Alten neu ist, als ein müheloser Könner, ohne jenen Rest unbezwungener Räthsel, der quält.

Das andere Moment ist noch seltsamer, noch fremder. Ja – wenn ich ganz aufrichtig sein soll: es ist mir oft unheimlich. Seine große Kunst hat kein Gefühl; es gibt in seiner Seele keine sentimentale Partie. Er erlebt nur mit den Nerven, mit den Sinnen, mit dem Gehirne; er empfindet nichts. Er kennt keine Leidenschaft, keinen Elan, kein Pathos. Er sieht auf das Leben und die Welt, als ob er sie von einem fernen Stern aus sähe; so sehen wir auf Pflanzen oder Steine. Daher jenes Maaß, die vollkommene Anmuth, die edle Würde, daher aber auch die Kälte, die sécheresse, der ironische Hochmuth seiner Verse.

Eine Natur, die vielleicht größer wirkt, als sie ist, weil sie das erste Mal das neue Geschlecht von morgen verräth, das selbst die Neuesten von heute gar noch nicht einmal ahnen. Ich werde einen zuversichtlichen Instinct nicht los, daß mit ihm die zweite Periode der Moderne beginnt, die das Experimentiren überwinden und uns, an denen sich die erste entwickelt hat, ihrerseits nun als die «Alten» behandeln wird. Das müßte doch eigentlich sehr nett sein. Ich stelle es mir ungemein lustig vor. Unser Geschäft wäre gethan, wir könnten einpacken und uns einmal so recht von Herzen gütlich thun. Ganz ungestört und des besten Gewissens könnten wir «Cyperwein trinken und schöne Mädchen küssen».

Mir scheint, das ist der eigentliche Grund meiner Liebe zu Loris: ich empfinde ihn als Legitimation zu Sekt und Liebe.

ALFRED GOLD

Der junge Hofmannsthal

Glaubten wir nicht schon fast, ihn ein wenig überwunden zu haben? Hatten wir ihn nicht aus den Augen verloren? Vergessen? Da kommt der große Rechenschaftsforderer Tod, und mit einem Male liegt sein Werk und sein Leben wieder vor uns ausgebreitet, wie es seit Jahren vor uns, seinen frühesten Kameraden lag, noch heller, noch klarer, nur durch verhaltene Tränen gebrochen... Wir raffen unsere Erinnerungen zusammen, ein wahlloses Bündel, Nahrung und Trost für unsere Trauer.

Hugo von Hofmannsthal gab unserer Jugend das Beste, was sie hatte, ihre Erfüllung durch das Werk, ihren Glauben. Er trat in eine Generation, die aufgelockert war durch mancherlei Pflugscharen. Wir waren noch auf der Schule und lasen insgeheim, um nur Eins zu nennen, «Niels Lyhne». Der war damals «entdeckt» worden. Nicht viel später fielen uns die ersten reifen Früchte des jungen Altersgenossen zu, und da waren wir nun selber oder glaubten es zu sein, da fühlten wir unsere eigene Sehnsucht, weil es eine neue Art Sehnsucht war, die hier Form und Materie ward. An Niels Lyhne erinnerte mich zumindest ein Wort, das ich heute noch nicht vergessen kann. Seine Liebe, so heißt es beim Dänen einmal, war wie «errötendes Silber». So waren Hofmannsthalsche Verse, so war der edle Glanz seiner Empfindung. Das Wort bringt nur einen Vergleich, und doch ist es mehr und ist mir wie ein Stück Hofmannsthalschen Wesens in Erinnerung geblieben.

Ja, wir waren noch Gymnasiasten, und unser literarischer Ehrgeiz suchte in einer Geheimzeitschrift, von Auserwählten geschrieben und nur von ihnen selber auch gelesen, unter der Schulbank ihren Weg. Da fiel, zunächst als Gerücht, der neue Ruhm unter uns. Einer war erstanden, dem das gelang, wovon wir – schrieben. Ein Dichter! Wir lebten in Wien, und alles um und in uns war voller Anregung, aber auch voll von Anempfindung, Anempfindelei – der Schwäche dieser Stadt. An Größe fehlte es der Zeit nicht. Die Alterswerke Ibsens folgten Schlag auf Schlag. Hauptmanns Jugendwerke durften wir im Entstehen miterleben. Wie viele von uns glaubten sich miterkoren, weil sie in angeschlagene Tonreihen einfielen. Wie wenige fanden selber ihren Ton. Aber da war nun einer, dem klang das Wort aus tiefsten ungekannten Gefühlsschächten heraus, der hatte seine Welt und Atmosphäre, die mit ihm geboren war – wie jener Jacobsen, wie der junge Hauptmann. Er war trotzdem Wiener. Er hieß Theophil Morren, er hieß Loris, aber als er gleichzeitig mit uns die Schule beendete und die Universität bezog, hieß er von Hofmannsthal.

Es kamen unsere Frühlingstage studentischer Freiheit. In den steinernen Wandelgängen am Franzensring lernten wir ihn von Angesicht kennen: wir aus dem Dunkel strebend, drängend, er der Frühreife, Frühberühmte, in langen und gern geführten heitern Gesprächen promenierend. Wie anders anzusehen, als wir ihn uns dachten! Eleganter junger Herr mit nichtssagenden blonden Bartstreifen an den Schläfen, von auffallender Gepflegtheit bis zu den hellen Gamaschen, die er als einer der ersten trug, und in der Unterhaltung sehr gesprächig, aber auch sehr präzise, sehr anspruchsvoll. Er war im Denken und Sprechen so früh vollendet wie im Dichten. Er hatte sich eine Welt aufgebaut, in der hatte alles seinen Platz, in der war alles klar: klar, heiter apollinisch. Wie fern lag jedem das Gespräch mit ihm, dem Skeptiker des Dramolets «Gestern», dem Melancholiker von «Tor und Tod», alles vage Phantasien, alles Zweifel. Wie bejahend war sein unstillbarer Drang nach Wissen, Erkenntnis! Wie glänzend seine Art, Erkanntes abschließend zu formulieren! Was er ablehnte, war Unklarheit, Halbwissen, und nichts lag ihm näher als eine diskret-humorvolle Art Ironie, mit der er sich entzog, wenn man ihm nichts zu sagen hatte. Selbst seine Stimme, eine auffallend helle, ein wenig krähende Stimme, die zu einem lustigen Trompetenton anschwoll, half ihm, einer überflüssigen Konversation ein höfliches Ende zu machen.

Wir trafen uns in gewissen Studentenkreisen. Es gab damals, in den neunziger Jahren, neben allem schlagenden und farbentragenden Unfug, an dem es auch in Wien nie fehlte, eine «Akademische Vereinigung», auf deren Vortragsabenden Literatur und Wissenschaft umworben wurden. In diesem bunten Zirkel, aus dem mancher bekannte Name hervorgegangen ist (der Ministerialdirektor Schüller, der seit Jahrzehnten alle österreichischen Handelsverträge durchkämpft, der Theaterdirektor Geyer u.a.), besuchten uns Hermann Bahr und sein enger Freund und Schützling. Der liebe Hermann Bahr, breit, rund, gewichtig, äußerlich ein wohlgelaunter schwarzbärtiger Pascha, der strohblonde Hofmannsthal bei aller Lebendigkeit und Ungezwungenheit doch ein wenig Dichter-Aristokrat («Kronprinz» nannte man ihn bereits boshaft), ein geistig anspruchsvoller Edelmann. Ich sehe ihn noch vor mir, wie er «diskutierte»; mit hell und nasal hingeworfenen Sätzen, mit zusammengedrängten Mitteilungen, die nur das «Sachlichste» sagten. Vor einem Arsenal von Kenntnissen und Belesenheit, die er ausschüttete – und diesem Tempo! –, mußte man die Segel streichen, und doch hatte er in unserem damaligen Vorsitzenden, Julius Pap, einem genialen Schriftsteller, der über unseren Kreis nicht weit hinausdrang und ziemlich unberühmt starb, einen nicht unwürdigen Partner. Was an dem Zwanzigjährigen wieder am stärksten auffiel: daß er so fertig war, so durchaus am Ziel, voll von Bildung und Material nicht nur, sondern auch von Sicherheit. Als Dichter hatte Hofmannsthal mit dem «Tod des Tizian» eben seine «erste Epoche» beendet. Ob es nicht vielleicht seine fruchtbarste, seine ursprünglichste war? Er stand in diesem Augenblick an einem Kreuzwege. Er fand nach kurzer Pause einen Übergang zu den «Blättern für die Kunst», zu George und einem reinen Symbolismus; als sein nächstes größeres Werk erschien, wenn ich nicht irre, in der einige Zeit darauf gegründeten «Insel» sein «Kaiser und die Hexe».

Inzwischen war ich selbst ihm um eine Stufe nähergekommen. Hermann Bahr, der uns Junge damals elektrisierte, elektrisieren mußte, hatte sich meiner Beflissenheit angenommen und mich zu seinem Mitarbeiter bei der Zeitschrift «Zeit» gemacht. Da schrieb ich nicht nur meine kürzeren oder längeren Betrachtungen zum Tage, da lernte ich als verhaßter «Redakteur» die, die ich gelten ließ und die mich gelten ließen, manchmal auch in genauerer Nähe kennen. Wie ich nun mit Hofmannsthal zusammenkam? Das war eine ganz besondere Sache. Ich saß eines Tages bei meinem verehrten Chef, wir sprachen über verschiedene neu aufzunehmende Beiträge, aber alles, was zur Sprache kam, endete bei mir immer wieder mit begeisterten Worten über einen im letzten Heft erschienenen kurzen Aufsatz, eine Einführung in Walter Pater, den bei uns nur wenig Gekannten, geschrieben von einem Meister seines Fachs, in kleinstem Rahmen weisheits- und kenntnisvoll, und mystischer Weise unterzeichnet mit einem großartigen schottisch oder irisch klingendem Namen. Bahr ließ sich meine Begeisterung stumm gefallen, inzwischen läutete es, und ein braungebrannter Dragoner-Fähnrich trat ein, legte Schleppsäbel und Helm ab: Hofmannsthal – er machte gerade sein Einjährigenjahr. Sagte mir, dem flüchtigen Bekannten, ein paar Liebenswürdigkeiten und hatte mit Freund Bahr ein gewisses Hühnchen zu rupfen... Es wäre ja – nämlich – sehr billigenswert, wenn man ihm die Honorare für seine Beiträge schickte, aber der Briefträger, der ihm just auf den Kasernenhof nachläuft, um ihm vor Vorgesetzten und Kameraden für seinen letzten Aufsatz zwölf Kronen fünfzig (das war bestimmt «untertrieben», aber das war ein echtester Hofmannsthal) auszuzahlen, sei ihm doch peinlich. Denn eigentlich dürfe er «solche Sachen» jetzt gar nicht veröffentlichen... Solche Sachen: mir fing es zu dämmern an. Hermann Bahr lächelte. Der unbeschreibliche-unvergeßliche Walter Pater-Aufsatz, der geheimnisvolle Klassiker-Essayist, der irischschottische Verfassername, eine kleine Komödie mitten im Einjährigendienst: das war einfach Hofmannsthal. Der schnallte sich inzwischen, weiter räsonierend, seinen Säbel um und hielt mir gleich darauf einen lehrreichen Vortrag über das richtige Sitzen beim Reiten, das man «nur» bei den Dragonern lerne... Hermann Bahr warf uns lachend beide hinaus, aber wir machten noch einen langen Spaziergang, der mit einer Freundschaft endete.

Wenn man vom Hofmannsthal jener frühen Jahre spricht, ist die Gefahr, scheint mir, weniger die, daß man übertreibt, als daß man zu Gewöhnliches von ihm sagt. Er selber war immer und durchaus ungewöhnlich. Die Wir-

46

kung, die von einem Fragment, einem Zeitungsaufsatz von ihm ausging, konnte sich bis zum Magischen steigern; er, der im Leben im Umgang mit uns in einem witzig-wienerischen Armeedeutsch sprach, schrieb Verse und Prosa in einer Sprache, in der es keine Schlacke gab. Vielleicht ist ihm diese Vollendung, die ihm in seiner Jugend fast ohne Kampf zu glücken schien, später hinter den Schleiern des Symbolismus, im Handwerklichen der Bühne, nicht immer treu geblieben. Aber ich war bei seinen Jugendaufsätzen, Hofmannsthal schrieb damals über so vieles, z.B. auch über die eben neu auftauchende moderne Malerei. Das Beste und Unvergeßlichste, was über jene Bildoffenbarungen, von Richard Muther ausgehend, gesagt wurde, wurde von ihm gesagt. Wir Jungen lasen und verschlangen es. Mir wurde es sogar zur entscheidenden Schicksalswendung. Durch Hofmannsthal wurde ich Bildermensch, Impressionisten-Kenner.

Noch eine Erinnerung aus jenen Wiener Jahren. Einmal geriet auch er, wie so mancher Dichter, in die Gefahr einer Plagiatenklage. Ich hatte eine Novelle von ihm veröffentlicht. «Aus den Erlebnissen des Marschalls von Bassompierre.» Eine Erzählung von absichtlich-klassizistischer, goetheisierender Form, und da nun entdeckte man schnell genug, daß eine Partie an ihrem Anfang wörtlich aus den «Erzählungen deutscher Ausgewanderter» stammte. Mir, dem Verantwortlichen, war das nicht entgangen, zumindest hatte ich die Stelle im Kopf, an die hier angeknüpft wurde, aber die Grenze zwischen ungefährem und wörtlichem Goethetext war mir beim raschen Durchlesen unklar geblieben. Ein Skandal drohte. Eine nicht kleine Partei gab es immer, die dem allzu «Modernen» gern an die Beine fuhr. Deshalb machte ich mich eiligst auf den Weg, ihn zu suchen, und fand ihn schließlich in der Wohnung seiner Eltern. Keiner von den Dreien ahnte, welche «Enthüllung» drohte. Mir war die Botschaft peinlich, gerade vor dem Vater, den ich als einen sehr eleganten, sehr korrekten Herrn kannte (Bankdirektor in einer Zeit, in der man damit noch eine Würde bekleidete), und der Mutter –, einer lebhaften Dame, mit den ewig heiteren veilchenblauen Augen der Wienerin. Als ich mit meiner Sache herausgeplatzt war, blieb nur einer ganz unerschüttert: Hofmannsthal selbst. Das war doch alles haltloses Zeug. Das konnte doch jedes Kind sehen, daß er einen bestehenden Text zum Ausgang genommen hatte, um eine eigene Erfindung, eine neue Variante anzuschließen, und im Nu kam eine von ihm abgefaßte Erklärung zustande: «In der Annahme, daß sich Goethes sämtliche Werke in den Händen des gebildeten Publikums befinden, hat man unterlassen usw.». Nun war nicht mehr er der Blamierte. Der Skandal war beschworen, obwohl sicherlich so mancher und selber der Herr Verleger meines Blattes die Ironie des «Angeklagten» nur murrend sich gefallen ließ.

Bald danach brach ich durch meinen Weggang von Wien und der «Zeit» viele persönliche Verbindungen ab, doch die mit Hofmannsthal nicht ganz.

Ich sah ihn auch in Berlin mehr als einmal wieder, und wir blieben brieflich so weit in Beziehung, daß er meine bald darauf erschienene Übersetzung von Flauberts «Education» mit einem sehr bekannt gewordenen öffentlichen «Brief» einleitete. Dann kam eines Tages als überraschendes Geschenk für mich die schöne dreibändige Ausgabe seiner Schriften in Prosa: ockergelbe Bände in einem grasgrünen Schutzkasten. Welche Ernte! Wie köstlich waren da, Frucht neben Frucht, seine früheren Essays aneinandergereiht. Aus dem Gedächtnis zitierend, erinnere ich nur an den Dialog voll örtlichen Geheimwissens über die Stimme der Toten, die «süß ist wie Haschisch» – heute zu früh, auf ihn selbst anzuwenden. Ich schrieb eine längere Kritik darüber in einem Berliner Blatt. Das trug mir nun wieder Briefe des Dichters aus Wien ein. Briefe, die ich nicht zitieren würde, wenn es nicht um eine Art Bekenntnis ginge. Ich hatte in meinem Artikel, da ich wußte, wie sehr Hofmannsthal eine Zeitlang vor allem in Berlin als «Ästhet» und fast als Snob betrachtet wurde, dagegen Stellung nehmen wollen und hatte für ihn einen Ausspruch Weislingens aus dem «Ur-Goetz» umgemünzt; ein wunderbares Wort: «Wir haben so viel damit zu tun, wie wir sind, daß wir keine Zeit dafür haben, wie wir scheinen...» Das traf tiefer, als ich selbst glaubte. Darauf schlug er ein, der Vielverkannte. Das, schrieb er mir, traf ihn und seine Kämpfe ganz und gar.

Nun sind diese Kämpfe ausgekämpft. Die edelste und reichste Seele ist verstummt. Ich glaubte ihn zu kennen, den Menschen, den Dichter, aber ich sehe jetzt erst am Echo seines Todes, wie vielen und wie Vieles er bedeutet hat, und ich glaube, daß wir sagen müssen, wir wüßten jetzt erst, wie groß er war.

SIR ROBERT VANSITTART

Begegnungen mit Hofmannsthal

Als ich Hugo von Hofmannsthal vor 36 Jahren kennenlernte, stand ich gerade vor dem Examen, das mich in meine diplomatische Laufbahn führen sollte. Ich traf ihn in Alt-Aussee, wo er mit Jakob Wassermann eine Villa teilte.

Die Begegnung mit dem wie eine Blume empfindlichen, seinen Stimmungen ausgelieferten Dichter wurde mir zum Erlebnis. Ich verehrte und bewunderte ihn, wie wir alle um ihn es taten, nicht zuletzt, weil er sich trotz seiner Jugend schon eine so angesehene Stellung im Leben als Mensch und Dichter erkämpft hatte. Wir betrachteten ihn als den Pionier seiner Epoche, als einen der vorgeschrittensten Lyriker, dessen Werke starken Widerhall fanden, nicht nur in unseren Herzen, sondern in der ganzen Welt.

Seine frühen Dichtungen hinterließen in mir einen unauslöschlichen Eindruck. Zu meinen Lieblingswerken des Dichters aus dieser Zeit gehören «Der Tor und der Tod», «Die Frau im Fenster», «Der Abenteurer und die Sängerin» und vor allem «Der Tod des Tizian», ein Gedicht, dessen letzte Verse ich heute noch auswendig weiß, und die zum Schönsten gehören, was Hofmannsthal geschrieben hat.

Wir unternahmen oftmals gemeinsame Ausflüge und veranstalteten Picknicks in der romantischen Idylle des Salzkammerguts, an denen auch Edgar von Spiegel, mit dem mich lebenslange Freundschaft verband, teilnahm. Während wir durch die Wälder wanderten, sprachen wir auch oft über meine eigene Zukunft, die Hofmannsthal sehr am Herzen zu liegen schien. Ich fragte ihn um Rat, ob er es für weise und ratsam hielt, wenn auch ich mich der ersehnten literarischen Laufbahn zuwenden würde. Ich hatte damals noch nichts geschrieben, was der Aufmerksamkeit wert gewesen wäre, und er hatte auch nichts von mir gelesen.

Er riet mir, alle meine Energie der diplomatischen Karriere zu widmen. Seine Begründung war überraschend und charakteristisch. Er fand seinen eigenen Beruf schmerzhaft und zermürbend. Es gab in seinem Leben, vor allem in der Jugendzeit, lange Perioden der Depression, in denen er unfähig war, zu arbeiten. Er litt gesundheitlich und fühlte sich den düsteren Stimmungen untertan, die ihn gelegentlich erfaßten.

Diese Perioden waren abgelöst von Stunden und Tagen der Beglückung, des Freudentaumels, die ihm die Arbeit zum großartigen Abenteuer werden ließen. Die Musen ließen sich aber oft bitten, und es waren die Gemütsdepressionen, die ihn in jener Zeit kennzeichneten.

MARIE HERZFELD

Blätter der Erinnerung

Im März 1892 lernte ich ihn persönlich kennen. Eine der zahlreichen Blattgründungen jener Tage, die vergingen, ehe sie noch Boden gefaßt, die «Allgemeine Theaterrevue», hatte sich aus Berlin an mich gewandt. Ich sollte über skandinavische Dramen schreiben, skandinavische Dramen für sie übersetzen; aber auch anderes Neue wollten sie mit Dank aufnehmen, denn Neues galt dort plötzlich als Trumpf. Die Herren waren über Wien und was da künstlerisch gärte, völlig unterrichtet; als ich daher für den Anfang einen Aufsatz über «Gestern» vorschlug und einen über Maeterlinck, dessen «Intruse» und «Aveugles» nächstens bei uns aufgeführt werden sollten, waren sie einverstanden, baten mich aber, ich möge Hofmannsthal (recte: Loris) bewegen, ihnen zweierlei zum Abdruck zu überlassen, eine eigene Arbeit und die Übersetzung von Maeterlincks beiden Stücken. Er gehörte, gleich mir, zum Kreis der «Modernen Dichtung», die später den Namen «Moderne Rundschau» trug. Sie war kürzlich aus Brünn nach Wien übersiedelt und vereinigte disparate Mitarbeiter, zu denen Conrad Ferdinand Meyer, Arthur Fitger, Detlev von Liliencron, Carl Spitteler, Hermann Bahr, der junge Hauptmann, die Brüder Hart, Arno Holz, Ferdinand von Saar, Arthur Schnitzler und wer nicht alles zählte. Diese Monatsschrift brachte die ersten Aufsätze des Loris und vieles von mir; so hatten wir indirekt schon in Fühlung gestanden. Ich konnte daher an ihn schreiben und ihm die Wünsche der Berliner «Revue» übermitteln. Er antwortete sogleich, er habe von Maeterlinck nur «Les Aveugles» übersetzt, und zwar für keine Öffentlichkeit, sondern – mit Wissen des Verfassers – bloß für die geplante Privataufführung. Er habe nie daran gedacht, diese «leichtsinnige Übersetzung» irgendwo drucken zu lassen... Übrigens benütze er diesen «banalen» Anlaß zur Bitte, mich besuchen zu dürfen – was ein paar Tage später dann geschah.

Ich war auf seine Erscheinung durch den phantasievollen Aufsatz vorbereitet, in dem Hermann Bahr sein erstes Zusammentreffen mit Loris erzählt und dabei schildert, wie dieser aussieht, spricht, sich benimmt. Mein eigener Eindruck war nur teils derselbe, es war vor allem einer des Stutzens, der Überraschung, als am 16. März 1892 unser Stubenmädchen die Türe öffnete und mit raschen, weiten Schritten, vor Eile schräg vorgeneigt, ein junger Herr im Überzieher, Hut und Stock in der Hand, hereingestürzt kam: Loris. Überzieher, Hut und Stock, das war zweifellos die letzte Mode der «petits crevés» von Paris, die für je fünf Minuten einen Jour nach dem anderen besuchten, und man sah dergleichen auch bei uns hie und da – auf der Bühne. Wie er selbst von solchem Wesen späterhin dachte, zeigt die geniale Charakteristik seines geistigen Doppelgängers in den «Stadien»: «Er war von dem Geschlecht, das ... in den neunziger Jahren des 19. Jahrhunderts das Leben lebte, dessen äußere und innere Gebärden das Produkt blaguierender französischer Romane und manierierter deutscher Schauspieler waren.» Loris spürte damals sofort, wie wenig dies sein preziöses erstes Auftreten zu mir und zur Enge des Stübchens paßte, in dem ich ihn empfing und das seine Erinnerung zu einem Wunder der Poesie umgestaltete, das es niemals gewesen war... Wie es bei einer ersten Begegnung immer geschieht, nahmen wir einander heimlich die Generalien ab, musterten uns äußerlich und maßen uns geistig. Im ganzen fand ich Bahrs pointillistisch behandeltes Bildnis richtig, doch sah und deutete ich manches anders. Wo war denn das Pagenmäßige in diesen schon so entschiedenen Zügen, in dieser zwar zierlichen, aber fest gebildeten Gestalt; wo das Cherubinhafte im Ausdruck, der doch alles Sehnsüchtigen, Träumerischen, Schmachtenden seiner Jahre ganz entbehrte! Ich konnte auch das «Danteske» im Profil nicht erkennen, nicht einmal in Bahrs Abwandlung nach dem Rokoko hin. Vorhanden war freilich der Adlerbug der Nase; wo aber blieben die von Leidenschaft wild emporgerissenen Nüstern des großen Italieners! Bei Loris waren die Nasenflügel zart und «starr» wie Bahr ganz richtig angemerkt, – doch starr wie bei einem, dessen Physiognomie von der Gewalt des Lebens noch nicht durchgeknetet und daher nicht völlig durchseelt worden war. Auch sein Kinn war nicht wie das des Alighieri, nicht lang und vorgeschoben, die Unterlippe durchaus nicht «grausam» oder «dick», bloß voll, – sie stand ein klein wenig vor, wie bei den Bildern Philipps IV. von Velazquez, damals sogar noch etwas weniger, und sie gab im Sprechen die herrliche Reihe ebenmäßiger Zähne frei. Wenn er laut auflachte (was er gern tat und wobei er wie ein Kind den Ton beim Atmen auf und ab zog), entstanden Grübchen in den pfirsichfarbenen Wangen und an diese schmalen, feinen Wangen schmiegten sich ungewöhnlich schön gebildete Ohren. Die Haare waren von tiefgebräuntem Blond, die Augen wie helle Haselnuß, mit dem lichten Blau, das in diese Farbe gemischt ist. Der Blick erschien wach – nicht forschend, wie der des Arztes, nicht aufnehmend, wie der des Malers, sondern frei ausstrahlend, wie von Einem, der schon die ganze Welt in sich hat und sie achtlos verschenkt – darin dennoch der Dichter; das Ganze aber von wundervoll reicher Jugend, höchst lebendig und dabei von gehaltenem Maß. Er gab und gab, sprach gut und lebhaft, oft überlebhaft, wie er es selbst geschildert hat: «wir reden auch zu laut, zu schnell und von zu vielem»; er aber verstand zugleich, mit Ernst und Bescheidenheit zuzuhören. Das von ihm selbst gerügte «Laute» sordinierte seine Stimme durch einen nasalen Beiklang. Er vermied in der Unterhaltung fast mit Absicht alles Pathos, alle großen Worte, und besaß er eine Pose, so war es die der Einfachheit und Natürlichkeit. Ein schlagendes Beispiel dafür ist wohl die kleine Geschichte, die schon Max Mell einmal so beiläufig erzählt hat. Ich wollte Loris Bücher borgen: «Ich kann sie nicht mitnehmen», sagte er, «ich muß noch in die Schule; aber ich werde sie morgen von meiner Kindsfrau abholen lassen.» Ein Abiturient, der von der «Schule», ein schon berühmter Dichter, der von seiner «Kindsfrau» spricht – dergleichen entzückte mich. Freilich konnte auf ein so liebenswürdig schlichtes Wort dann ein sehr subtiles folgen, das durch den Gegensatz anspruchsvoll wirkte, und gemacht. Arthur Rimbaud mit seiner «audition colorée» (die vom Physiologen Ernst Brücke wissenschaftlich und von J.-K. Huysmans in «A rebours» künstlerisch umfassend dargestellt wurde), Rimbaud, für uns neu, guckte durch, wenn Loris – und nicht er allein, aber keiner so tief poetisch wie er – den Zusammenhang von Ton und Farbenempfindungen, den Ausdrucksinhalt bloßer Klänge, bloßer Farben, das Gruppieren und fast tonleitermäßige Anordnen und Abtönen von Farben zu interessanten Wichtigkeiten gestalten wollte: niemand mit größerer Berechtigung als ein junger Mensch, der wie er, jahrelang in das Dunkel des eigenen Ich hineingestarrt und aus dem Unbewußten seltsame Dinge herausgefischt hatte. Unser Gespräch lenkte sich an jenem ersten Abend sofort auf die merkwürdige Erscheinung eines Dichters, der unter dem wachsenden Einfluß der Pariser Symbolisten sich anschickte, die deutsche Poesie nach Stoff und Form gründlich umzugestalten. Es war Stefan George. Eine Wiener Dame, bei der er wohnte und die ich früher öfters sah, hatte ihn bei mir empfohlen, weil sie meinte, ich besäße die Einfühlsamkeit, ihn zu verstehen und auf sein Wirken durch Aufsätze vorzubereiten. Er war ein paarmal bei mir gewesen und hatte mir erst kürzlich, im Dezember, sein neues Buch persönlich gebracht – ich erinnere mich nicht, ob es die «Pilgerfahrten» oder schon «Algabal» gewesen; da hatte er mir seine Ansichten und Absichten genau entwickelt. So sehr mir diese gefallen mochten (ich notierte mir: «Was er sagt, ist besser, als was er schreibt»), so diskutierten wir dennoch den Weg, den er bisher eingeschlagen. Mir schien seine Gleichgültigkeit gegen das behandelte Motiv und der Kult der bloßen Form zu weit getrieben. Seine Bilder schwebten gleichsam im Leeren, weil sie an nichts Menschliches und nichts Göttliches anknüpften, keinen Bezug auf ein Ganzes hatten; er opfere, meinte ich, den tiefen Sinn der Dichtung dem Wert der flüchtigen Erscheinung und den Sinn des Wortes dem Wert des Klanges. Besonders durch Klänge wollte er wirken; doch das leiste die Musik unvergleichlich besser. Aber vielleicht sei er gar nicht musikalisch –? Diese Frage schien George sehr übelzunehmen und er verließ mich sichtlich verstimmt. Dennoch hatte er mir später aus München geschrieben, er bedauere, daß er mich nicht mehr sprechen konnte. «Ich hoffe», sagte er in seinem ebenso merkwürdig stilisierten wie bezeichnenden Brief, «nach Wien zurückzukommen – vorläufig aber lockt mich Paris. Ich gedeihe nicht unter jenen (größtenteils) zeitungsschreibern ohne jedes musikalische oder malerische interesse. Dort aber leben dichter, die wahre künstler zugleich sind.» Er gab mir seine Adresse an: 14, rue de l'Abbé de l'Epée, wohin er sich «hie und da» Nachricht erbat (die zu geben ich jedoch versäumte). An diese Schilderung meines sparsamen Verkehrs mit Stefan George, die damals an heute vergessenen Einzelheiten reicher sein mochte, knüpfte sich nun ein längeres Gespräch mit Loris. Dieser war ein unbedingter Verehrer des werdenden Dichters und fühlte schon an ihm, der sich erst sein Werkzeug zurecht schliff, die Größe, zu der er sich erheben sollte ... Selbstverständlich kamen wir dann auf das Thema «Allgemeine Theaterrevue», der gegenüber sich Loris skeptisch verhielt: trotzdem wollte er der Nummer mit meinem Aufsatz über «Gestern» ein dramatisches Fragment, an dem er arbeitete, zum Abdruck geben. Ob er nicht fertig wurde – jedenfalls kam das Bruchstück, «Der Tod des Tizian», nicht in die Theaterrevue, sondern später in die «Blätter für die Kunst», die Stefan George bald darauf sich anschickte, mit Gleichgesinnten für einen engen Kreis geladener Leser herauszugeben. Loris meldete mich, ohne mich weiter zu befragen, für diesen Kreis an und sandte mir die Hefte. Als im Dezember 1893 das zweite erschien, schrieb er mir dazu: «Ich glaube, daß hinter der ganzen manierierten und sonderbaren Unternehmung noch etwas ‚anderes' und ‚wirkliches' steckt. Mich besticht wenigstens diese eigentümliche Reinlichkeit daran, der vollständige Mangel an Rhetorik und die eigentümliche hochmütige Herbheit aller ihrer Enunciationen.» Ich führe diese Briefstelle an, weil sie im Verein mit seinem außerordentlichen Aufsatz von 1896 die Stellung des jungen Hofmannsthal zu Stefan George umreißt. Dieser bestätigt ihm die selbstgehegten künstlerischen Tendenzen, leitet ihn zur Selbstzucht an, führt aber zugleich sein Distanzgefühl gegenüber dem Nichtverstehenden, dem Nichtkünstler fast bis an die Grenze der Hybris, wie das in einem Vortrag, den Loris 1896 drucken ließ, klar zutage tritt.

Natürlich streifte unser Gespräch bei jenem ersten inhaltsreichen Zusammentreffen Maeterlinck und die Aufführung seiner Stücke. Nach dem Muster der Berliner «Freien Bühne» hatte sich bei uns ein «moderner» Theaterverein gebildet, der mit dem flämischen Dichter in Wirksamkeit zu treten gedachte. Aber die jungen Leute, die das unternommen, waren ihrer Aufgabe praktisch nicht gewachsen. Als der Abend, für den wir gerufen waren, erschien, standen wir vor den Toren des finsteren Theaters, die sich nicht öffneten. Die Weltunkundigen hatten vergessen, die Polizei rechtzeitig von ihrem Vorhaben zu verständigen, und so konnte die Aufführung erst mehrere Wochen später stattfinden. Am 4. oder 5. Mai war es. Voran ging eine «Conférence» (so mußte man als gebildeter Mensch wohl damals sagen!), die Hermann Bahr hielt. Er trug mit allzu leiser Stimme allerlei Geistreiches vor, nur nicht das, was man einem gänzlich unvorbereiteten Publikum über Maeterlinck sagen mußte. Und die Aufführung – trotz der blauen Schleier, hinter denen das Spiel vor sich ging, brachten die Dilettanten, die es in Szene gesetzt, weder das Geheimnisvolle noch das Schauerliche der Stücke heraus. Am nächsten Tag war die Presse aller Parteien Wiens einmal durchaus einig und ergoß Spott und Hohn über Bahr, über Maeterlinck e tutti quanti. Uns freute es eher, daß die Menge wieder einmal ihren Engsinn bewiesen; aber der Versuch, in unserer guten Stadt eine Freie Bühne zu errichten, war damit tot und begraben. Ganz ohne Wirkung blieb jedoch der Vorstoß Jungwiens für Maeterlinck nicht. Ein paar Monate später kam ein anderes seiner Werke «auf einem mährischen Gut» (wohl bei der ebenso schönen wie kunstsinnigen Fürstin Elise Salm) zur Aufführung. Es war die «Princesse Maleine», Ferdinand von Saar der Übersetzer, der selbst die Rolle des Königs spielte.

Mitte Mai erschien dann die Nummer der «Theaterrevue» mit meinem Aufsatz über «Theophil Morren». Was darin stand, weiß ich heute nicht mehr, ist auch nur interessant als Anlaß zu einem Brief des Dichters. Es scheint nicht, als habe meine Analyse, trotz allen Lobes, ihn sehr glücklich gemacht. Als ich ihn fragte, wie ihm zumute gewesen, als er diese Studie las, sagte er, mit seinem hellen Lachen: «Wie einem, dem man die Haut abzieht»; schriftlich aber: «Der Aufsatz ist, glaube ich, sehr gescheit und stellt das Ding ungefähr dorthin, wohin es gehört.» Ich scheine aber tiefsinnig geschrieben zu haben, daß er mit dem Sturm, den er in den Schlußteil von «Gestern» eingefügt, zweifellos die Handlung symbolisch untermalen wollte. Worauf Loris: «Sehr erstaunt war ich, zu erfahren, daß der Sturm symbolisch gemeint ist und gewissermaßen die Orchesterbegleitung zur Auseinandersetzungsszene darstellt. Ich hatte auf den Sturm am Ende vollständig vergessen und ihn überhaupt nur eingeführt, weil ich gern von Schifferfahren spreche. Auf Stimmung ist überhaupt nirgends hingearbeitet, zu wenig für meine Empfindung. Mir liegt viel mehr an Schönheit als an Verstand; es war aber wahrscheinlich nur die erste Scheu vor ‚Jugendlichkeit', was diese Verse so unklingend und farblos-klar gemacht hat. Das ist nicht etwa eine nachträgliche Programmrede ... Ich werde nächstens etwas furchtbar junges schreiben, am liebsten ein Märchen, goldbraun und orange, aus Tausend und Eine Nacht. Inzwischen mache ich noch meine schriftliche Prüfung ...» Das versprochene Märchen, zu dem es so vielerlei Entwürfe gibt, die Bruchstücke blieben, kam erst viel später. Einstweilen nahm das Abiturium Loris vollauf in Anspruch. Ich war auch diesen Sommer ungemein beschäftigt; so kam es, daß ein Manuskript Arthur Schnitzlers, das Drama «Märchen», welches Loris mir auf Wunsch des Verfassers im Frühling gebracht hatte, damit ich meine Ansicht darüber sage, monatelang unbesehen bei mir liegenblieb. Als Loris mahnte, veranlaßte das eine prinzipielle Auseinandersetzung über die Brauchbarkeit der naturalistischen Methoden für das Theater. Meine Erfahrungen hatten mich skeptisch gemacht. Besonders die Sprache, schien mir, vertrüge nicht ein bloßes Abschreiben der Wirklichkeit. Die Sprache des Alltags wirke nicht natürlich, sondern platt. Bei den Griechen stand ein Altar auf der Szene; wir hätten die Bühne wenigstens ein paar Stufen über den Zuschauerraum erhöht. Was darauf vorgeht, projiziere sich nach unten, nach oben, in die Weite, die Ferne; das verlange eo ipso einen erhöhten Ton, eine verdichtete Wahrheit. Natürlichkeit der Sprache sei eine Schöpfung des Künstlers, nicht der Natur. Loris stimmte mir durchwegs bei; Schnitzler schwieg, doch seine Überlegungen kamen zum gleichen Resultat...

Dieser Sommer schenkte mir noch eine Reihe schöner und warmer Briefe, die Loris aus der Fusch an mich schrieb. Er erwähnt «ein vorübergehendes, aber heftiges Unwohlsein» seines überaus geliebten Vaters: dies brachte ohne Zweifel wieder den Tod vor seine Sinne, der ihn ja schon, als er ein Kind war, sehr beschäftigt hatte, und nährte den Keim zu einer sich in ihm bildenden Dichtung. Die grandiose Natur, die ihn umgab, scheint ihm aber nichts gesagt zu haben; so sehr lebte er sein Leben bloß im Geistigen. Er langweilte sich; er fror; er half sich durch Florettfechten; er bat um Briefe. «Ich habe glücklicherweise gut ausgesuchte Bücher mit, solche mit concentrierter Schönheit und funkelnden Farben, die das kahle, kalte Zimmer mit Poesie meublieren: Sophocles, Shelley, Swinburne, Verlaine, Horaz; dann Pelléas und Mélisande, den Pélerin passionné, Fragmente von Otto Ludwig, Drames philos. von Renan, den Parcival, die Geschichte der Jungfrau von Orléans von Michelet, die Novellen von Poe und Scarlet letter von Hawthorne. Ich habe die Empfindung, daß Ihnen bei dieser Aufzählung ist, als hätte ich hübsche und bunte Farben aufgezählt: mattgold, lapisblau, mauve, silberlila, feuilles mortes, moosgrün, blass corail usf.» Ungefähr gleichzeitig ist jener Brief an Schnitzler, in dem er meldet, er habe sich «vor einer gewissen inneren Öde und Abspannung in die Tragödie gerettet» (es war «Ascanio und Gioconda»), bei der ihn «die eigentümlich dunkelglühende, dionysische Lust im Erfinden und Ausführen tragischer Menschen in tragischen Situationen» lockte: das führte er dann in sehr malerisch wirkenden Bildern aus, wie ihn ja augenblicklich Farbvisionen stark beherrschten. Am 5. schrieb er dann mir und antwortete auf meine Frage, ob er die «Mimiamben» des Herondas kenne – jene spätgriechischen, so aufschlußreichen dramatischen Szenen, die man kürzlich im British Museum aufgefunden hatte und die nun (in einer sehr schulmeisterlichen Übersetzung) deutsch erschienen waren. Loris verneinte; «meine Bildung», schrieb er, «ist ein bißchen dilettantenhaft, unausgeglichen, aber gerade mit der griechisch-alexandrinischen Decadenz habe ich mich ein bißchen beschäftigt: trotzdem ... Meine Lieblingsform, von Zeit zu Zeit, zwischen größeren Arbeiten, wäre eigentlich das Proverb in Versen mit einer Moral, so ungefähr wie ,Gestern', nur pedantesker, menuetthafter: im An-

fang stellt der Held eine These auf (so wie: ‚das Gestern geht mich nichts an’),
dann geschieht eine Kleinigkeit und zwingt ihn, die These umzukehren (‚mit
dem Gestern wird man nie fertig’); das ist eigentlich das ideale Lustspiel, aber
mit einem Stil für Tanagra-Figuren oder poupées de Saxe…» – ein Programm,
das er ja später im «Weißen Fächer» so dichterisch bewältigt hat. Dann kommt
in jenem schönen Brief eine Stelle, die ich wegen der Koinzidenz mit dem
wohl gleichzeitigen Bruchstück «Kreuzwege» anführe. Er protestiert gegen
meine Annahme, daß Musik ihm nichts sei. «Ich sehne mich fortwährend
nach Musik, ich kann mir nichts schönes ohne sie denken, ich bleibe oft im
Frühjahr, wenn nachts die Fenster offen sind, eine halbe Stunde vor einem
stehen und höre geigenspielen oder singen zu … Ich möchte endlich ein Haus
finden mit alten Empiremöbeln, die nach Lavendel riechen, Alt-Wiener Va-
sen und viel Musik, wo man leise kommt, still zuhört und dann, wenn man
will, ein bißchen plaudert; oder auch nicht…» Als ich ihn später einmal zu
solch einem häuslichen Musizieren einlud, das bei mir stattfand, sagte er zu
und dann wieder ab – vielleicht weil ihm der Lavendelgeruch und die Empire-
möbel fehlten; dieses Bild hielt ihn zu sehr gefangen.

Im Frühherbst trat dann Loris die Reise nach der Provence an, die wir aus
seiner Beschreibung kennen. Nach seiner Rückkehr brachte er mir im Oktober die erste Nummer der «Blätter für die Kunst». Bald darauf begann das
juridische Studium an der Universität, das er später erst mit dem der romanischen Philologie vertauschte. Über diese Epoche läßt er den Helden seiner
«Kreuzwege» sagen: «Ich erlebte nichts und schrieb in ein lichtgelb gebun-
denes Tagebuch hochmütige und enttäuschte Verse, die ziemlich deutlich
eine empfindsame und unruhig fröstelnde Seele ausdrückten, mit Sehnsucht
nach vielerlei, ohne Zuversicht und mit manierierter Scheu vor dem Pathos
der lauten heftigen Worte.» Dies «ohne Zuversicht» findet sich gar zu häufig
in den Niederschriften dieser Zeit, um nicht biographischen Wert zu haben,
ganz ebenso wie die Worte von der «unruhig fröstelnden Seele» des Einsamen, mit der «Sehnsucht nach vielerlei». Die junge Freiheit des Universitäts-
lebens machte ihm keinerlei Spaß; was er damals sprach und erzählte, war
«ganz bescheiden und vernünftig und durch und durch sympathisch» – dazu
rechnete ich, daß er einen Beruf wählen und nicht vom Dichten leben wollte.
Eines nur genoß er diesen Winter von Grund auf: das ästhetische Kolleg, das
er bei Alfred Freiherrn von Berger hörte. Eine wundervolle Vorlesung galt
der Erscheinung Nietzsches, aber sie hat Loris dem Dichterphilosophen,
dessen Schriften uns so tief aufwühlten, dennoch in jener Epoche nicht unterworfen. «Ich habe noch nicht Zeit gehabt, mich mit ihm näher einzulassen»,
sagte er mir ein Jahrzehnt später in Rodaun, «aber ich komme schon noch dazu…» Viel stärker wirkten auf Loris andere Momente der immer höchst persönlich gefärbten Vorträge Bergers. Loris rang ja damals um die dramatische

Form, die wie eine schöne Hexe ihn nach sich lockte und sich ihm entzog, wenn er sie zu greifen meinte. Deshalb traf es ihn mit solchem Wahrheitsklang, als Berger die Unfähigkeit der Gegenwart, ein Drama großen tragischen Stils aufzubauen, aus unserer inneren Zersplitterung erklärte, aus unserem Mangel an einem geistigen Mittelpunkt, wie es ehedem die Religion gewesen, «an einer Weltanschauung, die trägt und formt» – eine Auffassung, die Loris, wie er mir schrieb, «höchst lebendig und bedeutend ergreift». Er fand sie auch als «heimliche Moral» in den Seiten eines Buches, das ich zu Weihnachten 1892 herausgegeben, und sie war ebenso die heimliche Moral seines eigenen Wesens. An diese Vorträge Bergers, die ihn so sehr beschäftigten, knüpften sich dann häufig unsere Gespräche, die an das Tiefste rührten. So drückte er mir einmal seine Verwunderung aus, daß für Berger das Religiöse ein Erlebnis von erschütternder Art sei. – «Ja, und für Sie nicht? Läßt Glaube und Zweifel und Unglaube Sie kühl und ruhig?» Da gestand mir Loris, daß bisher «alle Religionen ihm nichts gewesen als schöne Mythologien». Und als ich hierauf fragte, was denn für ihn ein starkes Erlebnis gewesen sei, antwortete er mir: «Ich habe bisher nie eine große Freude oder einen großen Schmerz gehabt.» Mich überlief es. Er stand schon zum Gehen bereit, als er dies sagte, und so wurde darüber nichts weiter gesprochen; doch es schoß mir durch den Kopf: «Inkandeszenz des Geistes, Insuffizienz des Herzens». Aber das hieß die wahre Sachlage verkennen. Dieser junge Mensch lief hinter dem Leben her, das ihn narrte; faßte er es beim flatternden Zipfel, so verstand er nicht, daß er es hatte. Der Dichter erlebt die Wirklichkeit nur voll in der Phantasie und neben der Glut seines Traumbildes erscheint die Wirklichkeit ihm fahl und blaß...

Bald kam eine Epoche, da wurde Loris an Berger irre. Dieser hatte die Ansicht, die Technik des Dichtens sei, wie die jeder andern Kunst, durch Lehre erlernbar. Er gab daher Unterricht darin und so saß unser Freund, wie er sagte, «stundenlang bei Berger und wußte nicht, was ich aus ihm machen solle». Das Chamäleonartige an ihm verwirrte den Schüler, all dies Verrückbare, Schillernde der Ansichten, die mit Tag und Stunde und der Umgebung wechseln konnten, das zugleich Tiefe und Untiefe, dämonisch Beherrschende und dem Moment Erliegende; man fragte sich oftmals: wo und wann ist Berger echt? – Dennoch späterhin, aus einer gewissen Entfernung, fand Hofmannsthal die Worte, welche das Wesen dieses Rätselvollen einzufangen und seinen Zauber zu erklären suchten.

Einstweilen entwickelte sich Loris, in einer Fülle von Arbeit und Anregung, ungemein rasch. Er schrieb allerlei Aufsätze; es kamen, außer dem Essay über Ibsen, jene anderen poetischen und von Geist funkelnden Versuche über Swinburne, über Saar heraus; bei einem solchen Anlaß entspann sich eine kleine Korrespondenz zwischen uns. Ich hatte angedeutet, er behandle, nach meinem Gefühl, seinen Gegenstand nicht allseitig genug, erschöpfe ihn nicht, verliere sich gern an Nebensachen, spiele mit Einzelheiten und packe nicht, wie der Kritiker soll, den Stier bei den Hörnern. Da wurde er fast böse. «Ihre Kritik ist, glaube ich, streng genommen richtig; ich freue mich, daß Sie mich ernst nehmen. Aber warum Sie gerade einen wirklichen Kritiker aus mir machen und so den allenfalls möglichen wirklichen Künstler ersticken wollen, sehe ich nicht recht ein. Warum soll ich nicht bei der ‚geistreich‘ nebensächlichen Causerie bleiben dürfen; ich will aus dem Plaudern über Métiersachen keinen Beruf machen. Kennen Sie Anatole France? Wie sagen die Rohans?

> *Taine ne puis,*
> *Brunetière ne daigne* etc.

Ich spiele nicht mit meinem Talent, aber mein Talent will manchesmal spielen» – und später in dem Brief, als Erklärung zu der beiliegenden Saarstudie: «Ich meine, daß diese Art Mache, zwischen culturgeschichtlicher Reflexion und Prosagedicht, doch etwas gibt, ohne innerlich so sehr zu verbrennen, wie die wahre, die scheidende, die kritische Kritik; nicht?...» Und ein anderes Mal, er wolle bloß der «Interpret» sein – wobei ich ihm sicher nur beistimmen konnte.

Vom dichterischen Ertrag dieses Winters sah ich bloß den Prolog zu Schnitzlers Anatolszenen, die 1892 erschienen, und die reizvollen Verse, die Loris für eine in Wien berühmt gewordene Doppelaufführung lebender Bilder im Hause der Baronin Jella Oppenheimer schrieb.

Während er aber die Welt genoß und scheinbar nur mondäne Verse machte, beschäftigten ihn schwerere Dinge und Probleme. Im Sommer 1893 brachte die «Deutsche Zeitung» eine allegorische Novellette «Das Glück am Weg». Vom Mai des gleichen Jahres datiert das Prosagedicht «Gerechtigkeit», das wie eine große Glocke an das eingeschlummerte Gewissen eines gedankenlos glücklichen Menschen schlägt – dieses herrliche Stück mit dem Engel, der aussieht wie aus einem Bild des Quattrocento herausgestiegen und der, nach Wiener Art, mit dem Wiener Gärtnerskind in wienerischen Wendungen spricht: ein echt Hofmannsthalscher Zug. Auch «Der Tor und der Tod» dürfte kurz vorher herangereift sein. Loris kündigt mir dies Werk, das die stärkste Essenz seiner seelischen Verzweiflung ist (und die Umschreibung des Bekenntnisses «Ich habe nie eine große Freude und nie einen großen Schmerz gehabt»), Loris kündigt mir dies Werk im Oktober als einen im «Münchner Musenalmanach» des O. J. Bierbaum erscheinenden Einakter an, den er hoffe, in der «Burg» unterzubringen. In der «Burg»! Das k. k. Hoftheater feierte ja damals geradezu Orgien einer naturalistischen Schule, deren Mätzchen es gelang, Gerhart Hauptmanns «Einsame Menschen» unmöglich zu machen; wie wäre da für dies seltsame, zarte Werk Raum und Geschmack zu finden gewesen! Als er sich diese Dichtung von der Seele geschrieben hatte, gestand er im Juli: «Ich bin alles Feinen, Subtilen, Zerfaserten, Impressionistischen, Psychologischen recht müde und warte, daß mir die naiven Freuden des Lebens wie Tannenzapfen derb und duftend von den Bäumen herunterfallen. Leider Gottes», fügte er hinzu, «ist der Baum des Lebens sehr headstrong und läßt sich nicht schütteln.» Aber er geht auf die Suche aus, hat dann durch «3 volle wunderschöne Monate im Salzkammergut, in Nürnberg und München, und schließlich auf einem böhmischen Schloß nichts als in den Tag hinein gelebt, fast ohne zu reflektieren. Das war sehr schön» – schön besonders als Vorbereitung auf einen arbeitsreichen Winter, in dem er es vermeiden wollte, in die Welt zu gehen, und während dessen er auch für seine erste Staatsprüfung zu lernen hatte. Im November gedachte er mir einen Freund zu bringen, «einen gescheidten Menschen», wie er sagte, «der manchesmal Novellen schreibt». Und nun war es komisch, wie schwer sich das in Szene setzen ließ. Die Tage stimmten nicht, Loris war nicht frei, er mußte absagen, ich mußte absagen; endlich kam der Freund, allein; – ich war nicht zuhause, er hinterließ keine Karte und so wußte ich immer noch nicht, wer es sei. Hofmannsthal schrieb mir auf meinen Vorhalt: «Mein namenloser Freund, – da er nicht die Ehre hat, Ihnen vorgestellt zu sein, konnte er doch keine Karte abgeben – ist ein junger Wiener, der Novellen schreibt» – weiter nichts, doch nahm ich an, es könnte Leopold von Andrian sein, was sich dann nach und nach als richtig erwies. Aber in so überspitzter Art vermochte Loris sich die Gesetze des gesellschaftlichen Umgangs auszudenken und jeden Paragraph noch mit einem Alinea zu versehen, was dann einen oft recht schwierigen und leicht übertretbaren Kodex des Verkehrs ergab und damit wahrscheinlich Anlaß zu mancherlei, oft dauerndem Verdruß. Zu der nervösen, ungemein verletzbaren Natur des Dichters kam da noch, daß er über die Regeln der Schicklichkeit, ebenso wie über alles andere, nachgedacht und sich eine Theorie des guten Betragens zurechtgelegt hatte. Sein eigenes Wesen war ja voll der zartesten Rücksichtnahme und Ritterlichkeit; so vergaß er z.B. bei mir nie, daß er mit einer Dame sprach, was in seinen Briefen oft liebenswürdig und putzig zum Vorschein kam, am hübschesten nach einer Entwicklung einiger Grundsätze: «Aus einem artigen Dankbrief, der werden sollte, ist eine ganze Thronrede und eine Art offener Brief geworden. Das ist einer Dame gegenüber beinahe tactlos», und dann, sehr charakteristisch für seine eruptive Art: «ich zerreiße aber nie Briefe». Auch das bezeichnet den Unterschied, den er zwischen dem Verkehr mit Freunden und dem mit einer Dame machte, daß er in Variationen bitten konnte: «Bewahren Sie mich in freundlicher, unliterarischer Erinnerung.» In solchen feinen Dingen war er unerschöpflich, einzig.

Seine Studien führten um die Jahreswende Loris zu den Tragikern der Elisabethinischen Zeit und in den Weihnachtsferien las er Webster, Ford und Massinger, erkundigte sich aber zugleich um die Werke von Robert Browning, offenbar um zu sehen, wie ein Dichter des 19. Jahrhunderts italienische Stoffe aus der Renaissance sich zurechtlegen mochte. Mittendurch aber geriet er den Griechen in die Arme. Anfang Februar 1894 schrieb er mir, er arbeite vielerlei, unter anderem auch eine Art Bühnenbearbeitung der euripideischen «Alkestis». Das war keine so einfache Sache, da schon allein das Auflösen der Chöre, das Umgießen der alten Versmaße in Formen, die unserer Sprache und unserem Fühlen näherlagen, höchsten Takt erforderten. Der griechische Ton durfte nicht geopfert werden und ebensowenig die Forderung unseres Theaters. Etwas Unausgeglichenes, ja Zwiespältiges blieb an der Arbeit dennoch haften; schon im Gegenstand liegt ja etwas, womit sich unser Fühlen schwer versöhnt. Für Loris lag die Lokkung der «Alkestis» wohl im Todesmotiv auf dem sie beruht, und gerade das hat er wundervoll herausgebracht.

Dieser Darstellung habe ich aus der Loris-Epoche nicht mehr viel persönlich Erschautes und Erlebtes beizufügen. Unser Verkehr lockerte sich; in meinem Dasein traten grundlegende Veränderungen ein. Oft war ich selbst nicht in Wien; Krankheit, Tod trat in den Kreis meiner Nächsten. Neue Menschen und Schicksale füllten meinen Tag. Zeitweilig konnte ich keine Besuche sehen oder nur zu gewissen Stunden. Andererseits Hofmannsthal, mit seinem wachsenden Ruhm, sehr verwöhnt, sehr begehrt, jung, mit den Wünschen und Bedürfnissen der Jugend – wenn er, den Kopf erhitzt von dichterischem Schaffen oder abgespannt von ermüdenden Studien, abends ausging, mochte er den Wunsch nach Zerstreuung, Schönheit, Glanz und Lichtern haben, nicht aber nach einem stillen Gespräch zu Zweien, über Kunst und künstlerische Dinge. Und Äußeres. Loris machte 1894/95 sein Freiwilligenjahr; das nahm ihn so in Anspruch, daß er gar nicht zu Hause, sondern in der Nähe der Kaserne wohnte, nach der ihn sein Dienst schon am frühen Morgen rief. Auch dies schränkte die Stunden ein, die er Freunden und Bekannten widmen konnte. Es tut nie gut, wenn ein Verkehr, wie es unserer war, lange unterbrochen wird. Das Wiederaufnehmen fällt immer schwer. So gingen zwischen uns nur Sendungen hin und her – ein neues Buch, ein Sonderdruck mit Widmungswort, vielleicht auch mit Brief: eine leere Hülse zeigte es an. Man traf sich manchesmal, im Konzert, im Theater, sprach ein paar freundliche Worte oder auch nicht. Bis späterhin die Fäden unserer Beziehungen sich wieder anzuspinnen begannen, stoßweise zu einem dichten Netz gestaltet schienen, dann im Winde plötzlich von neuem lose flatterten und doch innerlich niemals rissen. Als wir wieder einmal eine Zeit hindurch voneinander nichts gehört und gesehen, wehrte sich Hofmannsthal gegen die Idee eines Mißverständnisses, einer Verstimmung. Er halte sich meiner alten Gesinnung für versichert, so lange er sie durch seine Produktion verdiene, «mag ich auch», wie er sagte, «dauernd meinen Kreisel vor mich hintreiben, ohne mich mit dem socialen Leben unserer Vaterstadt viel zu verknüpfen».

Durchblättere ich die Briefe, die Hofmannsthal nach 1900 an mich richtete, so fällt nur zweierlei auf: die Schrift, deren Buchstabenform sich kaum geändert hat, die aber jetzt, bei aller wachsenden Eile der Feder, einen großartigen Zug aufweist: wie die kühne Schwinge der Möwe die erzitternde Haut des Wassers nur leise streift, so schwebt nun die beflügelte Dichterhand zart über das Papier. Und das Andere, was frappiert, ist der weltmännische Ton, gehüllt in eine wahrhaft halkyonische Heiterkeit, die gar nichts mit dem lustigen Auflachen des jungen Loris zu schaffen hat, vielmehr aus einer höheren, verklärten Atmosphäre stammt, in der sich alles Irdische mit seinem kleinen Ärger und seinen großen Schmerzen in Glanz und Duft auflöst. Hofmannsthals Leben war, trotz der zärtlichsten Liebe seiner Nächsten, trotz der verehrenden Bewunderung eines großen Kreises edelster Freunde, ja eigentlich eine Folge bitterer Erfahrungen, die an seinen Mut, an seine Seelengröße den allerhöchsten Anspruch stellten. Deshalb rührt mich besonders, was er mir 1906 über sein Verhältnis zur Mitwelt sagte. Ich hatte ihm, anläßlich des Erscheinens seiner Verse und Kleinen Dramen, ein paarmal geschrieben und gesagt, um wieviel tiefer ich seine Werke, so gesammelt, nun genösse. Es war, als begriffe ich sie nun erst ganz. Um das zu erläutern, führte ich Jens Peter Jacobsen an, der sich ungefähr so ausdrückt, mit der Kunst verhalte es sich ganz wie mit dem Wein. Im Wein spüre man den Duft der Rebenblüte und die Glut der Sonne, in der die Traube reife, und das sei der gute Wein. Aber zum besonderen Wein komme noch ein Aroma hinzu, das fremdartig schmecke und gar nicht angenehm, und das gerade mache den besonderen Wein. Diesen Ausspruch wendete ich auf Hofmannsthals Dichtungen an, bei denen das Anderssein zuerst befremdete, ja abstoßen könne; doch je mehr und je öfter man sich damit beschäftige, desto mehr fühle man gerade dies als die Kraft und Adelsmärke, die seiner Poesie die höchste Anziehung schenkte. Hierauf antwortete Hofmannsthal: «Ihre beiden Briefe waren mir sehr wohlthuend, jede Zeile darin – sowohl die wahrhafte Freundlichkeit, als das Verstehen eines Standpunktes, den man einmal einnimmt, weil man nicht anders kann. – Dies, daß man gewisse Bücher zuerst mehr besonders, dann mehr gut findet, hat mich sehr berührt: nicht alle Leser vermögen sich das so zu formulieren» (Hofmannsthal hatte die Liebenswürdigkeit, Jacobsens Formulierung mir zuzuschreiben); «ich glaube, nur mit Lesern, die ungefähr das durchmachen, habe ich zu rechnen»... Er plante für den Januar 1907 eine Wiener Wiederholung des Vortrages «Der Dichter und diese Zeit», wegen dessen er in Deutschland sehr gefeiert worden; er wollte in einem Salon oder kleinen Saale sprechen, «natürlich ohne Öffentlichkeit, Presse» etc. und «für ganz wenige Menschen». Er hoffe sehr auf meine Gegenwart, und falls ich Menschen wisse, denen es Vergnügen machen würde, eingeladen zu sein, und die er nicht kenne, so möchte ich es schreiben. «Ich meine besonders nette Menschen; z.B. ...» (er nannte eine sehr hervorragende Persönlichkeit, die wir beide kannten) «gedenke ich womöglich mir erst einfallen zu lassen, wenn alle Plätze weg sind und es zu spät ist», schloß er übermütig seine Zeilen... Als der Vortrag dann stattfand, ist er mir tief im Gedächtnis geblieben, nicht nur durch den bedeutenden Inhalt, sondern durch die unendliche Urbanität der Form. Welcher Weg von dem Vortrag ähnlichen Titels, der 1896 erschien! Nun gar nicht mehr dieser abweisende Hochmut, nicht diese eisigen Worte der Distanzierung! Hier, mit den Einschiebseln «wie Sie wissen», «Sie wissen besser als ich», «ich brauche Ihnen nicht zu sagen», offenbarte sich einer, der sich nicht mehr absondern wollte, sondern sich eingeordnet hatte in eine Gemeinschaft Gleich- und Hochgesinnter, einer, der sich als Teil empfand, als Teil seines Volkes, seines Staates, der ganzen Menschheit. Und der sein Haupt von den Schauern eines Übergeordneten, Übermenschlichen, Überirdischen umweht fühlt. Demut, im Sinn der Erkenntnis eigenen Unwertes, spürte er sicher nicht. Er wußte, was er war, aber er wußte auch, daß Begabung ein Geschenk der Götter und ein Auftrag ist. Diesem hohen Auftrag lebte er. Unbeirrt von Erfolg und Mißerfolg, ging er den von seiner Natur ihm anbefohlenen Weg. Den mühereichen Weg von einer innern Entscheidung zur anderen, zur künstlerischen wie zur menschlichen Vollendung. Den Weg aller erlauchten Geister, den einzigen, der zur Dauer führt.

STEFAN ZWEIG

Aus der Welt von gestern

Was kann einer jungen Generation Berauschenderes geschehen, als neben sich, unter sich den geborenen, den reinen, den sublimen Dichter leibhaft nahe zu wissen, ihn, den man sich immer nur in den legendären Formen Hölderlins und Keats' und Leopardis imaginierte, unerreichbar und halb schon Traum und Vision? Deshalb erinnere ich mich auch so deutlich an den Tag, da ich Hofmannsthal zum erstenmal in persona sah. Ich war sechzehn Jahre alt, und da wir alles, was dieser unser ideale Mentor tat, geradezu mit Gier verfolgten, erregte mich eine kleine versteckte Notiz in der Zeitung außerordentlich, daß in dem «Wissenschaftlichen Klub» ein Vortrag von ihm über Goethe angekündigt sei (unvorstellbar für uns, daß ein solcher Genius in einem so bescheidenen Rahmen sprach; wir hätten in unserer gymnasiastischen Anbetung erwartet, der größte Saal müsse vollgedrängt sein, wenn ein Hofmannsthal seine Gegenwart öffentlich gewähre). Aber bei diesem Anlaß gewahrte ich wiederum, wie sehr wir kleinen Gymnasiasten in unserer Wertung, in unserem – nicht nur hier – als richtig erwiesenen Instinkt für das Überdauernde dem großen Publikum und der offiziellen Kritik schon voraus waren; etwa zehn bis zwölf Dutzend Zuhörer hatten sich im ganzen in dem engen Saal zusammengefunden: es wäre also nicht notwendig gewesen, daß ich in meiner Ungeduld schon eine halbe Stunde zu früh mich aufmachte, um mir einen Platz zu sichern. Wir warteten einige Zeit, dann ging plötzlich ein schlanker, an sich unauffälliger junger Mann durch unsere Reihen auf das Pult zu und begann so unvermittelt, daß ich kaum Zeit hatte, ihn richtig zu betrachten. Hofmannsthal sah mit seinem weichen, nicht ganz ausgeformten Schnurrbärtchen und seiner elastischen Figur noch jünger aus, als ich erwartet hatte. Sein scharfprofiliertes, etwas italienisch-dunkles Gesicht schien nervös gespannt, und zu diesem Eindruck trug die Unruhe seiner sehr dunklen samtigen, aber stark kurzsichtigen Augen noch bei; er warf sich gleichsam mit einem einzigen Ruck in die Rede hinein wie ein Schwimmer in die vertraute Flut, und je weiter er sprach, desto freier wurden seine Gesten, desto sicherer seine Haltung; kaum war er im geistigen Element, so überkam ihn (dies bemerkte ich später auch oft im privaten Gespräch) aus einer anfänglichen Befangenheit eine wunderbare Leichtigkeit und Beschwingtheit wie immer den inspirierten Menschen. Nur bei den ersten Sätzen bemerkte ich noch, daß seine Stimme unschön war, manchmal sehr nahe dem Falsett und sich leicht überkippend, aber schon trug die Rede uns so hoch und frei empor, daß wir nicht mehr die Stimme und kaum sein Gesicht mehr wahrnahmen. Er sprach

63

ohne Manuskript, ohne Notizen, vielleicht sogar ohne genaue Vorbereitung, aber jeder Satz hatte aus dem zauberhaften Formgefühl seiner Natur vollendete Rundung. Blendend entfalteten sich die verwegensten Antithesen, um sich dann in klaren und doch überraschenden Formulierungen zu lösen. Bezwingend hatte man das Gefühl, daß dies Dargebotene nur zufällig Hingestreutes sei einer viel größeren Fülle, daß er, beschwingt wie er war und aufgehoben in die obere Sphäre, noch Stunden und Stunden so weiter sprechen könnte, ohne sich zu verarmen und sein Niveau zu vermindern. Auch im privaten Gespräch habe ich in späteren Jahren die Zaubergewalt dieses «Erfinders rollenden Gesangs und sprühend gewandter Zwiegespräche», wie Stefan George ihn rühmte, empfunden; er war unruhig, fahrig, sensibel, jedem Druck der Luft ausgesetzt, oft mürrisch und nervös im privaten Umgang, und ihm nahezukommen war nicht leicht. Im Augenblick aber, da ein Problem ihn interessierte, war es wie eine Zündung; in einem einzigen raketenhaft blitzenden, glühenden Flug riß er dann jede Diskussion an die *ihm* eigene und nur *ihm* ganz erreichbare Sphäre empor. Außer manchmal mit Valéry, der gemessener, kristallinischer dachte, und dem impetuosen Keyserling habe ich nie ein Gespräch ähnlich geistigen Niveaus erlebt wie mit ihm. Alles war in diesen wahrhaft inspirierten Augenblicken seinem dämonisch wachen Gedächtnis gegenständlich nah, jedes Buch, das er gelesen, jedes Bild, das er gesehen, jede Landschaft; eine Metapher band sich der andern so natürlich wie Hand mit Hand, Perspektiven hoben sich wie plötzliche Kulissen hinter dem schon abgeschlossen vermeinten Horizont – in jener Vorlesung zum erstenmal und später bei persönlichen Begegnungen habe ich wahrhaft den «flatus», den belebenden, begeisternden Anhauch des Inkommensurablen, des mit der Vernunft nicht voll Erfaßbaren bei ihm gefühlt.

ROBERT MICHEL

In Uniform

Herbst 1896, ein Abend bei Leopold Andrian in der Habsburgergasse 5. Ich,
ein Zwanzigjähriger, sitze in meiner hellblauen bosnischen Leutnantsuniform
da und soll in den nächsten Augenblicken «den größten österreichischen
Dichter» kennenlernen. Hofmannsthal hatte damals gerade sein Einjährigenjahr bei den Dragonern beendet, und die Vorstellung, daß «der größte Dichter» als Korporal ins Zimmer eintreten könnte, mag die Benommenheit des
jungen Offiziers noch gesteigert haben. Hatte ich doch einige Wochen vorher
noch kaum eine Ahnung davon, daß in der Gegenwart auch noch wirkliche
Dichter leben. Wohl waren mir gleich in der ersten Zeit meiner Garnisonie-
rung in Wien einige Arbeiten Hermann Bahrs vor Augen gekommen, die mich
durch die Art, wie sie sich mit dem gegenwärtigen Leben auseinandersetzten,
lebhaft berührt hatten, und dann hatte ich Leopold Andrians «Garten der Erkenntnis» kennengelernt, und da war es mir offenbar geworden, daß die
Quelle österreichischer Dichtung mit dem Tode Grillparzers, Lenaus, Ana-
stasius Grüns noch nicht versiegt war. An diesem Abend nun bereitete mich
Andrian für die bedeutungsvolle Begegnung aufs glücklichste vor, indem er
mir aus dem Gedächtnis einige frühe Gedichte Hofmannsthals vorsprach und
einige Verse aus «Der Tor und der Tod».

Jede Beklemmung ist sofort gewichen, als ich in Hofmannsthals Augen
blickte, die, gütig und beredt, weit rascher eine Verständigung ermöglichen,
als es Worte vermögen. Des Gesprochenen von jener ersten Begegnung kann
ich mich nicht mehr entsinnen, nur das Gefühl einer großen Beglückung blieb
in mir lebendig und die schöne Gewißheit einer Freundschaft fürs Leben, die
schon in dieser Stunde durch das gegenseitige Du besiegelt wurde. Obwohl
im Gespräch seine dichterischen Arbeiten kaum berührt wurden, ergab es sich
doch zum Schluß, daß ich die neuen Manuskripte von «Der Kaiser und die
Hexe» und «Der weiße Fächer» mitnehmen durfte und daß ihm Andrian ein
Tagebuch von mir mitgab.

Bei der ersten Lektüre Hofmannsthals ist es mir sonderbar ergangen. Ich
war von der Pracht und Glut seiner Sprache so überwältigt und geblendet,
daß ich vorerst nicht zu einem reinen Genuß am Inhalt kommen konnte. Da
geschah es, daß mich die Stelle in «Der weiße Fächer»: «... Lerchen sitzen nie
auf Büschen, Lerchen sind entweder hoch in der Luft oder ganz am Boden
zwischen den Schollen», zur Besinnung brachte. Ich freute mich an dieser Beobachtung aus der alltäglichen Natur, und damit waren wie durch einen Zauber plötzlich alle Hemmungen beseitigt. Das ist ein psychologischer Prozeß,

der sich ähnlich wohl bei den meisten Lesern Hofmannsthals durchsetzen mußte, der aber bei der großen Masse sich nur allmählich vollziehen konnte. Deshalb ist zu verstehen, wenn erst nach vielen Jahren die Zahl jener in raschem Zunehmen begriffen war, die sich durch die unvergleichliche Schönheit der Hofmannsthalschen Dichtungen nicht behindern ließen, bis zu ihrem köstlichen Kern zu dringen.

Meine angeborene große Schüchternheit, die unsere erste Begegnung hätte unangenehm beeinträchtigen können, blieb auch bei den nächsten Zusammenkünften dank der eindringlichen, dabei aber zarten Anteilnahme Hofmannsthals an allem, was mich bewegte, zurückgestaut. Daß mich Hofmannsthal nach der Lektüre meines jugendlichen Tagebuches als Dichter ansprach, löste diese Schüchternheit noch mehr.

Nicht lange danach wurde ich für längere Zeit nach Bosnien versetzt. Als ich von dort Urlaub nahm und meine ersten bosnischen Erzählungen mitbrachte, las ich eine davon, «Herzogewinische Hirten», auch Hofmannsthal vor. Leopold Andrian und Richard Beer-Hofmann waren die anderen Zuhörer. Da war es nun wunderbar, wie durch Hofmannsthals ableuchtende Worte die Arbeit für mich erst die richtige Geltung bekam. Ich erinnere mich noch seiner letzten Worte darüber: «So würde offenbar Adalbert Stifter schreiben, wenn er heute lebte.» Wenn späterhin von anderer Seite manchmal auf eine gewisse Wesensverwandtschaft zwischen Stifter und mir hingewiesen wurde, empfand ich dies jedesmal mehr als eine Auswirkung jenes Wortes von Hofmannsthal, denn als eine neue Einsicht: so sehr war ich von der magisch fortwirkenden Kraft jedes seiner Worte überzeugt, auch wenn sie nur gesprochen wurden.

*

Es war wohl im Café Griensteidl gewesen, in der Mitte der Neunzigerjahre. Ich saß mit Hofmannsthal und Baron F. beisammen und einer von ihnen machte den Vorschlag, daß wir drei einmal als einfache Soldaten verkleidet auf den Laaerberg gehen müßten. Dort war hinter dem Favoritner Arbeiterviertel zwischen den Ziegeleien auf den grünen Hügeln eine Art Wurstelprater, aber ohne die Beimengung des bürgerlichen Elementes, die der eigentliche Volksprater aufweist. Ich war damals Leutnant bei den Viererbosniaken und so konnte ich die Aufgabe übernehmen, die Mannschaftsuniformen für uns drei zu besorgen.

Am nächsten Nachmittag kamen beide zu mir in meine Wohnung in die Wiener Alserkaserne, und ich hatte schon mit meinem Feldwebel eine Anzahl Uniformstücke zur Auswahl bereitgestellt.

Hofmannsthal und F. hatten eben ihr Einjährigenjahr bei einem Kavallerieregiment absolviert, so war nicht zu befürchten, daß sie durch unmilitärisches Benehmen auffallen könnten. Da aber keiner von ihnen bosnisch sprach, war es bedenklich, sie an der Torwache passieren zu lassen. Um jede Gefahr zu vermeiden, verzichtete ich schließlich auf den Ausflug, weil ich ihnen so sicherer aus der Kaserne hinaushelfen konnte.

Die beiden sahen in der Uniform bosnischer Infanteristen ausgezeichnet aus. Baron F. mit seiner hohen schlanken Gestalt und der mächtigen Adlernase kam mir trotz seiner Blondheit wie ein Herzegowze aus den Bergen an der montenegrinischen Grenze vor, und Hofmannsthal war etwa wie ein katholischer Bauer aus dem bosnischen Mittelgebirge, dessen südslawisches Blut mit moslimischem gemengt ist: traumhaft der Ausdruck seiner Augen, das Profil edel geformt, ein dünner, an den Mundwinkeln herabhängender Schnurrbart, blanke Zähne hinter herabhängender Unterlippe.

Die Zivilkleider wurden in ein Kommißleintuch gebunden. Hofmannsthal schwang dieses große Bündel auf den Rücken und dann gingen wir, ich voran, auf drei Schritte hinter mir, wie zwei Offiziersburschen, die unechten Bosniaken. Die Torwache salutierte mir und achtete nicht der zwei Infanteristen, die für mich etwas trugen. Bald nachdem wir das Kasernentor verlassen hatten, kam uns mein Kompaniekommandant entgegen. Der hatte ein scharfes Auge und kannte jeden Soldaten seiner Kompanie wie ein Vater sein Kind. Da wurde mir ein wenig bange. Aber Hofmannsthal und F. warfen so stramm die Köpfe und salutierten so vorschriftsmäßig, daß dem Hauptmann nichts auffiel. Bald darauf fanden wir einen freien Fiaker. Ich ließ die zwei Bosniaken einsteigen, nannte dem Kutscher das Hotel, in dem die beiden ihre Sachen deponieren wollten, und sie fuhren davon.

Am nächsten Tag erzählte mir Baron F. freudig, daß ihm am Laaerberg eine Köchin beinahe ein Wiener Schnitzel gezahlt hätte.

Und was Hugo von Hofmannsthal dort erlebt hat, möge man in seiner Selbstbiographie nachschlagen, im Band siebzehn der gesammelten Werke, Seite 672.

*

Unter den Briefen der Morgenpost auf einem Umschlag die Schrift Hofmannsthals erkennen, bedeutet jedesmal das Aufspringen einer freudigen Stimmung. Schon das Bild dieser Handschrift an sich, dieses Blütenhafte und Perlende in den Zügen, übt auf das Auge eine ähnliche Wirkung wie etwa eine Tonfolge von Mozart auf das Ohr. Nie ist man enttäuscht, wenn man einen Brief von seiner Hand öffnet. Wenn es auch nur ganz wenige Zeilen sind, haben die Worte immer einen ganz eigenartigen Klang und das Alltägliche ist in einer besonderen Wendung mitgeteilt, durch die sich der Empfänger des Briefes ausgezeichnet fühlt.

Ich erinnere mich aus Gesprächen mit Hofmannsthal, wieviel ihm der Briefwechsel an sich bedeutete, dieses ständige Suchen nach dem Ausdruck der Dinge des Lebens und dieses geistige Ringen um die Aufklärung aller

Zusammenhänge. Einmal versuchte er zu präzisieren, warum gerade die Deutschen am wenigsten ohne Briefwechsel auskommen können, und fand dies, wenn er von verschiedenen Rasseeigenheiten absah, besonders darin begründet, daß die Nation sehr groß und sehr verstreut ist. Mit dem Wort «verstreut» meinte er damals sicher nicht allein die sozusagen geographische Verstreutheit, sondern auch eine gewisse von innen sich vollziehende Verstreutheit, die jeden Deutschen beständig mit Vereinsamung bedroht, auch wenn er in einem geschlossenen deutschen Sprachgebiet wohnt. Hofmannsthal bemerkte damals, daß im Deutschen allerdings zu viel geschrieben wird. Alle Schreibformen seien entweiht und die einzige unentweihte, weil unentweihbare, sei der Brief. Er kann es sich gar nicht vorstellen, wie man leben könnte, wenn man diese freundliche Gewohnheit vernachlässigen würde und sich nicht von Zeit zu Zeit brieflich einmal etwa mit Thomas Mann oder Voßler in München, mit Rudolf Alexander Schröder in Bremen, mit Josef Nadler in Königsberg, mit Carl J. Burckhardt in Basel, mit Gagliardi in Zürich brieflich aussprechen könnte.

Findet man in dem Brief eine Einladung zu einem Besuche, so ist dies eine besonders festliche Angelegenheit; diesmal war mir die Einladung um so willkommener, weil ich in der letzten Zeit in der deutschen Presse wiederholt von neuen Arbeitsplänen des Dichters gelesen hatte und mich nun freute, aus seinem Mund darüber Näheres zu erfahren.

Es ist so wohltätig, aus dem Trubel der Großstadt in die Abgeschiedenheit seiner Dichterexistenz in Rodaun zu kommen. Schon dieser Punkt, den er als ständigen Aufenthalt gewählt hat, ist bezeichnend für sein Wesen, und man stellt immer wieder gerne die Verwachsenheit seines Werkes mit der Landschaft, in der er lebt, fest. Da ist dieses Rodaun am Rande des großen Industriebeckens, das die Ebene von Wien bis Wiener-Neustadt ausfüllt, einer jener Orte an dem Auslauf eines Wienerwaldtales, die hier wie aus Füllhörnern die Häuschen gegen die Ebene hinstreuen. Dort, wo der Betrieb der Liesinger Industrie nicht mehr hinbrandet, liegt das liebliche Nest Rodaun an den Talhang geschmiegt, im Hintergrund beherrscht von der Kirche hoch auf dem Hügel, an dessen Fuße das alte Schlößchen aus dem Ende des 18. Jahrhunderts liegt, in dem der Dichter wohnt. Daneben sieht man das altehrwürdige Gasthaus Stelzers, das eine große Tradition aus dem alten Österreich hat und weiterhin das Jesuitenkonvikt Kalksburg, aus dem so viele leitende Männer des früheren Österreich hervorgegangen sind. Wenn der Weg von der Bahn durch den anheimelnden Ort schon eine angenehme Vorbereitung ist, fühlt man sich bei Betreten des kleinen Hofes mit der hübschen Freitreppe für die Begegnung mit Hofmannsthal noch intimer vorbereitet. Dann geht man durch dieses Haus mit den dicken Mauern, an denen alte Bilder hängen über schönen Truhen.

Hofmannsthal begrüßt mich, aber schon wird er wieder abberufen, weil eine dringende Anfrage vom Theater in der Josefstadt kommt, wo eben wieder Proben zu «Cristinas Heimreise» abgehalten werden sollen. Er ladet mich ein, mir die Zwischenzeit an dem Tisch mit den neuen Büchern und Zeitschriften zu vertreiben oder noch besser – wie er scherzt – mittlerweile für ihn Korrekturen zu besorgen. Tatsächlich liegt ein Stoß von Korrekturbogen da für die Neuausgabe des Deutschen Lesebuches, das er im Verlag der Bremer Presse in München herausgibt.

Als Hofmannsthal wieder zurückkehrt, bahnt sich in Anknüpfung an seine Unterredung mit dem Theater in der Josefstadt ein ergiebiges Gespräch über sein Schaffen für die deutsche Bühne an: «Cristinas Heimreise» soll nach siebzehnjähriger Pause auf den Bühnen Reinhardts zu neuem Leben erblühn.

Schön ist es, wenn es, wie diesmal, die Zeit erlaubt, noch einen Spaziergang mit dem Dichter in das Hügelland hinter Rodaun zu unternehmen. Diese Buchenwälder und welligen Wiesen habe ich oft und oft an seiner Seite durchstreift. Das alte, schöne Haus neben dem Stelzer und diese Landschaft, das alles gehört so innig zum Leben und Werk des Dichters, daß einem hier so recht die große Gabe des Beharrens im Wesen Hofmannsthals gegenwärtig wird. Man könnte hier fast vergessen, daß sich die Einbildungskraft des Dichters doch auch fremder Welten und Zeiten bemächtigt hat. Trotzdem fällt mir auf einer Höhe, von der aus wir einen weiten Blick über das Wiener Feld haben, ein, ihn über seine marokkanische Reise zu befragen. Offenbar geschieht dies, weil ich durch das sonderbare Aussehen einer fernen Ziegelfabrik angeregt werde, die in dem violetten Dunst sich ausnimmt wie eine Moschee aus einem orientalischen Märchen. Da erfahre ich, daß die wenigen Berichte von der nordafrikanischen Reise, die ich kenne, nicht vereinzelt bleiben werden, daß schon neue Schilderungen in Vorbereitung sind: über einen zu Gericht sitzenden Pascha, über ein Fest, über Gespräche mit Arabern – je weiter die Erinnerungen im Gedächtnis zurücktreten, um so lebendiger und einfacher bieten sie sich zum endgültigen Ausdruck dar. Zwischen seiner Reise in Griechenland und dem Erscheinen der gesammelten «Augenblicke in Griechenland» waren zwölf Jahre verstrichen.

Wo immer man die Entstehung der Werke dieses verehrungswürdigen Dichters untersucht, stellt man überall die gleiche tiefe Verwurzelung fest und eine Langsamkeit des Reifens, die einen mit unbedingtem Vertrauen erfüllen muß.

LEOPOLD ANDRIAN

Erinnerungen an meinen Freund

Zu Anfang der Neunzigerjahre lernte ich, der achtzehnjährige, im Altwiener Haus der Habsburgergasse, wo ich bei den Eltern meines Erziehers Doktor Oskar Walzel wohnte, den ungefähr ein Jahr älteren Hofmannsthal kennen, der klug auf die Pflege seines jungen Ruhmes bedacht, den Germanisten und Litterarhistoriker Walzel besuchen kam. Man weiß, daß Hofmannsthal mit seinem ersten Werk «Gestern», dem andere Einakter «Der Tod des Tizian», «Kentaur und Weib» folgten, in Wien und bald in Deutschland berühmt wurde, nicht weniger bei den Anhängern der traditionellen, wie bei denen der sogenannten modernen Litteratur, von jenen wegen ihrer schön geglätteten, classischen Form als classicistisch angesprochen, bei diesen, weil sie Gedanken und Gefühle, die ihnen «modern» und wie man damals sagte «fin de siècle» dünkten, unter der schönen Hülle reizvoll geborgen fanden. «Sur des pensers nouveaux faisons des vers antiques» dachten sich diese Bewunderer, zu denen auch ich gehörte.

Ich selbst hatte das Bewußtsein meiner dichterischen Wesenheit, und ihre Anerkennung durch Hofmannsthal, als er meine ersten Verse gehört hatte, trug, zusammen mit meiner Bewunderung für seine Dichtungen und für alle die Zauber seiner Persönlichkeit, nicht wenig dazu bei, aus unserer Beziehung in kurzer Zeit eine Freundschaft zu machen, die dann uns beiden eine höchst bedeutende Sache, mir aber eine einzigartige geworden ist.

Man darf sie eine Jugendfreundschaft nennen, obwohl sie bis zu Hofmannsthals Tod angedauert hat, aber sie war, unseren Entwicklungsgesetzen nach, am concentriertesten in unseren Jugendjahren, während denen auch mein Bewußtsein, wie das seinige zeitlebens, um die Dichtkunst kreiste, und auch mein Leben größtenteils in Österreich verfloß, dem schönen Österreich um das noch schöne Wien des ausgehenden neunzehnten Jahrhunderts, das im Großen und Kleinen soviel Spuren und Überreste der vorhergegangenen Zeiten aufwies. Hofmannsthal, der, keinem Kenner seiner Dichtung kann dies entgangen sein, so sehr um das Visuelle centriert war, dessen Inspiration so sehr dem Geschauten entquoll, war durch die Reize der Umwelt, die er einsog und die ihn formten, nicht weniger als durch die Rassenmischung in seinem Blute, ein echt österreichischer, ein altösterreichischer, ein großösterreichischer Dichter, und wie hätte er sich dessen nicht bewußt werden sollen?

In diesem Wien, das unmittelbar vor der Verwüstung durch die moderne Barbarei stand, wandelten wir jungen Dichter bei Tag und auch bei der zu jener Zeit gaserleuchteten Nacht. Noch war eine Reihe von Gassen und

Plätzen unangetastet, der Am Hof, der Mehlmarkt, der Judenplatz, der um die alte Universität, die Freyung. Barock und Biedermeier waren dort durch die Zeit zu einem harmonischen Ganzen fürs Auge verschmolzen, und jenseits der Ringstraße standen noch die alten, weiten und niedrigen, gelben Vorstadthäuser mit ihren vielen Höfen und Nischen mit Heiligenbildern. Einmal, als wir das Labyrinth eines solchen romantischen und malerischen Hauses bei Nacht durchstöbert hatten, kamen wir in eine kurze, dunkle und menschenleere Gasse. Ich erinnere mich, wie Hofmannsthal plötzlich stehen blieb und sagte: «Von einer solchen Gasse würde Victor Hugo geschrieben haben: Ce sont les rues, où les Alphonses assassinent les filles. Dieser Plural, als ob die tagtägliche Beschäftigung der Alphonse darin bestünde, die Dirnen zu ermorden, macht den Vers trivial. So soll ein Dichter nicht reden.»

Dieses Wien also liebten wir und wurden uns unserer Liebe um so schmerzlicher bewußt, als gegen die Jahrhundertwende die große Verwüstung begann und bald da bald dort ein ehrwürdiges altes Haus abgerissen und durch einen häßlichen Neubau im überladenen Talmischmuck der letzten Jahrzehnte oder in der prätentiösen Kahlheit, die damals Mode geworden war, ersetzt und die schönen einheitlichen Veduten von gestern erbarmungslos zerstört wurden. Niemand, schien es, konnte oder mochte helfen, auch Kaiser Franz Joseph nicht, der nur, wenn er an so einem Neubau vorüber fuhr, mißbilligend mit den Achseln zuckte. Uns aber schmerzte diese Schändung unserer Hauptstadt, als solche empfanden wir sie, tief. Ich selber aber hatte das unmotivierbare, aber auch unwiderlegbare Gefühl, daß dieses Unheil Vorbote des Unterganges des alten, ruhmvollen Reiches, unseres Vaterlandes, war, den wir – und keiner von uns Beiden hat sich je ganz davon erholt – nicht lange darauf wirklich erleben mußten.

Bald, nachdem wir einander kennen gelernt hatten, begann Hofmannsthals Einjährigenjahr bei den schwarzen 6er-Dragonern. Es war eine große Anstrengung für ihn, der, zart gebaut und für körperliche Übungen nicht besonders veranlagt war. Aber dieser ehrwürdigen Armee, dieser Quintessenz von Österreich, anzugehören und wie er, eine alte Eidesformel citierend, halb im Scherz zu sagen pflegte: «Zu Wasser und zu Land, als seiner Majestät getreuester Kriegsknecht» zu dienen, zuerst Einjährig-Freiwilliger, dann Offizier, gewährte ihm eine Befriedigung, die seine Müdigkeit überwand. Im Umgang mit den Mannschaften, wie auch mit den jungen Cavallerieoffizieren und überhaupt mit dem österreichischen Adel sog er sozusagen das Aroma der österreichischen Wesenheit ein, die seinen Werken entströmt. Ob unser großes Vaterland mit seinen Verheißungen und nur zum kleinen Teil erfüllten Möglichkeiten auferstehen wird, wie ein Widersacher des Reiches, der Präsident Masaryk, zum Kanzler Seipel sagte: «Glauben Sie mir Excellenz, in irgend einer Form wird das alte Österreich doch wiederkommen», wissen wir nicht. Dauert der Zustand der Barbarisierung und Zerrüttung Europas an, welcher mit der Zertrümmerung der Großmacht in des Continents Mitte begann, so wird, wer noch Kulturgefühl besitzt, mehr noch als in Kleinösterreich, der Keimzelle und zugleich Reliquie des hingemordeten Staatengebildes, in den österreichischen Künstlern und insbesondere in den großen Dichtern Grillparzer und Hofmannsthal dessen Wesenheit verkörpert finden. Die Umwelt, in der Hofmannsthal lebte, die Blutmischung, die in seinen Adern kreiste, ergab das zarte und einzigartige schöne Lebenswerk, das schon allein den Begriff der Österreichischen Nation, wie ich ihn im Jahre 1937 im Buche «Österreich im Prisma der Idee», zum Zorn der Alldeutschen wissenschaftlich zu prägen und abzugrenzen versucht habe – seitdem ist er beinahe Gemeingut geworden –, rechtfertigt.

Hofmannsthal besaß die österreichische, die wienerische Eigenschaft des vorsichtigen Ausweichens vor Ansichten und Überzeugungen, die den seinigen entgegengesetzt waren. Er verhielt sich behutsam und taktvoll. «Der Österreicher», sagt Grillparzer, «denkt sich sein Teil und läßt die Andern reden». So weit freilich ging bei ihm die Vorsicht nicht, wie bei Wildgans, der doch ein guter Dichter und auch ein guter Österreicher war. Als einmal wieder, etwa Ende der zwanziger Jahre, von Deutschland aus besonders aufdringlich Anschlußhetze geblasen und dabei auch dessen Name genannt wurde, forderte ich ihn auf, sich in der Presse offen gegen den Anschluß zu bekennen. Er sei gewiß dagegen, antwortete Wildgans, aber alle seine Leser in Deutschland seien dafür! Und was würde der Reichstagspräsident Loebe, ein begeisterter Bewunderer seiner Dichtung, sagen, wenn er sich gegen den Anschluß erkläre? Im übrigen sei das garnicht notwendig, denn die Großmächte würden ihn ohnehin nicht zulassen. Das war typisch wienerisch gesprochen. Nun, so naiv war Hofmannsthal nicht, wenn auch auf seine Geltung in Deutschland bedacht. «Kommt es je zum Anschluß, werde ich Schweizer», sagte er. Im Übrigen hat er in dem Vorwort zu «Grillparzers politisches Vermächtnis» echt österreichisch maßvoll die Grenze zwischen Deutschen und Österreichern gezogen, den Wahn der Alldeutschen und den Irrtum jener braven Patrioten, die meinen, das Österreichertum sei, eine zweite Minerva, dem Haupte Jupiters, in allen Dingen fertig und vollendet, entsprungen, rechts und links von sich liegen lassend. Seine Charakteristik des Österreichers ist so schön, so vollständig und so liebreich, so gescheit im höchsten Wortsinne, so weise, daß sich aus ihr allein schon ein Bild von Hofmannsthals Wesen und seines reifen Intellects ergibt, der, durchaus nicht aufs Reflektive orientiert, durch unablässige, gefühls- und instinktmäßig verwertete Beobachtung, die Nuancen der Dinge und ihr Zusammenspiel zur Totalität des Objektes zart und sicher erfaßte.

Wie oft gingen wir nicht miteinander in den Landschaften des Salzkammergutes oder in Niederösterreich in der Nähe des schönen Barockhauses in Rodaun, das nach seiner Verheiratung sein Heim geworden war, auf Wiesenpfaden zwischen reifen Feldern spazieren, oder in der Brühl, der seine Verse gelten:

> *Wo kleine Felsen, kleine Fichten*
> *Gegen steilen Himmel stehen,*
> *Könnt ihr kommen, könnt ihr sehen,*
> *Wie wir trunken von Gedichten*
> *Kindlich schmale Pfade wandern.*
> *Sind nicht wir vor allen andern*
> *Doch die unberührten Kinder? ...*

Wir empfanden und liebten, auch ohne darüber zu reden, die verschiedenen Einzelaspekte unserer Heimat, und in dieser Liebe sowie in der großen Angelegenheit unseres Lebens, in der Dichtkunst, fühlten wir uns eins, und von unseren Lippen flossen, wie wir so dahingingen, Strophen, eigene oder anderer Dichter, jeder von uns begierig, mit dem Freunde in der Schönheit der von ihm dargebotenen Verse zu communicieren. Es war wirklich eine Freundschaft zwischen jungen österreichischen Dichtern, die ihre Wurzeln aus den Tiefen der Dichtkunst und aus dem Boden des großen österreichischen Vaterlandes nährte, das dem haßerfüllten, nationalistischen Politikerpöbel jener Zeit, der nichts mit dem wahren Volke gemeinsam hatte, als Völkerkerker galt, auf dessen Zerstörung mit Feindeshilfe ihre Wühlarbeit gerichtet war.

Eines Tages sagte Hofmannsthal scherzend zu mir: «Der Fürst Liechtenstein hat dem Grillparzer 100 Dukaten geschickt, weil sein Name in ‚König Ottokars Glück und Ende' verherrlicht ist. Was bekomme ich, wenn ich den deinigen in mein Stück bringe? Sag mir vielleicht einen Lehensnamen von euch, das ist noch besser.» Nach einigem Hin und Her einigten wir uns auf «Morandinus», einen alten Beinamen der Andriane, und so kamen in den «Kaiser und die Hexe» die altösterreichisch empfundenen, uns beide österreichisch verknüpfenden Zeilen:

> *(Kämmerer tritt auf.) Der Kaiser: «Euer Name?»*
> *Kämmerer: «Tarquinius Morandin! Herz, Gut und Leben*
> *Geb ich willig für den Kaiser.»*

Das war in den ersten Jahren unserer Freundschaft. Nun will ich noch ein in viel späterer Zeit, nicht sehr lange vor dem Lebensende des Dichters, von mir abgelegtes Zeugnis für unsere österreichische Freundschaft anführen, von ihm im selben Geiste angenommen, als ich es gegeben hatte, ein Sonett «Dem Dichter Österreichs», das in der Festschrift zu seinem fünfzigsten Geburtstag erschien. Er sagte mir, nichts von dem, was ihm damals gewidmet wurde, habe ihn so sehr gefreut, wie diese Verse.

DEM DICHTER ÖSTERREICHS

Besinnst Du Dich, wie einst im Abendwind
Schwarzgelb die Fahnen uns entgegenwehten,
Da wir von Versen und vom Duft des späten
Augusttags trunken ausgegangen sind

In Östreichs Landschaft, unser Angebind
Von Gott, der lieben hieß des vielgeschmähten
Und vielverratenen Reiches Antlitz die Poeten
Wie seine Mutter liebt das fromme Kind?

Wir waren reich, wir durften unser sagen
So wie der Kaiser! was in Österreich lebte.
Arm sind wir jetzt, denn unsre Welt entschwebte.

Dir aber, Dichter, ward hinauszutragen
Der Reize Übermaß, das sie durchbebte,
Zu fernen Ländern und zu fernen Tagen.

Die Dichtkunst war die geistige Sphäre unserer Freundschaft, um die unser Bewußtsein kreiste. Sie war uns der eigentliche Inhalt des Lebens, und Künstler zu sein, schien der Sinn und die Würde unseres Daseins. Der Begriff des Dichter-Künstlers, den anderen Künsten wohl bewußter angenähert, als es vor uns in der Regel üblich war, ruhte auf Arbeit, andauernder Arbeit am eigenen Werk und beständiger Selbstdisciplin und auf Einteilung des Lebens mit Hinblick auf dessen Verwertung in der Kunst. Eigentümlichkeiten in Hofmannsthals Existenz, auf die ich zu reden kommen werde, hängen mit dieser Auffassung zusammen. Alles im Dichterwerk mußte auf seinem notwendigen Platze stehen, so wie auf einem Bilde. Wenn auch die Inspiration beim Dichter, der diesen Namen verdiente, selbstverständliche Voraussetzung war, so gab doch die planmäßige Ausarbeitung, umsomehr, je umfangreicher die Arbeit war, den Stempel des Kunstwerkes, auf den alles ankam. Künstler, dessen Material die Worte als Bilder und Klänge sind, so wie für den Graphiker die Linien und die Abstufungen der Helligkeit, Künstler am Wort, das war uns der Dichter... Sein Gegensatz, der Dilettant, dünkte uns eine lächerliche Figur. Hofmannsthal sprach gerne vom Dilettantengarten, und alle die Vielen, die ihre großartigen Absichten und Entwürfe nicht in die Tat des Kunstwerkes umzusetzen vermochten, ergingen sich darin. Nicht zu arbeiten an einem Tag, an dem man keine Inspiration zu verspüren glaubte, war typisch dilettantenhaft. Flaubert, von dem behauptet wurde, er habe sich die Wiederholung desselben Vorwortes in «Une couronne de fleurs d'oranger» nie verziehen, wurde mit Recht wegen seiner sculpturalen Prosa hochgeehrt. «Wie schön», sagte eines Tages Hofmannsthal, «und wie bezeichnend für einen Künstler ist das Wort Edmond de Goncourts von seinem Bruder: ‚Monsieur Jules de Goncourt est mort en travaillant'.»

Ich sprach schon davon, daß wir die Gewohnheit hatten, einander Strophen von Gedichten herzusagen, eigenen oder fremden, älteren oder neueren, deutschen, französischen, englischen, italienischen; jeder von uns hatte seinen eigenen Schatz davon im Gedächtnis und wollte ihre Schönheit dem Freunde mitteilen. Auch unsere Gespräche bezogen sich meistens auf eigene Arbeiten oder auf die Kunst und auf andere Dichter und wohl auch darüber hinaus auf die Welt und die Ereignisse des Lebens, aber doch irgendwie so, wie sie sich als Stoff für den Dichter darbieten. Frei von allem Niedrigen waren unsere Gespräche, aber auch von allen Realitäten, selbst den wissenschaftlichen, insofern sie nicht dichterische oder geschichtliche Aspekte besaßen. Nichts Gemeines haftete dieser Freundschaft an. Doch war sie nicht kalt, nicht ästhetisierend, sie war auf gefühlsmäßige Zuneigung gegründet und wie viele Beweise menschlicher Teilnahme und Hilfsbereitschaft habe ich nicht vom Freunde im Laufe der Jahrzehnte empfangen! Jeder von uns nahm lebendigen Anteil an der dichterischen Produktion des Anderen. Wer Hofmannsthals Werke kennt, kennt auch das Gedicht an mich: «Wir sind das Haus für eine kleine Hand.» Niemand jedoch außer mir kennt den Aufsatz, den er nach einem Vortrag Hermann Bahrs anläßlich des Erscheinens meines «Gartens der Erkenntnis» über dieses Werk schrieb. Er war für die «Frankfurter Zeitung» bestimmt, die ihn, weil sie im Kampfe zwischen Alten und Jungen auf der Seite der Alten stand, mit der Bemerkung zurückschickte, sie könne seine Ansicht über das Buch nicht teilen. Hofmannsthal gab ihn mir und leider ging das Manuskript verloren.

Meine künstlerische Produktivität erlosch bald darauf jäh, seiner entstammten die reizenden Werke seiner Jugendzeit, lyrische und dramatische. Diese und vor allem seine späteren Werke hat er mir zuerst als Entwürfe und nachher ausgearbeitet vorgelesen, wobei wir, wie es bei Künstlern natürlich ist, alles bis zu den einzelnen Worten und Rhythmen discutierten. Die vorgebrachten Einwendungen nahm er willig und voll Verständnis entgegen.

Zu den Dichtern, die Hofmannsthal besonders liebte und deshalb im Gedächtnis hatte, gehörten vor allem Goethe, dann die Engländer des 16. und die Franzosen des 18. Jahhunderts, von Neueren Keats, Shelley und Swinburne und insbesondere Verlaine, von dem er im Scherz zu sagen pflegte: «Dem mache ich soviel nach, als ich kann», und schließlich Stefan George. Trotz dem Zerwürfnis, das die beiden großen Dichter bis zum Lebensende trennte, bewunderte er diesen zeitlebens und erkannte seine Höhe an.

Über den Bruch mit George, von dem viel Falsches besonders von den Jüngern des Rheinischen Meisters, gesagt und geschrieben worden ist, will ich die authentische Version, die von Hofmannsthal selbst stammt, wiedergeben. Ihr Zerwürfnis ereignete sich nicht lange bevor ich meinen Freund kennen lernte. Es hat nichts mit Kunst und Literatur und nichts mit den künstlerisch-subjektiven Beweggründen, die man ihm unterschob, zu tun, wohl aber mit der Menschlichkeit der beiden Dichter und auch mit ihrer Nationalität. George, der nicht erheblich älter als wir war, aber auf mich, als er mich einige Jahre später besuchte, den Eindruck eines Mannes in mittleren Jahren machte, mußte auch auf Hofmannsthal wegen einer gewissen Feierlichkeit seines Gehabens und seines Anspruches, Meister unter Schülern zu sein, als Älterer und auch als Ausländer, als Nicht-Österreicher wirken, wozu seine Kleidung beitrug, die von allem Modischen frei, zeitlos künstlerisch war und besser nach München als nach Wien paßte. So nahe er sich dem Dichter George bewundernd verbunden fühlte, so mußte doch, was in deutschen Dichterkreisen den Nimbus des Dichters zu ergänzen, ja zu erhöhen vermochte, dem Österreicher Hofmannsthal, der fand, daß sich ein Dichter äußerlich so wenig als möglich von anderen Menschen unterscheiden solle, befremdend und, wagen wir das Wort, ein wenig lächerlich dünken. George aber hatte eine tiefe und sehr lebhafte Zuneigung zum «jungen Loris» (Hofmannsthals erstes Pseudonym), der ihm wohl der begabteste und liebenswerteste Jünger schien, gefaßt, die dieser nicht mit gleicher Wärme erwidern konnte. Hofmannsthal besuchte damals noch das Akademische Gymnasium. Als nun George eines Tages durch einen Dienstmann mit roter Kappe dem jungen Octavaner ein großes Rosenbouquet ins Schulzimmer schickte, zur lebhaften Belustigung seiner Mitschüler, schien diesem, der nichts mehr fürchtete als Lächerlichkeit, die Situation unhaltbar geworden zu sein. Er bat seinen allerdings taktvollen und weltläufigen Vater, George zu schreiben, um ihn zu beruhigen und auf höfliche Art zu gebräuchlicheren Umgangsformen zurückzuführen. Wie vorauszusehen, führte der Brief des Vaters den Bruch herbei. Dieser Zwischenfall, der bei reifen Menschen nicht tragisch gewesen wäre, verstimmte Hofmannsthal, dessen Sensibilität so groß war, wie man von einem solchen Dichter erwarten durfte, tief. Das Bezeichnende an ihm war, daß er Wesenszüge zur Erscheinung brachte, durch die sich Deutsche und Österreicher merklich unterscheiden.

Abgesehen von George, erkannte Hofmannsthal sehr wenige unter den Autoren unserer Zeit, insbesondere deutscher Zunge, als seinesgleichen an. Den vergangenen Epochen galt im Gegensatz zur Gegenwart, die seine Ungeduld und seinen Widerwillen herausforderte, sein Interesse und seine Liebe und daran hatten die Dichter jener Zeiten ihren Anteil, auch wenn sie nicht zu den Großen gehörten, vor denen er sich, übermäßig bescheiden, tief verneigte. Über die Zeitgenossen aber urteilte er streng. Ich erinnere mich an seine Entrüstung, als er den Namen eines damals berühmten Romandichters in einem Aufsatz neben dem seinigen, als wären sie gleichen Ranges, angeführt fand. Mit den begabten Romanciers der Wiener Schule pflegte er wohl die besten persönlichen Beziehungen, aber über einen der wertvollsten unter ihnen fällte er einmal ein so absprechendes und meiner Ansicht nach ungerechtes Urteil, daß ich es gar nicht wiederholen mag. Dagegen schätzte er unter den Dichtern etwas kleineren Formats als er selbst, die nicht zum Vergleich mit ihm in Betracht kamen, solche, die sicher in ihrem Handwerk und echt in ihrer Inspiration, mit einem Wort, die wirkliche Künstler waren.

Mit Max Mell zum Beispiel und mit Rudolf Alexander Schröder und nicht minder mit Robert Michel verband ihn künstlerisches und auch freundschaftliches Interesse. Was er nicht vertrug, war das Unechte, das Dergleichentun, das den Litteraten, der sich auf den Dichter spielt, bezeichnet. Die Verkörperung jener Gattung war für ihn ein in Österreich beheimateter, auch außerhalb der deutschsprachigen Länder vielfach für einen großen Dichter gehaltener Litterat, dessen Berühmtheit den deutlichen Beweis dafür darstellt, wie urteilslos in dichterischen Dingen das Publikum der Gebildeten ist und wie bereitwillig es den geschickten Affen des großen Künstlers mit diesem selbst verwechselt.

Meine Freundschaft mit Hofmannsthal war auch, wenn man den, bloße freundschaftliche Beziehungen transcendierenden Begriff, in seiner ganzen Bedeutung und Tiefe nimmt, nicht die erste im Leben des Dichters. Schon vor mir hatte er einen Freund gewonnen, an dem er mit großer Zuneigung bis zu dessen frühem Tode hing, einen jungen Marineoffizier, Baron Edgar Karg, von dem er, bevor ich diesen kennen gelernt hatte, als «mein Seecadett» zu sprechen pflegte. Der Seecadett, später Schiffsfähnrich, Edgar Karg, dessen ritterliche Liebenswürdigkeit mit einem rührenden und beinahe fieberhaft anmutenden Drang, sich zu überwinden, zu vervollkommnen und zu bilden verbunden war, übte einen Zauber aus, dem auch ich mich nicht entziehen konnte. Durch mich lernte Hofmannsthal seinen späteren Schwager, Hans Schlesinger, der mein College am Schottengymnasium war, kennen und meine Freunde aus der Kinderzeit, Baron Clemens und Georg Franckenstein. Mit beiden befreundete er sich und insbesondere die Beziehung zu Georg, der später in den diplomatischen Dienst eintrat, wurde für beide ein großes seelisches Erlebnis, von dem auch heute noch Sir George Franckenstein, so lautete jetzt sein Name, nicht ohne Ergriffenheit sprechen kann. An ihn, als er ein blonder Jüngling mit dem Profil des Dürerischen Kaiser Max war, ist das schöne Gedicht gerichtet:

> *Dein Antlitz war mit Träumen ganz beladen.*
> *Ich schwieg und sah Dich an mit stummem Beben ...*

Hofmannsthal war nicht nur seinen wenigen Freunden im hohen Sinne des Wortes, sondern darüber hinaus den Menschen, mit denen er auf gemeinsamen Interessen beruhende freundschaftliche Beziehungen pflog, ein Einzigartiger, um seiner Persönlichkeit sowohl wie um seiner Lebensökonomie willen, die es verstand, im Umgang mit den Menschen alles Nichtige auszuschalten, um das aus ihnen herauszuholen, wofür sie Verständnis und Interesse hatten und was ihnen wesentlich war. Was die Engländer small talk nennen, gab es für ihn nicht. Sein Grundsatz war immer nur eine Person auf einmal zu sich zum Gespräch zu laden. Manche Leute bezeichneten dieses Princip als Grillenhaftigkeit eines von seiner Wichtigkeit durchdrungenen jungen Menschen, meist waren es solche, die er mit größter Beharrlichkeit überhaupt bei sich zu sehen vermied, aus keinem anderen Grund, als daß sie ihn langweilten. In Wirklichkeit aber nahm er nur die eigentliche Haltung des Dichters ein, wenn er sich der Außenwelt zuwendet, und sie bestand darin, jeden Menschen für sich zu erschauen, wie sich dessen Natur mit den Forderungen der Existenz auseinandersetzt. Die meisten Menschen reden ja von nichts so gerne, als von den Dingen, an denen sie arbeiten oder die sie quälen und erfreuen. Derart kamen der Dichter und sein Mitredner, jeder auf seine Rechnung. Hofmannsthal hatte die weiblich-dichterische Gabe, sich zuhörend anzupassen, nicht zu kritisieren, sondern Verständnis für die Ideen und für das Wollen seines Besuchers zu zeigen, mochten diese auch sehr verschieden von seinen eignen sein. Dabei war keine Comödie, keine Verstellung. Er paßte sich, nach reiner Spiegelhaftigkeit strebend, zuhörend und antwortend, dem Anderen an.

Seinen wirklichen, wenigen Freunden gegenüber entfaltete sich diese Eigenschaft natürlich völlig. Er war ein genialer Freund, der ideale Berater, der sie annahm, wie sie waren, und dessen kluger Rat ihren Herzenswünschen nicht zuwiderlief. Er aber sprach wenig von seinen inneren Angelegenheiten, wohl aber, so wie mit mir auch mit Anderen, denen er Verständnis für seine Kunst zutraute, über seine dichterischen Pläne und die von ihm erdachten Figuren und zwar so anschaulich, daß man beim Zuhören lebhaftes Vergnügen empfand.

So groß war seine Zurückhaltung in seelischen Dingen, daß er mir meines Erinnerns nie über ein Thema, das junge Menschen beredt zu machen geeignet ist, sprach, über sein Lieben, über seine Liebe zu Frauen. Anzunehmen, daß er ihrer nicht fähig war, wäre ein schwerer Irrtum. Er heiratete jung und war glücklich, überaus glücklich mit einer anmutigen, vortrefflichen Frau verheiratet. Wenn er auch Neigung zu anderen Frauen empfunden hat, war sein Liebesbedürfnis gewiß um jene große Tatsache zeitlebens centriert.

Außerdem glaube ich behaupten zu können, daß Hofmannsthals Freundschaften mit Männern ein zweites Hauptelement seines Gefühlslebens gebildet haben, was beweist, wie sublimiert und vergeistigt die körperlich-seelische Einheit seiner Natur war. Die Freundesliebe war ihm eine große Wirklichkeit im Leben. Er war der Freundschaft fähig und empfand sie in ihren verschiedenen Graden, von Sympathie bis zu tiefer seelischer Zuneigung, wie in seinen Versen zum Ausdruck kommt:

> *Und hab ich nicht dich selber, süßer Freund,*
> *Mein eignes, bessres wolkenloses Selbst ...*

Ich glaube nicht fehlzugehen, wenn ich sage, daß die Quintessenz dieser Beziehungen, völlig metamorphosiert, wie Nahrung im Körper, recht eigentlich zum Mark seiner Dichtung geworden ist.

Es wäre unmöglich, über Hofmannsthals Freunde zu sprechen, ohne denjenigen zu erwähnen, der in späteren Lebensphasen des Dichters den Hauptplatz unter ihnen einnahm. Ich meine Carl Burckhardt, den er als jungen Attaché in Wien um die Zeit des Umsturzes nach dem ersten Weltkrieg kennen gelernt hatte. Burckhardt besaß und besitzt ein seltenes Ausmaß von Gaben, er ist in der Kunst und in den Geisteswissenschaften wie in seelischen Dingen rasch und sicher verstehend, voll von Kenntnissen, insbesondere als Historiker meisterhaft produktiv, ein Virtuos im Gespräch und in der wirkungsvollen Wiedergabe des Erlebten, dabei von großer Liebenswürdigkeit und Anmut des Benehmens. Kein Wunder, daß Hofmannsthals Bekanntschaft mit ihm bald zu einer Freundschaft auf breiter und fester Grundlage wurde. Der Dichter hatte das Bedürfnis, viel mit ihm zusammen zu sein und brachte, noch im Jahre, als ein jäher Tod ihn ereilen sollte, lange Zeit, wenn ich nicht irre waren es mehrere Monate, auf Burckhardts Landsitz im Canton Basel zu.

Ich möchte diese Aufzeichnung über Hugo von Hofmannsthal, meinen Freund, den großen Künstler, nicht unter die Menschen schicken, ohne gesagt zu haben, wie ich seine Beziehung zum Wichtigsten im Leben, zur Religion, beurteile.

Die manchmal laut gewordene Annahme, Hofmannsthal sei als christlicher, als katholischer Dichter gestorben, ist meines Erachtens unhaltbar. Sie gründet sich darauf, daß er besonders in der zweiten Hälfte seiner Schaffenszeit Vorliebe für katholische Stoffe und katholische Figuren hatte und sich in katholischen Vorstellungen und Gedankengängen bewegte. Man verweist auf Werke wie «Jedermann», das «Salzburger Welttheater», «Der Turm». Man beruft sich auch darauf, daß er im Habit des Franziskanerordens beerdigt worden ist. Diese Tatsache aber ist nicht beweiskräftig, denn es ist mir bekannt, daß er weder Tertiarier des Franziskanerordens war, noch angeordnet hat, daß er im Franziskanerhabit beigesetzt werden wolle. Was aber den Beweis aus seinen Werken betrifft, so hat er mir selbst einmal, auf irgend eine Bemerkung über seine Überzeugungen, die doch wohl darin zum Ausdruck kämen, beinahe mit Härte geantwortet: Die Elemente seiner Dichtung, auf die ich anspiele, seien nur als dichterische Requisiten und keineswegs als Beweise persönlicher Überzeugung zu werten. Mit einem Wort, sie sind so zu nehmen

wie Goethes Prolog und letzter Akt des Faust. Eine solche Äußerung ist eindeutig, wenn sich Hofmannsthal auch, wie ich schon erwähnte, nie positiv
über sein Seelenleben und also auch nicht über seine Stellung zur Religion
oder über etwas, was man als seine Weltanschauung hätte bezeichnen können,
aussprach. Ich möchte in diesem Zusammenhang auch die Teilnahmslosigkeit
erwähnen, mit der er, der sonst so großes Interesse an meiner Production
nahm, meinem nicht lange vor seinem Tode erschienenen Werke «Die Stände-
ordnung des Alls, Rationales Weltbild eines katholischen Dichters» begegnete. Ich bin überzeugt, daß er das Buch nie durchgelesen hat. Sein Mißtrauen
dagegen kam in der Bemerkung zum Ausdruck: «Es ist sonderbar, daß du
keine Lust hast, mir daraus vorzulesen.» Wir waren ja gewohnt, einander unsere Dichtungen vorzulesen und seine Bemerkung besagte, daß ich von der
Schönheit meines Buches wohl nicht überzeugt sei, wenn ich es ihm nicht vorlesen wolle. Er empfand für ein Werk, das nicht Dichtung und nicht Historie
war, für ein wissenschaftliches Werk, das man nicht wie ein Gedicht vorlesen
konnte, weil seine Schönheit erst dem, der es durchdachte, aufstieg, keine
Neugier. Er sagte öfters zu mir, nicht im Scherz, sondern ernsthaft: «Du bist
viel gescheiter als ich.» An dieser Bemerkung war nur Eines richtig. Seinem
großen Intellect fehlte völlig die Veranlagung, systematisch zu denken, d.h.
durch geistige Arbeit von einem Punkt, von einem Satze aus, die Gesamtheit
der Consequenzen und das System, das darin enthalten sein mochte, zu entwickeln. Er vermochte nicht, um den treffenden Ausdruck der deutschen
Sprache zu verwenden, zu einem großen Complex von Wahrheiten, wie es
das katholische Dogma ist, sich denkend «durchzuringen». Dieser Weg zur
Religion war ihm verschlossen. Sein Intellect war recht eigentlich ein dichterischer, erschauender, der von beinahe ununterbrochener, mehr künstlerischer als kritischer Beobachtung, ohne Dialektik, durch unterbewußtes Denken in geschaute Erkenntnisse mündet. Seine Veranlagung, mit der sich
große Klugheit, ja große Weisheit verband, war unphilosophisch. Vom praktischen Leben abgesehen, erging sich sein Intellect in der Litteratur und in der
Geschichte, die ja auch Anschauung von Menschen, von Verwicklungen und
Schicksalen menschlicher Individuen und Gemeinschaften gibt. Das soll besagen: Hofmannsthal, in der liberal-areligiösen Umgebung des Wiener Jahr-
hundertedes aufgewachsen, im Verlauf seines Lebens vornehmlich von den
für die Epoche repräsentativen Autoren beeinflußt, wenn auch nicht eigentlich überzeugt, wechselnde Eindrücke bald von der Erhabenheit der Kirche,
bald von Schwächen mancher ihrer Vertreter empfangend, hat wohl zu den
vielen großen Menschen gehört, die nach dem Satz des bewundernswerten
und von unserem Dichter geliebten Walter Pater, zeitlebens den Dom der
Kirche, von seiner Schönheit angezogen, umschweifen, ohne doch den Eingang in das Innere des Heiligtums zu finden. Doch glaube ich, war dessen

Fascination zu groß, als daß eine der Weltanschauungen der Religionslosen hätte in ihm Wurzel fassen können. Anima naturaliter christiana wird man ihn heißen können. Seine stets geübte zarte Rücksicht auf die Nächsten im christlichen Sinne, d.h. auf alle Menschen, war ja eine seiner bezeichnenden Eigenschaften, und übertrug sich auch auf die leblosen Dinge. «Sunt lacrimae rerum.» Er erlaubte nicht, daß man in einem Geschäfte von einem Gegenstand sage: «Das ist häßlich» oder gar «Das ist abscheulich». Und sein letztes, nur gehauchtes Wort, um seine Frau zu beruhigen, als ihn die tödliche Lähmung überfallen hatte, denn sprechen konnte er nicht mehr – «Es ist nur nervös» – mag wohl an die Seite jenes berühmten «Paete non dolet» der römischen Gattin, das durch die Jahrhunderte tönt, gesetzt werden.

RUDOLF BORCHARDT

Erinnerungen

Aufgefordert, Tatsächliches zu Hofmannsthals Andenken beizutragen, bitte ich die Leser, mir zu verzeihen, daß ich von ihm nicht werde erzählen können, ohne mich selber wenigstens insoweit zu erwähnen, wie zu einer allgemeinen Verständlichkeit meines Berichtes erfordert wird. Eine menschliche Beziehung, die sich aus frühen Jünglings-, fast Knabenzeiten herschreibt, und sich, durch die Jahrzehnte andauernd, zu Freundschaft und engster Bundesgenossenschaft vertieft, die dem Leben ihren Zoll zahlt, indem sie seine Trübungen überwindet und sich dem Leben überordnet, indem sie es seiner Plastik unterwirft, – ein solches Verhältnis ist, sobald es seine Festigkeit erhalten hat, ein Gewebe, aus dem der Faden des einen wie des anderen Webenden nicht mehr ohne Bezug auf den anderen wie den einen heraus zu schlichten ist. Andererseits vermerke ich auch dies mit der Bescheidenheit, die mir das Gefühl des Dankes für die unverdiente Segnung meines Lebens durch die Teilnahme zu dieser einzigen Gestalt natürlich macht. Ich habe am letzten wie am ersten Tage unserer Verbindung auf ihn als meinen Führer gesehen und mein Glück darin gefunden, mich ihm selbst da unterzuordnen, wo ein vom Gesetz einer solchen Stellung weniger Durchdrungener hätte schwanken können. Er vermochte es, seiner Verbindung mit Freunden, ohne jeden gemachten Apparat, den sakramentalen Charakter einzuhauchen, wie er der vollkommenen Ehe und der vollkommenen militärischen Disziplin angehört, welche beide an ihren letzten Entscheidungen nicht durch ein logisches Gesetz geregelt werden, sondern durch die Geheimnisse der Treue, die sich ergeben hat, völlig, mit Herz und Hand.

Wenn ich versuche, mir zu verdeutlichen, was ihn in meiner Vorstellung außerhalb selbst seiner größten Zeitgenossen stellte, eines Genius wie Wilamowitz oder wie George, höchst bestechender und blendender Gestalten wie Walther Rathenau und anderer, die ich genau gekannt habe, so weiß ich den Unterschied in einem Blicke zu bezeichnen. Menschen, die ich mit Wilamowitz und George vergleichen könnte, bei allem ungeheuren Abstande der mittleren von der großen schöpferischen Natur, bin ich auch sonst wohl begegnet. Vortypen, auf sie hindeutende, des Typus, dessen Entelechie sie schließlich geworden sind, hat es vielfach in der Zeit gegeben, und sie waren an die allgemeine Tendenz der Zeit, auch wohl an eine vorübergehende, gebunden. Auf einen Menschen, den ich mit Hofmannsthal auch nur in irgend etwas hätte vergleichen können, bin ich nie gestoßen. Ich sage dies nicht zunächst im Sinne eines Superlativs, sondern in dem ganz sachlichen der Bezeichnung. Er schien weder aus dem Stoffe, aus dem andere Menschen sind, noch diesen Stoff zu begreifen, noch von ihm begreifbar zu sein, weder durch eine allgemein in der Zeit irrende Tendenz gefordert und erklärlich, noch ihr eigentlich angehörig. Was von Shelley gesagt worden ist, daß zwischen seinen Fußsohlen und dem Erdboden immer ein Zoll Luft zu bleiben schien, galt, der Hyperbel entkleidet, auch für ihn. Sein Verhältnis zu Welt und Menschen war ein schwebendes, und sein Verweilen trat nicht aus den Bedingungen der Leihgabe an uns, der Erscheinung unter uns, heraus. Er war sich dieser spezifischen Absonderung vollkommen bewußt, berühmte Verse haben sie ausgesprochen, aber in welchem Maße sie jede seiner Äußerungen und Regungen, Aspekte und Wirkungen durchdrang, ist total unaussprechlich. Seine Kausalität verhielt sich zur irdischen wie die höhere Mathematik zur niedern, seine Anmut und seine Naivität, seine Unschuld und seine Vornehmheit, seine Kühle und seine Zartheit, seine holdselige Sanftmut und seine elementare Jäheit – Großmut und Verkennung, heftige Voreingenommenheit und geisterhafte Sympathie, zauberhafte Klugheit und ahnungsloser Märchensinn der Bescheidenheit waren von allem, was solche Eigenschaften bei anderen Menschen bedeuten, vollkommen verschieden, denn sie traten unter einem transzendentalen Vorzeichen auf, wie die platonischen Ideen im Verhältnis zur Welt der Körper oder der Dantesche Oberhimmel um das irdische Firmament. Anders gesprochen – eine persönliche Atmosphäre umgibt jeden außerordentlichen Menschen, und sie teilt sich seiner Umgebung ungewollt mit, wie eine schönere Luft an Stelle der schalen und verbrauchten. Aber diejenige Hofmannsthals war nicht eine Atmosphäre, sondern sie war Äther, und nicht eine schönere Luft, sondern ein neues Element, das wie Wasser den Blick verlagerte, das Geräusch teils gedämpfter, teils klingender machte, das Gewicht auf eine verringerte Skala umrechnete. Es gab kaum jemanden, Hohen oder Niedern, Edlen oder Gewöhnlichen, der dies völlig Einzige und Fremde nicht augenblicklich gespürt hätte. Wenige Menschen seiner Lebenszeit sind, wenn man genau zusieht, mit so völliger Einmütigkeit beurteilt worden. Rechnet man nur ab, welche Veränderungen das gleiche Urteil dadurch erfährt, daß es hier sich natürlich ausspricht, dort sich durch die ganze Gegenwirkung vielfältiger menschlicher Schwächen und Gebrechlichkeiten hindurchfiltrieren muß, und dank Niedrigkeit, Neid, Haß, Eifersucht, ja Rachsucht und Gemeinheit entstellt an Tag tritt, – zieht man in Rechnung, in welchem Maße das Feld des literarischen Gewerbes in Deutschland von Naturen beherrscht wird, denen alles Edlere ein ewiger Vorwurf ist, eine Beleidigung, die sie auf das Attentat reduziert – so bleibt ein Umriß übrig, der von überall her angesehen vom ersten Tage an unzweifelhaft war und den man nicht verzerren konnte, ohne selber die Maske zu verlieren.

Ich spreche von der körperlichen Persönlichkeit, aber derjenigen eines großen Dichters, und es liegt auf der Hand, daß ihre Attribute zunächst die seiner Poesie sein mußten. Ich war wenig über zwanzig Jahre alt, Student in Bonn, als seine ersten mir zugekommenen Verse, eine Rollenrede aus dem «Kleinen Welttheater», mich trafen wie der Blitzschlag einen Träumer und mich aus allen Gleisen meines Tuns und Lebens sprengten. Es verging fast ein Jahr über meiner Erschütterung, ehe ich mich entschloß, im Sommer 1899, ein Gedicht, das ich ohne Umschlag auf ein paar Blatt Papier hatte drukken lassen, unter andern auch an ihn zu senden, und als ich im Herbst ins Semester zurückkehrte, lag in meinem Göttinger Stübchen ein Brief, den ich tagelang bei mir trug, ehe ich ihn zu öffnen wagte. Der umworbene und berühmte Dichter, nur vier Jahre älter als ich, aber seit sieben Jahren die vergötterte Hoffnung der Generation, hatte die verworrenen Verse eines obskuren Knaben nicht nur kühl bedankt, nicht nur gelesen, sondern vollständig und großmütig in sich aufgenommen und bei sich behalten. Als der gleiche Vorgang anfangs 1901 sich wiederholte, lud er mich zu sich. Ich hatte mich nicht dazu bringen können, für seine Güte anders als mit wenigen konventionellen Zeilen zu danken; er berichtete dem Unbekannten von seinen privaten Umständen, die ihm Gastfreundschaft ermöglichten, und hob mich mit einem einzigen Schwunge seiner Art ganz in seine Nähe. Gleichzeitig wies er Heymel und Schröder, die im Begriff waren, die «Insel» zu gründen, an mich, von dem er nichts als zwei Gedichte kannte, die ersten Versuche eines von jeder Literatur entfernten und ihr abholden, über seine Bücher gebeugten und völlig einsamen Jünglings, der in jenen denkwürdigen Heften neben seinen Phantasiewundern «Kaiser und Hexe» und «Der Triumph der Zeit», neben Schröders zauberhaftem Frühwerk auftreten durfte, wie ein Bestätigter und Erwarteter. Es ist kaum möglich, in Zeiten wie den heutigen eine Vorstellung von dem Glanze der Hoffnung und der Hoheit zu geben, der von den beiden großen Dichtern in ihrem Rücken über die dichterischen Zeitschriftengründungen der Jahrhundertwende hinstrahlte. Die Ver-Sacrum-Stimmung der Generation verlangte für die Absühnung der geistigen Freveltaten ihrer Väter, Naturalismus und Positivismus, Intellektualismus und Mechanismus, nach einem Rituale, nach einem kanonischen Menschen als mittelndem Vorbilde seelischer Königlichkeit, und wie in einem Emporsturze zu Ursprüngen des Lichtes und der Form staffelte sich alles aufwärts. Niemand dachte an sich selber, niemand wollte sich in Szene setzen oder in die Brust werfen, das Pathos inbrünstiger Uneigennützigkeit bestimmte Seelen und Stil. Sieht man aus der heutigen Perspektive heraus, wie kurz der Moment gewesen ist, in dem Volk und Publikum wirklich zu folgen schienen, Verlegerliteratur und dramatisches Unternehmungsgewerbe verwarf, den Schauplatz der Poesie für wenige Gestalten reinfegte und heroischen Lösungen zu folgen sich willig zeigte, so mag man über die Illusionen jener Tage lächeln. In ihnen gelebt und ihren herrlichen Irrtum mitgeirrt zu haben, ist darum nicht umsonst gewesen. Einmal lebten wir wie Götter, und mehr bedarf's nicht.

Hofmannsthal war, als ich im Winter 1900/01 zu ihm kam, jung vermählt und hatte seit kurzem das weiße Rodauner Schlößchen bezogen. Am kleinen Bahnhof des Ortes stand auf mich wartend in Pelzmütze und kurzem Landpelze die nicht große Gestalt, in allem Äußern schlicht bis zur Unscheinbarkeit, die Haltung leicht und eher träumend, Glieder, Züge, Blick und Ton des Mannes von Stand. Augen und Mund beherrschten das edle mattfarbige Gesicht. Jene waren von kindlicher, fast tierischer Schönheit, kirschbraun und prachtvoll beweglich im Forschen, Rollen und Aufschlag, dabei jener aushaltenden Sanftheit des Blickes fähig, die italienisch dolcezza heißt. Der strenggeschnittene Mund mit den kraftvollen Lippen wurde, sobald er lächelte, ein Lächeln, das sich in die Augen hinein fortpflanzte, unaussprechlich schön. Die gleichmäßigen Zähne waren von ebenso bläulichem Weiß wie das makellose Email des Augapfels. Dennoch war er nicht, was man einen schönen Mann nennt. Die Grundlage seines Antlitzes, hübsch, knapp und wohlgeordnet, war sein Erbe von der italienischen Großmutter, der lombardischen Gräfin Rhò, und man begegnet ihr in Oberitalien nicht ganz selten. Die Schönheit gehörte ganz dem Geiste an, der dies Gehäuse bewohnte, durchdrang und verklärte, und trat in Momenten hervor, phosphoreszierend. Ganz so schien mir sein Gespräch zu sein, von seiner leichtspielend lachenden Art, der Zunge die Zügel schießen zu lassen. Der Harden, glaube er, sei ihm gar nicht grün, er habe so etwas gespürt. Mit Hin und Her kam an den Tag, er habe jenem auf ein übersandtes Buch geantwortet, der Hermelinmantel, in den er sich drapiere, sei manchmal ein Katzenfell mit eingenähten Backpflaumen. Sich zu stellen, als wisse er nicht, was der schmutzige Sykophant für eine Grimasse in diesen Spiegel hinein gezogen habe, war eine halbe Schelmerei, halb war es Unschuld grausamer und gesunder Jugend. Hofmannsthal begriff das Gemeine nicht. Noch als er bei mir in Italien davon sprach, daß er in Berlin nur noch anonym aufführen lassen werde, weil die dort inzwischen das öffentliche Urteil fälschenden Sykophanten des heutigen Tages ihm jedes neue Werk so verschreien würden wie den «Schwierigen», hatte er kein heftiges Wort für das innerlich Schändliche, sondern nur Verwunderung und einen Hauch ruhiger Trauer. Das freilich war damals noch ferne von ihm und er durfte wie sein Held von sich sagen, daß mitten im Versinken der Delphin ihn trug – «und wenn der Fels zerscheitert unter mir, die grüne Woge starrt und wird mich tragen». In unendlichen Scherzen vergingen die beiden Wochen. Er arbeitete an der «Elektra», ich hatte meine eigene Beschäftigung, es war ausgemacht, daß wir auf Spaziergängen einander zufällig begegnend von einander keine Kenntnis nehmen wollten, und dies Aneinander-Vorbeilaufen von Hausgenossen gab Anlaß zu ausgelassensten Spässen. Heimgekehrt und

hungrig faselte er in gereimten Augenblickseingebungen wie ein entzücken-
der Possenreisser, heftig um den Speisetisch laufend: «Essen, Essen, Essen –
es essen viel die guten deutschen Dichter, ringsum im Staube müht sich das
Gelichter. Nur schlichter, sagt der Pöbel, bitte schlichter, eßt nicht so viel ihr
großen deutschen Dichter, sonst wird Magie nur dicht und immer dichter.»

In seinem Arbeitszimmer, die Hände auf dem Rücken, mit kurzen, hasti-
gen Schritten auf- und abgehend, während ich aus meinen Papieren vorlas,
war Hofmannsthal gewandelt. Wie bei schönen wilden Vögeln in der Ruhe
das ganze Leben in das finster-feuchte Auge einsinkt, so schlief an ihm alles
außer dem unablässig forschenden, ruhelos herrlichen Blick. Er nahm leidenschaftlich auf, stieß leidenschaftlich ab, dankte für das eine mit dem Schönsten,
mit dem gedankt werden kann, mit Glück, sagte von dem andern schnell und
streng, es werde keinen Strohhalm wert sein, wenn ich so weitermache, und
riß mich mit allen meinen Gebrechen erregter Unreife ganz in die Luft seines
Großmutes. Für eine Schrift von mir, die sich später unter dem Titel des «Gesprächs über Formen» Leser zu verschaffen gewußt hat und auf der damals die
Tinte nicht trocken war, schrieb er, im Sturme seiner Teilnahme, sofort an
seinen Verleger und zeigte ein trauriges Kindergesicht mit erschreckten Augen, als, wie natürlich, von Berlin höflich gedankt wurde. Bedenke ich, welche
Last der Zumutung für sein empfindliches und subtiles Organ, für seine
durchsichtige und geordnete Welt der Schwall und Lärm meiner chaotischen
Unordnung gewesen sein muß, welche Qual für sein zartes Ohr mein Verse-
donnern und Periodenrauschen war, dem er schließlich dadurch zu entfliehen
trachtete, daß er mich nur im Freien rezitieren ließ, ermesse ich die ganze grenzenlose Güte und Geduld, die er meinem unlieblichen Gemenge, der Dumpf-
heit eines Menschen, der ihn durchaus nichts anging, widerfahren ließ, so
weiß ich das eine wenigstens, mit welchem Rechte ich in jeder Stunde meines
späteren Daseins mein Leben für das seine gegeben hätte.

Ich habe bei diesen Anfängen verweilt, um dem Leser das Bild so vor Augen treten zu lassen, wie es vor die meinen getreten ist, unmittelbar. Für eine
Darstellung der Beziehungen, die sich allmählich aus der Berührung jener
Tage entwickelt haben, sehe ich heute keine Schicklichkeit. Auch lassen sie
sich nur auf einem weiten Hintergrund und nicht ohne Rücksicht auf die be-
greifliche Empfindlichkeit Lebender wirklich darstellen, und je weiter vorwärts sie rücken, um so geringer würde die Möglichkeit, ausschließlich auf
ihn abzusehen, von mir selber abzustehen. Wir haben in fast zwei Jahrzehnten
eine gemeinsame Last in unserer Stille getragen, einander im einen Notwendigen die Treue gewahrt, im Läßlichen einander die Freiheit gegeben. Die
Form des Verhältnisses, das Gefühl dessen, was es bedeutet, ihm anzugehören,
hat sich nie verändert. Wir sahen uns weder häufig noch auf längere Zeit. Auf
den Charakter und die Festigkeit der Verbindung war Schweigen und Ent-

fernung ohne Einfluß. Durch lange Jahre hat allein das Gefühl, von ihm gelesen zu sein, meine Lust an Hervorbringung unterhalten und es mir nicht nur leicht, sondern natürlich gemacht, auf jedes Publikum und jede Wirkung zu verzichten; daß es nicht mir allein so gegangen ist, hat man mir oft versichert, und so gab es denn einen stillen Kreis ausgezeichneter Personen, deren heimlichster Lebenspunkt wie der schwebende Stein in Mekka im wahrhaftigsten Sinne des Wortes von dem göttlichen Zwischenwesen dieses arielhaften Mannes, dem zeitlosen und schwerlosen und alterslosen Jüngling, unlöslich abhing. Trat er in unsere Gemeinschaften oder Gesellschaften, so wirkte immer wieder, bis zum letzten Tage, das einzige Wunder: die Männer wurden klüger, die Frauen schöner, die Lichter heller, eine Schuld war aufgeschoben, eine Sorge mit dem Zauberfinger auf der Schicksalstafel gelöscht; die Zahlen stiegen zu Primzahlen auf, ein ungeheures Resümieren und In-Summen-Treten entlastete den Gedankenraum, seine dämonisch lichtschaffende Phantasie, wie ein unsichtbar-unhörbarer Wetterumschwung die Sphäre durchwaltend, herrschte so vollständig und mit so unvermischter Beseligung, daß er, abreisend oder fortgehend, jedem einzelnen und allen insgesamt das wieder nahm, wovon sie eben noch erhöht gelebt hatten, und eine ernüchterte Gesellschaft sich eilig trennte, weil sie den Ton nicht mehr fand. Das Geheimnis dieses unauflösbaren Zaubers, soweit es wenigstens zu umschreiben ist, läßt sich an dem Leser schätzen, der Hofmannsthal war. Er verkehrte mit Menschen und Geistern als Schöpfer, als ein Geist ihrer höheren Wiedergeburt: mit ihm umgehend oder im Drucke von ihm aufgenommen, entstand man zu seinen wahren Zielen, nicht, wie die Schrift sagt, durch einen Spiegel in einem dunklen Wort, sondern von Angesicht zu Angesicht, oder, um mit dem großen Apostel fortzufahren, selber nicht stückweise erkennend, sondern erkennend gleichwie man erkannt ist. Was an ihm wie eine unerhörte und unverdienbare Großmut der Billigung und Annahme wirkte, Lob und Ermutigung, Entgegennahme und Abneigung, war durchaus magischer Natur, ein göttlicher Tiefblick für den geringsten wirklichen Wesenspunkt im Menschen und die überirdisch reine und gewaltige Liebe – nicht die gemütliche, die geistige – des Wesenhaften zum Wesentlichen, eine Wirkung aus dem Reiche der Werte. Denn in dies Reich aufzunehmen, wer vor ihm bestand, war er als Genius ermächtigt, und wie ein Buch, das er las, an seinen Kräften magnetisch wurde, so teilte er den Menschen stromhaft in ein Ja und Nein, bis von Pol zu Pol die Kette wurde, die von ihm klang und um ihn kreiste.

Was soll ich mehr sagen? Es sind wenig Wochen, daß er, den ich kurz vorher in München verlassen hatte, hier im formgeschnittenen Immergrün meines Terrassengartens bei mir saß, und, nachdem er mit meiner Kleinen gescherzt, meinen Blumen geschmeichelt und endlich in einem langen Gespräch die gesamte geistige Zeitlage mit mir durchgesprochen hatte, auf meine Bitte, von sich selber zu sprechen, stockte und dann, mit einem Aufblitzen der alten Schalkheit, hervorstieß: «Ja – – ich bin nicht verblödet!» «Aber Hugo!» Dann, rasch nach meiner Hand greifend, eifrig und lachend: «Nein, nein, du mußt es richtig verstehen, – verblödet bin ich nicht! Aber», und er stockte wieder, und etwas Schmerzliches flog durch seinen Blick, um sofort wieder einem Schimmer zu weichen, «wenn ich je in meinem Leben so etwas wie ein Literat gewesen bin…» «Aber Hugo!» «Gewiß, ich weiß ja; – also, so wenig wie jetzt bin ich es vielleicht nie gewesen.» Auch hier bildete den Untergrund die typische, feine und leichte Verbindlichkeit der Gesellschaft, mit der er Herkunft und Erziehung teilte. Er gab sich kein Gewicht, wählte eher das tonlose Wort als das betonte, vermied jede Originalität und zog ihr die Nuance vor, schien von dem Wunsche – einem ästhetischen, sittlichen, gesellschaftlichen – beherrscht, sich in nichts von der alltäglichsten Art zu unterscheiden, lieber beinah unbeachtet zu bleiben, nur nicht durch Affektation oder selbst durch betonte Eigenart aufzufallen. Aber Lebhaftigkeit und Naturell durchbrachen diese Schranken und spielten mit ihnen, aus der Tiefe stieg ein leichter Geist des Rausches und des Entzückens, der sie in Licht auflöste, und plötzlich stand das Gespräch im Sternbilde des Genies. Der edle, scharfe, trockene und sanft begeisterte Scherz der Shakespeareschen Komödie war in ihm Leben geworden, ihr hofmännisches Zeremoniell, ihre lustige Persiflage, ihre elegante und schwermütige Koketterie, der Mantel- und Degenton und der rhythmisch brausende Übermut, der von Moment zu Moment ihren ganzen Apparat zerknittert und auftrennt. Worte! Immer wieder wird versucht werden, den Undarstellbaren darzustellen, immer wieder vergebens. Gestillt und hingerissen saß man da und genoß das einzige Erlebnis, Vollkommenheit.

In dem berühmten Dichter, dem Manne, der Vater zu werden im Begriffe war, steckte noch ein Kind, unbekümmert, ungezogen im Vertrauen auf seine gute Art, spielsüchtig und neckend. Wenige Wochen nach dem ersten Besuche zog ich als sein Gast ein, er war abwesend, als ich ankam, ich hatte mich schon eingerichtet, als er von Wien her eintraf, winterfrisch, mit blitzenden Augen, denn das Land lag weit und breit im Schnee. «Guten Tag», sagte er schnell, mir die Hand drückend, «und – – was ich sagen wollte – ja – wann reisest du wieder ab?» «Sofort, wenn du willst», gab ich lachend zurück. «Nein», antwortete er hastig verlegen und dazwischen in ein lustiges Lachen ausbrechend, «ich meine nur, damit man es jetzt schon abmacht und dann die Zeit übersehen kann, die man vor sich hat. Der S. nämlich – ein gemeinsamer Freund –, der im Sommer hier war, der ist damals so lange geblieben und hat mich so gestört.» Als ich dann nach Ende der angesetzten Zeit fortwollte, mußte ich zugeben. Und das war, wie ich später hörte, bei dem Freunde nicht anders gewesen. Er sprach selber naiv und halb unsicher, halb reuig wie ein

Knabe. Das war die Einleitung zu einem kurzen Abriß von Arbeitsplan, hinter dem aber eine Sehnsucht nicht nach Handlung, nach Versunkenheit, nach Anschauung, nach Einverleibung und Einverselbstung durchklang. Aufstehend, weil unten der Wagen vorgefahren war, strich er leicht mit der Hand über die starren Gartenhecken der Villa, und einen Myrtenbusch, der eben weiß aufbrach. «Nun. Lorbeer und Myrte hast du ja immer leicht zur Hand», sagte er mit leisem Lachen, und wir stiegen die Treppen hinunter. Er wollte sehen, im nächsten Jahre an der See in meiner Nähe Wohnung zu nehmen und «jedenfalls», sagte ich, «werden wir uns jedes Jahr doch einmal wieder sehen!» «Und wenn es nicht jedes Jahr wäre, doch mindestens nicht wieder mit so langen Pausen.» «Daß man nur ein einziges Leben zu leben hat, ist ebenso bekannt», sagte ich, während die Frauen sich verabschiedeten und er in den Wagen stieg, «wie meist uns nicht gegenwärtig.» «Und es ist doch das einzige Glück, daß man es immer wieder vergißt», antwortete er, und das Lächeln von einst lag wie voller Jugendzauber um den beredten Mund und die wunderbaren Augen.

Nach zwanzig Jahren

Ich bin in diesen wetterschweren Frühlingstagen, vom Meere durch die Mulde von Camaiore hinauffahrend, wieder bei dem Hause vorbeigekommen, das links der Straße zwischen seiner Handvoll Park auf seiner mäßigen Höhe für einen Augenblick sichtbar wird, und habe, um ihn mir zu verlängern, aber doch nicht allzu sehr, die Fahrt verlangsamen lassen, aber nicht geradezu halten. Von der Landstraße zweigt ein kurzes Stück halbgrasiger Fahrspur in die Wiese ab, um dann sofort, zuerst steil, dann in Kehren, zu steigen und sich im buschigen Hang zu verlieren, – und im zerstreuten Rechnen wurde mir bewußt, daß es zwanzig Jahre sind, daß ich an einem gleichen wolkezerrissenen, bald kühlen, bald grellen Apriltage den Wendelsteig von dort zur Straße hinuntergesprungen bin, um Hofmannsthal, dessen Wagen ich von oben – jenem Eck der vorspringenden Parkmauer unter der großen Roßkastanie – hatte fern anfahren sehen, schon an der Straße zu empfangen.

Er kam wie immer mitten aus Unternehmungen, hatte Richard Strauss in Florenz verlassen und mußte ihn nach den mir vorbehaltenen Tagen in Rom wieder finden, dazwischen lag alles bei ihm geordnet und eingeteilt, Briefe, Antworten, Daten, Begegnungen, ein Plan. Er war nicht nur dazu geboren, er hatte sich bewußt darauf gestellt, Menschen zu verknüpfen, und war immer der Herr eines weltlichen Gewebes. Er liebte Italien, aber er hätte, wenn überhaupt, hier auf seine eigene Weise gelebt, nach Bedingendem gesucht

und es in seiner eigentümlichen, aufmerksamen und planvollen Weise wieder-
bedungen. Er war nicht nur ein Mann von Welt, sondern in hohem Maße ein
Mensch der Welt. Alles Ausschließende lag ihm fern. Er sah in jeder Möglichkeit des Lebens einen Stoff, der zur Plastik erst doppelt aufforderte, wenn
er sich der Plastik zu entziehen schien. Aber alles, was seiner Art entgegengesetzt war und sich dennoch Aufgaben stellte, die auch er sich hätte stellen
können, nur auf seine eigene Weise, zog ihn leidenschaftlich an. Ich glaube,
er hat keine andere wirkliche Leidenschaft gekannt als die nach fremdem
Schicksal. «Wie ist das bei dir?» ist die häufige Frage, die in Stunden der
Aufschließung von ihm vernommen zu haben, seine Freunde sich erinnern.
Er war nicht neugierig, wer konnte das denken. Er bediente sich ausgespro-
chener Individuen, als eines zu erlernenden Alphabetes und einer Grammatik,
um die ausweichenden Inschriften seines eigenen geheimeren Zusammenhanges mit dem Welträtsel zu deuten. Was er die «Bezogenheiten» nannte,
läßt sich dahin aussprechen, daß er sich nur als die Anwendung des Alls der
Menschenseele auf den einen, seinen besonderen Fall empfunden hat, zufällig
oder schicksalvoll gerade so angewandt, aber eben darum fragmentarisch
bleibend, wenn nicht alle anderen denkbaren Anwendungen des gleichen als
unendliche Funktion dazu beisteuerten, sie zu komplettieren. Er empfand
das so, als ob immer erst sein Gegensatz, mit seiner Art summiert, das Ganze
ausmachte, das er im Grunde sei, – wirklich sei; denn allen diesen Gegensatz
zu sich trug er potentiell in sich, während sein Lebensvorgang es nicht auf die
Stufe treten ließ, die man «in actu» nennt. Sein wunderbares, die andern entzückendes und begeisterndes Interesse an menschlichen Fällen, an denen
vielleicht niemand außer ihm etwas Interessantes gefunden hätte, war von
dieser magischen oder mystischen Natur, denn er hatte die Kraft, diesen andern zu einem Teile, einem Anschlußteile seiner großen, lauschend über ihn
gebückten Natur zu machen, und zwar in einem solchen Maße, daß der andere
dies Bezogen-, in ihn Hinübergezogenwerden zauberhaft sich ereignen fühlte.
Es mochte ein dummer, öder Gelehrter sein oder ein rasch zugreifender Ver-
führer von Frauen, ein durch die Zonen gejagter Reisender oder ein Spieler,
ein zäher selbstsüchtiger Unternehmer oder ein kindlicher Asket, ein armes
Ding, das seinen Willen selber nicht weiß, oder eine aus siebenerlei Willen wie
aus sieben Drähten zusammengestrickte Entschlossene – er mußte wissen,
warum er, alles ihres Wesens fähig, auf sein eigenes beschränkt zu sein als Gesetz seines neidischen Sterns, des Himmelsrätsels der Individuation, empfangen hatte. Daß sein Wesen und Treiben, sein Verhalten und seine gesamte
Anstalt mir fremd waren, war eine Voraussetzung dafür, daß das meine es ihm
eben nicht war. Ihn verlangte nach meiner Einsamkeit – nicht weil es die meine war, die ich glücklich war, völlig verwirklicht zu haben, sondern weil es
die seine war, die er sich versagt hatte zu leben.

Der besondere Gehalt jener Minuten des ersten Gesprächs, in das von draußen, links und rechts vom Amor des Gartenbrunnens, die Stimmen des Wassers im niederrauschenden Strahl der Delphine in den Nischen sich mischten, ging durch mich hindurch, indes mir gleichzeitig vorüberzog, wie fröhlich, bis zur Ausgelassenheit, wir beide und jener danach eingetroffene Dritte, der sich mit mir ihrer erinnert, jene Tage, die letzten einer noch in sich geschlossenen Welt, verbracht haben. In Hofmannsthal war die Kindlichkeit nicht nur diejenige des gestaltenden Naturells: etwas Kind Gebliebenes, ein besonderes freilich, hielt sich in ihm, der Jahrzehnte des Lebens spottend, die Art eines kindlichen Genius, wie Goethe ihn in Euphorion und im Knaben Lenker vorgeträumt hat, und zum Halbgotte erhoben in jenem Geiste der faustischen Phiole – die fertige übermütige Klugheit, unschuldige Grausamkeit, siegreiche Raschheit, zarte Ungreifbarkeit einer Mischung von halb noch Spiel und halb stolzem, vornehmem Ernst, die ich nie an einem andern Menschen meiner Zeit gewahrt habe und die ihn bis ins Körperliche, in die Bewegungen hinein, durchwirkten. Hinter einem jener kleinen Fenster dort oben hatte das Gastzimmer gelegen, in dem ich den Morgen nach seiner Ankunft seine besonderen Wünsche hatte wissen wollen – jetzt fiel mir wieder ein, wie er damals im Bett aufgesessen hatte, mit ganz geradem Rücken wie ein Kind, sofort bereit und aufgeräumt, und, wie Kinder, nach ausgeschlafenem Schlafe, Kopf und Gesicht hübscher und netter, mit einem wie gebadeten Schimmer darauf, und ebenfalls wie ein Kind, sofort plaudernd und voller Einfälle. Mit der gleichen ruckartigen Bewegung habe ich ihn noch in seinem Todesjahr vom Diwan des Münchner Hotelzimmers sich im Kreuz gerade aufrichten sehen, auf dem er sich in einem der häufiger werdenden Anfälle von Unwohlsein ausgestreckt hatte, und damals noch wie immer alles abschütteln und ins Gespräch stürzen – «deise bist Du nur umfangen, Schlaf ist Schale, wirf sie fort». Aber damals, in jenen Tagen von Monsagrati, vor der Schwelle der Zeitenschatten, war seine Kinderei die ansteckende Gesundheit unserer kurz bemessenen Dreifalt gewesen. Die Stunden, in denen er von seinen Arbeiten mitteilte oder an den meinen teil zu haben wünschte, die Augenblicke, in denen das Gespräch seinem Gegenstand ins Tiefere folgte und sich vor Ahnungen sah, waren nur Unterbrechungen des unaufhörlichen Scherzes gewesen, mit dem er die Gegensätze zwischen uns verkleidete und ausfüllte, mir Dichter pries, die ich auch von ihm nicht annehmen konnte, und mir diejenigen rächend verleiden wollte, die ihm nie genehm werden konnten. Damals hatte er, um sich meiner Gerechtigkeit gegen das stilvolle Trockene zu erwehren, jene unsinnigen Parodien Uhlandscher Balladen in einem Augenblicke improvisiert, die wir nicht vergessen können, und Mörike, der mir noch ein Ganzes war, mit ein paar nur scheinbar possenhaften Griffen in seine Manieren zerlegt, die er dann dramatisch gegeneinander aufbot. Nur scheinbar possenhaft, freilich. Sein Scherz verweilte nicht, er exerzierte nichts durch, er hielt rasch eine Maske vor, aber nur halb, und neben der verschobenen blickten gleich darauf seine wirklichen Augen. Er hat oft ausgesprochen, wie gefährlich ihn das «Divagierende» deuchte, aber nur selten, wie durchaus dessen Gegensatz, das Insistierende, ihn ermüdete und endlich abstieß. Was man sich angewöhnt hat, Humor zu nennen, ertrug er allerdings nur in sehr kleinen Gaben, nicht nur das Lichte, sondern gerade das Finstere seines Blikkes auf die Welt fühlte sich von bequemen Mischungen des Lächelns und der Träne beleidigt, und wenn er Goethes schroffe Sätze gekannt hätte, die den Humoristen einen Gewissenlosen nennen, so würde er auch hier sein Gefühl gegen alles, was man nicht allenfalls griechisch sagen könnte, bestätigt gesehen haben.

Denn diese geistige Munterkeit, dieser liebliche Spaß, und die holdselige Ironie waren bei ihm, wie bei den Griechen, darum so durchsichtig, weil der finstere Grund, auf den sie lasiert waren, den Strahl zurückwarf. Hofmannsthal wohnte dicht bei der Wahrheit, der furchtbaren Nachbarin. Hier, wo mein Wagen nun schon weiterglitt, war er damals nicht nur auf die Straße gesprungen, er hatte hier auch wieder Abschied genommen, den wunderlichen, der ihm eigen war, den raschen schwachen Händedruck der stummen Flucht, das Nichtmehrsein, das Wegsein, das Wegseinwollen, das die Toren des Gemüts nie begriffen und ihm gar verargten. Ich sah wieder den kranken Blick, die erblichenen, etwas hängenden Lippen, das Vorstoßende der Bewegung vor dem unverkleidbaren Risse der Trennung – jeder Trennung. Das Große in ihm ist immer gewesen, das Wirklichkeit Gewordene nicht zu beschönigen, und die Vergänglichkeit des der Wirklichkeit Abgewonnenen ist ihm immer die seines alten Verses geblieben, «viel zu grauenvoll, als daß man klage»: Die Wirklichkeit unerbittlich zu nehmen, nicht weil sie wirklich, sondern weil sie symbolisch ist, in diesem Falle der Goethesche «Vortod», hieß auch ihm «den Tod zu meiden, den das Scheiden bringt», und sich bereits einen Augenblick vor der Schwelle mit gegenwirkender Fühllosigkeit aus dem Abstürzen ins Gefühl zu reißen, in den neuen, den fremden Tag. Vorbei. Der Wagen lief längst wieder durch Vallebuia, das «Finstere Tal», und nahm von der verhaltenden Minute den kalten Stoß jenes Vorwärts mit, das Er war, das nicht ein bloßes Vorwärts ist – leer wie des Hundes und des Vogels –, sondern das des nur Halbsterblichen mitten in allem Hinfall, das Menschliche, das Vorwärts trotz allem.

RUDOLF ALEXANDER SCHRÖDER

Erster und letzter Besuch in Rodaun

Es muß im Frühling oder Frühsommer 1900 gewesen sein, daß ich Hugo von Hofmannsthal zuerst begegnet bin. Die ersten Hefte der «Insel» waren erschienen, und unsre respektvolle Aufforderung zur Mitarbeit schon einer zusagenden Antwort gewürdigt; und ich kann heute nicht ohne Beschämung daran denken, daß ein in nicht eben günstigem Moment meiner damals leider noch recht vorwitzigen Feder entflossenes, wortreiches Gedicht zur Feier von Goethes hundertfünfzigstem Geburtstag den Anlaß zu einem freundlich ermunternden Briefe gegeben, in dem der größte Dichter meiner Zeit und Sprache dem erst eben sich Hervorwagenden den Wunsch nach persönlichem Bekanntwerden aussprach.

Dem Brief folgte in nicht allzu langem Abstand sein Besuch in München. Er war auf der Durchreise nach Paris, wo er unter anderm den damals auf der Höhe seines Ruhmes stehenden Maurice Maeterlinck besuchen wollte und wohin ich ihm die Adresse Meier-Graefes und seiner vor kurzem eröffneten «Maison moderne» mitgeben konnte, die hernach die Pariser durch ein Jahr mit französischen Abwandlungen des frühen Van de Velde-Stils versorgte. Es war ja damals die Zeit, in der der von England ausgegangene Anstoß kunstgewerblicher Erneuerung sich des Festlandes zu bemächtigen begann. In Deutschland stand die Darmstädter Kolonie, in Wien der Kreis der Wiener Werkstätten kurz vor dem Zusammenschluß. Die Heymelsche «Inselwohnung» in der Leopoldstraße, in deren gewollt schmucklosen Räumen ein an englischen und klassizistischen Mustern herangebildeter Gegensatz zu den ordinären Wursteleien des sogenannten Jugendstils sich aussprach, hatte die Aufmerksamkeit der beteiligten Kreise auf sich gezogen; und so waren es auch zunächst Gegenstände dieses naheliegenden Gebietes, die uns bei unsrem ersten Zusammensein unter vier Augen beschäftigten. Ich erinnere mich, daß wir schon damals uns darüber einig waren, alle Bemühungen um eine neue, der lebendigen Gegenwart gemäße Schmückung unsrer Innenräume müßten letzten Endes nichtig sein und bleiben, solange diese sich nicht auf eine entsprechende, die gesamte Formensprache der Zeit erneuernde Architektur zu beziehen vermöge, und daß im Verfolg dieses Gespräches wir der Architektur als dem vielleicht bedeutsamsten, sogar, wenn man wolle, allgemeingültigsten Ausdruck des künstlerischen, ja des sittlichen Weltbildes und Weltbekenntnisses – Halbkunst, wie sie sein mochte – einen sehr hohen, vielleicht den höchsten Rang innerhalb der Künste glaubten zuerkennen zu müssen.

Daß derartige Gedankengänge auch meinem Gast gerade in jenen Tagen besonders nahelagen und naheliegen mußten, wußte ich freilich nicht oder sollte es doch nur halb und halb auf etwas skurrile Weise gewahr werden. Denn hier muß ich eines eher erheiternden Details jener ersten Begegnung gedenken. Wir hatten nach dem gemeinsamen Frühstück in der Heymelschen Wohnung einige Nachmittagsstunden verplaudert, unsrer wechselseitigen Haupttätigkeit mit jener Scheu und Schonung, die das erste Omen jugendlicher Begegnungen sein dürfte, kaum erwähnend, als Hofmannsthal plötzlich aufstand und das Gespräch mit jener nicht unanmutigen Raschheit des Entschlusses und der Mitteilung abbrach, die, ohne eigentlich schroff zu sein, doch jeden Einspruch, auch den der bloßen Höflichkeit, von vorneherein als aussichtslos erkennen ließ und die mir späterhin ebenso gewohnt und vertraut, ja lieb geworden ist, wie sie mir damals befremdlich schien. Hastig auf die Uhr schauend, sagte er mir, er könne leider nicht den Abend mit mir zusammen verbringen, da er andere Verpflichtungen habe. Wir verabschiedeten uns nicht ohne begründete Aussicht auf ein baldiges Wiedersehen in Wien. Ein noch baldigeres am Platze war nicht vorausgesehen, geschah aber doch und auf folgende Weise. Ich speiste damals in der Bar der «Vier Jahreszeiten» zu Abend, die, seit kurzem bestehend, in der Hauptsache nur erst einen einzigen kleinen Kellerraum umfaßte, in den man auf einer schmalen Stiege, allen Anwesenden sichtbar, hinabgelangte. Kaum hatte ich mich an jenem Abend dort niedergelassen, als in Begleitung einer älteren und einer sehr jungen und hübschen Dame, offenbar Wienerinnen und ebenso offensichtlich Mutter und Tochter, mein mittaglicher und nachmittaglicher Gast oben auf dem Treppenabsatz erschien, hinunterstieg und, ohne von meinem Vorhandensein Notiz zu nehmen, sich mit seinen Damen dicht neben mich an den einzigen noch freien Tisch setzte, wo dann alsbald ein Gespräch über Einkäufe unzweideutigen Charakters begann, das zu überhören mir nur möglich gewesen wäre, wenn ich statt zu essen, die Finger in beide Ohren gesteckt hätte.So blieb mir denn nichts anderes übrig, als mit schamvoller Eile mein Nachtmahl in mich hineinzubefördern und zu entweichen und im übrigen die Methode zu befolgen, die man braven Kindern anbefiehlt, wenn sie mit verbundenen Augen vor Weihnachten ein neugefertigtes Kleidungsstück anprobieren, nämlich die, alles etwa Erlauschte, Erspähte oder Erahnte alsbald wieder zu vergessen.

So blieb denn auch, als ich später im Gefolg einer größeren Münchner Reisegesellschaft zur Premiere der Bierbaum-Thuilleschen Oper «Lobetanz» fuhr, bei den nun schon leichter fließenden und die Grenzen unseres beiderseitigen geistigen Besitzes ungezwungener abtastenden Gesprächen jenes Zusammentreffen mit der unbedingten Verschwiegenheit, die nun einmal in solchen Dingen zu dem ungeschriebenen Komment der Jugend gehört, unerwähnt. Aber doch trat der Gegensatz des Norddeutschen und des Österreichers schon in jenen Gesprächen zutage; und ich könnte noch die Stelle auf der Ringstraße bezeichnen, an der er meinen gegen die spießbürgerliche Erotomanie eines uns beiden gleich fatalen älteren Zeitgenossen gemünzten, freilich sehr derben und «niederländischen» Ausfall mit unnachahmlicher Delikatesse nicht nur überhörte, sondern auch gleichsam zu «übersehen» schien.

Seltsam, Gespräche über die bedeutendsten Gegenstände pflegen oft genug in verhältnismäßig rascher Zeit in die Anonymität des allgemeinen seelischen und geistigen Besitzes und seines im ganzen immer undeutlichen, im einzelnen nur zu bestimmter Gelegenheit und bei beschränktem Anlaß sich äußernden Wachstums überzugehen; eine kleine, aber drastische Lektion, wie sie hier der nur wenig Ältere dem Jüngeren erteilte, bleibt in der vollen Deutlichkeit und Gewalt ihrer ersten Wirkung gegenwärtig, als wäre sie heute oder gestern erlebt.

In jenen Tagen wurde es mir, kurz bevor sein Inhaber es auf immer verlassen sollte, vergönnt, das Zimmer in der Salesianergasse zu betreten, das die Werkstatt des reichsten dichterischen Jugendwerkes gewesen, von dem die Welt zu berichten weiß. Hier, in dem nicht übermäßig großen, nicht übermäßig hellen Raume mit dem bequemen, aber altväterisch einfachen Gerät, hier an dem geschnitzten Schreibtisch, der bald hernach in das schöne Rodauner Haus mit hinüberwandelte und mir allerdings ohne jeden ersichtlichen Grund – vielleicht wegen des phantastischen Schnitzwerks – immer mit dem des «Claudio» identisch erschienen ist, waren die Gedichte, die kleinen Dramen, waren noch jene drei kleinen Stücke entstanden, die, Hofmannsthals erste Schaffensperiode abschließend, seine eigentliche Bühnenlaufbahn eröffnen sollten. Man kann sich denken, welche Gefühle den Neophyten an solcher Stätte beschleichen mochten; man wird begreifen, daß er von keiner anderen Räumlichkeit jenes Elternhauses einen deutlichen Eindruck behalten, daß ihm nur eine sehr unbestimmte Vorstellung von der bescheiden nüchternen Vornehmheit des noch aus guter Zeit stammenden Gebäudes sowie der ganzen Gasse verblieben ist. Der Anblick jenes Jugendzimmers freilich bleibt mit dem Gedächtnis an einen der bedeutsamsten Momente meines vergangenen Lebens in mir haften, Rückblick in ein nicht wieder zu betretendes Paradies hoffnungsvoller Tage, in den sich mit der Süße des verbleibenden Besitzes die Bitterkeit des ungewarnten Versäumnisses, des nicht genügenden Ausschöpfens und Fruchtbarmachens so hoher, so unwiederbringlicher Augenblicke mengt.

Noch anderer Gespräche wüßte ich aus jenen Tagen zu gedenken, vorzüglich eines auch hernach oft wiederholten, lange wiederkehrenden über das gefährlich Vieldeutige, das Unzutreffende und Irreführende, ja Unwahre und Verführende jeder wörtlichen Mitteilung. Mich, den gerade damals in aller-

hand Philosopheme und Sophismen Verstrickten, beschäftigte dies Problem
schon seit längerem; wie anders aber, wieviel näher, wieviel bedrohlicher
mußte es auf ihm lasten, der schon ein unabsehbares Gut jener ungetreuen
und betrügerischen Vermittlerin anvertraut hatte und schon dicht vor der
Schwelle stand, die ihn aus den zauberisch umhegten Traumgärten seiner
Jugend in das grelle Licht des mählich herannahenden Mittags entlassen sollte.

War es doch die Zeit kurz vor dem Brief, in dem er den jungen Chandos
zum Interpreten der tragischsten Bedrängnis gemacht, die je ein dichterisches Ingenium heimgesucht, kurz vor jener halb gewollten, halb gesollten
Zurückschneidung alles Quellenden und Blühenden in ihm, das der Folgezeit
seiner reifenden und reifen Werke voraufging. Von diesem Stocken hat er mir
dann gesprochen und geschrieben, nicht ohne tiefste Betroffenheit, nicht ohne
Bängnis, aber doch mit dem freien Adel und Mut eines Menschen, der sich in
seinem tiefsten Kern unversehrt wußte, und wußte, daß er hinter der gläser-
nen Starre des lebensgeschichtlichen Moments eine noch nicht ans Licht ge-
tretene schöpferische Welt lebendig bewahre.

Zurückblickend, ist mir immer noch die Geduld, die langmütige Teilnahme
unfaßbar, die der damals so schwer Getroffene und Behinderte in der Zeitspanne eines fast übermenschlichen Ringens um die Erhaltung auch nur der
dünnsten, der unentbehrlichsten Atemluft dem unbesorgten Hin und Her des
Jüngern vergönnte, der erst viel, viel später in langsamem Gewahrwerden
die engen und mühsamen Wege erkennen sollte, die zur Kunst führen. Doch
greife ich hier den Ereignissen vor; denn jene Gespräche sind wohl erst im
Sommer des folgenden Jahres und auf völlig anderem Schauplatz begonnen
und verhandelt worden.

Denn schon im Sommer 1901 erreichte mich ein Brief Hofmannsthals, in
dem er sich mir als verheirateter Mann und Hausvater vorstellte und mich als
ersten Wohngast in das neubezogene Rodauner Haus einlud. Genaue Anwei-
sung, wie ich vom Westbahnhof nebst Gepäck nach Rodaun zu gelangen habe,
lag bei; und so stieg ich denn eines schönen Julitages vor der nach der hübschen österreichischen Sitte mit wildem Wein berankten Vorhalle des Rodauner Vorortbahnhofes aus und nach einer kurzen Fahrt im Einspänner – denn
auch vor den Erpressereien der eigentlichen «Fiaker» hatte mich der vorsorg-
liche Gastfreund gewarnt – vor dem Hause in der damaligen Badgasse ab.
Die Straße hat neuerdings ihren alten Namen abgelegt und ist nach dem anscheinend in Wien und Umgebung wesentlich berühmteren damaligen Nachbarn Hofmannsthals, dem Gastwirt und Busenfreund der Wiener Fiaker und
Operettentenöre, Johann Stelzer unsterblichen Gedenkens, benannt worden.
Mag sein, daß ihr das Schicksal der Königgrätzer Straße in Berlin bevorsteht
und sie noch einer zweiten Umtaufe entgegensieht, doch will ich mit diesem
Hinweis der immanenten Gerechtigkeit der Welt- und Literaturgeschichte

nicht vorgreifen. – Zudem lagen ja alle solche Umwälzungen noch in weitem Felde, als ich vor dem Eingangstor oder richtiger vor der kleinen Seitenpforte in der Hofmauer hielt, die sich auftat, um in ihrem Rahmen neben dem mich bewillkommnenden Hausherrn zu meinem grenzenlosen Nicht-Erstaunen jene anmutige junge Wiener Dame erblicken zu lassen, deren Gespräch *nicht* anzuhören ich mir vor einem Jahr in München so vergeblich Mühe gegeben hatte.

In mehr als einem Sinne war sie ein Rubikon, die steinerne Torschwelle, die der Zweiundzwanzigjährige, Welterfahrene, an jenem Nachmittag zum erstenmal überschreiten durfte, um hinter ihr eine neue Mitte seiner Existenz, eine neue Heimat seines geistigen Daseins zu finden, zu der er noch oft genug! – durch fast dreißig Jahre hindurch als Gast oder als sehnsüchtig-glücklich Gedenkender zurückkehren sollte. Aber freilich, zunächst war es eine Fremde, in der er für ein paar Wochen zu Gast sein durfte, eine Fremde nicht nur im politischen, sondern auch im Sinn ihrer geistigen und bürgerlichen Tradition. Denn wenn auch Hofmannsthals Stadt und die meine innerhalb der Grenzen eines gemeinsamen Sprachgebietes und einer in vielem gemeinsamen geschichtlichen Entwicklung und Ausformung gelegen waren, so lagen doch beide an den Grenzen dieses Gebietes, die eine im tiefen Südosten, die andere im höchsten Nordwesten des ehemaligen Reiches, die eine innerhalb einer fast anderthalb Jahrtausende alten katholischen Bindung und Schicksalsgemeinschaft groß und mächtig geworden, die andere innerhalb der nach der einen Seite so viel freieren und vieldeutigeren, nach der andern Seite so viel engeren und ausschließlicheren Bindungen des Protestantismus die Freiheit ihres kleinen Stadtstaates gewinnend und verteidigend; diese mit anderen verschwisterten Städten den Blick auf die unendlichen Gefahren und Verlockungen der offenen See gerichtet, das Binnenland nur als einen der Hintergründe ihres wirtschaftlichen und politischen Daseins gewahrend, jene innerhalb unabsehbarer Völker- und Länderbreiten seit Menschengedenken thronend, unter ihnen vermittelnd, um sie zu beherrschen. Deutsch, mit nordisch-englischem Einschlag die eine, deutsch, mit slawisch-romanischen Elementen, ja mit denen des alten römischen Orients und Okzidents versetzt und gesättigt, die andere.

Wie stark, wie tief hat uns beide dieser Gegensatz unseres Herkommens vom ersten Tage unserer Begegnung an berührt, wie sehr ist er nicht nur der Gegenstand jener ersten Unterredungen gewesen, sondern der halb ausgesprochene, halb stillschweigend anerkannte Hintergrund alles geistigen Austausches geblieben, der sich seither zwischen uns vollzogen hat! Ja, die einzig ernstliche, wenn auch rasch vorübergehende Trübung hat dieser Austausch erlitten, man darf wohl sagen, naturgemäß erleiden müssen, als mit dem schrecklichen Zerfall des großen Krieges der alte, tragische Gegensatz zwi-

schen Deutschen und Deutschen noch einmal mit voller Schärfe hervortrat.
Daß wir damals jeder treu zu seiner Fahne gestanden, hat dann freilich hernach in dem kurzen uns noch verbliebenen Jahrzehnt unserm Gefühl voneinander, unserem gegenseitigen Gewahrwerden eine Tiefe und eine Würde
verliehen, die unter gelinderen Lebensumständen uns kaum so deutlich und
trostreich zu Bewußtsein gekommen wäre. Denn darum ging es ja auch in
jenen ersten leidenschaftlichen Gesprächen, in denen Jugend mit der ihr eig-
nenden Heftigkeit und Zuversicht ein einmal Erkanntes und Empfundenes
geistiger Verwandtschaft nach allen Voraussetzungen und Folgerungen hin
zu betätigen und wirksam zu machen suchte. Es ging uns von vornerherein
darum, an unserm Gemeinsamen und an unserm Gegensätzlichen, an diesem
vielleicht mit besonderer Hoffnung und Anspannung das Gesetz eines von
den historischen Zufällen und Trübungen nicht bedingten und entstellten
deutschen Wesens zu gewahren, das allen Teilen der Nation, den Zusammen-
gehaltenen wie den Abgesprengten gleichmäßig gegebene Gesetz ihrer höchsten und ausschließlichsten Möglichkeiten. Denn darüber, daß es ein solches
Gemeinsames geben müsse, waren wir uns – auch unausgesprochen – einig,
ebenso freilich darüber, daß dies Höchste sich in der Gegenwart nur als Summe oder Ausgleich einzelner Ergebnisse und Erfahrungen, nicht mehr als ein
überall gleich deutlich empfundener oder zu empfindender Faktor des seelischen Haushaltes zu erkennen geben werde. Wie vielerlei war da von beiden
Seiten zu fragen und zu berichten, wieviele Einzelheiten meines Herkommens
und meiner Umgebung wußte Hoffmannsthal mir mit der anmutigsten und
behendesten Neugier und Wißbegier zu entlocken; und ich erinnere mich mit
Rührung der halb scherzhaften, halb ernsthaften Art, in der er mich den
Freunden und Bekannten, denen er mich zuführte, als einen Norddeutschen
vorzustellen pflegte, der weniger das neupreußische Wesen als eine ihm ent-
gegengesetzte, autochthone Überlieferung zu vertreten habe.

Und nun ich, wo sollte ich anfangen, wo sollte ich aufhören zu fragen, wie
nicht schon dem Versuch erliegen, den plötzlich auf mich hereinbrechenden
Reichtum auch nur zögernd und stückweise mir anzunähern oder gar einzu-
verleiben? – Wie schön und wie fremd war schon gleich dies uralte Haus, hart
an der Straße gegen die sanft ansteigenden Terrassen des geräumigen Felsen-
hügels gelehnt und doch durch den zwischen ihm und dem in gleicher Flucht
erbauten Kavalierhäuschen gelegenen Hof und seine hohe Gassenmauer von
der Außenwelt so völlig und friedlich geschieden! Ein Wirtschaftsraum,
vielleicht eine frühere Remise, schien direkt in den gewachsenen Felsen hin-
eingebaut, über ihm wölbte sich eine riesige Linde, die unterste der eigentlichen Gartenterrassen beschattend, unter ihr noch durch viele Jahre hindurch
der Lieblingsplatz der zahlreichen Bernhardinerhunde, die die Hausbesitzerin
– in jenem Kavaliersflügel wohnhaft – züchtete. Wer wohnte in meinem wohl-

habend-freisinnigen Heimatsorte noch hinter so gewaltig dicken Mauern, in
so alter, durch keine neue Zutat dem zeitgenössischen Wesen angenäherter
Bequemlichkeit? Das steinere Treppenhaus mit den barocken Balustern, der
mit wasserfarbenen Landschaften ausgemalte Mittelsaal im ersten Stock, die
herrlichen Stuckdecken der oberen Räume, alles mußte den eben selber seine
bildnerischen Fähigkeiten Erprobenden zugleich bezaubern und verwirren
und es ihm trotz aller neuzeitlichen architektonischen Tendenzen, die schon
damals begonnen hatten, den Charakter einer «sittlichen Forderung» für sich
in Anspruch zu nehmen, begreiflich erscheinen lassen, wenn sein Wirt es mit
Genugtuung aussprach, daß er nunmehr in einem Hause wohne, dessen bau-
liche Gestaltung in aller Bescheidenheit und Ländlichkeit sich doch der Ahn-
herrnschaft eines Michelangelo und seiner Nachfolger rühmen dürfte.

Das schöne große Arbeitszimmer war einer dieser oberen Räume, annä-
hernd quadratisch, mit einem Fenster gegen die Straße, mit einem andern
gegen den Hof blickend, lichtgraue Wände, an der nach der Straße gerichteten
Hälfte niedere Bücherregale, die dann allgemach bis zur Decke herangewachsen sind, zwischen ihnen in geräumiger Helle der alte Schreibtisch jenes Kna-
ben- und Jünglingszimmers, der noch Jahre hindurch seinen Dienst versehen
sollte und meiner Erinnerung vertrauter geblieben ist als seine freilich schöneren und stilvolleren Nachfolger. Bequeme Lehnsessel und anderes neue Gerät wiesen in diesem Raum denn doch darauf hin, daß sein Bewohner ein
Heutiger sei.

Zu dem urbanen und liberalen Wesen Hofmannsthals gehörte auch die
Weitherzigkeit, mit der er dies Arbeitszimmer allen Hausbewohnern zugänglich erhielt. Hier wurde hin und wieder Tee getrunken, und nicht einmal mit
seinem Schreibtisch war der so genaue und methodische Arbeiter heiklig, ja,
als das bisherige Fremdenzimmer durch die mit aller wünschenswerten Pünkt-
lichkeit erschienene Nachkommenschaft mit Beschlag belegt war, war während eines späteren Sommers wochenlang ein Bett für mich in jenem geheilig-
ten Raum aufgeschlagen, und wir schrieben wieder, wie auch schon während
unseres ersten Beisammenseins, gemeinsam in einem kleinen, im obersten
Gartenwinkel an der Mauer gelegenen, zweistöckigen, offenen Gartenhäuschen, er unten sitzend, ich oben, wobei ich – um mir doch wenigstens diese
Gerechtigkeit nicht zu versagen – denn doch meines Frevels an so erlauchter
Nähe wenigstens so weit bewußt blieb, wie es ein junger Dichterling, den die
Sonettenwut gepackt hat, sein kann.

Um dies Haus, um seinen Garten und seinen Waldhügel herum lagen nun
Ortschaft und Landschaft, deren zarter Reichtum, deren silberne Helligkeit
und Anmut, deren bescheiden selige Fülle sich dem einer weiträumigeren,
eindeutigeren und stummeren Umwelt Gewohnten erst allmählich erschließen
sollte, bewegte sich das ganze Drum und Dran eines Großstadtvorortes, das

ganz besondere des Österreichischen, des Wienerischen, die so gelassene und geduldige Heiterkeit des Landes und seiner Bewohner, das natürliche und scheinbar so unbelastete Hin und Her aller Beziehungen und Verpflichtungen, die ganze Anmut eines sozialen Wesens, dessen gewiß sehr feste und unverbrüchliche Gesetze dem Fremden wenigstens hinter dem liebenswürdigen Schauspiel eines gleichsam immer festlichen Alltags, das jedermann vor seinen Augen mitspielen half, verborgen bleiben mußte; und dies alles unter dem gewaltigen, ja fast finster bedrohlichen Druck einer ungeheuren, sich schon damals fühlbar ihrem Ende zuneigenden Geschichtsüberlieferung. Wie hätte das alles einen empfindlichen, nach Verständnis, Aufnahme, Sonderung so schwer zu bewältigender Eindrücke begierigen jungen Menschen zunächst anders als mit der fast ängstlichen Bezauberung eines Traumes berühren sollen, aus dem er mit dem Hahnenschrei in die härtere, schärfer begrenzte Wirklichkeit des eigenen protestantisch-puritanischen Herkommens zurück erwachen würde?

Und nun im Mittelpunkte aller dieser einander mit wechselseitiger Verklärung und Verfinsterung durchdringenden Zauberwelten der Zauberer, dem sie alle, jede nach ihrem eigenen Gesetz, zu Gebote standen, der jugendliche Alkinoos dieser Phäakenlande, denen ja auch Ballspiel, Reigen und Wettlauf, Tanz, Gesang und gastlicher Schmaus in der Halle als ein Göttergeschenk zugeteilt schienen, in einer Welt, deren ganzes Hin und Wider nur einem musisch-musikalischen Gebot zu gehorchen schien; ein König unter Fürsten, allmächtig in vielem und doch hie und da durch dunkles, unvermutetes Gesetz der dumpfen Bindung aller Sterblichen verfallen. – Welche Rätsel gab mir sein bloßes Dasein auf, sein bloßes weltliches Wirken in dieser mir so unwirklich dünkenden Welt, das, was er gleichsam mit einem Wink zu vermögen, das, was sich ihm doch irgendwie dämonisch zu widersetzen schien! Mir war, wie er mich durch die Gärten und Gassen, die Häuser und Zimmer dieser seiner Welt führte, als werde ich über unwegsamen Steig geleitet, mit einer Binde vor den Augen, die nur hie und da an irgendeinem Zielpunkte gelüftet wurde. Gesichter und Gestalten, greise und jugendlich verführerische, tauchen vor meinem gedenkenden Auge aus dem Helldunkel dieser Wirrnis von Gärten und Hainen, von hochumfriedeten Gassen und weiten, sommerlichen Plätzen auf. – Wie oft wurde das, was mir Sehnsucht und Begier erweckte, von meinem Führer als Nichtiges, ja Niedriges abgewiesen, wie oft im Gegenteil das anfangs Widrige mir als das Bedeutende und Wertvolle nahegebracht und erklärt! Während ich, aus der Enge der Schule und des Vaterhauses entlassen, mich eigentlich ohne Übergang in der Enge eines Literaten- und Künstlerkreises wiedergefunden hatte, dem ich mich freilich wohl mit Recht in vielem überlegen dünken durfte, so fand ich hier in einem nur wenig Älteren den Mann vor, der schon alle Wege der Welt gegangen war, schon im Mittelpunkt

eines öffentlichen Interesses stand, sein Vermögen, seine Macht und ihre je-
weiligen Grenzen genau abzuschätzen bemüht und fähig war und sich der
ersteren mit kühler Einsicht zu bedienen wußte. In der knappen Klugheit, in
der trockenen Anmut seines Wesens wollte er mich manchmal an eine in
reichverziertem Futteral ruhende Waffe gemahnen, zumal, namentlich in jenen früheren Jahren, hie und da bei unvermutetem Anlaß in einem rasch ver-
gehenden Anfall lohen Zornes die blanke Klinge aus der Scheide fuhr, an-
zeigend, daß auch er dem «genus irascibile» angehöre und mit offenliegenden
Nervenknoten schmerzhaft gegen die aufdringliche Absurdität der Umwelt
reagiere.

Neben ihm stand die junge Frau, die in den frühen Ernst und die furchtbar
frühe Verantwortung seines Lebens ein wesenhaft Unwandelbares der Heiterkeit und Unbefangenheit gemeinsamer Kinder- und Jugendtage hinübertrug,
die durch dreißig Jahre in immer gleicher Geduld und Hingabe die tausend
Fratzen und Peinlichkeiten des Tageslebens ihm fernzuhalten oder doch ins
Erträgliche zu mildern gewußt hat und deren immer gedacht werden soll,
wo seiner gedacht wird. Lustig und unbesorgt genug ging es zwischen uns
Dreien in jenen märchenhaften Frühwochen zu. – Ich erinnere mich an Spa-
zierfahrten, darunter einer nach Breitenfurth, der klassischen Stätte des Milch-
rahmstrudels, in dessen Mysterien ich damals eingeweiht wurde, einer anderen, eher grotesken, in einem mit Dampf getriebenen Kraftwägelchen, der
Erfindung eines Wiener Bekannten, das wie ein durstiges Hündchen an jedem
Brunnen still hielt, um Wasser zu schöpfen und die Abhänge im Schnecken-
tempo hinaufkroch, um uns dann doch eine gute Strecke ins Gebirge hinein-
zufahren. Gemeinsamen Besuchen der Wiener Galerien folgte ein unverges-
sener Abend im Burgtheater mit Kainz und der Hohenfels als Leon und Edrita
in jenem einzigen Lustspiel, das Grillparzer geschrieben. – Grillparzer überhaupt! Von ihm redete Hofmannsthal fast am liebsten in jener Zeit, sein Name
klang auch in den Gesprächen mit den anderen Wiener Freunden wider, von
denen mir der junge Baron Franckenstein, der spätere österreichische Gesand-
te in London, und der damals noch dem näheren Freundeskreis angehörige
Baron von Berger gegenwärtig sind, der neben anderen, mehr oder minder
schätzbaren Eigenschaften auch die besaß, eine ambulante und unermüdlich
zitierende und rezitierende Blütenlese deutscher Lyrik zu sein. Auch Hermann Bahr lernte ich in diesen Wochen kennen, der – welche Wichtigkeit für
mich – meine über den Leisten des alten Goethe geschlagenen Prosa-Expekto-
rationen, die in den ersten Nummern der «Insel» erschienen waren, mit entsprechend feierlich stilisiertem Lobe bedacht hatte. Aber vor allem gedenke
ich der zarten und klugen Beredsamkeit Beer Hofmanns, des «Bären», wie
Hofmannsthal in jenen Tagen den ihm zum ständig begehrten Zwiegespräch
unentbehrlichen Jugendfreund und Nachbarn benamste; hatte er sich doch

auch erst vor kurzem mit seiner bezaubernd schönen jungen Frau in der gleichen Gasse angesiedelt. Nicht ohne Wehmut gehe ich jetzt an dem in eine gleichgültige Amtswohnung verwandelten Haus vorüber, dessen kleiner, marmorgepflasterter Vorsaal, dessen tiefer, altväterischer Hausgarten mir lebhaft vor der Seele stehen. Aber was bedeuteten alle diese Gespräche mit Freunden und Fremden gegenüber denen, die wir beide miteinander zu führen hatten, gegenüber dem einen, unabsehbaren, immer gleichen, immer neuen Gespräch, das in der Folgezeit, geredet oder geschrieben, ja auch nur als der stumme Austausch gegenseitigen Gedenkens und Wohlwollens zwischen uns zweien in immer engerer Gemeinschaft Weiterlebenden nicht mehr abreißen sollte!

Gespräch! Es ist die Wurzel, es ist die Bestätigung aller Beziehungen zwischen Mensch und Mensch. Schon der erste Blick von Aug in Aug hinüber ist Frage und Antwort in einem, schon der bloße Händedruck ist Bekräftigung oder Ersatz einer gegebenen und genommenen Versicherung. Und nun erst jenes Gespräch, das über die bloße Mitteilung hinaus zu einer Handlung wird, zu einem wechselseitigen Liebesdienst, in dem der eine, des anderen gewahr werdend, ihm mit seinem eigenen Licht bisher unbekannte und unbetretbare Pfade des Inneren zu erhellen und gangbar zu machen sucht, ähnlicher Belehrung und Bereicherung von seiten des Freundes gewiß. Mag zwischen gemeinsam Altgewordenen mitunter eine kurze Bekräftigung, ja ein stummes Nicken oder Blicken den Dienst ganzer Wort- und Satzfolgen versehen, die Jugend kann sich an der Freude wechselseitiger Entdeckungen nicht genug tun. Sie, der alles noch eine lockende und bedrohliche Verwirrung, ein Problem voll unendlicher Verheißungen ist, bedarf vor allem der befreundeten Stimme, bedarf neben der eigentlichen Lehre der Gegenrede und der Bestätigung, und wäre in ihr auch nichts als Trost zu gewärtigen, daß sie den anderen in der gleichen hoffnungsreichen Wirrsal befangen, in der gleichen oder doch ähnlichen Bemühung sich verbunden weiß.

Was aber könnte, was dürfte ich hier außer dem schon Angedeuteten in so engem Rahmen berichten? Das Fruchtbare solcher Gespräche hat sich ja zwischen zwei Menschen erzeugt und ausgewirkt, mir immer wieder in jener eigentümlich blitzenden Durchleuchtetheit dämonischer Augenblicke Unverlierbares in bald strenger, bald gelinder Belehrung schenkend. In jenen ersten Unterredungen, in denen alle uns gemeinsam zugänglichen Gebiete des Urteils und der Erfahrung umwandelt wurden, war es mir, als würden gleichsam alle Bausteine meiner bisherigen Welt noch einmal aus ihren Fugen genommen und auf ihre Dauerhaftigkeit oder ihre Verwendung am richtigen Orte geprüft. So verdanke ich unter vielem anderen jenen Stunden den ersten entscheidenden Hinweis auf Racine und gedenke noch oft des unverlöschlichen Eindrucks, den der eben mit seiner Habilitationsschrift über Victor

Hugo Beschäftigte auf mich mit der wundervoll akzentuierten Vorlesung der berühmten Tirade der Phädra «J'ai langui, j'ai séché dans les feux, dans les larmes» gemacht hat. Noch eines anderen drastischen Moments unserer frühesten Unterhaltungen darf ich gedenken. Ich sagte ihm – und was anders hätte ich ihm sagen können oder dürfen? –, daß ich ihn schon nach seiner bisherigen Leistung unter die großen Dichter unserer gemeinsamen Literatur rechne. Er lehnte das mit heftigster Entschiedenheit ab und sagte, er sei durchaus ein Dichter mittleren Formates und werde froh sein, wenn es ihm gelinge, einmal einen nicht ganz unwürdigen Platz im Gefolge Grillparzers zu behaupten. Mich erschreckte ein so nüchterner und grausamer Verzicht aus so gefeiertem und begnadetem Munde; das Grandiose seiner Bescheidung mochte ich ahnen, die Lehre, die meinem Überschwang zuteil wurde, beherzigen, ohne sie voll zu begreifen; die tragische Größe dieses herben Urteils und des Momentes, in dem es ausgesprochen wurde, konnte ich damals allerdings nicht erkennen oder auch nur ahnen. Erst hernach hat jene tödliche Pause des Schweigens mich ihrer gewahr werden lassen, in der Hofmannsthal, sich in und gegen sein eigenes Innere kehrend, die Trophäen und Schlacken seiner jugendlichen Triumphe unbarmherzig verbrannte und ausglühte, um in freiwillig unfreiwilliger Verarmung und Entsagung den Weg in seine heldenhaften Mannesjahre und die Verkennung zu beschreiten, mit der schnöde Jahrzehnte ihn heimsuchen sollten.

Was mich selber betrifft, so wird es mich immer freuen, daß meine leidenschaftliche Verteidigung der Prinzessin in Goethes «Tasso» es war, die dem herrlichen Gespräch über dies Drama zu seinem Nachtrag verholfen hat. Denn naturgemäß war und blieb Hofmannsthals dichterische und schriftstellerische Tätigkeit einer der Hauptgegenstände unserer damaligen und aller späteren Unterhaltungen. So rücksichtsvoll und zart er meine eigenen Arbeiten zu beurteilen und aufzunehmen wußte, so langmütig seine Versuche waren, mich unvermerkt aus der Vielgeschäftigkeit meiner ersten Zeiten zu einer zusammengefaßteren und männlicheren Produktion hinüberzuleiten, so war er auch in der Mitteilung seiner eigenen Hervorbringung und Pläne von der schonsamen Freigebigkeit, der unbekümmerten Duldung, die immer bereit war zu geben, was jeweils willkommen oder zur Aufnahme geschickt erschien, immer besorgt und bemüht, nicht mehr als eben dies zu geben. Die Geste dieser zarten Annäherungen und Verzichte, dieser höchst ökonomischen Verteilung der gegenseitigen Lasten solcher fruchtbaren und beglückenden Kommunikation steht mir noch mit tausend Einzelheiten vor der Seele. Unmöglich freilich erscheint es mir, sie darzustellen, besonders unmöglich zu einem Zeitpunkte, an dem die Gegenwart des Dahingeschiedenen alle Fasern meines Gedenkens und meines Fühlens noch mit der vollen beseligenden Qual sinnlich spürbaren Naheseins erfüllt.

Dieses eine aber darf ich doch noch sagen, daß kein Zimmer des Rodauner Hauses, kein Steg seiner Gartenlehne, kein Pfad der benachbarten Hügel und Wälder für mich der Gesellschaft jener Gestalten entbehrt, die mir aus seinen Entwürfen oder seinem vollendeten Gedicht eben dort zum ersten Male entgegengetreten. Noch mehr ist dies freilich mit jener anderen sommerlichen und herbstlichen Erholungs- und Arbeitsstätte im steirischen Teile des Salzkammergutes der Fall, die späterhin den von ihm bevorzugten Schauplatz unsrer längeren Zusammenkünfte bilden sollte, die, jährlich geplant, nur zu oft durch die Drangsal meines Brotgeschäftes verhindert wurden, wobei ich mich nachträglich bitter anklage, ihn und mich vielleicht das eine oder das andere Mal durch ungeschickte Zeiteinteilung um das Glück einer Begegnung gebracht zu haben, die uns doch beiden fast so nötig und unentbehrlich scheinen mochte wie die Luft, in der wir atmeten. Es muß einer späteren Frist vorbehalten bleiben, dieser gemeinsamen Tage zu gedenken, die mir den zwischen den Tälern von Alt-Aussee und Markt-Aussee sich erhebenden fels- und waldumrahmten Wiesensattel für immer zu einer heiligen Stätte gemacht haben. Noch eines anderen Beisammenseins darf ich hier gedenken, jenes gemeinsamen Besuchs bei Rudolf Borchardt in seinem Wohnsitz in der Lucchesia im Jahre vor dem Kriege. Es waren wohl die glücklichsten Tage, die wir drei miteinander verlebt. Nie habe ich Hofmannsthal so heiter, so gesund, so unbehindert gesehen, wie während der acht oder zehn Tage dieses Beisammenseins. Er stand noch diesseits der Grenze der Vierziger, Borchardt und ich beide im sechsunddreißigsten Jahr, und so konnten wir denn noch alle drei auf eine lange und ungetrübte Zukunft hoffen. Zu welchen Ausgelassenheiten, ja Albernheiten verlockte uns nicht neben ernsteren, in aller Freundschaft mitunter heftigen Auseinandersetzungen die gute Küche unserer Wirtin und der vorzügliche Landwein des Wirtes! Ich erinnere mich, daß wir unter andern sämtliche lebenden und verstorbenen Konkurrenten im Gebiet der Poesie auf ihren «Vollgehalt» oder ihre «Wohlgestalt» prüften, eine Redensart, die zwischen Hofmannsthal und mir seit längerem im Schwange war, wobei sich dann unversehens ein fürchterliches Leichen- und Trümmerfeld ergab, weil immer zwei vereint die Lieblingshelden des dritten abschlachteten oder einen ihm verhaßten Erzpoeten in den Himmel hoben, wobei dann schließlich Hofmannsthal, als wir beiden in heimtückischer Absicht Ludwig Uhland über den grünen Klee gelobt, explodierte, vom Tisch aufsprang und, vor Erbitterung niesend, schrie: «Nein, zum Teufel, das halt ich nicht aus, laßt mich mit der Philisterei in Ruh!» Und schon stand er, zierlich zusammengerafft, in der Pose des Deklamators da und improvisierte in karikierendem Tonfall die Verse:

Herr Walther saß auf grünem Rain,
Ein Schafzeck war sein Kämmrer fein,

womit dann freilich, wenigstens für diesen Abend, auch der arme Uhland in der Versenkung verschwand.

Noch einer anderen Heimtücke Borchardts muß ich bei dieser Gelegenheit erwähnen. Er brach nämlich auf einem Spaziergang an einer Wegbiegung ein Lorbeerblatt ab und zitierte dabei eines der herrlichen Distichen, die Hofmannsthal vor Jahren in der «Zukunft» veröffentlicht und in der schwer erklärlichen Befangenheit, die ihn reichlich die Hälfte seiner veröffentlichten und unveröffentlichten kleineren Gedichte aus den späteren Sammlungen ausschließen ließ, nie wieder gedruckt, ja, wie der Augenschein zeigen wird, diesmal sogar völlig vergessen hatte. Es waren jene wahrhaft klassischen Zeilen:

Wüßt ich genau, wie dies Blatt aus seinem Zweige herauskam,
Schwieg' ich auf ewige Zeit still: denn ich wüßte genug.

Hofmannsthal hörte versonnen, ja ergriffen zu und sagte: «Schön, sehr schön und bedeutend! – Von wem mag das sein? – Doch nicht von Goethe?» – Eines Besseren belehrt, faßte er sich mit der für ihn so charakteristischen Plötzlichkeit, indem er fast ohne Übergang erwiderte: «So? Es ist auch gar nicht schön und bedeutend. – Es ist dumm und abscheulich.» Damit war denn wenigstens äußerlich der Interpellant geschlagen, und er selber hatte gewissermaßen einen Teil seines literarischen Ich mit auf den vorerwähnten Leichenhaufen geworfen.

Pläne schmiedeten wir drei in jenen Tagen genug, wir spielten sogar halb und halb im Ernst mit dem Gedanken des Ankaufs einer sommerlichen Niederlassung in einem besonders begünstigten Winkel jenes Luccheser Tales; auf alle Fälle sollte der jährliche Frühjahrsbesuch dort künftighin eine geregelte Veranstaltung werden. Dann kam der Krieg und mit ihm die Verödung und Verarmung unserer wirtschaftlichen und geistigen Provinzen, die dann freilich, wie jedes große Unglück, die Kehrseite der ihm zugeordneten Beglückung aufweist, auch für uns eine, wenn auch unter noch so großen Schmerzen und Verlusten erworbene, Vertiefung und Bereicherung der gemeinsamen Domänen unseres geistigen Bezirkes zu erbringen bestimmt war...

Meine letzte Begegnung mit Hofmannsthal fand auf fremdem Boden statt. Der Herbst 1928 war wieder vorübergegangen, ohne uns das erhoffte und erwartete Zusammensein zu gönnen, der folgende sollte den Entgang doppelt wettmachen. In der Zwischenzeit trafen wir uns ausgangs Winters für ein paar Stunden in Basel, wo ich, von Geschäften aus der Schweiz zurückkehrend, einen Zug überschlagen konnte, während er von einem nahegelegenen Landhaus dort ansässiger Freunde in die Stadt herunterkam. Ich traf ihn munterer und wohler, als ich ihn das vorige Mal verlassen, und so lag über diesem kurzen letzten Beisammensein etwas von der Heiterkeit jener ersten

Rodauner Tage, zumal da wir uns seit Jahren kaum mehr so völlig «unter uns» befunden hatten. Bei einem in aller Bescheidenheit festlichen Freundschaftsmahl in dem draußen, unweit der Stadt gelegenen «Schützenhaus» gedachten wir mit manchem guten Wort der gemeinsamen Freunde, der Lebenden wie der Toten; wir besprachen die Pläne, die uns einzeln und gemeinsam beschäftigten, vor allem den der Herausgabe von Gedichten und Schriften des deutschen siebzehnten Jahrhunderts, die uns schon seit längerem am Herzen lag und mit der auch andere Freunde auf unser Anstiften bereits bemüht waren, und hatten beide das Herz warm von dem Glück des mühsam eroberten Wiedersehens. – In dem historischen Museum der Stadt konnte ich ihm noch einen frühen, gewirkten Teppich zeigen, dessen höchst eindringliche, in ihrer mittelalterlich krassen Lebendigkeit erschütternde Darstellungen menschlichen Lebens und Sterbens mir schon immer einen die Jahrhunderte überbrückenden Zusammenhang jener alten, gleichsam authentischen Empfindungs- und Vorstellungswelt mit dem «Jedermann» und dem «Großen Welttheater» hergestellt hatten.

Als wir dann vor dem Scheiden gemeinsam die Stadt durchwandelten, hielt er mitten im eifrigen Gespräch, in dem er unter anderem den Wunsch nach einer neuen Sammlung lateinischer «apte dicta» ausgesprochen, inne, blieb stehen und sagte, mich mit traurigem Lächeln anblickend: «Ich befinde mich in einer seltsamen, schwer begreifbaren, schwer ertragbaren Lebensperiode; ich bin noch nicht alt, ich hätte, wenn ich auch größere poetische Leistungen kaum mehr von mir erwarte und erwarten darf, Zeit zu manchen Dingen; aber niemand fordert mich auf, niemand will, niemand erwartet etwas von mir.» – Wenn schon die Trauer dieser Worte, die rührende Ratlosigkeit des sie begleitenden, noch immer jugendlich anmutigen Lächelns mich in einem Augenblick tief erschütterte und bekümmerte, in dem sie mir kaum etwas anderes schien als eine für den hinsichtlich seines engeren Arbeits- und Wirkungsfeldes mit Klagen oder Andeutungen einer tieferen Enttäuschung so streng Zurückhaltenden freilich ungewöhnliche Reaktion der Ermüdung nach einer besonders produktiven Zeit, wie blickt mich nun das abschiednehmende, geliebte Antlitz an, als wäre es mit dem stummen Vorwurf, daß auch dem Freund und Dichter nicht genug getan, auch ich zu wenig teilgenommen, zu wenig gefordert habe!

Ich bitte dem erlauchten Schatten alle Versäumnis, alle Vernachlässigung mit heißem Schmerze ab; aber ich darf mich vielleicht mit der Gewißheit trösten, daß sie ungewußt oder doch ungewollt, doch wenigstens zum Teil unter dem Druck und Zwang eigener Belastungen und Behinderungen geschahen und daß ich in der Enge und Drangsal, in der eine zürnende und feindliche Gegenwart uns alle noch auf unabsehbare Frist preßt und ängstet, ihm nichts Härteres und Liebloseres zugefügt habe als mir selber. – Vergeltung freilich, Dank freilich, – wer kann der höchsten, der unverdientesten Freundschaft ihren Liebesdienst, wer kann dem Genius die Welt verdanken und vergelten, die er für uns geschaffen, die er uns immer wieder erneuert hat, die er immer wieder schaffen und erneuern wird?

Die letzte Begegnung. – Wenigstens die mit dem lebenden Menschen, die mit dem leuchtendsten Auge, in das zu schauen, der süß beredtesten Lippe, die zu vernehmen mir je gegönnt war. In das Antlitz des Toten habe ich noch einmal blicken dürfen an jenem bitteren, glühheißen Julitage, an dem ich mit zwei gleich mir leidtragenden Freunden den Gartensteig hinauf, durch das Pförtchen und über den kurzen Waldpfad zu dem auf halber Höhe benachbarten Kirchlein schritt, vor dessen zierlichem Barockgemäuer und Getürme Hofmannsthal in jenem ersten gemeinsamen Sommer unserer Jugend bemüht gewesen, mir die besondere Läßlichkeit und Weitherzigkeit der katholischen Kirche in den Ländern ihrer Herrschaft zu schildern und zu erläutern. Nun lag er dort in der Totenkammer, und ich durfte zu den unzähligen Blumenspenden – doppelsinnigen Symbolen des triumphierenden Lebens und des unerbittlichen Todes –, mit denen eine in aller Welt beheimatete Gemeinde von Trauernden diese Trauerstätte geschmückt, die meinen legen, durfte noch einen letzten Blick dem Antlitz zuwenden, das ich von allen auf Erden am meisten und ehrfürchtigsten geliebt.

Wohl lag auf seinen Mienen jener Ausdruck der Erhöhung, der Verklärung, des unsäglichen Friedens, die uns bei dem Anblick geliebter Toter mit einem unaussprechlichen Gefühl göttlicher Verheißung und Fürsorge erschüttern und besänftigen; aber mir schien von dem erhabenen entrückten Angesicht des toten Freundes noch ein anderes auszugehen. Es war, als leuchte die Kraft eines letzten, heroischen Entschlusses, einer ungeheuren Zusammenraffung aller Seelenkräfte aus diesem schon dem Verfall anheimgegebenen Antlitz. – Er schien mir wie ein Feldherr, der mit dem letzten Wort eines entscheidenden Befehls die Augen geschlossen habe, um, da das Nötige gesagt und getan, ein wenig auszuruhen. Was dieser Befehl für mich enthalte, habe ich in jener Stunde zu tief gefühlt, zu fest mir angeeignet, um es jemals zu vergessen. Wie aber sollte ich es in Worte kleiden? Mein künftiges Leben wird die Signatur dieser Stunde und dieses Befehles tragen.

Wir haben den Sarg dann am folgenden Tage den langen Weg bis zu dem kleinen Friedhofe hinausgeleitet, auf dem Hugo von Hofmannsthals sterbliche Überreste nunmehr ruhen. Der Weg ging durch ein unabsehbares Spalier Leidtragender. Vor der engen Friedhofspforte war das Gedränge der Einlaß Begehrenden so groß, daß das eigentliche Trauergefolge nur mit Mühe sich Raum schaffen konnte. Wie schön wäre es, wenn das, was an jenem Tage Tausende herbeigelockt, das dumpfe Gefühl eines freilich nicht in seiner vollen Tiefe und Größe erfaßten Verlustes – wer überhaupt vermöchte sie jetzt schon zu erfassen? – ein Vorspiel gewesen wäre für die Teilnahme, die die Nation dem irdischen Fortleben und Nachwirken des Dichters von nun ab zuwenden würde!

Hofmannsthal im Gespräch

Eine der größten Gaben, die der Dahingegangene unter uns besessen, war die des Gespräches. Nicht so sehr die Gabe dessen, was man eine glänzende Unterhaltung nennt, soll damit gemeint sein, obwohl er zuzeiten mit der blühendsten und funkelndsten Anmut des Scherzes und der Erfindung einen ganzen Kreis beleben und gleichsam in die höhere und reinere Luft seines eigenen Daseins mit hinaufheben konnte. – Was er vor allem pflegte, vor allem begehrte, war die von Mund zu Mund, von Auge zu Auge gewechselte Rede. Hier war es ihm das Liebste, das Unentbehrlichste, aus dem Hin und Her des Gesprächs jeweils den Funken einer wirklichen Anschauung hervorbrechen zu sehen. Nicht belehren wollte er, er wollte fragen und gefragt werden, auf daß im günstigen Augenblick Frage und Gegenfrage, Rede und Gegenrede sich auf der Grenze begegneten, auf der die zarteste und höchste Erkenntnis sich schwebend, unanrührbar erhält.

Immer war es ihm bei solchem Gespräch nicht so sehr um regelrechte Erörterung, um den genau festgestellten Widerspruch und seine Auflösung zu tun als um ein gemeinsam unternommenes Anschauen des einen oder des anderen geistigen Gegenstandes und seines Zusammenhanges mit einem mehr gefühlten als gewußten Ganzen der Geisteswelt; denn Erkenntnis dünkte ihn nicht so sehr ein genau zu umgrenzender Besitz als vielmehr ein Strom, in den man nur hineinzutauchen brauche, um der beseligendsten Berührung sicher zu sein.

Das vorsichtige Hindeuten auf ein Erscheinendes und die Fülle der in ihm halb verborgenen, halb geoffenbarten Kennzeichen und Bestimmungen, die ehrfürchtige Zurückhaltung und der Zartsinn, die Scheu trugen, einem gedachten oder angeschauten Gegenstande mehr abzulisten, als er etwa freiwillig gesonnen wäre herzugeben, und denen daher das Unausgesprochene jeweils ebenso wichtig, ja wichtiger sein mochte als das Ausgesprochene, sie waren ja auch dem Dichter, dem Schriftsteller Hofmannsthal eigentümlich. Und wenn wir seiner Gabe des Gespräches gedenken durften, so werden wir uns nicht verhehlen, daß – bei dem der Schaubühne Gewohnten nicht weiter verwunderlich – eigentlich alle seine Aufsätze, vor allem die seiner reiferen Zeit, auch die rein betrachtenden oder beurteilenden, solche Gespräche sind. Denn auch in jenen, in denen Redner und Gegenredner nicht ausdrücklich genannt sind, hält der Dichter gleichsam Zwiesprache mit den Gegebenheiten, deren Wesen er zu durchdringen oder doch an irgendeiner besonderen Stelle zu beleuchten strebt. Das Ergebnis solcher niemals heftigen, niemals eigenwilligen Befragung gibt er, ermutigend oder entmutigend wie es sein mag, dem Leser weiter, damit er nun selber ein Gespräch fortsetze, bei dem die stummberedte Geisterwelt noch niemals eine redliche Frage ohne redliche Antwort gelassen hat...

Noch kurz vor seinem Hinscheiden war er bemüht, durch Gespräche oder Briefe Äußerungen über die nunmehr vollendete Literaturgeschichte Josef Nadlers zu erhalten, über die er einen umfangreichen Aufsatz im Sinne trug, um auf diese Art aus dem um ein so großartiges und zugleich so beunruhigendes Werk naturgemäß von allen Seiten sich erhebenden Widerstreit der Meinungen die mittlere Linie des Urteils zu gewinnen, auf die es ihm überall und vor allem ankam.

Wenn ihm hier der Tod zuvorgekommen, so hat die Ausführung jenes früheren Vorsatzes neben so manchem anderen mit Freunden gemeinsam Geplanten, von dem der Nachlaß noch die eine und die andere schwer entzifferbare und deutbare Niederschrift aufbewahrt, die gnadenlose Zeit nicht reifen lassen wollen. Denn sie, die schon in den Jahren vor dem Kriege nach allen Seiten hin ungestüm ausgreifend und ausschweifend, schöne Wirklichkeit um den Schein eines Scheines verwerfend, dem gesellschaftlichen Mittel, der unbesorgten Muße, der heiteren Ruhe des Gemütes abhold war, die allein solche Früchte des Geistes zu zeitigen vermögen, sie, die schon seit geraumer Zeit jeden freieren Dichterflug in den engen und widrigen Bängnissen ihrer Irrsale abzumatten und seines ursprünglichen Schwunges zu entledigen wußte, hat sich in dem fiebernden Jahrzehnt, das wir seit dem Friedensschluß hinter uns gebracht haben, vollends als Räuberin erwiesen.

JAKOB WASSERMANN

Hofmannsthal der Freund

> Ist's euch nicht genug, so gute Weide zu haben,
> daß ihr das übrige mit Füßen tretet, und so
> schöne Borne zu trinken, daß ihr auch noch
> dareintretet und sie trübe macht?
> (Hesekiel, 34. 18)

Sprech ich vom Freund, so sprech ich vom Verlorenen; der Verlust ist es, der die Erinnerung so hilflos macht, daß ihr kein Bild genügen will, denn alle Bilder sind plötzlich wie abgelebt und vom Rost verzehrt. Man muß sich fürchten vor dem Altern, einer um den andern geht fort, blickt man zurück, ist's ein Kirchhof, und von den ersten, die Abschied genommen haben, sind schon die Grabsteine verwittert. Dadurch wird der Weg lang, dadurch finster, es ist schwer, einen zu treffen, mit dem man zusammen wandern möchte, jedes Jahr verlischt ein Licht, man wird einsam unter den Sternen. Dieser aber, Hugo Hofmannsthal, dessen Tod mehr als eines andern Verminderung von Licht bedeutet, war zur Freundschaft geschaffen wie keiner, fast dünkt mich als sei mit ihm ein Zeitalter zu Ende, in dem der Begriff Freundschaft noch schöpferischen Sinn enthielt, *sein* Zeitalter eben, Sinn, den er unvergänglich glaubte wie den Eros, und der vor unsern Augen geht wie der Eros. Und doch gebrauchte er das Wort Freundschaft nur behutsam, nie sprach er den als Freund an, der es war, Schamhaftigkeit verhinderte ihn daran, vielleicht auch die Furcht, beim Wort genommen zu werden, wenn er nicht darauf gefaßt war, da er doch nichts beim Wort nahm, alles nur beim Geist. So vermied er auch in Briefen die Anrede «Freund» schrieb «Lieber» oder «mein Lieber», was wie Zurückhaltung wirkte und einem doch die Empfindung gab, man sei auserlesen und fürstlichen Vertrauens gewürdigt. Dreißig Jahre schau ich zurück auf unsere Beziehung, und sie hat so viele Phasen und Wandlungen, daß der, mit dem sie begann, in keinem Zug mehr dem ähnelt, mit dem sie endete. Wandlungen, ja; sie hatten in ihm statt, und sie gingen als Wirkung von ihm aus, der sich verwandelte und mich verwandelte, denn das war seine eigentümliche Kraft, den andern zu verwandeln, ihn aus seinen Verstecken und Schanzen herauszuholen und mit ihm schwingen zu machen. Er gehörte zu den seltenen Menschen, die unter Umständen unsichtbar werden, gleichsam hinter sich selber verschwinden, weil sie zu sehr Gestalt sind für die jeweilige Stunde ihrer Gegenwart, zu gesichterreich und daher so unfaßbar manchmal, sie lassen einen leiden, weil sie nicht so kommen und gehn, wie sie das letztemal gekommen und gegangen sind, sondern in beunruhigender

Weise verschieden. Unruhe ging vor ihm her, Unruhe ließ er hinter sich, jene
nämlich, die der Feind von Trägheit und Beharrung ist, sein Gesetz war, bewegt zu sein und zu bewegen, was nicht sentimental zu verstehen ist, sondern
dynamisch. Wenn der andere die Kontinuität vermißte und glaubte, dort
trivial wieder anknüpfen zu sollen, wo er schon längst seine geisterhaften
Fäden weiter gewoben, war es ihm ein Schmerz, immer war das Mißverständnis sein heftigster Schock, das ist wohl auch der Grund, daß er es nicht liebte,
zu begrüßen und sich zu verabschieden, ich habe oft darüber nachgedacht,
weil es mich so oft erkältet hat in früheren Jahren; nun, hier sehe ich den
Grund: die mißverstandene Kontinuität. Wer innerlich, in seiner ganzen Haltung, so stark gebunden war wie er, meidet die äußeren Zeichen davon und
fürchtet nichts so sehr als den an ihn gestellten Anspruch. Wie, weil ich mich
dir einmal hingegeben, forderst du es täglich, willst es dir zur Gewohnheit
machen, ahnungslos, was es mich kostet, schien er zu sagen. Er haßte den
Anspruch, wo er erhoben wurde, aus Ungebühr, aus Mangel an Takt, aus
Übereifer, da brach er die Verbindung ab, nicht selten mit erschreckender
Vehemenz, und der Betreffende wußte oft nicht einmal, was er verschuldet
hatte. Auch vom liebsten Freund unvermutet überfallen zu werden, brachte
ihn ganz und gar aus dem Gleichgewicht, ich vergesse nicht den Ausbruch
zorniger Verzweiflung, es war beinahe Raserei, durch den er uns einmal ent-
setzte, als einer seiner ältesten Bekannten sich telegraphisch für denselben
Abend ansagte, während er ihn erst drei Tage später erwartet hatte, in einem
solchen Grad verwirrte ihn das Unvorhergesehene. So war ihm auch alles un-
zarte Eindringen in den privaten und persönlichen Bezirk ein Greuel, alles
was die Grenze verletzte, die er durch die Verwundbarkeit seines Organismus,
die Labilität seiner Nerven, die Erschütterbarkeit seiner ganzen Natur gezwungen war, zwischen sich und der Welt zu ziehen. Seiner Natur oder seines
Geistes, es ist fast dasselbe: hier wie nirgends sonst war Geist Natur geworden,
eine Einheit, die ihn als Erscheinung geradezu einzigartig machte.

*

Ich muß ein wenig ausholen. Ich war sechsundzwanzig, als ich ihn kennenlernte, er ein Jahr jünger. Ich hatte viel von ihm gehört, vieles gelesen. Abneigung herrschte in mir vor. Ich stand im härtesten Kampf um die Existenz,
hatte mich aus der Unterwelt losgerungen, wußte nichts von Form, in keiner
Hinsicht, kümmerte mich nicht um Bindung und Zucht, in keiner Weise. Das
Schicksal hatte einen hart angepackt, man hatte die Zähne zusammenbeißen
müssen, das Buch, das man schrieb, riß man sich von der Seele wie ein Laster,
was Kunst, was Tradition, Erfindungen der Treibhausgärtner. Das gab es
schon zu jener Zeit, aber damals hatte man außerdem gelernt, daß es dergleichen zu allen Zeiten gegeben hatte, das brachte ein wenig Humor in die Sache

und ein wenig Nachsicht in die Betrachtung. Da war nun dies Wien, in das ich kam wie aus unwirtlicher Wildnis, es war mir fremd und anziehend wie dem Wilden ein behüteter Park mit freiem Eintritt für das Volk. Illuminierte Welt, festlich, heiter, selbstverliebt; Hof, Adel, Bürgertum in starren Überlieferungen dennoch wohlig gelockert hinlebend, anscheinend ohne höhere Verantwortung und tiefere Sorge, denn die brüchigen Grundpfeiler zu untersuchen, die Krankheit des sozialen, die tragische Zerrissenheit des staatlichen Gefüges, von Jahrhunderten her fortwirkende geschichtliche Schuld, wer hätte sich sollen den Sinn davon verdüstern lassen, auch wenn er es spürte, angesichts einer südlich anmutigen Stadt und Landschaft und der hinreißenden Freude an Spiel und Schauspiel, Musik und Tanz. Wurde uns doch hier im Reich das fertige Bild davon geliefert, von Rührigkeit und Erfolgshochmut geprägt, Ärgernis den Tüchtigen, zur Not geduldet, Anhängsel, politische Gewittereck, Phäakenwinkel. Wenn wir großmütig gestimmt waren, sprachen wir von alter Kultur und brachliegendem Talent, aber die großen Dichter kannten wir nicht, die großen Musiker nahmen wir für uns in Beschlag, wir steckten sie sozusagen ohne Bezahlung ein, für die geheimnisvolle Vielschichtigkeit des Baues, die grandiose historische Symbolik, die er verkörperte (augenfällig geworden erst jetzt, seit seiner Zertrümmerung), und für den natürlichen Phantasiereichtum seiner Menschen waren wir blind. Hat es mir doch einer meiner nächsten Freunde, der mir wie ein Bruder war, nie verziehen, daß ich mich in Österreich niederließ, so weit gingen Vorurteil und Mißkennung.

Ich begegnete also Hofmannsthal, und jede einzelne Stunde mit ihm war, von Anfang an, Korrektur von Falschmeldungen. Darin konnte ich nicht irren, daß er ein österreichischer Mensch war, und so viel war mir gewiß, daß er als entfaltetste Blüte seines Stammes der legitime Zeuge war für dessen Art gleichwie der repräsentative für seine Welt. Nur das höchstentwickelte Individuum gibt das Maß für die Gattung. Blut alter Rassen, italienisches, niederösterreichisch-bäurisches und jüdisches, mischte sich fast zu gleichen Teilen in ihm und verlieh seinem Wesen das Adelige, das Facettierte, die Spannweite, den Tiefgang. Es war ein Schleier um ihn, den man nicht lüpfen konnte. Er schien mir immer aus einer andern Sphäre zu kommen, wenn ich ihn sah, und in eine andere zu gehen, wenn ich ihn verließ. Dazwischen war ein Zustand von Erregung, Auflehnung, Unterordnung, Bezwungenheit und Beglückung. Manchmal ging ich mit Herzklopfen zu der Verabredung, und beim Weggehn hatte ich das Gefühl, als wisse er nicht mehr, daß ich existierte. Alles, was man mir von ihm erzählt hatte, erwies sich als schief, platt und böswillig. Ich hatte einen verzierlichten Menschen erwartet und fand einen einfachen und schlichten; einen, der Wortfeuerwerke abbrannte, und fand einen von natürlicher und präziser Beredsamkeit; einen modischen und prunklie-

benden, ich fand einen von bescheidenstem Auftreten und von einer solchen
Bedürfnislosigkeit, daß ich mir daneben anspruchsvoll und verschwenderisch
vorkam. Sein Einkommen war gering, sein Vater hatte im Katastrophenjahr
1873 den größten Teil seines Vermögens verloren, was er besaß und erwarb,
sicherte ihm eine anständig-würdige Lebensführung, nicht mehr. Trotzdem
galt er für reich und wurde als Grandseigneur betrachtet, der das Dichten als
Liebhaberei betreibt wie andere die Jagd oder das Bildersammeln. Er igno-
rierte die Legenden, die über ihn im Schwange waren, darin war er überlegen
wie ein Gott, und wenn er Not gelitten hätte, seine Haltung hätte die Welt
noch immer glauben lassen, er sei ein verwöhnter Sohn des Glücks. In den
schöngeistigen Zirkeln lief damals die läppische Mär um, er müsse beim Arbeiten eine Schale mit Halbedelsteinen neben sich stehen haben, die er manchmal durch seine Finger gleiten lasse; hilfloser Versuch, aus dem Glanz seines
frühen Werks und frühen Ruhms eine Charakteranomalie zu machen.

All das erkannte ich deutlich, dennoch hielten sich Bewunderung und Abwehr die Waage in mir, zu meiner eigenen Qual. Jahrelang befand ich mich im
Zustand der inneren Revolte gegen ihn. Ich besitze Aufzeichnungen aus dieser Zeit, in denen ich um ihn ringe wie Jakob um den Segen des Herrn, um
ihn und sein wirkliches Bild, das hinter dem Schleier war. Ich stritt ihn dem
hingegebenen Teil meines Ichs ab und verdächtigte ihn meiner verhehlten
Liebe. Ich fühlte mich nur in den Bezirk seiner Welt zugelassen, den er selbst
bestimmte, und von allen übrigen ausgeschlossen; noch an jene Maßlosigkeit
des Umgangs gewöhnt, die das Leben vieler Literaten um alle Frucht und
Sammlung bringt, haderte ich im stillen mit ihm, weil er mir die Stunden des
Beisammenseins zu diktieren schien und aus seinem Tag ein Programm
machte, in dem ich bloß eine Nummer war. Woher rührte das? Weshalb die
Unzufriedenheit? Die nicht ganz einfache Erklärung habe ich erst sehr spät
gefunden. Es war so viel Weibliches in seiner Natur, zart Frauenhaftes sogar,
daß jeder Mann, den er sich zum Freund wählte, alsbald unabweisbar den
Regungen geistiger Eifersucht erlag, und das je mehr, je stärker, robuster, je
männlicher der Gewählte war. Der konnte ihn dann in gewissem Sinn auch
führen und bestimmen, sein Urteil beeinflussen, seine Laune lenken, sofern
er als Mensch die Eignung, als Persönlichkeit das Maß hatte, und beides war
selten, begreiflicherweise, seine Wahl war ja schon Auszeichnung. Er irrte
sich darin niemals, vergriff sich niemals, ich weiß keinen Fall aus seinem Leben, wo er von einem Freund wäre hintergangen oder in banaler Weise enttäuscht worden, dazu spielten die Beziehungen in einer zu hohen Region.
Gegen jeden Mißton war er empfindlich bis zu offensichtlichem Leiden, durch
jede unvermutete Störung aus der Bahn zu werfen, als hätte er sich nur in einem Raum und Rhythmus entfalten können, die in seiner Vorstellung prä-
stabiliert waren und ihm sofort qualvoll illusorisch wurden, wenn äußere Ge-

walt ihm die Herrschaft darüber raubte. So kam es, daß ihn alle schonten, die in seinen Kreis traten, jeder spürte instinktiv die Zerbrechlichkeit des kostbaren Gefäßes, und wenn es Schwäche war, dieser jäh mögliche Selbstverlust in dauernder Hochglut des Geistes und Hochspannung der Gedanken, wurde sie, wie alle wußten, mit ungeheuern Opfern bezahlt und unvergleichlichen Gaben entgolten. Ohne Zweifel bürdete er sich zu schwere Lasten auf, auch in jenen frühen Jahren, er konnte das Vielfache nur durch genaue Teilung und Einteilung bewältigen, um so mehr als er sich immer nur dem Einzelnen gegenüber, nur im Zwiegespräch, zu erschließen vermochte, sogenannte Gesellschaftlichkeit war ihm unleidlich, redete ihn jemand vertraulich an, den er bloß oberflächlich kannte und der ihm noch dazu mißfiel, so benahm er sich als sei man ihm auf den Fuß getreten und verbeiße den Schmerz, solang der Vorrat von Geduld und Artigkeit reichte; zuweilen aber entzog er sich der Bedrängnis durch ein Wort von brüskem Sarkasmus, das dann von Mund zu Mund ging, um die Schuldenrechnung zu vergrößern, mit der die Nichts-als-Umgänglichen seinen Mangel an Umgänglichkeit beweisen wollten.

Später hörte das auf. Es umgab ihn damals ein Ruf von Treulosigkeit; auch von dem war später nichts mehr zu vernehmen, in den Jahren nach dem Krieg, als er gelassener, stiller und geduldiger wurde. Das schnitt in die Seele, zuzusehen, wie er geduldig wurde, aber davon will ich noch nicht sprechen, sondern vorerst von dem häßlichen Zwiespalt, in den ich gegen ihn geraten war. Ich sah wohl, wie sehr das geteilte und eingeteilte Leben über seine Kraft ging, es schien aber meiner Kurzfühligkeit und... ja, meiner Eifersucht auf einer Willensanstrengung zu beruhen und eine künstliche Überbewirtschaftung zu sein, das machte mir zu schaffen, und daß ich mich mit Gewährtem, war es auch noch so viel, begnügen mußte, wenn er mir immer dort entschwand, wo ich am heißesten um ihn warb, das ertrug ich nicht. Ich wollte zuviel haben, alles auf einmal haben und war nicht fähig, mich der Weisheit seines Tempos zu fügen, die tiefe Vorsicht zu verstehen, die er als dienender und schaffender Geist walten lassen mußte, wenn der allzu heftig ihn Fordernde sich in den Mitteln vergriff und den gefürchteten Anspruch stellte. Da mußte er sich ihm versagen, ja ihn verleugnen, wenns darauf ankam. Und ich, ich hatte es auf mich zu nehmen. Ich kannte ja meine eigenen Gebrechen nicht, am wenigsten die, die ihn vielleicht beleidigten und erkälteten, ich wußte damals noch nicht, daß gerade er es war, der mir durch seine langsam wachsende Freundschaft half, sie zu überwinden und ihm wie auch mir selbst gemäßer zu werden.

*

Alles das war Anfang. Es ging, wie man sieht, um die Form. Es war, von mir aus betrachtet, ein Kampf um die Form. Die menschliche Form, die Menschenform. Besser, ich nenne die Reihenfolge umgekehrt. Aber im Grunde

wirkte eins ins andere und durch das andere. Und er, was konnte er bei mir
finden, das ihn förderte? Ich denke, das Chaos, in dem ich mich um Gestalt
und Gestaltung mühte, mochte es ihn auch unheimlich anrühren, wurde ihm
doch auf solche Art zum mittelbaren Erlebnis. Ich brachte ihm Erfahrungen
aus der Tiefe, die für ihn etwas Ähnliches bedeuteten wie frische Humuserde
für den Gärtner. Seine Welt war in Gestalt schon gesetzt, er war mit Gestalt
geboren, mir wurde sie erst im Schicksal zuteil, wenn ich sie gleichsam erlitten
hatte. Es waren zwei vollkommen verschiedene Kategorien des Seins und
Werdens. Deshalb war in unserer Beziehung nichts von dem nötig, was man
Verständnis nennt, das verstand sich voraus, es geschah lediglich Ausgleich
von Spannungen. Ihm lag an Überschau, Zusammenfassung, Totalität, mir
an Zerteilung der unüberblickbaren Lebensflut, an Gewinnung von Gesicht,
Figur, Detail. Im Austausch der Gedanken, bei leidenschaftlicher Erörterung
von Problemen, an denen die geistige Existenz hing, fanden wir gewöhnlich
eine Formel, die sich dann als brauchbares Gesetz enthüllte und zur Fackel
wurde, die den Weg erleuchtete. Darum war ihm hauptsächlich zu tun, um
Gewißheit, Bestätigung, Begrenzung, Richtung und Einordnung. Er bedurfte der höheren Disziplinen fast wie als Sicherungen gegen einen Abgrund
hin. Denn ein merkwürdiges Geheimnis seiner Organisation war es, daß bei
der zauberischen Kraft des Schauens seine Fähigkeit des Sehens nur gering
war; die nahe Umwelt mußte er erfühlen, da waren die Nerven seine Augen,
aber diese Nerven waren von einer Feinheit in der Aufnahme und einer Genauigkeit der Registratur, wie es mir im Leben nie wieder begegnet ist. Er
hatte auch einen eigentümlich stumpfen Blick, Augen, die manchmal an die
mysteriöse Nacht erinnerten, die die Augenhöhlen antiker Statuen erfüllt.

*

In der Stadt konnte unser Verkehr nur sporadisch sein, oft sahen wir uns
monatelang nicht, und obwohl ich in den ersten Jahren des Jahrhunderts in
einem Vorort nahe von Rodaun wohnte, kam es meist nur zu gelegentlichen
Besuchen und verabredeten Spaziergängen, zwischen denen lebhaftere Wech-
selbeziehung nur entstand, wenn wir uns unsere Arbeiten vorlasen. Das wurde erst anders, als ich mein Domizil mehr und mehr in das steirische Alt-Aussee verlegte, anfangs nur in den Sommer- und Herbstmonaten, schließlich
für dauernd. Wir hatten uns dort schon im Jahre 1899 getroffen, er hatte mich
mit verschiedenen Freunden und Freundinnen, seinen Eltern, seiner künftigen Frau und deren Familie bekannt gemacht, die Natur und die größere
Leichtigkeit des Zueinandergelangens brachten ihn mir näher, Wiederholung
schien verlockend, und als er mir im Jahre 1905 oder 1906 schrieb, er wolle
ein kleines Bauernhaus in meiner Nachbarschaft mieten, ergab sich die praktische Ausführung von selbst. Von da ab wurde der sommerliche Aufenthalt

auf der Obertressen zur ständigen Einrichtung in seinem Leben, dreiundzwanzig Jahre lang sah ich ihn von August oder September an bis spät in den
Herbst, nach dem Krieg bis in den Dezember hinein, fast täglich. Es war eine
geschlossene Zeit im Jahr, die sich abhob von aller übrigen, Regel, um so
unverbrüchlicher eingehalten, als die Befolgung durch die sonstige Verstricktheit der Existenz bei mir wie bei ihm erwünschtes Ziel war, so daß Notwendigkeit und Bedürfnis nicht mehr von Freiheit und Gewöhnung zu trennen
waren. Wir wanderten viel in die Berge, machten Touren zu Rad an die Seen
hinüber ins Salzkammergut oder ins Ennstal oder hinaus in die Gosau. Dazu
mußte er den Herbst haben, und wenn ihn der Barometerstand hoffen ließ,
daß der gefürchtete Scirocco nicht einbrechen werde, war er unbändig ver-
gnügt, hatte die sublimsten Einfälle und hielt mich und wer sonst noch von
der Partie war durch seinen Witz in beständigem Gelächter: eine schwer be-
schreibliche Art des Witzes, skurril, blitzhaft kurzschlüssig, kennzeichnete
sie eine Situation oder Tatsache mit überraschender Wendung. Um ein Beispiel zu geben: von einem gemeinsamen Bekannten, der in betrüblichen Ehe-
wirren lebte, sagte er seufzend: der arme Soundso, er hat zu Haus den Regen
und die Traufe; oder, als man ihm ein besonders gelungenes Gericht zube-
reitet hatte, andächtig: das schmeckt als wenn man einen Engel verspeist. An
solchen Aperçus war er unerschöpflich, nicht bloß bei klarem Himmel und
leichter Atmosphäre, auch wenn sein Gemüt bedrückt war, wodurch alles nur
noch drolliger wirkte.

Durch seine Abhängigkeit von Klima und Bewölkung, von Feuchtigkeit
und Luftdruck, Einflüssen, die gewöhnlichen Sinnen kaum zugänglich waren, erschien er so kreatürlich und so wehrlos leidend, daß man innig wünschte, er möchte nicht bloß mehr Gewalt über seinen eigenen preisgegebenen
Körper haben, sondern auch über die Gestirne und Elemente, deren Feind-
seligkeit ihn zu bitteren Klagen hinriß und von paradiesischen Ländern träumen ließ, wo Atmen, Denken, Bilden selbstverständliche Lust war, nicht dem
Zufall der günstigen Stunde abgetrotzt werden mußte. Er hatte bei heißem
Wind, der über das Südgebirge kam, Tage der Niedergeschlagenheit, in denen kein Zuspruch ihn aufmunterte, alles Tun wurde wertlos. Ich entsinne
mich eines solchen Tages, ich traf ihn in schwermütiger Apathie, er sagte, es
müsse sich, in der Atmosphäre vielleicht, etwas Furchtbares ereignet haben,
dann stellte sich heraus, daß zur selben Zeit, ich weiß nicht mehr genau wo,
ein heftiges Erdbeben stattgefunden hatte. Aber die Intensität des Leidens an
den bösen Mächten war der Gegenausschlag einer gleich großen Kraft im
Empfangen und Empfinden der guten. Unsägliches Glück für ihn, frei von
der ewigen Beschwer und Angst zu sein. Wie er dann eine Blume, einen Baum,
ein Wasser anschaute! Er lehrte mich, eine Landschaft sehen, indem er sie in
den reinen Spiegel seiner Seele aufnahm, diese unsere Landschaft, die an For-

menfülle und Geschlossenheit, an dramatischer Wucht und Reichtum der Hintergründe ihresgleichen nicht hat. Freilich, man muß sie kennen, wie wir sie kannten, muß sie erfahren und erlebt haben in ihren vielfachen charakteristischen Beleuchtungen, in der Art, wie das Gletscherfeld in der und der Tages- und Jahreszeit gegen den Himmel, wie der Wald gegen die Felsen, eine Wiese gegen Wald und See, ein Dorf gegen die Hügel steht und Linie um Linie in den subtilsten Schattierungen Aspekte schafft. Wenn sich im Oktober das Laub färbte und in täglich flammenderem Kranz sich vom Hochtal ins Mittelland hinunterzog, wenn in den Bauerngärten und um die Villen der Freunde herum Flox, Astern, Dahlien in einer Üppigkeit wucherten, die die sonstige Kargheit dieser Erde Lügen strafte, dann war sein Entzücken schlechterdings ergreifend, seine Gelöstheit vollkommen, man hatte selber ein beglückendes Gefühl von Sonne, Licht und Luft und den unscheinbaren Meisterhaftigkeiten der Natur, wenn er etwa, eine Rose vor sich, von den dunkelsamtenen Schatten zwischen ihren sanft gebogenen Blättern oder von dem silbernen Flimmern des Wassers sprach, möglich nur in einer ausgewählten Stunde. Ach, welches Leben ist bloß damit dahin! Die kahlen Höhen des Gebirges mochte er von Jahr zu Jahr weniger, was man als Aussicht bezeichnet, hatte ihm nie was anderes bedeutet als grimassenhafte Verzerrung eines lieben Bildes, wir lachten oft, wenn er, auf einem Gipfel angekommen, sich sogleich mürrisch mit dem Rücken gegen die Ferne setzte und den Lodenmantel fröstelnd zuzog. Das Tal in der Tiefe sah er in rohe Fragmente zerfetzt, die Fels- und Schneeriesen rings im weiten Bogen waren ihm zu heftig, zu nah, sie brüllten ihn an, er gab vielleicht zu, daß es großartig sei, aber das geschah aus Freundlichkeit, um die Begeisterten nicht vor den Kopf zu stoßen. Für ihn waren die Wege über Wiesen, an Bach und Fluß entlang, die oft gegangenen, daher vertrauten Wege, durch den Wald zu einer verfallenen Mühle, die Hügel hinauf zu einem Wasserfall, gegen Abend zum See hinunter. Das waren die Stunden, wo Innen und Außen im Einklang waren und es zu jenen Unterhaltungen kam, die den Umgang mit ihm am allerunvergeßlichsten, den Verlust zum allerunersetzlichsten machen.

*

Sein Gespräch... um auch nur anzudeuten, was es war, müßte ich die Geister zu Hilfe rufen, die ihm und ihm allein dabei zu Gebote standen. Verließ man ihn nach solchem Beisammensein, so war einem zumute, als ob das Sprechen aller andern Menschen ein unbehilfliches Stottern und Stammeln sei. Er besaß in der mündlichen Mitteilung den erstaunlichsten Wortschatz und in seinem Gebrauch eine beispiellose Lebendigkeit und Variabilität. Im Ausdruck scharf, genau, treffend, in der Geste sparsam, im Mienenspiel von anziehender, ich möchte sagen beschwichtigender Natürlichkeit und Wahrheit, in der Dis-

kussion mit zartestem Bedacht jegliche Schroffheit, Verfänglichkeit, Gereiztheit meidend, von dialektischen Künsten so weit entfernt, daß es zuviel wäre,
zu behaupten, er habe sie verachtet, ritterlich schonend, wo er auf Gegen-
meinung stieß, voller Geduld und Rücksicht, wenn er sich nicht gut verstanden wußte: alles Eigenschaften, durch die er vom ersten Satz an faszinierte,
von Kapazität und Magie ganz zu schweigen, von Führung und Haltung.
Sonderbar die Stimme; in der leichten Konversation hell, krähend fast, wie
zum Weltgebrauch absichtlich entseelt, sank sie im ernsten Zwiegespräch in
immer tiefere Lagen und wurde warm und sonor. Er hatte eine sehr fleischige,
den Gaumen ausfüllende Zunge, die sich beim Reden gegen die Zähne rollte,
wobei die habsburgische Unterlippe muschelhaft ausgebogen wurde, was an
sich bannend war und rein physisch die Aufmerksamkeit fesselte, auch wenn
man es an dem dantesken Profil nur von der Seite wahrnahm. Es ist mir dies
ungeheuer gegenwärtig, und da ich glaube, daß es ihn ein wenig sichtbar
machen kann, versuche ich es zu zeigen, wie sollte sonst ein Bild entstehen,
und sein Bild darf nicht verloren werden. Ein großer Mensch vergeht so
schnell, alles was Erscheinung an ihm war erstarrt zur Silhouette und ver-
fällt jenem unheimlichen geschichtlichen Aberglauben, der oft neben dem
Werk herläuft wie ein Schatten neben einer ohnehin verhüllten Figur. Vom
Werk aber habe ich nichts zu sagen, das mag die Aufgabe von Berufeneren
sein, es fehlen vorläufig noch die Maße, und in welche Zone der Unsterblichkeit es gehört, muß erst die Zeit lehren.

Vielleicht müh ich mich vergeblich, eine Vorstellung vom Gespräch mit
ihm zu geben, Gespräch als solchem, ebensogut könnt ich einen Traum pho-
tographieren, das Wesentliche ist nicht erfaßbar, weil es in einer Folge von
Augenblicksentzündungen bestand. Soviel vor allem, daß es wirkliches Gespräch war, eine immer seltener werdende Form der Äußerung und Selbst-
gestaltung: Austausch, Wechselrede, Stichwort auf Stichwort, wohltätig um-
grenztes Feld, radial bestimmt, nicht öd verlaufend, nicht schwätzen, nicht
monologisieren, bei der Sache bleiben und auf ihren Grund gehen. Aber das
mögen andere auch haben, ich kenne drei, vier, bei denen man es findet, der
unvergleichliche Reiz seiner Unterhaltung lag in der Inspiration. Sein ganzes
Gespräch war inspirierte Improvisation. Er hatte eine Beflügeltheit, die den
Partner nicht nur mitriß, sondern ihm gleichfalls Flügel anzauberte. Man wurde in einen Raum gehoben, in dem man sonst durchaus nicht so ohne weiteres
zu Hause war, aber seine Gefährtenschaft half einem, daß man sich mit Anstand darin bewegte. Wenn man dumm und verstimmt war, wurde man luzid
und aufgeräumt, im wörtlichsten Sinn aufgeräumt, man wurde besser, weil
man, im wörtlichsten Sinn, einsichtiger wurde. (Dabei war er niemals zweck-
und eigensinnig und betrachtete es als Gebot der Höflichkeit, sich in jedem
Fall der Fassungskraft des Partners anzupassen.)

Zumeist war es natürlich die Arbeit, die uns zu weitführenden Erörterungen lockte, das Handwerk, seine Gesetze und Möglichkeiten. Er wollte lernen, immer lernen, am Meisterwerk, am Schülerwerk, an seinem, an fremdem, niemand konnte sich so ehrerbietig neigen vor der redlichen Bemühung, niemand spürte das Halbe, Verlogene, Aufgeblasene, Scheinende so untrüglich, obwohl er im Urteil, das muß ich hinzufügen, durchaus nicht immer sicher war, manchmal sogar befremdlich schwankend und tastend, als bedürfe er der Belehrung durch die Zeit. Er brauchte Blickferne. Alles mußte erst seine Relation gewonnen haben. Je bedeutender ihm eine Leistung als Ganzes erschien, je unermüdlicher war er bedacht, sie auf ihr Einzelnes hin zu untersuchen, auf das Erlern- und Erfahrbare hin, wie ein Chemiker eine unbekannte Verbindung analysiert. Unablässige Fragen: soll man eine Geschichte erzählen, soll man die darstellen? Was ist eine epische Situation, was eine dramatische? Wodurch entsteht Hintergrund und Tiefe, wodurch Distanz und Plastik? Was darf man von einer Figur verraten, wann muß sie sich selbst offenbaren? Was ist ein Stoff, was ein Motiv, was eine Handlung? Wie wird Gedanke zur Idee, wie Idee zur Gestalt? Es ging ihm dies alles ins Blut und an den Nerv, zuweilen lag eine mysteriöse Traurigkeit in ein paar hastig hingeworfenen Sätzen, und er war so verzagt, daß man ihn trösten mußte wie ein verirrtes Kind, einmal brach er in die bitter-komische Klage aus: es ist wahrhaftig ein Wunder, daß man sich bei dem Metier nicht öfter aufhängt. Ich weiß keinen in unserer Welt, der mit solcher Qual und Verantwortlichkeit, solcher Demut und so überwachem Wissen von der Stufenfolge des Wirklichen und Gültigen sein Werk baute. Er verbrannte in der Flamme, die er selber schürte, des bin ich Zeuge.

Häufig waren die künstlerischen Probleme nur Vorwand und Anlaß für umfassendere Gespräche, aber ein jedes wurde ihm schließlich Vorwand und Anlaß, um wie auf unsichtbarer Spirale beschwingt in einen noch höheren Kreis zu gelangen und sich zu Dingen und Menschen, zu Geist und Natur, zu Schicksal und Geschichte in Beziehung zu setzen. Sich beziehen, bezogen sein, das war die Grundstruktur seines Verhältnisses zur Welt und die Wurzel seines Weltgefühls. Und so erblickte er in sich und seinem Tun zu keiner Zeit etwas Ausnahmshaftes, sondern etwas Zugeordnetes und in religiöser Bedeutung Dienendes. In seinem Charakter lag daher eine schwer definierbare Art von Gehorsam, auch Fügsamkeit, die ihm, wenn man seine Persönlichkeit gewissermaßen als Vision sah, Verwandtschaft mit einem Cherub verlieh. Andrerseits war dadurch wieder jene Souveränität bedingt, mit der er eine unendliche Zahl von Lebensverhältnissen überschaute, politische, soziale, ständische, private, in jeder Phase, in jeder Krise, in jeder Epoche, wobei seine Intuition ebenso bewundernswert war wie seine Belesenheit und sein Gedächtnis. Ich war einmal dabei, als ihn jemand nach dem inneren Zustand

Spaniens während eines bestimmten Zeitabschnittes fragte; bereitwillig und ohne zu zögern entwarf er in wenigen Minuten ein derartig lebendes Bild der Kultur- und Seelenverfassung, der geistigen Zusammenhänge, des gleichzeitigen europäischen Geschehens, daß wir ihm alle hingerissen zuhörten. Ich erinnere mich, daß er mir vor vielen Jahren einen Stoff aus dem vormärzlichen Wien erzählte, ich sollte mit ihm überlegen, ob und inwiefern er sich zur Ausgestaltung eigne. Bei dieser Gelegenheit setzte er mich durch seine intime, geradezu minutiöse Kenntnis des Volks in sprachloses Erstaunen. Er beherrschte nicht nur die charakteristische Lokalität, die Häuser, die Höfe, die Wohnungen, die Utensilien, nicht nur die Redeweise in den Schattierungen der Stände, Berufe und Stadtbezirke, sondern er zeigte sich auch völlig eingeweiht in die Denkart und Interessen eines Bäckers, Friseurs, Althändlers, einer kleinen Kokotte, eines Vorstadt-Elegants, nicht etwa gesehen mit dem Auge eines, der in die Vergangenheit flüchtet und Kulturkuriosa sammelt, nein, hier lag eine Divinationsgabe vor, die das Angeschaute und das Typische, das Heutige und das Gewesene zu einer immergültigen Norm verschmolz und jede menschliche Vergesellschaftung innerhalb ihrer besonderen Überlieferungen symbolhaft machte. Damals ging es mir durch den Kopf: und den heißen sie einen Ästheten, Artisten, tun ihn ab mit dem schnödesten aller Schlagworte, der schäbigsten Münze von allen, die auf der literarischen Börse notiert werden. Es war sein Los. Die Öffentlichkeit bekam sein Bild nie anders als in kleinlicher Verzerrung zu sehen, unaufhaltsamer Vorgang, unvermeidlich zeitgenössisch und von mitleidswürdiger Geistlosigkeit. Ohne Zweifel litt er darunter, gegen die Unvernunft hatte er keine Waffe, allein seine Gesinnung war so groß, der Eitelkeit so abgewandt, der Ruhmsucht sogar, daß ihn, wenn er überhaupt Notiz davon nahm, die Symptome mehr beschäftigten als die vielleicht schmerzliche Tatsache.

*

Damit man verstehen könnte, was das Gespräch mit ihm war, müßte ich eines reproduzieren können; dazu bin ich außerstande. Obgleich ich mir im Lauf der Jahre öfters Notizen gemacht habe, fand ich doch bei der Durchsicht, daß vom Eigentlichen nichts darinnen war, es fehlte das Bestrickende der redenden Person, Bewegung, Geste, die Liebenswürdigkeit des Entgegenkommens, dieses aufgeschlossen-zutrauliche Sichnähern, die nervöse Eleganz der Dialogführung, der Wechsel von Stimme und Stimmung, die komischen Bonmots, vorgebracht mit einem schalkhaften Aufblitzen der Augen und mit einem kleinen spitzbübischen Gutturallachen: man kann es nicht wiedergeben, ohne es in breiter Anlage zu gestalten, wobei vorausgesetzt wäre, daß man einen so sublimen und auf jedem Feld des Denkens geschulten Geist mit seinen eigenen Worten und Bildern müßte sprechen lassen; aber in dem

Punkt bekenne ich meine Unzulänglichkeit. Da liegt ja auch der wahre Mangel aller Schilderung geistig überragender Persönlichkeiten; die unzureichende Kapazität auf der einen Seite verkleinlicht alle Maße auf der andern. Vielleicht hätte ich besser aufgepaßt und mein Gedächtnis funktionierte besser, wenn ich mir seinen Tod hätte vorstellen können, aber das konnte ich nie, wer kann das überhaupt, einem geliebten Menschen gegenüber, es ging höchstens, in den letzten Monaten, bis zur Furcht, daß ich ihn überleben könnte, schon das war grausig genug, diese böse Ahnung. So bleibt mir nur übrig, etwas zu vermitteln, was jetzt wie ein Schattenspiel ist, wenigstens hat es den Vorzug der Treue, Schatten kann man nicht schminken. Wenn er sich bei uns angesagt hatte und pünktlich auf die Minute kam, ging ich in den Vorplatz, um ihn zu begrüßen, da fragte er mich in traurig-mitleidigem Ton, als wär ich schwer krank gewesen, wie es mir gehe, aber das war eine der kleinen Komödien, die er sich leistete, um die Schwerfälligkeiten des Wiederanknüpfens zu vermeiden, eine Harlekinade von zehn Sekunden, deren heimlicher Grund vielleicht war, daß es ihn jedesmal bestürzte, das bekannte Gesicht vor sich zu sehen, denn ein unbekanntes hätte ihn unter allen Umständen in die Flucht gejagt. Ich führte ihn dann in mein Arbeitszimmer, noch unter der Tür begann er, ein Thema anzuschlagen, das ihn beschäftigte, in höflich fragender Weise zunächst, als wolle er sich vergewissern, ob ich nicht zerstreut oder zu müde oder innerlich anders gestimmt sei. Es war schüchterner Vorschlag, zarte Erkundigung, beinahe Verführung, Umgarnung, und wenn die Replik nur ungefähr treffend ausfiel, kam er gleich ins Feuer, war entzückt über die Bereitwilligkeit des Mitgehens, dankbar für das Verständnis, noch dankbarer, wenn ich ihn zu steigern wußte, seinem Gedanken eine neue Richtung wies, das alles, Aussprache, Anteil, Genommenwerden, Überwindung der Schwere bedeutete Geschenk für ihn. Ich erinnere mich zum Beispiel an ein Gespräch über die Tagebücher Grillparzers; eines über den Charakter Karls des Fünften; eins über die geistigen Folgen der französischen Revolution; eins über den Zusammenhang von organischem Leiden und künstlerischer Konzeption; dann über Freunde; über Einrichtungen, über Erlebnisse: aber was soll die Aufzählung, ich verzweifle daran, von der Fülle, dem Umfassungsraum, der graziösen Lebhaftigkeit und bezwingenden Natürlichkeit, dem Reichtum der Einfälle, der Analogien, der Gleichnisse auch nur einen angenäherten Begriff zu geben. In gewissen Momenten saß er ruhig auf dem Stuhl, nie bequem sich gehen lassend, immer mit steif gerecktem Oberkörper, die Knie übereinander, der Blick weit weg sehend; plötzlich sprang er auf, eilte mit seinen hackenden kurzen Schritten im Zimmer auf und ab, dann stellte er sich so dicht vor mich hin, daß ich seinen Atem spürte, und legte mir die Hand auf die Schulter, beteuernd oder vertrauensvoll oder bittend, wie einer, der bei einem schwierigen Beginnen nicht allein gelassen werden will; darin bestand ein Teil seiner Courtoisie: auch wo er gar keine Hilfe nötig hatte, machte er mich glauben, ich sei ihm unentbehrlich. Wenn ich meinerseits ihm einen Gedanken entwickelte, hörte er mit intensiver Aufmerksamkeit zu, manchmal den einen Zeigefinger leicht erhoben, wie man es bei griechischen Darstellungen als Inbild hingegebenen Lauschens sieht.

*

Er war der vornehmste Mensch, dem ich begegnet bin. Ich weiß, das Wort hat an Gewicht verloren, es ist eine Zeitlang unter dem Einfluß einer gewissen Phraseologie mißbraucht worden, heute ist es aus naheliegenden Gründen ziemlich vergessen. Doch muß es hier ausgesprochen werden, weil ihn kein anderes so bezeichnet. Seine Noblesse war vom höchsten Rang, nämlich dem der Selbstverständlichkeit und des Nichts-davon-Wissens. Er war vornehm geboren, und wenn er sich überzeugen mußte, daß andere anders geboren waren, verwunderte er sich, das war alles. Er war ohne die leiseste Regung von Ranküne. Erfuhr er sie, so weigerte er sich so lang wie möglich, sie zu statuieren. Gemeinheit, Niedrigkeit, Verlogenheit, Tücke erschienen ihm ungefähr wie zoologische Mißbildungen, gut für das Merkbuch oder ein Balzacsches Raritätenkabinett menschlicher Närrischkeiten. Für seine Person, ich habe es schon erwähnt, bedürfnislos bis an die Grenze der Askese, war ihm kein Opfer zu groß, wenn es galt, denen zu helfen, die Hilfe von ihm erwarten durften. Ihre Zahl war Legion. Geld war noch das wenigste dabei (sein Verhältnis zum Geld wäre ein Kapitel für sich, er hatte eine physische Abneigung davor, Geld zu berühren; wenn in einem Gasthaus die Rechnung bezahlt werden sollte, drückte er gewöhnlich seiner Frau die Brieftasche in die Hand und verließ eilig den Raum; als er in der deutschen Inflation fast seine gesamten Ersparnisse verlor, hörte man kein Wort der Klage von ihm), Geldopfer verstand sich also am Rande, aber wie er sich einsetzte, die Arbeit, die eigenen Angelegenheiten vernachlässigte, wenn ein Freund, ein Ringender, einer, an dessen Wert und Würdigkeit er glaubte, vor Mangel geschützt, wenn dem der Weg geebnet werden sollte, das war es; und wie er nicht erlahmte in Zuspruch, Anteil und Aufmunterung, das. Es gibt wohl Hunderte von Briefen, darunter sicherlich die schönsten, die in unserer Sprache geschrieben worden sind, worin er jenen, die ihm ihr geistiges und damit auch oft ihr materielles Schicksal anvertraut hatten, liebevoller Berater wurde und die schwierigsten, die heikelsten Lebensumstände mit seiner leuchtenden Weisheit entwirrte und entgiftete. Ich habe es selbst erfahren; auch das; ohne die Erfahrung wüßt ich nicht so viel von dieser leuchtenden Weisheit, die es zustande brachte, dem Erlittenen die nagende Bitterkeit zu nehmen, er konnte dann auf eine Art zärtlich sein, daß man es nie vergaß, und weiterhin trat ein ebenso ungewöhnlicher wie bewundernswerter Zug an ihm hervor: er beharrte nicht; ich meine,

er drückte nicht an der Wunde herum, hielt sie nicht in Beobachtung, er behandelte solche Dinge mit einer vollkommen weiblichen Delikatesse, ließ sie
hingleiten, abklingen und wob sie nur in seine Sorge hinein, wodurch man
sich schon behütet fühlte. So war er in allem, was sein menschliches Tun betraf, er machte kein Wesens davon, kein Aufhebens. Sehr österreichisch, das:
nicht wichtig sein, nicht insistieren, die Menschen in ihrer eigenen Bewegung
lassen. Bei der Führung seiner Geschäfte kam ihm dies nicht immer zustatten;
trotz seiner genauen Kenntnis des praktischen Lebens nahm er den eigenen
Vorteil nicht oder ungenügend wahr; lief er Gefahr, Schaden zu erleiden, so
bemerkte er es gar nicht, man mußte ihn erst darauf aufmerksam machen,
auch dann weigerte er sich noch, sich dagegen zu wehren, entweder weil es
ihn widerte zu feilschen und seine Zeit bei mesquinen Verhandlungen zu ver-
geuden, oder weil er einen bestimmten, meist recht bescheidenen Gewinn von
Anfang an ins Auge gefaßt hatte und sich mit dem auch begnügte, oder weil
ein altbewährtes Verhältnis bestand, an dem er nicht in kleinlichen Querelen
rütteln wollte. Denn wo er einmal vertraut hatte, vertraute er für immer, und
wer für ihn arbeitete, hatte unter allen Umständen ein Anrecht auf seine
Dankbarkeit, weshalb er sich auch gegen den begründetsten Argwohn so
lange sträubte, als es sich mit seiner Vorstellung von Gebührlichkeit überhaupt vertrug. Er war sehr anhänglich; viele durch ihre Sensibilität preisgegebenen Naturen haben diese Form der Anhänglichkeit, bringt doch der geringste Bruch neue Belastung und fordert neue Lebensordnungen; wenn ein
Faden reißt, verwirrt sich das ganze, mühselig gewebte Muster. Doch gab es
auch blutbedingte Anhänglichkeiten, in denen sich eine patriarchalische Seite
seines Charakters bekundete; als Jüngling, wenn er auf Reisen war, schrieb
er täglich an seine Eltern, berichtete ihnen mit naiver Treue alles, was er getan,
gedacht, wen er gesehen, welche Bücher er gelesen, wie viel Geld er ausgegeben hatte, in welchem Zustand seine Anzüge, seine Wäsche, seine Schuhe
waren, und das zur selben Zeit, als die zwanzig unsterblichen Gedichte entstanden.

*

Die Veränderung, die während des Krieges mit ihm vorging, bekam erst nach
dem Krieg ihren unheilvollen Sinn. Den ersten Eindruck habe ich miterlebt:
es war wie wenn man einen Adler blendet. Seine Existenz auf Flügeln wird
absurd. Natürlich faßte er sich dann. Nach kurzem Frontdienst steckte man
ihn in irgendein Amt, wo er irgend etwas zu tun hatte, was mit seiner Persönlichkeit nichts zu tun hatte, später wurde ihm eine jener fruchtlosen Aufklä-
rungsmissionen im Ausland übertragen, bei denen die politische Absicht die
Wirkung aufhob und an welchen ein zweckfremder Geist wie der seine notwendig scheitern mußte, vor allem vor sich selbst. Er kam zurück wie beraubt,
lebte in der fortschreitenden sozialen Zersetzung stumm resigniert, stürzte

sich in die Arbeit wie in quälende Betäubung. Flucht vor der Meduse. Der
Fall der Monarchie, in der Ahnung vorausgefürchtet, traf ihn elementar, es
sah wie Verlust der Heimat aus, Entheimatung beinahe, es kam ja nicht auf
die oder die Länder und Provinzen an, nicht auf die Einbuße von Macht und
Kaiserlichkeit, nicht einmal auf den Untergang altehrwürdiger Bestände, es
ging eine Welt zugrunde, die ihn noch getragen und seinen Genius befeuert
hatte, als sie schon in Kachexie lag, aus deren geheimnisvoller Gesetzhaftig-
keit er entstanden war, um sie dichterisch zu rechtfertigen und zu verklären.
Aber da er es stets als seine Aufgabe betrachtet hatte, sich in gegebene Realitäten zu finden und jede sterile Fronde seiner schaffens- und mitschaffensbe-
reiten Natur fernlag, suchte er aus den Trümmern zu retten, was zu retten
war, nicht für sich, für die Gemeinschaft, leider muß man sagen für eine edle
Fiktion von Gemeinschaft, denn bei einem Menschen von solchem geistigen
und sittlichen Format ist es nur allzu verständlich, daß gerade diejenigen sich
am beflissensten seiner bedienten, die nicht den Schimmer davon hatten, wer
er war. Seine passionierte Vorliebe für das Theater brachte viel aufreibende
Unruhe in sein Leben, doch liebte er auch diese Unruhe, mittels ihrer schwang
er in einem Zauberkreis und in einer Märchenregion, deren Tücken und Ab-
wege ihm seine gestaltendurstige Phantasie vorenthielt, indes ihn ihre wech-
selvollen Möglichkeiten zu immer neuen Plänen lockten, praktischen und
poetischen. Ich sehe jetzt, daß das ein großes Glück für ihn war, ich bin froh,
daß er es besaß; es schuf ihm eine Art Traum- und Überwelt, in der er Zuflucht fand vor der wirklichen, die ihn von Jahr zu Jahr mit kälteren Schauern
anhauchte. Oft war es, als verstehe er sie nicht ganz, oder nein, als sei etwas
an ihr, das zu begreifen man besser unterließ. Sein tiefstes Selbst wußte ja
doch, «wer er war», und der, der er war, konnte dorthin nicht gehen, wo man
ihn leugnete und vergaß, dort war seine Stätte nicht und wurde seine Sprache
nicht verstanden, die Sprache der Erlauchten und Einmaligen. Bisweilen kam
er zu mir und fragte mich bedrückt: Jakob, was geht denn vor? Wie erklären
Sie sich, was die Leute da tun? Sagen Sie mir doch was über das Buch da, damit ich weiß, wo ich es hintun soll, was ist das für ein Mensch, der das und das
macht, können Sie es mir erklären? Das klang immer wie Angst, aber nicht
egoistische, o nein, Angst um die rasend gewordene Welt, Angst um eine ent-
götterte, verzweifelt-anarchische Jugend. Nie ein Abweisen und Aburteilen,
wenigstens in den letzten zehn Jahren nicht, immer nur Angst. Dann mühte
er sich, es doch zu fassen und die Beziehung herzustellen, durch die es ihn erst
als ein Lebendiges anredete, manchmal gelang es, manchmal nicht. Vielleicht
trug die viele feindselige Stummheit der neuen Dinge und das seelische Siechtum derer, die dem Sturm nicht gewachsen waren, ein wenig zu seinem Tode
bei, war doch der endgültige Zusammenbruch eines jungen Sohnes der
letzte Hieb, den das Schicksal gegen ihn führte.

Unmittelbar nach seinem Tod konnte man eine überraschende Erfahrung machen. Plötzlich, von einem Tag zum andern, stand sein Bild in einer Reinheit da, wie wenn der Sturm von einem Berggipfel das Nebelgewölk fortbläst. Es war eine Erschütterung für uns, denn obgleich wir ungefähr Bescheid wußten über Dimensionen und Volumen, konnten wir sie jetzt zum erstenmal mit voller Klarheit wahrnehmen. Aber auch die es nicht gewußt oder es geleugnet hatten, oft nur, weil sie in der Leugnung das einzige Mittel sahen, sich gegen ihn zu behaupten, auch die wurden stutzig und schienen sich zu fragen, ob sie vor der strahlenden Erscheinung, so schwer es ihnen fallen mochte, nicht ein wenig umlernen müßten.

Das Leben dieses hohen Menschen stand und vollendete sich unter einem Gesetz, das sich nirgends in unserer Welt ausgewirkt hat. Es war so voller Form, daß alles, was er berührte, und alles, was ihm nahte, Form wurde. Ich lasse das Werk beiseite, es handelt sich um etwas, das noch über dem Werk ist. Man hat es als herzlos verschrien, tausendmal mußte ich das Wort hören, dieses und eine Reihe anderer abträglicher Vokabeln, die etwa besagen wollten, da habe ein geschickter Zauberlehrling die Kunststücke bewährter Meister bis zur Perfektion nachgeahmt, von eigener Erfindung aber nichts hinzugetan. Es wäre vermessen und es wäre nutzlos, würfe ich mich in der Sache zum Anwalt auf. Wodurch soll man beweisen, daß das Licht scheint? Die Blinden sehen es doch nicht. Das Schlagwort von der herzlosen Kunst beruht auf einem unausrottbaren deutschen Mißverständnis, dem Mißverständnis der Form. Gewöhnung an maßlose Selbstverkündung und selbstbezüglichen Erguß sowie ein falscher Begriff von Gemüt und gemütlicher Deutlichkeit haben es begünstigt und aufwuchern lassen. Ich kenne Leute, die von Menschlichkeit reden wie vom Post- und Telegraphenwesen, gerührt, wenn sie sich ordentlich bedient finden, enttäuscht, wenn die Einrichtung versagt. Das Ungeformte mutet immer warm an, es ist ja auch geheimnislos wie ein Ofen. Herz; das Herz ist ein so verborgenes Organ, daß man es nur schlagen hört, wenn man das Ohr an die Brust eines Menschen legt, eine intime Prozedur, die nicht jedem Beliebigen erlaubt sein kann. Wie dürfte man zweifeln, wenn es sich in einem so beispielhaften Dasein manifestiert? Lebendige Form ohne Herz? Lästerlicher Unsinn, doppelt lästerlich, wenn es bedeuten soll: ohne Liebe. Ich habe ja dargetan, wieviel Liebe in dem Menschen war, schöpferische Liebe, und die wieder kann es nicht geben ohne schöpferische Form, weil ihr Medium eine gestaltete Welt ist. Geschaffene Form ist nicht allein ein körperlich Sichtbares, sie ist auch eine metaphysische Macht. Sie umfaßt alles Gebilde und drückt es aus wie die Pflanze das Erdreich ausdrückt. Alle geschaffene Form ist in jedem von uns, und wir drücken sie aus, nach unserer Gabe, im Geist und im Leib. Und so weiß ich, daß ich seine Form ausdrücke, ob mit Willen oder nicht, ob ich mich wehre oder nicht.

Aber wenn ich nicht widerstrebe, ist es besser für mich und meine Sache. Am Nichtwiderstreben liegt eben alles.

Die hintergründigste Tragik seines Schicksals war, daß es ihn, das Genie der Bindung, in eine Epoche der Auflösung führte. Hätte er sie mehr distanzieren können, er hätte sie wieder an ihren Sinn gebunden, aber dies ist ein teuflisches Paradoxon, da es die unerbittliche Konsequenz aus dem Zusammenprall von Idee und Wirklichkeit umgeht. Gegenwart war ihm ja auch nur ein Bild unter vielen gewesen und ein fließender Zustand, sein Geist war in allen Epochen zu Hause, dadurch hatte er oft etwas von dem wundersamen Cidher, dem ewig Jungen, der «nach fünfhundert Jahren desselbigen Weges wiederkam», und dann wieder etwas vom sagenhaften Ahasver, auf dem die Jahrtausende lasten, wie es ähnlich in seinen Versen heißt. Manchmal, wenn ich ihn ansah, hatte ich, weher als in den Anfangsjahren unserer Freundschaft, das Gefühl, als wandle, rede, dichte er in einem Zauberschlaf, als sei er gar nicht da bei mir, sondern weit weg, in ferner Zeit und Welt und werde wieder weit weggehen, um in hundert oder tausend Jahren sich flüchtig meiner zu erinnern, der dann keinen Namen mehr für ihn besaß. Tradition ist ein Wort, mit dem sich vieles anfangen läßt, für ihn war sie das natürliche Fundament aller Daseinsgestaltung in Staat und Kirche, in Kunst und Gesellschaft. Da brachen die Grundmauern unter seinen Füßen ein, und er erwachte jählings, es war, als ob der tausendjährige Schlummer von ihm wiche, anders kann ich die Verwandlung nicht bezeichnen, die mit ihm vorging, und wie er nun mit aufgerissener Seele neuen Weg, neue Bindung, neues Gesetz suchte, wie er aus der eleusinischen Einsamkeit unter Einsamen heraustrat, gleichsam mit der stummen Frage: Wollt ihr mich? und mit dem Angebot seines ganzen Selbst, das war das Größte, was wir an ihm erlebt haben, dadurch ist er «Held und Überwinder» geworden.

CARL J. BURCKHARDT

Erinnerungen an Hofmannsthal

Im Spätsommer des Jahres 1918 kam ich nach Wien an unsere Gesandtschaft. In wenigen Wochen erlebte ich das Auseinanderbrechen der Donaumonarchie, die Flucht des letzten Kaisers nach der Schweiz und die todesmatte Revolution.

Ein Bekannter, der einen Teil des Krieges in Bern als Diplomat gelebt hatte, gab mir damals eine Empfehlung an seine betagte Mutter, die in einem großen Hause aus den sechziger Jahren an dem alten schönen Platz, dem Hohen Markt, ihre Wohnung hatte. Die ganze Wohnung war abgeschlossen, nur ein Zimmer wurde benützt; dort brannten ein Azetylenofen und eine Azetylenlampe. Heizmaterial gab es nicht. Eine kluge, höchst eigentümliche Siebzigerin hauste in dem einen Raum, ein Bösendorferflügel stand da, auf dem sie altmodische Walzer und Polkas komponierte, und neben dem Himmelbett mit seinen Musselingardinen war ein großes Marionettentheater aufgebaut; die Puppen – alle von ihr selbst aus Lindenholz geschnitzt und mit Flicken bekleidet –, sie stellten das ganze alte Österreich dar in seinem unendlichen Reichtum an Typen. Dieses Theater war der beste Unterricht, den ich in österreichischer Geschichte und Soziologie genossen habe. Draußen schlechtes Winterwetter, der Schnee nie aus den Straßen weggeräumt, Krankheit und Dunkel, denn Straßenbeleuchtung gab es kaum; schon setzte die Inflation ein, die Korsaren, die Aasgeier kamen aus aller Herren Ländern und raubten die Stadt aus, entkleideten sie ihres Schmuckes, ihrer Freude, verwüsteten und demoralisierten: droben aber im sechsten Stock des alten noblen Miethauses am Hohen Markt, bei erfinderisch abgeblendeter Beleuchtung, spielte sich das ganze altösterreichische Leben in der herrlichen, von Kleist einmal so unvergleichlich erkannten, tief inneren und unzerstörbaren Grazie der Marionetten ab. Einmal in der Woche, abends, nach Tisch, pflegte ich hinzugehen, ich war stets der einzige Gast. Etwas gespensterhaft war es immerhin.

An einem Abend Mitte Dezember 1918 aber wurde alles mit einem Schlag geistig bewegt und spannend. Ich erschien etwas später als zur gewohnten Stunde, im eiskalten Flur der Wohnung brannte eine Kerze, ihr Licht beleuchtete einen Herrenmantel und einen, wie mir schien, besonders großen, harten Hut. Der Besitzer dieses Hutes saß schon vor den Marionetten, und das Stück hatte begonnen. Es spielte in Graz, und ein Hofrat aus Wien unterhielt sich mit einem Feldmarschalleutnant, der pensioniert in Graz lebte und der ihm von Radetzkys Feldzügen berichtete. Ich hatte alle Muße, das starke, gespannte Profil des Gastes zu betrachten, der mit größter Aufmerksamkeit zuhörte und dessen Gesicht im Umriß fast grell beleuchtet war. Plötzlich brach die Aufmerksamkeit ab, der Unbekannte erhob sich und sagte sehr rasch: «Verzeihen Sie, man kann es kaum ertragen heute, es ist alles noch zu nah.» Sofort sanken die Puppen in sich zusammen, die alte Dame zog den Vorhang des Theaters und trat vor, um uns bekannt zu machen. Hofmannsthal gab mir seinen charakteristischen festen Händedruck mit den fünf Fingern, indem er die ihm gereichte Hand hastig wegstieß, und dann begann sein Gespräch. Er war damals fünfundvierzig Jahre alt. «All das ist jetzt vorüber und wird nicht wiederkommen; dieser Krieg ist das Sichtbarwerden einer Revolution, die im Laufe des Jahrhunderts alles in Frage stellen wird, was wir sind und was wir einst besaßen.» Er sprach anders als irgend jemand, den ich vorher oder nachher sprechen gehört habe. Die Fülle des Gesprächsinhaltes, die Deutlichkeit, die er der Tiefe und der Vielfältigkeit des Gedankens zu verleihen vermochte, die Leichtigkeit, mit der er vom einen zum anderen gelangte, die Lebendigkeit des immer sicheren, immer gegenwärtigen, in der Wahl stets bedeutenden Bildungsinhaltes, die gedankliche Eigenart, die stets schöpferisch dem Erlebnis, der eigensten Erfahrung folgte; die Abwesenheit jedes Effekts, jeder Fälschung, die eigentümliche Trauer und bittere Voraussicht, die das Gespräch gewissermaßen ethisch spannten; die Herzlichkeit, der Humor, die es beständig versöhnten – es war eine Gegenrede zwischen mehreren, glanzvoll sichere Prägung lateinischer Art über einer klaren, lauteren Gemütstiefe, in der es dann hin und wieder aufblitzte wie vom Widerschein eines fernen Wetterleuchtens bitteren, scharfen Klugseins aus dem ältesten Erbteil, das diese Natur mit so vielem anderen vereinigte.

An jenem Abend gingen wir zusammen nach Hause; es war die erste helle Nacht jenes furchtbaren Winters; Schnee war gefallen und zierte Barockhäuser, Brunnen und phantastische Pestsäulen. «Gehen wir noch bis zum Heiligenkreuzerhof», sagte Hofmannsthal, «das ist wie Mozart aus Gitterwerk und Stein». Als wir auf den stillen Hof kamen, schwebten zwar noch die beschwingten Putten musizierend auf den Säulen des Toreingangs, aber die beiden schmiedeisernen Torflügel fehlten. Ein zerlumpter Heimkehrer, der da herumstrich, um irgendwelche Abfälle zu sammeln, näherte sich uns, und indem er uns anbettelte, berichtete er, die Tore seien von einem Amerikaner gekauft worden.

Hofmannsthal wohnte in Rodaun, in Wien hatte er eine schöne Dachwohnung, zwei Zimmer als Absteigequartier in der Stallburggasse; über die Dächer sah man auf den Stefansturm. Wenn man spät in der Nacht, besser in den frühen Morgenstunden, auf der kleinen Dachterrasse stand, hörte man regelmäßig das Klappern von Holzschuhen auf dem Pflaster – ein später Trinker, der aus der letzten Wirtschaft nach Hause ging. «Jetzt werden gleich die Hähne krähen», sagte mir Hofmannsthal, als wir einmal lange im Gespräch verweilt hatten, «das ist der Peter Altenberg, der nach Hause geht.»

Es ist sehr schwer, wenn man auf das abgeschlossene Dasein eines Menschen zurückschaut, den ersten Eindruck wieder wachzurufen, der einer solchen Beziehung vorausging. Der Volksmund sagt, der erste Eindruck sei der richtige. Ich habe dies nur im Sinne der Wichtigkeit, des Grades gewissermaßen, bestätigt gefunden, den eine neu herantretende Persönlichkeit hat oder für einen zu bedeuten imstande ist; über die Zuträglichkeit, den zukünftigen Glücksgehalt einer Begegnung hat mir dieses Gefühl nie etwas ausgesagt – wenn man auf diese ausginge, würde man ja auch ein armes Leben führen.

Die Begegnung mit Hofmannsthal hat mich als jungen Menschen vorerst beschwert. Nicht daß man die ihm eigene, in Augenblicken so erstaunliche Güte und verhaltene zarte Kraft des Herzens verkannt hätte; aber es war anderes vorhanden, das mächtig von ihm ausging – vor einigen Wochen sagte mir in Genf Paul Claudel: «Il pesait une terrible fatalité sur lui», und das ist wahr. Wahr in einem antiken Sinn. Er stand mitten in einem gewaltigen Schicksalsvorgang, in dessen Brennpunkt gewissermaßen, und etwas Fahles, ja Unheimliches konnte ihn in Augenblicken umlagern, weil er vielleicht einer der wenigen Menschen war, die innerhalb der Generation mit dem Wesentlichsten, das damals zu versinken begann, eins waren, und weil er das Herankommen neuer, zerstörender Wellen beständig spürte, als rollten sie seinen eigenen Weiten und seinen eigenen Abgründen zu. Er war Einer und Viele zugleich; in Momenten konnte sich sein Gesicht mit dem schönsten sinnenden Blick plötzlich wandeln, ein anderes werden, als gehe etwas durch ihn hindurch, nehme Besitz von ihm. Sein Erkennen umspannte beständig, als einen Teil seines eigenen lebendigen Wesens, eine Anzahl von Welten in ihrer höchsten Essenz, Welten, die, niemand außer ihm mehr zugänglich, einmal ihre Sinnbilder im Licht entfaltet hatten und nun schon zum anderen Reiche gehörten, das ihn beständig anrührte und in das er manchmal auf einen Atemzug unterzutauchen schien, um dann verstört und wie ein Geschlagener aufzutauchen, oder aber von einer Kraft und Würde umgeben, die man nie vergißt, wenn man einmal von ihr berührt wurde.

Hofmannsthal war ein selten ausgeprägter Sinn für geistigen Besitz gegeben, und eine stete Angst, ja ein Schrecken vor dem Untergang dieses Besitzes war in ihm. Gerade aus dieser fast metaphysischen Sorge heraus wußte er, was bevorstand, und beständig erlebte er herzzerreißende Trennungen. Er lebte ebenso gegenwärtig im Gestern wie im Morgen. Ihm war keine der Illusionen gegeben, mit denen die meisten sich über das Heute hinwegtrösten, bis es als Schicksal hereinbricht; er sah es scharf, so unbestechlich, so illusionslos, daß er alles Absterben des in der Kultur verwirklichten Lebens als an

9   129

seinem eigenen Fleische empfand. Ganz anders als jene, die meisten, die zu
ihrem Heile das Nahen der Katastrophen nicht spüren und die, wenn sie eintreten, sich erstaunlich rasch und leicht an das irgendwie geartete Neue ge-
wöhnen, da ja nach allen Zusammenbrüchen, wenn man sie überlebt, immer
noch irgend etwas da ist. Das menschliche Gedächtnis – und hier handelt es
sich um lebendiges und nicht um totes Wissen –, das menschliche Gedächtnis
ist, zum Schutze vor Leiden, ungeheuer kurz. Sein Gedächtnis war ganz in-
kommensurabel; es reichte in solche Tiefe, daß er als Korrelat, ja als Funktion
dieses Gedächtnisses dasjenige brauchte, was man mit Vorahnung bezeichnen mag. Im Sommer 1913 war er in Paris, um mit Diaghilew zu arbeiten. Er
fühlte sich ungeheuer beschwert – plötzlich fuhr er weg, nach Wien, wie ein
Ertrinkender hatte er gefühlt, was seinem Vaterland, was dem Kontinent bevorstand, und hatte es auch ausgesprochen.

Hofmannsthal besaß in den späteren Jahren seines kurzen Lebens die Fähigkeit, vergangene Epochen nicht von außen, sondern aus ihrer Empfin-
dungswelt, ihrem Ethos, von innen zu erleben. Er las Shakespeare oder Racine
mit der Empfänglichkeit eines Zeitgenossen, dem alle später Gekommenen
ernst gebend und nehmend zugleich in die Augen schauen. Das hat nichts mit
dem armseligen Worte «anempfinden» zu tun; nein, hier vollzog sich ein
mächtiger männlicher Vorgang, der mit Hofmannsthals eigentümlicher Beziehung zum Zeitbegriff zusammenhing. Er hatte in der Tat zum Zeitablauf,
als einer menschlichen Vorstellungsgabe, eine völlig andere Beziehung als
die übliche, und dies nicht im Sinne der Spekulation, sondern des Darüber-
stehens, des an tödliche Gefahr streifenden Freiwerdens von dieser großen
Sicherung unseres Vorstellungsraumes, in den wir eingebettet sind. Sein
Wissen und Erkennen war im platonischen Sinne ein Sich-Erinnern.

Dies, um das Unheimliche anzudeuten, das mich zuerst an jenem Abend
berührte. Ich zögerte tatsächlich drei Wochen lang, seiner Einladung Folge
zu leisten. Erst dann fuhr ich an einem Sonntag nach Rodaun hinaus.

*

Rodaun ist ein hübsches, altertümliches Dorf im Südwesten Wiens, zwischen
Kalksburg mit seinem berühmten Stift und Mödling gelegen. Hofmannsthal
hatte dort im Beginn seiner Ehe ein Haus gemietet, das an der Dorfstraße lag,
bescheiden und herrschaftlich zugleich. Man betrat es durch einen Torein-
gang, über einen stillen Hof, von welchem eine Steintreppe in einen steil ansteigenden, verwilderten Garten führte. Das Haus stammte aus der ersten
Hälfte des 18. Jahrhunderts – es soll von einem Erzherzog für seine Geliebte
gebaut worden sein. Man betrat in diesem mariatheresianischen Pavillon ein
intaktes, ein stark italienisches 18. Jahrhundert: die Steintreppe mit dem edlen
Geländer; das Licht, das grün von dem bewegten Blätterwerk durch die

Fenster der rückwärtigen Fassade fiel; die Doppeltür, durch die man den kleinen Saal betrat, einen Raum mit ausgetretenen Tannendielen, alles in getöntem Weiß und blassem, rötlich durchscheinendem Gold, Marmorkonsolen, deren Perlmutterfarbe Stifter geliebt hätte, leicht erblindete Spiegel, die Wände mit Fresken geschmückt, tiefen, lieblichen, zarten Landschaften. Durch diesen Saal betrat man das Arbeitszimmer: Bücher an den Wänden, ein Schreibtisch, an dem er arbeitete, ein schmaler Diwan an dessen Rückseite – der Diwan, auf dem er sterben sollte –, zwei tiefe Lehnsessel, in denen man sich zu den langen Gesprächen, den abendlichen Lektüren niederließ. Hofmannsthal liebte Blumen: Hyazinthen und Tulpen waren besonders schön in diesen Räumen.

Zu den untergeordneten Legenden, die er wie jeder Mann von Namen besaß, gehörte es, daß man ihn einen Ästheten nannte. Er hatte nichts von einem solchen, er war ganz einfach ein Mensch mit einem großen und sichtbaren Schönheitssinn; das Maß dieses Sinnes entstammte der ungebrochenen höfischen und urbanen Weltkultur Wiens, die nie etwas anderes war als eine erstaunlich schlichte Verfeinerung naturhaft gewordener, ländlicher, ja bisweilen bäurischer Schönheit.

Sein Schönheitssinn war völlig genuin und wurde bei seinem Fortschreiten im Leben immer kindhaft einfacher, etwas von der Empfindung Haydnscher Musik war darin, der Sinn für reine, durch kein Wollen getrübte Verhältnisse, die ein frommes und heiteres Gleichgewicht zum Ausdruck bringen. Er hat auch vom Trost der schönen Dinge gesprochen, von dem zauberischen Zeichen der Schönheit – ja für ihn war die Schönheit eine Erscheinungsform der Wahrheit. An die Spitze seiner so aufschlußreichen Aufzeichnungen «Ad me ipsum» hat er ein Zitat eines Kirchenvaters aus dem 4. Jahrhundert, Gregors von Nyssa, eines Neuplatonikers, gesetzt: «Er, der Liebhaber der höchsten Schönheit, hielt, was er schon gesehen hatte, nur für ein Abbild dessen, was er noch nicht gesehen hatte, und begehrte dieses selbst, das Vorbild, zu genießen.» Ganz leise gegenwärtig aber war immer die Ahnung, daß er auf diese Offenbarung nicht nur hinschreite, sondern aus ihr herstamme. Auch das gehörte bei ihm zu diesem Nicht-völlig-da-Sein, zu dem Hauch aus dem Zwischenreich, der von ihm ausging, dieser schattenhaften Nähe, in der sich ohne Schrecken stets dasjenige verbirgt, das wir den Tod nennen.

Es ergab sich, daß ich gleich zu Anfang unserer Begegnung, nach Maßgabe meiner Jugend und Unreife, in manches Geheimnis dieses Menschen und seines durch Farbe, Glanz, Wohlklang, scheinbare Leichtigkeit so verhüllten Werkes Einblick erhielt.

Im Laufe unserer Beziehung hat mir Hofmannsthal etwas mehr als hundert Briefe geschrieben, den letzten einen Tag vor seinem Tode.

Die erste Mitteilung, die er an mich richtet, bezieht sich auf den Verkauf eines Kunstwerkes, das er einst vom Künstler selbst, von Auguste Rodin, erhalten hatte; bezieht sich auf die schöne Bronzegruppe, die die nachdenkliche Bezeichnung trägt «Fugit Amor» und die in einer der schönsten Privatsammlungen des Kontinents einen würdigen Platz gefunden hat. Damals ermöglichte dieser Verkauf dem Dichter eine kurze Reise durch Italien nach der Schweiz.

Er schrieb damals: «Die Photographie des Rodin ist unglücklich ausgefallen und geeignet, die Käufer abzuschrecken. Und mir liegt so unsäglich viel daran. Es ist gar nicht Geld, sondern Freiheit. Seit sechs Jahren liege ich hier wie ein Hund an der Kette, zuerst in grausiger Angst (nicht um meine Person), dann in dumpfem Stupor, Hangen und Bangen, Verzweiflung, Resignation, Grausen, Ekel, Abscheu – in einer langsam zusammenstürzenden, dann verwesenden Welt. – Und jetzt für unabsehbare Zeit eingekerkert sein! Nicht mehr sich auf den Sommer freuen können! Sie ahnen nicht, was es mir bedeuten würde, einmal vier Wochen mit meiner Frau, die so erholungsbedürftig ist, in einer hohen Luft, in einem reinen Hotel zu sitzen. Alles ist so schmutzig um einen herum! Verzeihen Sie, daß ich das alles einmal *sage*. Mir kommt vor, daß Sie es doch kaum wissen.»

All das war Vordergrund.

Hintergrund war die vollkommene Veränderung und Umstellung eines produktiven Menschen, eine Art von Tiefseebeben in dieser Natur, die alles aufs Spiel setzte, was er früher war und bildete; es schaffte die Voraussetzung für eine andere, die späte Produktion, die in dem Trauerspiel «Der Turm» gipfelte, dem Stück, das sich als allzu schwer erwies und über dem, als es äußerlich scheinbar abgeschlossen vorlag, Hofmannsthal starb. Er nahm alles tapfer auf sich, er wurde schließlich völlig frei von seinen persönlichen Ursprüngen, bedürfnislos gegenüber den Elementen, die die Nahrung seines Wesens bedeuteten – er entwöhnte sich, aber er entwöhnte sich schwer. Man hört es deutlich aus dem Ton eines seiner frühen Briefe an mich: «Einmal, an einem sehr heißen Abend, ging ich durch Kalksburg: vor einem Gasthaus im Freien spielte ein halbzerlumpter Bursch einen Walzer, wie man lange nicht mehr spielen wird, ein paar Schritte weiter in einem armseligen Häusl spielten zwei Menschen wunderschön eine Beethovensonate, und noch ein Stück weiter sang eine junge Frauenstimme zart und gefühlvoll, so völlig musikalisch; es war im letzten Kriegssommer, und das war einmal noch mein altes Österreich.»

Das war bei Hofmannsthal wirkliche, tiefe Heimatliebe; er brauchte sie, er zog seine Farbe, seinen Ton, seine Rhythmen aus ihr. Aber – und das ist einer der wesentlichen Vorgänge seiner letzten zehn Lebensjahre nach dem Krieg – er hat auch das überwunden. Und doch, vielleicht hat gerade die Härte dieses Opfers in ihm den Wunsch, nein: mehr, einen tiefinnern, entscheidenden,

132

zwingenden Willen nach Dauer noch verstärkt; den Willen nach etwas Festem, Unbedingtem, wie es die Ehe ist oder der Zwang der Überlieferung, die im rätselhaften Verhältnis von Vater zu Sohn liegt, wobei ihm immer der Gedanke des Laotse nahe war, daß der Sohn im Sinne der Weltzeit, des Wachstums der Menschheit, älter ist als der Vater und deshalb der Versuchung, sich verpflichtender Vergangenheit zu entziehen, noch um einen Schritt näher. Vor dem Vergessen des Geheimnisses graute ihm: Ehe – Zuflucht des Geheimnisses, Sohnschaft – leise ins Ohr geraunte Überlieferung. Das Geheimnis – das Wort kommt überall in seinen Schriften vor; welches Geheimnis? Jenes, das in dem Gedicht «Der tiefe Brunnen weiß es wohl» gemeint ist und von dem es heißt: «So tritt des Bettlers Fuß den Kies, der eines Edelsteins Verlies.» Geheimnis, Arkanum, Zauberformel für etwas Unaussprechliches, Formel für die Rettung des Erinnerns, des weisen Wissens; wobei aber nicht etwa eine formale Kultur, nicht eine autonome Kultur des Bildungsprozesses gemeint ist, sondern eine durch die Religion mit den Himmelskräften verbundene, geweihte Einsicht als edler Zustand der Sitte und der bewußten Werte, ja als ein Abglanz der Gnade – wo doch niemand besser als Hofmannsthal wußte, daß der Umkreis metaphysischer Entscheidungen voller Schrecken ist. Seiner Natur gemäß hoffte er jedoch, daß dort, wo in Liebe des Göttlichen und frommer Hingabe der Kreatur entschieden wird, immer Schönheit entsteht, Schönheit der wahren Frömmigkeit, zu der es den Mut der wahren Bereitschaft braucht, die höchste Form des Mutes überhaupt: Demut.

Zu dieser seiner Demut gehört der ganze Dienst, in dem er stand. In strengstem sittlichem Anspruch gehörte seine ganze Kraft und seine Zeit einzig dem Kampf für den Geist und gegen den Ungeist.

In einem der frühen Briefe, die ich noch in Wien erhielt, schrieb er aus Aussee: «Alles was Menschen ohne Herz schreiben, sei es noch so wahr und deutlich beobachtet, entbehrt der Tiefe; die Tiefendimension kommt aus dem Herzen. Es herrscht eine allgemeine Not, der man das im Gemüt gereinigte Wirkliche entgegenstellen muß. Ich denke daran, wie ich mit achtzehn Jahren war, als nachts in einem Stadtcafé... plötzlich ein unheimlich und gebieterisch aussehender, vielleicht noch sehr junger, vielleicht viel älterer Mensch auf mich zutrat, es war Stefan George, er sagte er suche mich und er sei nur deswegen nach Wien gekommen. Das Leben wurde mir durch die Begegnung nicht weniger unheimlich, vielleicht sogar mehr – aber ich fühlte mich selbst in mir wie etwas Kraft und Liebe Gebendes.»

Dieses Kraft und Liebe Gebende strömte immer aus ihm, eigentlich unablässig. Die unmittelbare, von der Person ausgehende Wirkung stellte jedoch sich bei ihm nur in nahen Verhältnissen ein, nur in bezug auf bestimmte Menschen; zu den meisten hatte er keinen Zugang, weil dasjenige, was von ihnen auf ihn zurückwirkte, in solcher Deutlichkeit von ihm wahrgenommen wurde, daß es ihn beinah erschlug: «Was das für ein Unsinn ist», schrieb er, «in meinem Alter von den Menschen so beschwert zu werden, daß ich dann zu meinen erträumten Figuren zurückkehre wie aus der Hölle in den Himmel».

Das feindliche, zerstörende Böse spürte er mit Hellsicht, es wirkte beständig auf ihn, oft stand er da wie Sebastian, von den Pfeilen durchbohrt.

Ja, das lag an dem Zuviel an Liebe, nicht an dem Zuwenig – er versuchte ständig alle mit seiner Zuneigung, seinem Mitleiden zu umfassen; im einzelnen aber trat ihm gar leicht Furchtbares entgegen, Züge des Wesens und des Schicksals, die dem Betreffenden selbst und der Umgebung völlig unbewußt blieben. So ist denn völlig wahr, was Hofmannsthal mir im Sommer 1921 schrieb: «Meine höchsten Glücksmomente? immer in völliger Einsamkeit, ohne Bezug auf eine Frau oder einen einzelnen Menschen, aber allen zugleich nah wie im Mittelpunkt einer Kugel.»

Allen zugleich nah – das war es, was ihn in früheren Jahren durch ein ihm eigentümliches Kommunizieren durch alles sinnlich Wahrnehmbare hindurch recht eigentlich übermächtig anfiel aus irgend einer vom Morgenlicht beleuchteten Mauer, einem Werkzeug, das in der Furche lag und das plötzlich unter seinen Augen leitend wurde, ihm in tiefen, mächtigen Strömen etwas vermittelte, das an alle bewegenden und umfassenden Mächte der Welt angeschlossen war – die milden und gewaltigen Mächte; denn in der Milde, wie im innersten Kern der Frucht, fühlte er die höchste Gewalt des Lebens. Aus fließendem Wasser wirkte es vor allem auf ihn, gerne erzählte er, wie in einem Gebirgsort, als er frühmorgens im kleinen mit Zirbenholz getäfelten Zimmer Wasser ins Becken goß, plötzlich in diesem Fließen des raschen, harten, klaren Gusses das ganze Werk, dem er nachspürte, fertig, gefügt und getönt vor ihm stand.

Später ging das Verbundensein über andere, stärkere Widerstände, die nicht mehr im Sichtbaren lagen. Seine mysteriösen Beziehungen zur Welt wurden zur Mystik, zu einem Vorgang des wahren Verbundenseins, über den zu sprechen ich mich nicht berufen fühle.

Eines ist gewiß: zu diesem Ziel ist er den schwersten Weg gegangen, den es gibt, den Weg über die höchste Vielfalt – wo doch der nächste Weg über die Einfalt führt, die der Reinheit am nächsten ist; Reinheit bei seiner völligen Ubiquität zu bewahren setzte seelische Temperaturen voraus, die selten sind, eine Flamme sondergleichen, bisweilen auch eisige Kälte im Ablehnenkönnen. Gerne zitierte er das arabische Sprichwort: «Nur die Kälte bändigt den Kot.»

Das war das Beschwerende an seinem Umgang für Menschen, die anderes zu ihm führte als Bildungsneugier: beständig stellte er einen Anspruch von solcher Stärke, immer begleitet von seinem düsteren Vorausahnen, diesem

Zerstören alles leichthin Tröstlichen, daß es seiner eigenen Kraft bedurfte, um solche Spannung zu ertragen; für andere konnte es beschwerend werden – er wußte es –, deshalb auch waren seine Äußerungen, seine Ratschläge, seine Zusprüche beständig so leichter, so erheiternder Art, so voller Rücksicht auf die Altersstufe, die Tragfähigkeit, so sehr – wie er sagte – Kraft und Liebe gebend, daß man oft nicht begriff, woher denn das andere, das im Tun Hemmende, das oft Verdüsternde kam, das bei all der beständigen Rücksichtnahme doch von ihm ausging, weil man ihn mit der Last der Welt und ihrer Gefahr stets im Kampfe wußte und spürte, daß er oft das, was ihm zu tun blieb – und wie umdrängten ihn die Aufgaben – mit den letzten Kräften tat. In ihm ging plastische Erkenntnis, gingen die Gestalten, die er zu schaffen hatte, beständig um; oft blieb ihm kaum genug Blut, um die herandrängenden Geister und Lemuren zu tränken, er wurde von ihnen aufgezehrt, er sah sie durchaus als etwas von außen an ihn Herantretendes, sie gewannen Macht über ihn, er rang mit ihnen wie Jakob mit dem Engel, er liebte, haßte, fürchtete sie, war entzückt von ihnen; sie brachten ihm Botschaften – wahre, tiefe, trügerische; er schied, verwarf, erhörte, bewahrte; ich denke, nur den kleinsten Teil derer, die ihn beständig besuchten, hat er im Werke festgehalten; ihre Spuren nur ließen sie zurück, in anderen Gestalten, im Licht, das diese Gestalten umfließt. Zuletzt stand er milde richtend, gewährend, erhöhend und verwerfend, wahrhaft in einem Reiche als der Herr über das Ganze, königlich geboren und den Königen verpflichtet, die seine geistigen Ahnen waren.

Hofmannsthal war in seiner Leistung erstaunlich frei von seiner eigenen Person, und wenn er auch – wie ein jeder, der sich schöpferisch an die Umwelt wendet – Wirkung begehrte und Wirkungslosigkeit hart empfand, so war er doch selbst völlig außerhalb des Spiels, er freute sich ganz einfach, all das, was er für wert hielt lebendig zu werden, in den Bereich der Sympathie eintreten zu sehen. Um die Sympathie als Bejahung und Aufgeschlossenheit ging es ihm in seinem Wirken stets, haßlösend war sein ganzes Bestreben und sein Herantreten an geistige Aufgaben, die ihm schwer oder ausgesprochen entgegen waren; wenn er auch die unmittelbare Chokwirkung des Bösen von Mensch zu Mensch nicht unvorbereitet aushielt, so war er doch imstande, die bösen Mächte souverän in sein Werk aufzunehmen und sie dort zu erlösen, indem er sie an den Punkt und in den Augenblick des seinem Blicke sichtbaren Ablaufs hineinstellte, wo sie für einmal Recht hatten, das heißt wo auch ihnen Gerechtigkeit widerfahren mußte. Derart ging unablässig sein großes und ernstes Bestreben auf die klar vor ihm stehende Aufgabe hin, mit Gerechtigkeit innerhalb des deutschen Sprachraums als ein Statthalter zu wirken; dieser Sprachraum war für ihn – wie er es in der Münchner Rede feststellen sollte – der geistige Raum der Nation schlechthin, in jedem hohen, vor allem aber im sittlichen Sinne; die Sprache erschien ihm als das unbestechliche Zeugnis und zugleich als das Erbe, die ewige Aufgabe, an welcher immer weiter zu bauen ist. Nur um seiner Tiefe und seines Ernstes willen durfte er bisweilen als ein Spielender erscheinen.

*

Als die Revolution von München und Budapest heranrückte, fragte mich Hofmannsthal einmal, in seinem Zimmer auf und ab gehend: «Kennen Sie das Wort von Novalis: ‚Nach verlorenen Kriegen muß man Lustspiele schreiben'? Das Lustspiel als die schwierigste aller literarischen Kunstformen, die alles in jener völligen Gleichgewichtslage aussprechen kann, das Schwerste, das Unheimlichste, in jener Gleichgewichtslage höchster versammelter Kraft, die immer den Eindruck spielender Leichtigkeit erweckt.»

Wenn ich an den Tageslauf des Dichters denke, so scheint mir, daß das Lustspiel in ihm eine eigene Stunde hatte. In diesem Tag war nie eine Stunde verloren, und er lebte so regelmäßig wie nach einer Klosterregel. Jahraus, jahrein nahm Hofmannsthal die Mahlzeiten mit seiner Familie ein, immer, wie auch das Vorzeichen der Zeit war, die man durchlief, in einer heiteren, phantasievollen Atmosphäre, die das Tägliche, das Philiströse, das jede Gewohnheit in sich hat, zu einer Art von humoristischem, immer improvisiertem, immer mit Laune bewegtem Zustand machte.

Sein Jahr verlief in Rodaun, außer in den Herbstmonaten, die er im Salzkammergut in einem kleinen Bauernhaus verbrachte; dort arbeitete er in einer dunklen, engen Schlafkammer an einem schmalen Tannentisch, die Bücher lagen auf dem Fußboden; wenn er vom Arbeiten aufstand, ordnete er alles sehr sorgfältig, wie überhaupt peinlicher Ordnungssinn ihm sein Tun beständig regelte. In Rodaun wie in Aussee schrieb er auch gerne außerhalb des Hauses; in Rodaun im Sommer ganz oben am Rand seines Gartens in einem luftigen Gartenhäuschen, in Aussee in einem Landhaus, das Freunden gehörte. Er war ein einsamer Mensch – in Wien hatte er wenig, immer weniger Verkehr; um so vollständiger aber war seine Hingabe selbst an Kinder, die als Gespielen der seinen sein Haus betraten. Alles, was sie äußerten und durch ihr Wesen zum Ausdruck brachten, wurde von ihm jederzeit in die Sphäre des Bedeutungsvollen erhoben und wie jede Erscheinungsform des Lebens bis auf den Grund bedacht. Deshalb ging er auch an niemand, den ihm das Leben nahebrachte, vorüber, ohne ihm gerecht zu werden, es sei denn, wie gesagt, er habe schroff abgelehnt, ablehnen müssen, dies aber erfolgte meistens schon im ersten Augenblick. Die anderen aber: Bauern aus Aussee, Muttergottesschnitzer, junge Diplomaten, Freundinnen seiner Tochter aus der Nachbarschaft, die ein Kunsthandwerk erlernten, alte Hofrätinnen mit einem seltsamen oder rührenden Lebenslauf, norddeutsche Pastoren oder Mönche aus Kärnten, deutsche Dichter und talentlose Maler, bisweilen auch äußerst talentierte, – wenn sie seinen Weg kreuzten, griff er sie bisweilen plötzlich auf, und es stellte sich eine Beziehung her, durch welche dieser oder jener Mensch, den anderen unscheinbar, von ihm gewählt, einen Umriß, eine plastische Gestalt erhielt, unvergeßlich wurde wie eine im Werke gestaltete Figur, die einen Schimmer von Unsterblichkeit erhält. Der Begriff eines Kreises war Hofmannsthal fremd, das, was er suchte, waren menschliche Werte, wie sie das Leben eben bietet, verborgen im Unscheinbaren, im Unvollkommenen, in der großen Begabung ebensosehr wie in einer gewissen Schrullenhaftigkeit oder leisen, heimlichen, schwer lesbaren Art.

Hier das Porträt eines Wiener Künstlers, den er immer hilfreich und freudig, angeregt, nicht nur gebend, nein, auch nehmend, durch Jahre, bis ans Ende seines Lebens, in seinem Lebenskreise festhielt. Der arme, närrische N. – «was soll man über ihn sagen», schrieb er, «Unsinn, Starrsinn, Charme, verborgene Begabung, Armut, alles in einem; das Individuum ist immer unaussprechlich.»

Oder von einem anderen, den damals niemand erkannte, der es aber inzwischen zu hohen Ehren gebracht hat, schreibt er: «X. ist ein unwahrscheinlich angenehmer Gesellschafter. Die bäurische, somit so vornehme Herkunft, die sorglosen Jugendjahre als armer Künstler und als hübscher junger Mensch, die Schrecken von fünf Isonzoschlachten, äußerster Mut, Ausdauer und physische Angst fast zur Zerrüttung, Musikalität, ein unendlich geübtes Auge, ein großes Wissen um Kunst, ein Etwas von Bohème und ein Etwas von Weisheit – das Ganze leicht und frisch wie ein Landwein aus der Wachau.»

Bei jeder Beurteilung ging es Hofmannsthal immer um etwas entscheidend Unverfälschtes; wie deutlich wird dies in einer seiner Tagebuchaufzeichnungen, in welcher er den viel mißbrauchten Begriff des Volkes, des Volksmäßigen, deutlich macht: «Der Begriff des Volkes ist schattenhafter geworden, weil sein rechter Gegensatz fehlt: von Großen, wie im 17. und 18. Jahrhundert, können wir nicht sprechen, und die Reichen sind ein erbärmlicher Gegensatz. Triffst du auf Menschen, unter welchen dir das Leben ein anderes Schwergewicht zu haben scheint, welche im Ertragen des Schweren das gewöhnliche Menschenlos sehen, die das Ärgste mit ruhiger Fassung hinnehmen, sich auch über den Tod keine übertriebenen Gedanken machen, bei denen das Wort näher beim Gefühl, der Gedanke näher bei der Handlung zu sitzen scheint, deren Urteil dich Punkt für Punkt über die Wirklichkeit belehren, deren Mangel an Dialektik dich überraschen, in deren Umkreis dir das Geschehen in der Welt minder verworren und selbst das Leiden sinnvoller erscheinen wird, in deren Gesellschaft dich vor dir selbst zu behaupten, dir mitzutun schwerer sein wird als ihre Zuneigung zu gewinnen, die dich durch ihre Leichtgläubigkeit lächeln machen und durch ihre ungelernte Vornehmheit beschämen werden, so wisse: du bist unterm Volk.»

137

Die gemachten, die literarisch bedingten Charaktere innerhalb der Nation waren Hofmannsthal zuwider, die falschen Herren wie die falschen Bauern, die falschen Frommen wie die falschen Sünder. Als die Sittenlosigkeit nach dem Kriege einsetzte, mit «Schicksalen», wie man tiefsinnig das Sichgehenlassen nannte, da sagte Hofmannsthal einmal gelangweilt: «Das alles ist ja nichts anderes als eine umgekehrte Spießbürgerei.»

Wenn er in den letzten Jahren mit soviel Ernst und tiefstem Anteil die Werke unseres Landsmannes Gotthelf las, so nicht deshalb, weil Gotthelf eine Bauernwelt, also eine bessere, nachahmenswertere Welt darstellt, sondern weil seine Welt, sein Urteil, sein Maß, sein Wollen und die Natur, in der er schafft, antike Ausmaße der Echtheit haben. Die Echtheit der aristokratischen Welt in Pindar erkannte er mit dem gleichen Blicke, wie er denn völlig vorurteilslos gegenüber den gewordenen Ständen war, jeden in seinem Wesen erkannte und wertete, mit einem bei deutschen Autoren einzigartigen Sinn für das Wesen des Sozialen, seine unmerklichen Übergänge und fruchtbaren Gegensätze. Ihm ging es darum, daß man bleibe, was man ist. Als er das Lustspiel «Der Schwierige» schrieb, hat er nicht eine Lebensatmosphäre vorgezogen oder gar in der Hauptfigur etwa – wie gesagt worden ist – sich selbst gesetzt und bespiegelt. Nein, in diesem Stück wollte er einer sozialen Schicht, dem imperialen spanisch-deutschen Hochadel Österreichs, auf dem Wege des Sichtbarmachens durch eine leichte Übertreibung, ein Denkmal im Augenblick seines Aufhörens und Versinkens setzen.

Hofmannsthal gehörte nicht zu dieser Gesellschaft, er war von ihr verschieden; er war ein vornehmer Wiener Bürger, ein schöpferischer Geist, der sich frei vom einen zum anderen bewegt, mit tiefem Respekt vor dem gewordenen Wirklichen; alles Soziale, sofern es wirklich und nicht nachgeahmt ist, hatte für ihn eine sinnbildliche Bedeutung. Im «Schwierigen» hat er – entgegen allzu leichter Kritik aus dem Umkreis beschränkten Bildungshochmutes – eine von der Bühne abtretende Gesellschaft noch einmal geschildert, in den Eigenschaften ihrer Vollendung, darin, daß sie alles, auch das Höchste, Seelenhafte, durch die Gebärde und nicht durch Dialektik ausdrückte, durch die Diskretion, eine Zurückhaltung, die fälschlich als Hochmut ausgelegt wird – wie dies im Stück der spiegelfechtende, wortgewandte, vielbewanderte nördliche Baron tut, vor welchem sich ein letztes Mal als ein Wirkliches eine unbewußt als Sitte wirkende Sicherheit und Echtheit der weder vom Gedanken noch vom Willen gestörten Selbstverständlichkeit, des völligen Gleichgewichtes alles Echten, abhebt. Im übrigen ist in diesem Stück – wie in jeder Hervorbringung des Dichters – die soziale Atmosphäre nur die Tonart, in welcher ein großer geistig-menschlicher Vorgang komponiert ist.

Der «Schwierige» ist in seinen bewegenden Motiven einer der reinsten Dichtungen dieses Österreichers sehr nah: der Oper «Ariadne auf Naxos», zu welcher Strauss die Musik schrieb und in der, durch eine antik-kultische, zum erstenmal vom Dichter in dieser Weise erreichte Zauber- und Götterwelt, die ewigen Sternbilder zwischen Liebe, Verwandlung, Tod und Mysterium der Vereinigung getrennter Wesen aufglänzen, dieselbe Reinheit in Augenblicken aufgeht und mit Versen, die als letzte noch in sublimen Klängen Goethescher Lyrik verhallen, dasselbe gesagt wird, was das Lustspiel und Konversationsstück in beinahe nüchternen Andeutungen einer Abendgesellschaft zum Ausdruck bringt. In die Götter- und Heroenwelt der «Ariadne» aber ragt die ganze Spannung wahrhaft sozialer Tragik hinein, die die Figuren des «Schwierigen» zu tragen nicht stark genug wären, das Volkswesen – besonders wenn wir die Einleitung, die Tragödie des Komponisten mit hineinnehmen –, das volksmäßig Weise, Versöhnende, dem Leiden gegenüber Freie, bis zur Ironie Erfahrene der Zerbinetta, die es vermag – als einzige –, hinter ihrem Leichtsinn den Tiefsinn der leidensgequälten Kreatur dem durch unverhältnismäßigen Widersinn verletzten Komponisten als Arznei zu bieten, während ihre Arznei dann allerdings vor Ariadne, die im tragischen Schnittpunkt des Lebensrätsels steht, versagen muß.

Wenn man Hofmannsthal aber von der Unzahl von Notwendigkeiten sprach, die man in der blassen Formel «die soziale Frage» zusammenfaßt, so befiel ihn derselbe ablehnende Zweifel, von dem er einmal sagte: bei allem unpersönlich administrativ Gewordenen, einem Postbetrieb beispielsweise, fasse ihn immer ein leichtes Grausen, er betrete ungern ein Amt; ein König müsse das Königliche haben, ein Kaufmann das Kaufmännische, ein Richter das Richterliche, ein Beamter aber, was sei das, da beginne schon die Versandung, da wäre Humus und Vegetation schon weggeschwemmt, da fange schon die Schattenwelt an, die nicht mehr lebenswerte. Denn Königliches, Dichterisches, Tänzerisches, Heldenhaftes und Händlerisches habe es in der Welt immer gegeben, bevor es die naturwissenschaftliche Spezies Mensch gegeben habe, diese Abstraktion, welche ein Nichts sei, weniger als Nichts, wenn der Geist nicht von ihr Besitz ergreife, nicht in ihr wohne. Für diese Erkenntnis lebte er.

Seit dem ersten Tage, an dem ich ihn in Rodaun aufsuchte, stand Hofmannsthal inmitten der unablässigen Arbeit an seinen letzten Stoffen, den Lustspielen, unter welchen der «Schwierige» das erste war, der großen Dichtungen für Musik: «Die Frau ohne Schatten», «Die ägyptische Helena», «Arabella», und der Dramen und Schauspiele: «Das Salzburger Große Welttheater», «Herbstmondnacht», «Phokas», und daneben liefen die beständigen Hervorbringungen in Prosaform, Aufsätze und Reden; über allem aber stand als ein strengster, letzter, nie aussetzender Anspruch, die Arbeit an dem Trauerspiel «Der Turm»...

Die Sorge um den «Turm» war unablässig in Hofmannsthal, verließ ihn während der letzten zehn Lebensjahre nie. Eines Abends im August 1920 – er war damals allein in Rodaun, seine Familie war schon in Aussee –, wir hatten über letzte Akte gesprochen, über dieses Kriterium der Wirklichkeit des Dramas, in welcher sich seine Notwendigkeit enthüllt, der eigentliche schöpferische Sieg erfolgt, ein Weltgesetz glaubhaft und überzeugend wird: der Dichter sprach vom «Turm», von der Furchtbarkeit dieser Aufgabe, in welcher die Dämonie des Einbruchs chaotischer Kräfte in eine vom Geist nicht mehr getragene Ordnung deutlich gemacht werde, die Hauptfigur sich verwirklichen müsse, das Opfer, der gefangene, gemarterte Prinz, der den Kampf in sich selbst bis zum Sieg auskämpfte, völlig einsam mit den entscheidenden Kräften der Seele, die er durch überstandenes Leiden erworben habe. «Was aber dann», meinte Hofmannsthal, «der letzte Akt? Aus all dem Furchtbaren muß doch das Versöhnende, die Zukunft herausleuchten, nur dann hat das eigentlich Tragische seinen wahren Gehalt. So hat Hölderlin den Empedokles gesehen, bei Shakespeare ist die Nacht, das Grauen, das völlig Ausweglose oft zu tief. Goethe hat man mit Unrecht undramatisch genannt, gerade weil er unablässig nach den heilenden Kräften sucht, selbst im Furchtbarsten ist das Verhängnis bei ihm so bedeutungsvoll, nie losgerissen, immer als Funktion eines höheren Planes vorhanden; findet es im Menschlichen keine Lösung mehr, so liegt das Erlösende jenseits des Menschenlebens, immer im Bereich der die Welt über dem Abgrund des Nichts haltenden lebendigen Kräfte. Sehen Sie, im ‚Egmont', da sind die Gestalten auch schon verkörperte Mächte, in ein furchtbares und herrliches Spiel verstrickt, und aus ihrem Handeln und Erleiden ergibt sich letzten Endes immer das höhere Sittliche.» So nahm er einen Band Goethe und begann den letzten Akt des «Egmont» vorzulesen. Er las wundervoll, seine bloße Anwesenheit inmitten des dramatischen Vorganges brachte ein bedeutendes Licht, das alle Umrisse steigerte. Als ein Mensch, der mit unendlich vielem fertig geworden ist, las er mit dem Blick nicht von unten die Figuren hinan, sondern von oben, indem er das ganze Schicksal überblickte, in das sie von ihrem Dichter gebannt waren.

Aber diesmal ging ihm alles eigentümlich nahe; als er zum Monolog kam: «Alter Freund! immer getreuer Schlaf, fliehst du mich auch, wie die übrigen Freunde?», konnte er kaum weiterlesen – es ist das einzige Mal, daß ich ihn von einer schweren, die eigene Zeit, das eigene Los, die ganze menschliche Lage umfassenden Rührung fast übermannt sah; er war da plötzlich in ein Zwiegespräch mit dem Meister hineingekommen, das ihm allzu nahe ging – aber er las weiter –, nochmals rührte es ihn an, noch stärker, wie Brackenburg sagt: «Gott hat mich treu geschaffen und weich.» Dann aber, bei der Todesszene Klärchens, mußte er das Buch weglegen, an der Stelle: «Im Augenblick, da ich die dunkle Pforte eröffne, aus der kein Rückweg ist, könnt' ich dir sagen, wie sehr ich dich geliebt, wie sehr ich dich bejammert. Mein Bruder starb mir jung; dich wählt' ich, seine Stelle zu ersetzen» – und dann: «Laß mich dich Bruder nennen. Es ist ein Name, der viel Namen in sich faßt.» Ja, an dieser Stelle war es – ich möchte beileibe nicht, daß es rührselig klinge, es war alles andere, unvergeßlich wird es mir immer bleiben –, wie er leise dieses «Laß mich dich Bruder nennen» wiederholte, «Laß mich dich Bruder nennen. Es ist ein Name, der viel Namen in sich faßt.» «Gibt es etwas, was darüber geht?» fragte er, «das Letzte, was dem Menschen bleibt dem Mitmenschen gegenüber, das Lösende, das Versöhnende über alle Grenzen, wo das Geschlecht, der laute Tag, das Brennen der Leidenschaften, alles abfällt und nur das Hohe, Reine, Menschliche bleibt, wie Quellwasser mit diesem kühlen Glanz, der alles ankündigt, was zum Ewigen gehört. Ein mißbrauchtes Wort, ,Bruder', ,Brüderlichkeit', gerade in Goethes Zeit – und wie steht es da, als würde dieses herrliche Wort zum erstenmal geformt von diesen sterbenden Lippen einer Liebenden.» Dann faßte er sich wieder mit der ihm eigenen Festigkeit, dieser blanken Raschheit, und sprach viel Denkwürdiges über politische Verhältnisse und den großen, mäßigenden, tief verantwortlichen, immer auf Dauer gerichteten Sinn, den Goethe allem politischen Wesen entgegenbrachte.

Begegnungen waren seine Lektüren stets; dieser eigentümliche Mensch, der mit sechzehn Jahren schon alle Sphären der geistigen Überlieferung berührt hatte, ging als reifer Mann in der Welt des geistigen Besitzes mit einer einzigartigen Freiheit als völlig Gleichberechtigter um. Er kam immer von sehr weit her zurück – wenn Goethe noch von den dreitausend Jahren spricht, in denen man sich auskennen soll, so gehört es zu der eigenen Voraussetzung unserer Zeit, daß wir über die Grenze dieser drei Jahrtausende längst hinausgelangt sind und Schicht über Schicht weggeräumt haben, um in die unzähligen Totenreiche einzudringen, aus denen immer wieder tausendfältig der im menschlichen Zustand gebrochene Weltvorgang andere Lobpreisungen, andere Flüche und Verwünschungen, andere Weisheiten und andere Träume hinterließ, die in tausend Sprachen doch immer wieder zu einer gemeinsamen Quelle, dem unruhvollen, leidenden und hoffenden Herzen zurückführen.

«Ich habe mich stets bemüht», sagte er einmal, «immer tiefer in das Erinnern menschlicher Erfahrung zu tauchen; das was man gemeinhin Lernen nennt, ist es nicht, es muß Liebe, Leidenschaft, Schreck, Gefahr und Freude dabei sein.»

Die Gegenwart war für Hofmannsthal voll von armseligen Mißverständnissen, und gerade daß er selbst sie spielend aufzulösen vermochte, nicht aber in der Lage war, seine Hellsicht immer anderen mitzuteilen, ließ ihn am Ufer dieses Malstroms menschlichen Irrtums oft verzweifelt stehen.

Jedes Nationalwesen war ihm unmittelbar, aus sich selbst, ohne Bemühung zugänglich. Sein Verhältnis zur englischen Kultur war vielfältig und erfahren. In seiner Jugend – das hat er oft geäußert – ging ihm nichts über die englische Lyrik. Vielleicht war seine Beziehung zu Frankreich schwieriger. Der französischen Eigenart trat er auf dem Wege seiner eigenen lateinischen Wesenszüge entgegen. Das Italienische lag in seinem Blute, dazu brauchte es keine Vermittlung, er ging darin auf. Aber auch das Spanische gehörte zu ihm, es war so sehr sein Besitz wie es einst der Besitz Grillparzers gewesen war. Gewisse Blüten der spanischen Dichtung, vor allem in Lustspielen – aus Leidenschaft, Feuer und Grausamkeit hervorgewachsen –, betrachtete er als einmalig. Französisch sprach er beinah wie Deutsch. In späteren Jahren stand er vor allem vor der christlichen Leistung der Franzosen in Bewunderung als vor einem Gipfel abendländischer Möglichkeit. In Paris aber, wo alles, die Qualität, das menschliche Maß, die Strenge, die Ehrlichkeit des Denkens, bis in die tiefsten Gründe ihn anzog, wo das Gesellige, die ununterbrochene Kontinuität der geistigen Leistung, des geistigen Anspruchs und ihr Verwobensein mit dem Sozialen ihn beglückten – in Paris blieb doch immer für ihn ein Rest, der nicht aufging, er brauchte doch stets eine Vermittlung dahin.

Die direkte Wirkung war schwieriger: Im Frühjahr 1923 fuhren wir einmal zusammen von Basel in einem offenen kleinen Fiat-Wagen nach Lothringen. Anfang Juni, schönes, helles Wetter; durch die Vaubansche Festung Neu-Breisach ging es über Straßburg, das Rohansche Schloß zu Zabern, nach Nancy. Auf der Straße von Zabern nach Nancy erzählte Hofmannsthal in größter Munterkeit das ganze Märchen «Die Frau ohne Schatten» – genau so wie man Märchen erzählt. Die Straße führte diesem silberblauen, pastellfarbenen Himmelsrand Frankreichs entgegen; mit einem aber verschwand die milde abendliche Landschaft, der unabsehbare, von Büschen umsäumte Garten aus Wiesen und klaren Bächen versank, und wir fuhren in eine finstere kleine Industriestadt ein, die Häuserzeilen wie Geschwüre in Ruß und Feuchtigkeit, grelle Affichen in Fetzen hängend, Fusel und Rauch, dem französischen 19. Jahrhundert entstammend, das Ganze von bösen und bitteren Chansons umflattert. Immer wieder war es etwas von dem Frankreich des Le Nain, des Pastors Mêlier, des jakobinischen Terrors, des Monsieur Homais, das Hofmannsthal mit Grauen erfüllte. Oft sagte er aus dieser Stimmung heraus: «Unser Gespräch mit Franzosen bleibt doch immer das Bankett des Fuchses mit dem Storch – ewiges Mißverständnis.» Etwas Äußerliches des französischen Wesens, das unverhüllt rationale Diesseitige, dem er mit den Mitteln seines Verstandes spielend gewachsen war, berührten ihn wie ein heißer trocknender Wind und wirkte verdorrend auf das Genuine, das Vegetative seines Geistes. Daß er das andere, den unerreichbaren Herzenstakt, die moralische Zartheit und Festigkeit gerade des französischen Wesens als einen unverlierbaren Bestandteil seiner europäischen Welt voll erfaßte, ist klar.

Damals, in jenem rußigen Industrienest, wollte er die Reise abbrechen. Abends auf dem Stanislas-Platz zu Nancy, inmitten der Rhythmen verhaltener Architektur, angesichts der goldenen Gitter, durch die die Brunnen unter den rot blühenden Kastanien strömten, kehrte die Heiterkeit, die ihm sonst in die Natur gestelltes menschliches Kunstwerk vermittelte, nicht zurück; er blieb still, als habe er ein unheilbares Gebrechen erkannt. In sich gekehrt, abgewandt, sann er über etwas nach, das ihn nicht verließ.

Als wir am nächsten Morgen in dem Kreuzgang standen, in dem die lothringischen Herzöge beigesetzt sind, meinte er nachdenklich: «Es ist nicht das Wollen, nicht das Können, nicht die Berufung, die über das Werk entscheiden. Man kann in ein Klima, in eine Zeit geraten, die kein Gedeihen mehr zulassen. Es geht wie mit der Vegetation, der Fauna – ganze Reihen sterben aus. Das Wort, das gestern noch Zauberkraft hatte, fällt heute sinnlos zu Boden.»

Entmutigungen äußerten sich bei ihm nie in der Form sinnloser Anklagen, sondern immer durch die Erkenntnis. Er erkannte dann eben mit derselben Kraft, mit der er das Heitere und Erhebende des Lebens und seiner Werke zu erkennen vermochte, das wirkliche Wesen der Rückseite, die dem Schatten zugewandt ist. Auf solche Erkenntnis folgte immer neues Wollen, neuer Aufschwung.

Wir trafen uns einmal fast zufällig in Sizilien. Eines Tages fuhren wir nach dem Tempel von Segesta. Der Tempel lag damals noch einsam, es war hell und kühl, ein Sturm vom Meere fuhr durch die Säulenreihen, alles sauste und lag im Licht. «Bauen kann man nur für das Göttliche», sagte er. In solchen Augenblicken war er glücklich, gehoben. Dieser innere Zustand war die Voraussetzung seines Jugendwerkes gewesen, in diesen letzten Lebensjahren aber wurde er leicht abgelenkt durch das andere, auf das sein Blick immer wieder hingezogen wurde, das nicht mehr Sichtbare.

Einmal in Salzburg nach Sonnenuntergang waren wir auf einen Hügel in der Nähe der Stadt gestiegen. Rasch wurde es finster und kühl, nur der Lauf der Salzach spiegelte noch klar durch die Dämmerung. Hofmannsthal schaute über die Ebene und sagte: «Als ich in einem Jugendgedicht die Stelle schrieb

Der Flüsse Dunkelwerden
Begrenzt den Hirtentag –

Sie verstehen: Wasserläufe, das letzte, was erlischt nach Sonnenuntergang –, damals sagte man mir, das sei unverständlicher Zierat, dabei ist es eine der allereinfachsten Naturbeobachtungen, die jedem Jäger, jedem Bauer geläufig sind.» Dann aber, nach einer Weile, setzte er hinzu: «Ein schönes Ende, alles Licht des Tages sammelt sich dort, so müßte es mit unserem letzten Gedanken sein.» In seiner letzten Lebenszeit wurden solche Hinweise immer häufiger.

Hofmannsthal verbrachte drei Monate des kalten Winters 1929, vom Januar an, bei mir auf dem Schönenberg, in einem für den Sommer gebauten Landhause. Wir waren tief eingeschneit und saßen den ganzen Tag am Ofen. Damals schrieb er die Oper «Arabella» zu Ende. Allabendlich las er ein kurzes Stück daraus vor. Er sprach viel über die Oper als Kunstform, Verdi beschäftigte ihn in jenen Monaten sehr. Er hatte eine Anzahl von Platten aus den Opern des großen Italieners gekauft; als er die Arie «Credo in un dio crudel» anhörte, fiel dieses merkwürdig Steinerne, Maskenhafte auf sein Gesicht; er ließ die Platte nochmals laufen, lauschte mit gespanntester Aufmerksamkeit und sprach lange nicht. Er zog sich in sein Zimmer zurück und wollte dann keine Musik mehr hören.

Er war schon schwer krank und litt häufig unter plötzlichen Schwindelanfällen. Eigentlich arbeiten konnte er nur bei sehr hohem Barometerstand. «Ich halte mich an leichte Stoffe», sagte er. Aber leichte Stoffe gab es nicht für ihn. Ein Freund hatte ihm gesagt: «Schreiben Sie etwas zur Rekreation – ein dreiaktiges Konversationsstück. Nur drei Rollen: ein Eintänzer, früherer Offizier; seine Partnerin ein Mädchen aus gutem Hause; der Dritte ein reicher Fremder, ein Kriegsgewinner.» Es ist nun bekanntlich so, daß, wenn man einem produktiven Musiker eine kleine Folge von Noten, die vier, fünf Noten einer Melodie gibt, er über dieses Thema die Kuppel eines unsterblichen Kunstwerkes wölben kann. Und so war es bei Hofmannsthal, daß die Linie einer solchen Skizze von ihm ins Unendliche, der Tiefe zu, fortgeführt wurde. Diese drei Gestalten – ich glaube nicht, daß er darüber viel aufgezeichnet hat – waren ihm beständig gegenwärtig als eine Formel der Zeit, aller Zeiten der Auflösung, mit den Dämonien des Tanzes, des Mammons, der schuldigen Unschuld, der Leere. Merkwürdig war, wie er solche Anregungen, solche Worte nie beiseitelegen konnte. Ein Theaterdirektor hat ihm ein anderes Mal gesagt, aus dem Leben einer Stigmatisierten ließe sich ein eindrucksvoller Film machen. Hofmannsthal war mit den Zeichen und der Bildersprache der Mittelmeerländer, mit der Religiosität des Barock viel zu vertraut, als daß er in der Verfilmung eines solchen Stoffes ein Sakrileg gesehen hätte. Nun geschah in diesem Zusammenhang folgendes: In Aussee, im Herbst 1928, kam er einmal sehr still von einem einsamen Spaziergang zurück, und später sagte er zu mir: «Es hat sich etwas Schweres und Bedeutsames begeben. Ich ging und meditierte und sann über diese seltsame Aufforderung nach; plötzlich kam eine große Angst und Finsternis über mich und ich sah mit einem, physisch greifbar vor mir, quer über den Weg, eine Mauer, wo nie eine Mauer gewesen war. Eine Mauer, ein Terminus, das hieß Non licet, da hatte ich an etwas gerührt, das nicht der Kunst gehört.» Bis dahin war er vorgedrungen, bis zu dem Etwas, das nicht mehr sichtbar gemacht werden darf; sein Leben lang hatte er alles ins Licht, in die Form gehoben – hier war die Grenze. Hier

versiegte auch dieser Springquell, von dem Rilke einmal sagte: «Hofmannsthal, wenn der Vorhang sich hob und auf der Bühne waren zwei Büsche und
zwischen ihnen ein Springbrunnen, so war die Bewegung, der Glanz, der
Gesang des Wassers für ihn ein Ganzes, ein vollendetes Stück, das alle Weisheit der Welt enthielt.» Und nun die Mauer.

Diese Mauer gehört dorthin, wo auch jene hastige Abreise aus Paris im
Jahre 1913 sich abspielt, und hier möchte ich einen ähnlichen Vorgang anführen, dessen Zeuge ich war. Im Februar 1929 sprach Hofmannsthal plötzlich von seinem Wunsch, das Freiburger Münster zu sehen. Während Tagen
steigerte er sich in die Vorfreude hinein. An einem Vormittag fuhren wir im
Wagen hin. Aber schon von der Grenze an wurde er wortkarg. Wir gelangten
auf den Domplatz, ich hielt an, Hofmannsthal schaute auf den Handrücken,
blieb sitzen und sagte plötzlich mit großer Mühe: «Wir wollen lieber nicht
aussteigen, gleich weiterfahren. Ich kann es nicht sagen, ich spüre etwas, das
auf mich und meine Welt eindringt.» So fuhren wir denn wieder zurück, ohne
weiter davon zu sprechen...

Nie war die Fähigkeit des Dichters, in weiten Räumen seine Zugehörigkeit
zu behaupten, mir konkret so faßlich, so erkennbar, wie während eines sizilianischen Aufenthaltes.

Wir hatten uns, aus verschiedenen Richtungen kommend, für einige Tage
in Palermo getroffen. An einem schönen Abend, gegen sechs Uhr, hatten wir
einen offenen Pferdewagen genommen, um nach vielen heißen Gängen langsam durch den großen Stadtpark zu fahren. Hofmannsthal hatte die Abrede
mit dem Kutscher getroffen. Auf halbem Wege drehte dieser sich um, griff
nach alter Weise an seinen Hutrand und sagte: «Herr, sollten wir nicht diesem
jungen Ausländer den Kreuzgang von San Giovanni zeigen?» Er kam gar
nicht auf den Gedanken, daß auch der Angeredete ein Ausländer sein könnte.
Er selbst war ein Sizilianer von arabischer Abstammung reinsten Blutes, alles
war arabisch an ihm, die Art, wie er mit den schlanken, schmalgefesselten
Händen die Zügel hochhielt, der schlanke Körper, der trockene, edle Kopf.

Hofmannsthal aber meinte: «Die Gutsbesitzer Normannen, ihre Verwal-
ter Römer, die Kutscher Araber, die Advokaten und die Denker Griechen –
jetzt sollten wir in der Menge nach Karthagern, Phöniziern, nach Spaniern
und nach Franzosen fahnden. Weil er ein Araber ist, gefällt ihm der Kreuzgang von San Giovanni am besten; es ist schön, durch die Menge zu gehen
und die zu erkennen, denen man begegnet, zu wissen, was sie hergeführt hat
in diese wunderbare, immer noch lebendige Verbundenheit der antiken Welt,
die weiter wirkt Jahrhunderte nach dem Untergang des Römerreiches. Normannen in dieser Kraft des Beginns, von Mont Saint-Michel bis nach Mon-
reale, dann die einmalige, große Verwandlung des Deutschen in Friedrich II.,

der alles erfaßte, alles durchdrang, und doch allem diese einzigartige Dimension seines deutschen Ursprungs verlieh. Nur einmal noch, aber in ganz anderer Weise, durch einen rein geistigen Prozeß, ging dies vor sich: in Goethe. Aus dem unmittelbaren Erleben wußte er nur noch aus fernster Kindheitserinnerung, was ein Reich ist, aber ein schwach gewordenes Reich im Augenblick eines Abschiedes. In unserm alten Österreich dagegen haben Abend- und Morgenland sich noch gebend und nehmend durchdrungen. Wie vieles gehörte noch zu uns, Byzanz ebensogut wie Spanien. Zweitausend Jahre waren wir die Ostmark des Römerreiches, tausend Jahre die elastische Grenze der Christenheit. Auch das Römische, das Lateinische, brauchen wir nicht zu erobern, es ist ein Teil von uns.»

Zufällig, wenige Tage nach dem Vorfall, der zu diesem Gespräch den Anlaß geben sollte, nahm ich noch ein zweites Mal jenen Wagen mit dem arabischen Kutscher. Er fragte mich: «Begleiten Sie heute nicht den Herrn aus Venedig?» – «Venedig, Fusion der Antike und des Orients; Unmöglichkeit, von dort ins Kleine, Nichtige zurückzukehren!» hat Hofmannsthal einmal notiert. Wie oft ist er im Lauf seiner inneren Wanderung nach Venedig zurückgekehrt, er bewegte sich auch dort in einer Zeit, die nie völlig die Gegenwart, und an einem Ort, der nicht völlig das Hier war. Dabei war Venedig für ihn noch die Stadt der weißen Uniformen und zugleich alles andere, was sie jemals zuvor gewesen war, seit der fernen Flucht in die Lagunen.

«Alles zugleich gegenwärtig» – da steigt noch eine Erinnerung an jene sizilianischen Tage auf: Eines Morgens standen wir vor dem Eingang der palermitanischen Kapuzinergruft. «Ich gehe hinein», sagte Hofmannsthal, «dort liegen sie alle, schön erhaltene Mumien in ihren Uniformen und Fräkken». Ich weigerte mich mitzukommen; später, auf der Fahrt nach Segesta, zwischen den blühenden wilden Geranien, auf damals noch staubigen Wegen, fragte er: «Das ist Ihnen zuwider oder unheimlich, jene Gruft? Mich aber beruhigt es, diese vielen, jetzt so würdigen Männer, die ihr Leben hinter sich haben und in ihren Nischen liegen, geordnet in der trockenen Luft ihrer Heimat; einst haben sie sich gekannt, haben sie geredet und gestritten, nun sind sie ruhig, ihre eigene Epoche, die sie so ernst genommen haben, ist vorüber, jetzt schweigen sie. Nein, ich könnte dort Tage verbringen, meditieren oder auch Lustspiele schreiben; das Grauen, das wirklich Unheimliche ist anderswo, ist in uns selbst, die größte Wirklichkeit, die erhabenste und die gefährlichste, die der Himmel wie der Höllen, bauen sich aus einer Substanz auf, die in uns selber ist, das Nichts aber beginnt dort, wo wir diese unsere schöpferischen Vorstellungen wegwerfen.» – Und später einmal: «Erinnern Sie sich noch an die ‚Cappuccini', wissen Sie noch, wie Sie aus dem hellen Morgen nicht hinunter wollten in die Gruft? Ich denke bisweilen daran, es geht eine große Ruhe aus von diesen Totenversammlungen, nicht nur die Schicksale der Einzelnen sind dort zur Ruhe gekommen, das Drängen, Sichdurchdringen, Überwältigen und Zusammenbrechen ganzer Völkerschaften, die über diese Insel hereinbrachen, ist zum Stillstand gekommen; all diese ‚Nachkommen' und die lebende Bevölkerung machen an heißen Tagen ihren Sonntagsspaziergang dorthin, dabei ist das ganze Volksdasein der niedern Antike vorhanden, ohne Scheu, vertraulich und doch respektvoll.»

Federleichte Züge, vielleicht sind wir weniger daran gewöhnt, sie zu beachten, zu deuten, als Franzosen und Engländer oder auch Russen. – Einer sei noch aufgezeichnet: In Nancy streiften wir einmal zusammen durch einen Jahrmarkt, Hofmannsthal blieb lange vor einer Auslage stehen, in der die volkstümlichen Bilderbogen aus Epinal feilgeboten wurden. Die Verkäuferin lachte und sagte wie zu einem Spießgesellen: «Wir wissen, was das ist, die Ausländer verstehen nichts davon.» Das war in dem alten Lothringen, an dem Tage, an dem Hofmannsthal an den Gräbern seines Herrscherhauses gestanden hatte und jenen merkwürdigen Gedanken äußerte, den ich in anderm Zusammenhang erwähnte.

Sein, Schein, Wirkung: Überall, wo es mir gegeben war, ihn auf Spuren der alten Welt zu begleiten, zu den seltenen, noch unbeschädigten Teilen der Welt, wirkte von ihm auf die andern etwas Vertrautes, oft etwas unwidersprechlich Hoheitsvolles, Weites: kühner, ordnender Überblick. Wie gegenwärtig ist mir ein Portugiese, der mich fragte: «Wer war dieser Herr, mit dem Sie gestern in der Oper saßen? Er sah aus wie ein verbannter König aus unsern Ländern.»

In dem Prosastück «Die Wege und die Begegnungen», erkennt er selbst die Züge, unter denen er bisweilen den andern erschien. Früh schon heißt es im «Kleinen Welttheater»:

> *Ich trug den Stirnreif und Gewalt der Welt*
> *Und hatte hundert der erlauchten Namen,*
> *Nun ist ein Korb von Bast mein Eigentum,*
> *Ein Winzermesser und die Blumensamen.*

Aus Marrakesch, im Kontakt mit Vertretern einer sich treu gebliebenen Sitte, schrieb er mir: «Ein Berber mit starrender Mähne grüßte zu mir herauf und forderte plötzlich seine vielen Zuhörer auf, dem Fremdling zu applaudieren. Dies geschah in dieser uralten und kindlich frischen Welt.» Aber unter den neuen Bedingungen, jenseits von aller Frische, den allerödesten, den administrativen Voraussetzungen, versagte diese selbstverständliche Wirkung seines Wesens. So schrieb er auch eines Tages, es sei ihm nicht möglich gewesen, in einem Reisebüro eine Auskunft zu erhalten: «Klein und unansehnlich, eingekeilt zwischen so mächtigen, dicken, gebieterischen Schiebern, die es alle so eilig und wichtig hatten, bekam ich gar keine Antwort. Es ist kein Moment für Dichter jetzt.» Ich erwähnte diesen Ausspruch vor einem tüchtigen Mann aus der Wirtschaft, der in seiner Freizeit gerne Gedichte liest. Er rief aus: «Wäre ich nur da gewesen, das hätte Funken gegeben!»

Als ich Hofmannsthal später diese barsch aufmunternden Worte wiedergab, meinte er lachend: «Als man dem Frankenkönig Chlodwig I. im Laufe seiner Bekehrung die Passionsgeschichte erzählte, da hat er an sein Schwert gegriffen und hat drohend erklärt: ‚Ah, da hätt' ich mit meinen Sachsen dabei sein sollen!'»

Es ist nicht leicht, eine Vorstellung von der Behendigkeit und Liebenswürdigkeit zu geben, welche dem Humor des Dichters eigneten und als das Mittel erscheinen, durch welches er aus den Fernen zurückkehrte, von denen keine «ihn schwierig machte»; sein Humor holte ihn zurück zum Alltäglichen, das er immer wieder in einer vom glücklichen Einfall bewegten Heiterkeit zu versöhnen, zu entwirren, ja stets wieder zu lieben vermochte. Nichts war ihm dabei ferner als der kalte, kahle «Esprit»; versöhnlich, die jeweilige Situation entgiftend, war sein Einfall – auch auf dieser Seite seines Wesens lag das Licht seiner durchaus unfeierlichen, antiken Lebensweisheit.

Hierhin gehört auch sein Sinn für die Anekdote, den glücklichen Zug, welchen die Alte Welt besaß. Von Boccaccio über Joinville, das große englische Theater, Saint-Simons Memoiren, Dickens, Balzac, die Russen, ist alles ins Bedeutsame erhobener Vorfall; Dantes Werk ist erfüllt mit unnachahmlichen, blitzhaft Gestalt, Wesensart und Schicksalsführung erhellenden Zügen, welche die flüchtigste Begebenheit für immer festhalten. Aber der Famulus des Doktor Faust, der sich in so beängstigender Weise vermehrt hat, verachtet das Anekdotische. Unersättlich verlangt er nach Kommentar, nach Statistik und Begriff. Diese seine Sucht hat Hofmannsthal in seiner Münchner Rede «Das Schrifttum als geistiger Raum der Nation» wie eine Krankheit beschrieben; aber auch das andere, das oft so mächtige Abseitige, Ungesellige, Voraussetzungslose, das Unverbundene der bedeutenden Losgerissenen, ihre gewollte Ursprünglichkeit, ihren ewigen Neubeginn, ihre Herrschaftsansprüche, stellt er dar. Am Schluß jedoch jener bemerkenswerten Äußerung hat er einer Hoffnung Ausdruck verliehen. Er sprach, was vorerst befremdlich klingt und später zu Mißverständnissen Anlaß gab, von einer «konservativen Revolution». Die Mißverständnisse ereigneten sich auf der trivialsten aller Ebenen, auf welche der Dichter sich in keinem Augenblick seines Lebens jemals begeben hat.

Was er am Ende jener Rede heischte und erhoffte, war die Wandlung des zerfließenden, alles immer wieder preisgebenden und verschleudernden Zeitbewußtseins. Dieses Bewußtsein, meinte er, sollte reif werden, Vergangenes und Zukünftiges in einer verpflichtenden Form aneinander bindend. Das Stichwort von der konservativen Revolution bedeutete eine Absage an jenes unheilvolle Vergessen, das den Blick für jede Zukunft trübt, alles dem Augenblick überläßt; Festigung vor dem Allzuflüchtigen wünschte der Dichter herbei, Bindung, bis zum feinsten Gewebe innerhalb menschlicher Beziehung. Nun aber ging in unsern Tagen ein Riß durch dieses feine uralte Gespinst, eine Krisis des Menschlichen war ausgebrochen. Im Jahre 1924 schrieb mir der Dichter:

«Wir können kaum noch ahnen, wie tief diese Krise in alles Geistige eingegriffen, fast alles als Illusion enthüllt hat. Europas Situation ist wirklich grandios, wenn man es aushält, ihr ins Auge zu schauen.»

Er hat ihr ins Auge geschaut, er hat es ausgehalten, den Anbruch des Unmenschlichen zu erkennen, das Absterben der einst dem Menschen verliehenen Bindungen wahrzunehmen, der Verbindung des Menschen mit dem Göttlichen, der Bindung des Menschen an den Mitmenschen, des Liebenden an das Geliebte. Er hat vernommen, daß selbst «des Wunsches angespannte Sehne zerriß, sobald das Ziel getroffen war». Er hat das Haben gekannt, das kein Besitz mehr ist, «die fremde Fühlung» erlitten, welche uralt vertrautes Gefühl auslöscht, so daß es im «Bergwerk zu Falun» schon heißt:

Ich hatte dich, da warst du nicht mehr viel.

Bis zum Tode der Dichtung, aller Bilder, aller Symbole, aller Formen, hat er diese tödliche Auflösung der Werte in Illusion erkannt, bis zu dem Schweigen, wo auch das Wort, die Sprache zur Illusion werden; bis zu der Lage, in welcher die letzte Freude zur hämischen Freude am Mißlingen des Menschenwerkes wird. Auch er ist durch eine beziehungslose Welt der Schatten, eine lichtlose Unterwelt, hindurchgegangen:

«Meine schwerste Zeit, das Jahrzehnt nach meinem sechsundzwanzigsten Altersjahr», hat er mir einmal in Rodaun gesagt. Er ist von sehr weit zurückgekommen, aber er kam zurück, er weilte unter uns, gefeit mit einem hellen Wissen um die Gefahren, denen die andern unterliegen, oder vor denen sie hinter geschlossenen Lidern in nur vermeintliche, längst entwertete Sicherungen fliehen. Er hat überwunden.

WILHELM MÜLLER-HOFMANN

Dank an Hofmannsthal

Meine Beziehung zu Hofmannsthal reicht zurück bis zum Beginn des Jahres 1913 und erfuhr, mit Ausnahme längerer Pausen während des Weltkrieges, keine Unterbrechungen. Im Frühjahr 1919 übersiedelte ich nach Wien, wodurch unser Kontakt bis zu seinem Hinscheiden im Jahre 1929 von lückenloser Kontinuität war. Die Umstände, die zu dieser dauernden, mich ebenso nahe berührenden wie bereichernden Beziehung führten, übergehe ich, da sie das Nachstehende allzusehr mit Autobiographischem überlasten würden. Ebenso Schilderungen des Rodauner Hauses wie Beschreibung seiner Person, die sich in diesem Buch von der Hand berufenerer Darsteller finden. Dagegen will ich versuchen, sowohl mir wie den Lesern Rechenschaft zu geben über Wesenszüge des Dichters, wie sie mir als bedeutend aufgefallen sind.

Hofmannsthal war bei kompliziertester Anlage von großer Schlichtheit. Eine vollkommene Urbanität und Lockerheit war ihm zu eigen, die bei seinem Partner irgend ein Gefühl der Beengtheit oder des Befangenseins überhaupt nicht aufkommen ließ. In jedem, auch dem unbedeutendsten Gespräch trat immer wieder ein rein-genaues, aufmerksames Eingehen auf den Sprechenden zutage, Ausfluß einer wahrhaften inneren Höflichkeit, wie ihm denn auch die Höflichkeitsformen des Umganges keine leeren waren. Wo sie es zu werden drohten – das endlose Abschiednehmen beim Auseinandergehen zum Beispiel –, brach er kurz ab, was manchen befremdet hat. Nie gab es bei ihm eine leere Floskel. Seine Zustimmung zu einem Urteil pflegte er gern mit dem Wort: «Genau!» auszudrücken. Ich empfand das immer als ein besonderes Lob. – Zugleich war er von unendlicher Diskretion. Er erfaßte blitzhaft das halb-, ja das überhaupt noch nicht Ausgesprochene. Confidenzen liebte er nicht und wußte sie taktvoll zu unterbinden. Er erhielt das Gespräch immer auf der Ebene der Gegenständlichkeit und Sachtreue.

Er war einer der wißbegierigsten Menschen, die ich gekannt habe. Nicht etwa im Sinne von Neugier, die war ihm vollkommen fremd, auch nicht gerade im sokratischen, denn ihm wäre nichts peinlicher gewesen, als jemanden zu überführen, ja ich glaube sogar, daß er niemals Lust verspürt hätte, jemand zu überzeugen; sondern überall dort, wo er ein unmittelbares, gediegenes Verhältnis des Sprechenden zum Gegenstand verspürte, nahm er lebhaften Anteil. Dann konnte er vollkommen rezeptiv sein, und hier liegt, so scheint mir, die Wurzel seines reichen und abgründigen Wissens. Es schien fast unvorstellbar, was er alles kannte und wußte, wann und wie er Zeit gewonnen hatte, sich anzueignen und restlos zu assimilieren, was seine Bildung, dieses

Wort im eminentesten und allereigentlichsten Sinn genommen, ausmachte. Einmal übrigens spricht er aus, daß der Begriff vom Wort «Bild» herkomme, also etwas ganz anderes besage, als die herkömmliche Meinung. Er war kein Polyhistor, kein Vieleswisser, alles war in ihm zur schönsten Einheit gebunden, nichts drängte hervor, jedes Spezielle erschien in beiläufiger, knapper, wenn auch exaktester Andeutung und nie um seiner selbst willen, sondern nur soweit als nötig, um die tieferen Aspekte der behandelten Materie zugänglich und sichtbar zu machen. Nie war er trocken und gelehrt, und trotzdem er witzig sein konnte wie wenige, schätzte er Witz um des Witzes willen nicht und verbot sich wohl manchmal die gelegentliche Neigung.

Sein Humor war das Erquickendste, was man sich denken kann, gespeist aus einer tiefen inneren Güte und Hilfsbereitschaft für diejenigen, die er sich nahe kommen ließ. Wann immer ich mit Sorgen und Problemen anrückte – und wann wäre dies nicht gewesen –, wußte er mit der ihm eigenen unnachahmlichen Heiterkeit das Schwere leicht zu machen, das Dunkle zu zerstreuen und in seine Wesenlosigkeit aufzulösen. Er konnte spassen wie ein Kind, und es gab niemand, den er dann nicht angesteckt hätte. Seine Harmlosigkeit war dabei so vollkommen und so überzeugend, daß die trübste und dickste Atmosphäre, die man etwa mit hereingebracht hatte, sich in kristallene Reinheit verwandelte, und die Mauern seines Rodauner Hauses müssen noch heute damit imprägniert sein.

Er war völlig uneitel. Nie, auch im Toilettezimmer nicht, habe ich ihn einen Blick in den Spiegel werfen sehen. Es mochte dies mit seiner außerordentlichen, manchmal bis zur Medialität gehenden Sensibilität zusammenhängen, und ich nehme an, daß Spiegel ihm – das eigene Spiegelbild nämlich – unheimlich waren. Die Gepflegtheit der äußeren Erscheinung, die – niemals peinliche – Sorgfalt des Anzuges, waren Selbstverständlichkeiten, die seiner Kultur, keineswegs dem Wohlgefallen an der eigenen Person entsprangen.

Es fehlte ihm durchaus die Neigung, sich als Herrn und Kavalier zu geben, aber er war beides im reinen und eigentlichen Sinne des Wortes, und jedermann muß dies gefühlt haben. Im Umgang mit dem Gesinde, den Dienern befreundeter Häuser, der Landbevölkerung, war er von familiärer Schlichtheit, ohne jede Geste der Herablassung oder einer erkünstelten Angleichung. Sie waren ihm – nicht daß er das jemals ausgesprochen hätte, ja vielleicht drang es ihm nicht einmal deutlich ins Bewußtsein – Menschen, und das genügte ihm, denn die Würde und den Wert des Menschen schätzte er hoch, und bei dem einfachen fand er beides wohl reiner und unverfälschter als sonstwo. Seine Teilnahme und Aufmerksamkeit war hier um nichts geringer als in näherliegenden Fällen. Er war ganz einfach menschenliebend, absolut positiv und gebend. Gerade dies nun ist es, was zu einem tiefen Mißverständnis über ihn führte, das ich oft habe äußern hören: Seine Exclusivität, die man dann

weiter mißdeutete als die Exclusivität eines Ästheten und was derlei Schief-
heiten mehr sind. Diese Exclusivität war ja bitterste Notwendigkeit für seine
allem Menschlichen so weit offene Natur, um seiner schöpferischen Gabe den
unerläßlichen Spielraum zu geben, und seine Frau war es, die in nie ermü-
dender Wachsamkeit, verbunden mit dem reizendsten Takt, verstand, ihn für
das Wesentliche frei zu halten: eine Leistung – wohl nicht die erste dieser Art –
die, freilich wenig ergiebig für Literaturgeschichten, vielleicht doch ungleich
wichtiger ist als die der Lauren und Beatricen. Denn was drängte nicht alles
zu dem früh Berühmten, viel Verkannten und so oft Verlästerten, aber immer
noch und trotzdem Berühmten! Wer nur halbwegs einen Blick tun konnte in
die Geschäftigkeit des literarischen Betriebes, in den Snobbismus einer Gesellschaft, der allerorten und zu allen Zeiten der gleiche ist –

Kaum kam ich in die Welt hinein und fing an, aufzutauchen,
Hielt man mich schon für schlecht genug, mich zu mißbrauchen –

(*Goethe*)

wer, sage ich, das nur halbwegs kennt, dem wird die knappe Andeutung allein
genügen, um die Schwierigkeit einer Aufgabe zu ermessen, die den nicht weniger welt- als menschenliebenden Dichter für seine eigene, höhere frei zu erhalten hatte. Nicht daß er dies unter gegebenen Umständen nicht selbst hätte
besorgen können – aber mit welchem Einsatz! Nichts war ihm unangeneh-
mer, ja widerlicher als der Literat, während dem Gesellschaftssnob doch
immerhin noch mit Humor auszuweichen oder beizukommen war, als einer
halbwegs legitim gewordenen parasitären Begleiterscheinung der im Wesen
zu bejahenden Gesellschaft. Wenn er mit diesem – als Nebengeräusch – sich
abzufinden vermochte, so war er jenem gegenüber von schneidender Härte,
und die Rache blieb dann auch gewöhnlich nicht aus.

Ich erinnere mich eines zu großem Einfluß gelangten Journalisten, neben
den ich eines Tages in einem der gastfreundlichen Wiener Häuser placiert
wurde. Der von seiner Bedeutsamkeit hochgeschwellte angesehene Gast – jeder Zoll bevollmächtigter Minister der «fünften Großmacht» – kam auf
Hofmannsthal zu sprechen und gab vernichtende Urteile ab, z.B. über das
luxuriöse und schwelgerische Dasein des Vielgenannten, der nur mit einem
großen Smaragdring am Finger zu schreiben pflege. Da mir dieser Unsinn
denn doch zu bunt war, stellte ich ganz nüchtern fest, daß der Dichter, den ich
in seinem häuslichen Leben ganz gut kenne, von der größten Frugalität sei,
nicht nur wegen seiner zarten Konstitution, die jedes Heraustreten aus dem
Maß verbiete, sondern auch aus Gewohnheit und Neigung, und daß er bei
größeren Arbeiten und um völlige Ruhe zu haben, sich regelmäßig in ein
ständig gemietetes Zimmer unweit seiner Wohnung begebe, das nur mit dem
zum Arbeiten Allernötigsten dürftig genug ausgestattet sei. In eine Zelle so-

zusagen. Worauf der in allen Abgeschliffenheiten Versierte, keineswegs aus dem Konzept gebracht, replizierte: «Natürlich! Ästheten sind immer asketisch.»

Den Grund dieser nur allzu sichtbaren Aversion und Voreingenommenheit erfuhr ich einige Jahre später durch einen Freund, dessen Beziehung zu Hofmannsthal noch in die Loris-Zeit zurückreichte. Der damals nämlich noch längst nicht Arrivierte habe sich eine Zeitlang sehr hartnäckig an den bereits sehr umworbenen jungen Dichter herangemacht und einmal, auf den umgebenden Naturzauber weisend, also angehoben: «Ist das nicht wie Dante singt ...». Er kam aber nicht weiter, denn es klang schroff zurück: «Dante singt nicht!» Die Fortsetzung ist mir entfallen, aber die spätere Folge waren die regelmäßigen «Verrisse» des gröblich Enttäuschten bei jeder Premiere in den ihm zur Verfügung stehenden Blättern. Ich gebe diese Anekdote als eine für viele. Sie zeigt Hofmannsthals bis zum Schmerzhaften gehende Empfindlichkeit gegen alles Gemachte und jegliches Getue. Im Abschneiden solcher Dinge konnte er von einer so jähen Brüskheit sein, wie ich sie an niemand sonst kennengelernt habe.

Die Gespräche... «Erfinder rollenden gesangs und sprühend gewandter zwiegespräche» – so apostrophiert ihn George einmal in einem späteren Gedicht. «Was ist das Erquickendste?» So lautet eine Frage in Goethes «Märchen», und die Antwort: «Das Gespräch». Die Gespräche sind der wundeste Punkt meiner Erinnerungen, der nie schweigende Vorwurf, eine große Gelegenheit meines Lebens unwiderruflich versäumt zu haben. Denn welch ein Meister des Gespräches war er! Wie wußte er es zu führen, zu halten, seiner eigenen Fülle dabei oft wohl erst bewußt werdend und sich ihr mit Lust überlassend, erfreut und erstaunt vielleicht, daß Wort geworden war, was er als stummes Wissen in sich getragen. Wenn ich in den Folgejahren des ersten Weltkrieges bis zu meiner Verheiratung die freien Samstage und den Sonntag mit ziemlicher Regelmäßigkeit im Rodauner Haus verbringen durfte, so waren der Hauptgrund sicherlich die Gespräche, deren er bedurfte, um einer bedrängenden Überfülle Herr zu werden. Daß ich sogleich nach den erstmaligen Aussprachen mich als aufnahmefähig genug erwies, machte den Wunsch nach periodischer Fortsetzung rege, und da ich auch hier nicht versagte, den weiteren, die oft so überraschend gerundeten und geschlossenen Ergebnisse fixiert zu sehen. Kurz: Ich sollte zu seinem Eckermann werden, und wenn ich denn schon wieder nichts aufgeschrieben hatte, was Frau Gerty wohl manchmal zu einer kleinen Ermahnung veranlaßte, so erklärte er ihr mit freundlicher Ironie, dazu sei ich eben zu «bedeutend». «Der Ingres unserer Zeit» (Ingres war damals mein Abgott, und er liebte ihn nicht weniger) habe eben Wichtigeres zu tun und, belehrte er sie weiter, von Faulheit könne da bei mir gar keine Rede sein. Es war ein liebevolles Gestichel, und von Faulheit konnte im Ernst auch nicht gesprochen werden, sondern nur von meinen mannigfachen, beträchtlichen und von ihm stets verstandenen Hemmungen. Das Beste und Eigentlichste, muß ich wohl gefürchtet haben, würde ja doch verloren gehen, und meine Repliken, glaube ich, nahmen sich damals in meiner Vorstellung einfältiger aus, als sie in Wahrheit gewesen sein müssen, denn sonst hätten sich die Gespräche nicht fortgesetzt bis zu seinem Hingang, also längst über den Zeitpunkt hinaus, an dem die Eckermann-Kombination endgültig aufgegeben war. Wenn die Häufigkeit und Regelmäßigkeit dieser Gespräche, die sich vom Mai 1919 bis zu meiner Verheiratung 1922 fortsetzten, durch die dann erfolgende Bindung an eine eigene Häuslichkeit nun auch eine Einschränkung erfahren mußte, so war ihre Ergiebigkeit doch um nichts geringer. Meine Frau war bald gerne gesehen, und so erfolgten die Samstag- oder Sonntageinladungen nach Rodaun in gleichmäßigen Abständen. Nach der heitersten allgemeinen Unterhaltung bei Tisch und anschließend bei dem in der Bibliothek eingenommenen Mokka folgte eine Ruhepause und danach ein gemächlicher Spaziergang zu viert in der näheren oder weiteren Umgebung. Hier sei die Erwähnung einer besonderen Eigentümlichkeit eingeschaltet, die auch anderen Freunden nicht entgangen sein wird. Während der ersten Hälfte des Weges war gewöhnlich ich der Gesprächspartner und auf dem Rückweg meine Frau. Dabei achtete er sorgfältig darauf, daß zwischen ihm und dem vorangehenden Paar – die so bewegliche Frau Gerty hatte zwar ohnehin stets die Tendenz, weit voraus zu sein – ein Abstand blieb, der es unmöglich machte, auch nur vereinzelte Worte aus dem Gespräch der anderen beiden aufzufangen. Die bloße Möglichkeit schon, erklärte er, sei für ihn ein Zwang, seine Aufmerksamkeit zu teilen und verdürbe ihm das Konzept. Welche genaue Unterscheidung zwischen Unterhaltung und Gespräch, und wie sticht sie ab von der weitverbreiteten Unsitte, inmitten einer Gesellschaft den Consensus der allgemeinen Unterhaltung in Sondergespräche aufzulösen!

Unvergeßlich bleibt mir ein Ausflug im Sommer 1913, den wir von Aussee aus mit Fahrrädern über Hallstatt nach dem Gosausee unternahmen. Mit von der Partie waren Frau Gerty mit den drei Kindern und unser gemeinsamer Freund Jakob Wassermann. Vom Hallstätter See an beginnt ein stundenlanger, meist sanfter Anstieg zur Gosaumühle, und während wir unsere Räder sacht aufwärts schoben, entspann sich eine überströmend lustige Unterhaltung, aus der sich Hofmannsthal indessen bald mit seiner Tochter Christiane herauslöste, einem damals elfjährigen Mädchen von großer, eigentümlicher Schönheit. Die entschiedene Aussonderung der beiden lebhaft Sprechenden währte eine gute Stunde, wenn nicht länger, und ich hatte Vater und Tochter gleich den anderen in weiter Distanz vor mir, ein das Auge wie den inneren Sinn gleichermaßen erfreuender Anblick. Nach ausgiebiger Wiederherstellung in der Mühle erfolgte dann vor dem Nachtmahl noch ein Aufstieg zum

See, und hier möge wieder ein kleines Detail erwähnt werden. Natürlich hatten wir drei Männer die Gewohnheit, vor dem Einschlafen, noch dazu bei so zeitigem Zubettegehen wie hier, zu lesen. So hatte denn jeder vorgesorgt. Ich mit einem dicken Band der «Dämonischen Mystik» aus dem großen Werk von Görres, der Wassermann dann nicht weniger faszinierte als mich, während er Hofmannsthal ziemlich unberührt ließ, Wassermann mit etwas besonders Gepfeffertem aus der Pitaval-Sphäre, und Hofmannsthal mit dem – «Westöstlichen Diwan», was unseren Freund zu einem ironischen Seitenhieb veranlaßte.

Bei dem zweifellos großen Bedürfnis des Dichters nach aufschließendem Gespräch – mit den Freunden seiner Jugendjahre, denen er stets die Treue hielt: Beer-Hofmann vor allem, dem leider sich immer mehr Einkapselnden, den später Hinzukommenden dann: Wassermann, Max Mell, den Freunden im Reich: Schröder, Bodenhausen, Borchardt, dann Burckhardt und mir und in den letzten Jahren: Walther Brecht (aber wie viele von denen, die ich nicht weiß, mögen fehlen) – bei diesem ausgesprochenen Bedürfnis herrschte zweifellos eine ebenso zarte wie bestimmte Auswahl. Ein innerster Berührungspunkt mußte vorhanden sein, um die gemeinsame Basis zur fruchtbaren Verständigung abzugeben, und so wußte er auch manche dieser Intimen dauernd auseinanderzuhalten, weil er von vorneherein zwischen ihnen eine zu große gegenseitige Fremdheit voraussetzen mußte, während er in anderen Fällen sogleich den Kontakt herstellte, wie z.B. zwischen Burckhardt und mir. Ich glaube nicht, daß er hier jemals von seinem Instinkt betrogen wurde und fehlgegriffen hat.

Bei so beschaffener Grundlage war ebenso gegeben, daß er sich Gesprächen, die dieser inneren Voraussetzung entbehrten, als unfruchtbar und störend – unter Umständen sogar zerstörend – entzog. Sein Briefwechsel mit Stefan George, den er zeitlebens als den großen Dichter, der er war, verehrte, liefert dafür einen sprechenden Beleg. Wenn sich aber eine Begegnung mit einer bedeutenden Erscheinung des geistigen Lebens zwangsläufig ergab, so bediente er sich gern eines sozusagen neutralisierenden Elementes, um das ja nun unvermeidliche «Gespräch» nicht in die Tiefe gelangen zu lassen. So hatte einmal, es mag im Jahre 1920 oder 1921 gewesen sein, ein hochberühmter Gast aus dem Reich seinen Besuch angemeldet. Er bat ihn nicht nach Rodaun, denn das hätte das Zusammensein allzusehr verlängert, sondern in sein von Strnad reizend ausgestattetes Wiener Absteigquartier in der Stallburggasse. Er fühlte sich etwas beengt, denn bei aller Schätzung der hohen Qualitäten des Besuchers war ihm dieser doch allzu fremd, und da ich diesen schon seit Jahren in mehrfachen flüchtigen Berührungen kennengelernt hatte, zog er mich mit bei. Es war ein angeregter, ja geradezu angenehmer Nachmittag, wenngleich im Anfang etwas «passierte», was eines leicht komischen Beigeschmackes nicht entbehrt. Das große Ereignis und literarische Tagesgespräch von damals war Spenglers «Untergang des Abendlandes», und der Gast, ganz erfüllt von diesem Ereignis, wollte, kaum daß die erste Begrüßung vorüber war, Hofmannsthals Urteil über das Werk hören, das ihm nicht vorenthalten wurde, denn leise und dezidiert kam zurück: Er halte Spengler für einen Aasgeier; das Gekrächze hätte gar keinen Sinn, und uns stünde besser an und wäre nötiger, alles, was schön, wertvoll und wissenswürdig sei, wieder ans Licht zu bringen und uns dem allgemeinen Verfall und windigen Pessimismus nach Kräften entgegenzustellen, um damit – jeder nach seinem Maß und Vermögen – zu dem doch möglichen Wiederaufbau beizutragen.

Hofmannsthal hat das treulich getan und damit eine Absicht, die in dem imaginären Brief des jungen Lord Chandos angekündigt ist, über das Maß hinaus erfüllt durch die «Deutschen Erzähler», das «Deutsche Lesebuch», die Sammlung über «Wert und Ehre deutscher Sprache», sein «Buch der Freunde», die «Neuen deutschen Beiträge», aus denen später die «Corona» wurde, und schließlich durch die von ihm damals schon ins Auge gefaßten Salzburger Festspiele, deren Initiator er gewesen ist, was heute völlig in Vergessenheit geraten zu sein scheint. Freilich agierte er dabei nicht im Vordergrund, sondern hat vielmehr andere in den Vordergrund gerückt und nicht wenigen (und mit welcher inneren Freude!) die große Chance verschafft, deren sie bedurften; z.B. dem leider so früh verstorbenen, eminent begabten Faistauer, der von da ab seine drückende Lebensmisere los wurde. Er hat wenig, höchstens in kurzen gelegentlichen Andeutungen, davon gesprochen, aber als genügend eingeweihter Beobachter weiß ich um die vielfältigen komplizierten Verhandlungen, um Instanzen und Geldleute zu gewinnen, Kompetenzen zu berücksichtigen und die zahlreichen divergierenden Interessen unter einen Hut zu bringen. Niemandem, dessen bin ich sicher, wäre dies gelungen als nur ihm, der, mit der Magie des reinsten geistigen Wollens begnadet, ebenso behutsam und leicht wie sicher die Beteiligten im besten Teile ihres Wesens aufzufinden und anzurühren vermochte. Seine Triebfeder bei allem, was er tat, war, das Inslebentreten des Schönen zu ermöglichen. Gleichgültig, wessen besondere Leistung dabei die bestimmende war, die seine oder die eines anderen. Ich glaube, daß Eifersucht ihm die fremdeste aller Eigenschaften war, und ohne diese goldene Wärme, die er ausstrahlte, die behutsame Zartheit, die über einen unendlichen, jeden Einzelvorgang genau entsprechenden Nuancenreichtum verfügte, hätte er unter Umständen in seiner Vollkommenheit geradezu unmenschlich gewirkt.

Das Schöne! Ja, das war nun nicht etwa ein Begriff, abstrakt und blutleer, nein, das war der Inbegriff, in sich fassend Wahrheit und Wirklichkeit, das Geistige wie das Vitale, Denken und Sein, Lehre und Leben.

Dies ist die Lehre des Lebens, die erste, letzte und tiefste,
Daß sie vom Zwang dich befreit, den die Begriffe geknüpft.

Die Freude am gelungenen Werk eines anderen, gleichgültig, ob dieser aner-
kannt oder obskur war, seine, wo die Gelegenheit sich zeigte, fördernde Anteilnahme, schien weit größer, als die dem eigenen Werk gegenüber. Namen
zu nennen möchte ich mir hier versagen, da der Beschenkte nur allzu oft am
wenigsten um die empfangene Gabe weiß, die ihren einzig großen Wert vor
allem dadurch hat und behält, daß der Empfänger sie als sein Eigenstes empfindet – womit er durchaus im Recht ist. Aber wie selten findet einer zu diesem
Eigensten aus eigener Kraft und eigenem Wissen! Ich bin sicher nur einer von
vielen (wenn auch vielleicht einer von nur wenigen, denen das zum Bewußtsein kam), die nach jedem solchen Zusammensein von ihm gingen und während dieser Zeit doppelt so gescheit, hell, klar und rasch und vor allem unendlich viel freier und reiner und des eigensten Geistes gewärtiger waren, als ihnen
dies sonst je möglich gewesen wäre. Das war schon Magie! Eine wahrhaft
weiße Magie, daß die Gabe, die da empfangen wurde, das Eigenste, Beste des
Beschenkten selbst war, unabhängig vom Substrat des behandelten Gegenstandes. So mag Sokrates auf seine Schüler gewirkt haben, jenseits dessen,
was als die sokratische Methode sprichwörtlich geworden ist.

Vor nicht allzulanger Zeit äußerte jemand den Zweifel, ob Hofmannsthal
ein Augenmensch gewesen sei. Sein Blick habe oft etwas Stumpfes, Glanz-
loses gehabt. Die Beobachtung ist richtig, aber nur zum Teil. In seinen Augen,
diesen unvergeßlichen braunen Augen, spielten warme goldene Lichter des
Humors, der Güte oder des gespanntesten Aufnehmens. Sie verdunkelten
sich bisweilen und erloschen bis zur völligen Glanzlosigkeit und Abwesenheit, wenn er, und gar nicht selten, in sich versank. Haben wir nicht – tiefe
Weisheit des Altertums – das Bild des blinden Homer? Keine Seite seines
Werkes, die nicht Zeugnis ablegt, daß er ein Augenmensch war wie wenige.
Unsere grob sensualistische Zeit hat freilich einen anderen Begriff des Augen-
menschen als den, dem Hofmannsthal gerecht geworden wäre. Sie verwechselt das rein Visuelle, eine gesteigerte Empfänglichkeit für Reize, mit dem
Sehen, welches ja kein bloßes Wahrnehmen, sondern ein Schauen ist. Ist nicht
auffallend, in welch gräulicher Umgebung unsere sogenannten Augenmen-
schen, ich meine die Maler, nur allzu häufig leben und arbeiten! Gewiß unterscheidet sich ihr Wahrnehmen von dem des homo faber und seiner Spielarten
bis zum Gelehrten durch erweiterte Vielfalt und Schärfe, also feinere Diffe-
renzierung, aber das scheinbar neu Hinzutretende ist nur ein Gradunter-
schied, die Reizempfänglichkeit nur eine scheinbare Erhöhung und im Grunde auf der gleichen Ebene liegend. Das Vokabular der Leute vom Metier – jeder Stand hat sein Rotwelsch – mag noch so reich sein. Es täuscht den Kun-

digen nicht darüber hinweg, daß heute kaum einer aus der Gilde gefunden wird, der das erzogene Auge und die Gabe des Sehens besitzt. Kaum einer, der in den Werken der großen Epochen außer den allenfalls ihn berührenden «Reizen» *das* zu sehen vermöchte, was tatsächlich sich darbietet, der das große Bei- und Ineinander stärker als höchstens dumpf ahnungshaft gewärtigt und wiederum im Geiste verknüpft, was ein Genius in lebendiger Einheit bildhaft vors Auge gebracht hat. Ich habe Maler gekannt, die wenigstens ehrlich genug waren, zuzugestehen, daß ein Rubens (von Raphael gar nicht zu reden) reiner Kitsch sei, weil seine Fleischmalerei nicht die zarte und reiche koloristische Differenziertheit etwa eines Renoir besitzt. Daß gerade damit ein Wesentliches zerstört gewesen wäre – denn das Ganze vermochten sie ja nicht zu sehen –, wäre ihnen kaum klarzumachen gewesen. Vom noch so reich differenzierten Visuellen zum eigentlichen Sehen führt so wenig eine Brücke, wie von der sublimiertesten Erotik zur Liebe. «Die Welt um mich her und der Himmel ruhen in meiner Seele wie die Gestalt einer Geliebten»... schreibt der junge Goethe einmal hin, und der alte dichtet sein Lynkeus-Lied. Nein, Hofmannsthal war ganz und gar Augenmensch. Er sah das Schöne, das im vergänglichen, unzulänglichen und zerbröckelnden Stoff sich manifestierte, in seiner ursprünglichen Reinheit und Totalität, wie der Schöpfer selbst es gedacht und gewollt haben mochte.

Es gab nichts Häßliches und Störendes in seinem Hause, das dabei alles andere als ein Museum war. Es gab kein Museumsstück, wenn auch Vieles, das museumswürdig gewesen wäre. Alles fügte sich ein und hatte Leben, das Leben seines Eigners, und nichts war Rarität. Die Dinge, mit denen er sich umgab, waren ihm wert, und man mag es meinetwegen für eine Metapher halten, wenn ich sage, sie waren ihm dafür dankbar. Ein alter Stuhl, der anderswo ein Gerümpel gewesen wäre, war in dieser Umgebung der allein rechte, und ein großes Kunstwerk wirkte ebenso schlicht und selbstverständlich, wie die bescheidenen Dinge des Gebrauches. Als eine augenblickliche starke Verlegenheit nach dem Krieg den Dichter zwang, sich von einer Bronze Rodins zu trennen, bat er mich, da Photographien ja so irreführend seien, die Plastik von verschiedenen Seiten zu zeichnen. Ich skizzierte sieben oder acht sprechende Umrisse, die ihm noch einen, wenn auch schwachen, Nachgenuß ermöglichten. Es gehört immerhin einige Phantasie dazu, zu ermessen, was das produktive Auge Goethes dem aus Italien mitgebrachten Abbildungsmaterial, recht mäßigen Stichen oft, bis ans Lebensende abgewann.

In den Wintermonaten kam es nicht selten vor, daß das Ehepaar längere Zeit im Stadtquartier verbrachte. Das ergab dann Sonntagvormittagsspaziergänge in der vom Werktagstrubel freien inneren Stadt. Ich hätte sie nie so kennen und lieben gelernt ohne seine Führung. Wie vertraut war ihm jedes Gäßchen und jeder Winkel! Wir gingen nach der Betrachtung der Fassaden in jedes Treppenhaus der alten Barockpaläste, und was so nebenher an lexikalischem Wissen zum Vorschein kam, schien unerschöpflich. Es bedurfte keines Wortes, um zu wissen, wie sehr er dieser Stadt mit allen Fasern seines Lebens verbunden war, wie er sie liebte. Ich bin dankbar, daß sein Los ihn davor bewahrt hat, zu erleben, was wenig mehr als zehn Jahre später über sie gekommen ist.

Über sein Verhältnis zur Musik wage ich Bestimmtes nicht auszusagen. Die Begriffe musikalisch-unmusikalisch, naheliegend vielleicht, sind jedenfalls unzutreffend. Mir scheint, und hier denke ich wieder an Goethe, daß ein Geist, dessen Verhältnis zur Welt so stark durch das Auge bestimmt ist, dieser Form des Lebens weniger bedarf als andere, ohne deshalb verständnislos und unaufgeschlossen zu bleiben. War auch sein Verhältnis zur Oper aus anderen Quellen gespeist als aus einem unmittelbaren musikalischen Bedürfnis, so ist ebensowenig zu übersehen, mit welcher Feinheit er jeder musikalischen Intention Straussens zu entsprechen vermochte, eine wie tiefe Befriedigung ihm dieses Zusammenwirken gewährte. Ein Wesentliches des dichterischen Schaffens ist ja Musikalität, und wo sie fehlt, ja auch nur in geringerem Maß vorhanden ist (wie z.B. bei Spitteler), erblicke ich eine schwere Beeinträchtigung. Inwieweit die immanente Musikalität, die dem vollkommenen und in sich beruhenden dichterischen Gebilde eignet, ein bis zur Passioniertheit gesteigertes Verhältnis zur Musik im Speziellen nicht begünstigt, wäre Gegenstand subtilster Untersuchungen, die in bedeutenden Ansätzen auch angestellt worden sind. Ob ein Dichter seinen eigenen Ton und eigenen Rhythmus gefunden habe, bleibt jedenfalls stets ein entscheidendes Kriterium.

Im wachsenden Maße behandelten unsere Gespräche der letzten Jahre die immer mehr anwachsenden Konzeptionen. Keine Arbeit bedeutete Verausgabung, sondern ließ im Gegenteil immer neuen Seelenstoff anschießen. Ein Teil dieser Entwürfe wurde von der Johannespresse veröffentlicht. Die Durchforschung der hinterlassenen Dramenentwürfe Calderóns, genußreich und aufschlußgebend, darf nicht überschätzt werden. So durchforschten die Meister jeder Kunst das Frühere, das gewissermaßen ewig Menschliche aussondernd, dessen ideelle Tragkraft den Wechsel der Generationen und nationalen Kulturen überdauert. Dies freilich bedingt einen ganz anderen Vorgang des Schöpferischen als den der Jugendwerke, deren Zutagetreten der jugendliche Genius gleichsam erleidet. Der Prolog zur «Frau im Fenster» ist vielleicht das einzige dichterische Dokument, das diesen ewig geheimnisvollen Vorgang selbst zum Vorwurf nimmt. Dennoch bedeutet die so ganz andere spätere Art des Schaffens weder ein Absinken noch eine Erstarrung, wie selbst wohlwollende Kritik manchmal annimmt. Euphorion muß notwendig stürzen, und dieser Absturz, vor dem jeweils ein Äußerstes erreicht war – oder der Flug war keiner –, bedeutet Vernichtung oder Verwandlung. Wieweit bei Hofmannsthal dieser Grad der Vernichtung ging (die Putrefaktion in der symbolischen Sprache der Alchemie), zeigt der Brief des Lord Chandos. Aus ihr, einer todartigen Krise, ersteht ein nur scheinbar ganz Anderer, in Wahrheit aber die organische Fortsetzung und Erweiterung des Gewesenen: Prometheus – nicht im Sinne von Goethes Jugenddichtung, sondern als die Doppelgestalt Prometheus-Epimetheus der Pandoradichtung. Die Einwände gegen das spätere Werk Hofmannsthals zugunsten der meteorhaft anmutenden Jugendproduktion sind genau dieselben, die gegen Goethe laut wurden. Was sagen diese Einschränkungen anderes, als daß die Kritiker das notwendige organische Wachstum eines lebendigen Geistes negieren, nur die Blüte bejahen, die Frucht aber ablehnen, und den mit so bedenklichem Lob Bedachten zum Verschnittenen seiner Kunst degradieren möchten, damit der Wohllaut der jugendlichen Stimme erhalten bleibe.

Lyrische Dichtung am laufenden Band? Stets nur «schlanke Flamme oder schmale Leier»? Wie die Jugenddichtung der vollkommen gemäße Ausdruck einer Entwicklungsstufe von freilich schwindelnder Höhe ist, so ist es die anschließende des seiner Vollendung zureifenden Mannes. Was sich vorher von selbst organisierte, wird nun Ergebnis einer zwar um nichts geminderten Inspiration, aber zugleich des Einsatzes aller bewußten Kräfte geistiger Verantwortung und eines beharrlichen Kunstfleißes, der – wenigstens ist dies meine bescheidene Meinung – beträchtlich höhere und dauerndere Ergebnisse verbürgt, alle Schwierigkeiten und Probleme meistert, und nicht bloß überwindet wie der legendarische Reiter den Bodensee. Und wie war sich dieser einzigartige Kunstverstand der Schwierigkeiten bewußt! Wie oft erklang der humorvoll-verzweifelte Stoßseufzer über dieses «entsetzliche Metier», bei dem es schon wirklich ein Wunder sei, daß man sich nicht «öfters aufhänge»! Ein Wort Poussins, ich glaube in dessen Testament, war ihm besonders bedeutend geworden: «Ich habe nichts vernachlässigt.»

Im Vordergrund standen ihm stets alle Möglichkeiten des Theaters; es war ihm die erweiterte Form der Dichtung, wie das seiner im Barock wurzelnden, großen Synthesen zustrebenden Natur entsprach. Es war aber nicht der dekorative Zauber, der immer nur Teil sein konnte, sondern die Ganzheit, die es zu verwirklichen galt und die bis ins Detail hinein lebendig, somit auch stimmend und richtig zu sein hatte. Lieber stocken und warten als ein poetisches Ungefähr! Dies wurde dann zu ganz eigenartigen Prüfungen an mir. Er entwickelte mir z.B. die Exposition einer entscheidenden Szene und stellte dann die Frage, was jetzt nach meinem (naiven) Dafürhalten wohl einzutreten oder welche Antwort zu erfolgen habe. Als ihn ein Entwurf, dessen Schema bei Calderón zu finden ist, beschäftigte – das Stück sollte den Titel tragen: «Xenodoxus oder der Zauberer von Paris» –, lag ihm daran, aus den gewis-

sermaßen negativen Umrißlinien des schwarzen Magiers das Bild des weißen
zu gewinnen, in eine Sphäre eindringend, die mir, wie er annahm, nicht ganz
unvertraut war. Eine einzige richtige Feststellung war ihm dann wertvoll und
zeugt von seiner Sorgfalt. Bei Vorlesung des Manuskripts der «Ägyptischen
Helena» machte ich einen Einwand gegen ein Wort des Daud und schlug ein
anderes vor. Am nächsten Tag brachte die Post eine Karte mit der Frage nach
diesem Wort. Ich hatte es – zu meiner Beschämung – vergessen und fand es
nicht mehr.

Sein letzter großer Essay war der in München in der Aula der Universität
gehaltene Vortrag über «Das Schrifttum als geistiger Raum der Nation».
Neben dem Drang nach Bindung, der bei der jungen Generation Deutschlands als Phänomen sich immer deutlicher abzeichnete, beschäftigte ihn die
Art und Existenz jener Einzelnen, Einsamen und im Dunkel Stehenden, die
ohne oder mit nur geringer Gefolgschaft, von Nietzsche über George bis zu
Ludwig Derleth hinüber, einer ganz anders umgrenzten Aufgabe als der des
Dichters oder Philosophen gerecht zu werden trachteten, einer Aufgabe, die
bei aller Verschiedenheit der Ausgangspunkte, ja deren völliger Gegensätz-
lichkeit als gemeinsames Moment unverkennbar und zwingend einen Füh-
rungsanspruch in sich begreift. Weniger mein früheres freundschaftliches
Verhältnis zu den bedeutenderen Vertretern des George-Kreises als mein
langjähriges, dauernd intakt gebliebenes Verhältnis zu Derleth, von dem
einzig die schon in den neunziger Jahren verfaßten «Proklamationen» vorlagen (der «Fränkische Koran» erschien erst 1934), der aber während der
kurzen Zeitspanne der Berührung mit George durch seine bloße Existenz
eine Faszination ausgeübt hatte, die vielfältige literarische Niederschläge fand
– mehr noch um dieses Mannes willen wurden eingehende Gespräche geführt.
Alles was an positiven wie negativen Aspekten auf dieser Ebene aktuell werden konnte, ward in Erwägung gezogen, und hinter allem stand schon der
drohend heraufziehende Schatten Hitlers, des ins Maßlose ausgewachsenen
Zerrbildes, von Hofmannsthal bereits ahnend vorweggenommen im Olivier
der Turmtragödie. Aber auch schon lange vor dem Auftauchen dieses Zerrbildes ward der Gedanke eines Anschlusses an Deutschland, der nicht nur unmittelbar nach dem ersten Krieg, sondern auch später wiederholt auftauchte,
von ihm auf das leidenschaftlichste abgelehnt, worüber andere an diesem
Buch Mitwirkende berichten.

Sein Verhältnis zur Religion wie zum Religiösen überhaupt erscheint mir
weniger kompliziert, als selbst einige der ihm zunächst Stehenden annehmen
wollen. Zunächst war es ein absolut ehrfurchtsvolles, das als selbstverständliche Voraussetzung keine Erörterungen vertrug oder erforderte. Daß es ein
stark und dauernd Gegenwärtiges gewesen sein muß, ist bei seiner geistigen
Anlage, der die alles Irdische durchdringende Transzendenz stets erlebnisnah

war, so gewiß, daß nur in allzu liberalistischen Denkfesseln Befangene daran zweifeln können. Der «Jedermann», das «Salzburger große Welttheater» waren ihm keine bloßen «Stoffe», sondern geistige Anliegen, und wie er jedes poetische Ungefähr haßte, weil es im Grunde Füllsel, nämlich Phrase und also Lüge ist, so hatte er sich hier am wenigsten verstattet, poesieartiges Papiergeld zu bieten an Stelle der bündigen Aussage, die ihn als christlichen Dichter von unbezweifelbarer Katholizität erweist, also jenseits von Kompliziertheit und Problematik. Ein freieres, der Mißdeutung leicht ausgesetztes Verhältnis zum Kultus und seiner Ausübung, wage ich mir zu kommentieren mit den schönen Worten Goethes über das mentale Gebet, das alle Religionen ein- und ausschließt und nur bei wenigen gottbegünstigten Menschen den ganzen Lebenswandel durchdringt.

Als ich in jenem tragischen Sommermonat des Jahres 1929 in der Rodauner Kirche oberhalb seines Hauses vor dem schon geschlossenen Sarge stand und durch das zu Häupten angebrachte kleine Glasfenster das zu Marmor gewordene, von der Kutte des dritten Ordens umrahmte Antlitz betrachtete, trockenen Auges und seltsam ruhig, als wäre ich selbst schon gestorben, und dann durch den durchsonnten Garten – jede seiner Stellen ein Erinnerungsmal – wieder herabstieg in die freundliche Helle und den so maßvoll bescheidenen Prunk des barocken Hauses, das noch durchleuchtet war von seiner Gegenwart, überkam mich die wunderbare Einheit dieses Lebens, das alle Gegensätze zu binden vermocht hatte und jetzt noch, in seiner letzten Vollendung, um so stärker band. Alles gehörte zusammen, das Spiel wie der tiefe Ernst, die durchseelte Schönheit aller dieser Dinge, die durch ihn ihren zukommenden Platz gefunden hatten, und die strenge Kargheit des letzten Gewandes, das den Toten dort oben bekleidete. Ein tiefer Friede überkam mich. Groß war der Dichter gewesen. Aber auch solche Größe mag schwinden. Mehr, unvergänglich mehr, war und bleibt, was er als Mensch gewesen ist, der in Einfachheit und Güte seine reichen Gaben als Dienender verwendete. – Als ich anderen Tages den endlos scheinenden Trauerzug überblickte, sah ich so viele weinende Menschen wie nie zuvor. Wie vielen hatte er gegeben! Ein freundliches Wort im richtigen Moment, Rat, Hilfe.

Jedes menschliche Leben ist begrenzt. Aber mag diese Begrenzung eine noch so enge sein, sie wird aufgehoben und verliert ihr Drückendes, wenn ein Strahl des Göttlichen in sie hineinfällt. Ein unmittelbares Verhältnis zu ihm ist das Seltenste, dem Denken bereits Unfaßbare. So bedarf der Mensch der Vermittlung, und sie kann ihm immer wieder nur durch den Menschen zuteil werden, und in der verschiedensten Weise. Dieser Unvergeßliche ist mir der reine Bote des Geistes gewesen, und ich vermag es nicht, mir die Ewigkeit zu denken, ohne ihm in seiner Verklärung zu begegnen.

FELIX BRAUN

Begegnungen mit Hofmannsthal

Zum ersten Mal hörte ich Hugo von Hofmannsthals Namen, als das Burg-
theater seine beiden Spiele in Versen «Die Hochzeit der Sobeide» und «Der
Abenteurer und die Sängerin» aufführte. Ich stand damals noch im Knaben-
alter, und es erregte mich, von einem jungen Dichter zu erfahren, dessen
Sprache an Schönheit alles überträfe, was von Zeitgenossen geschrieben wäre.
Ich sah auch das Bildnis des berühmt gewordenen Jünglings, edle, strenge
Züge, die überzeugten. Mit meinen Freunden, die weit mehr über moderne
Literatur wußten und denen ich es verdanke, daß ich, der stets nur die Klas-
siker las und wiederlas, von Ibsen, Hauptmann und Schnitzler erfuhr, sprach
ich über den neuen Dichter, und sogleich brachten sie mir Gedichte von Hugo
von Hofmannsthal. Wohl seien diese Verse schön, gaben sie zu, aber wer
könnte sie verstehen? Zum Beispiel hier das «Lebenslied». Leo schlug das
Buch auf und las vor:

> *Den Erben laß verschwenden*
> *An Adler, Lamm und Pfau*
> *Das Salböl aus den Händen*
> *Der toten alten Frau.*

Die Achseln zuckend und die Brauen höher ziehend, drückte er die an-
maßende Ohnmacht dessen aus, der nicht sich für sein Mißlingen tadelt.
Gleichwohl – auch mir glückte eine Deutung nicht. «Dagegen so ein Anfang,
wie ,Der Tor und der Tod' einsetzt», sagte Leo. Und mir die unsterblichen
Verse vorlesend, wobei sein unebenes Gesicht von der Freude am Schönen
leuchtete, flößte er mir eine Liebe zu diesem Dichter ein, die seither nie sank,
sondern immer nur wuchs: denn, was erst Begeisterung gewesen, wurde
Gestalt durch spätes Verstehen.

Als ich die jungen Dichter Wiens kennen lernte, fand ich fast jeden von
diesem Genius bezaubert. Sie redeten von ihm, wie er in ihnen und in anderen
waltete. Später «Autoren» geworden, reden sie von Erfolgen, Auflagen,
Aufführungen, Verlagen, Übersetzungen, und das ist ein Schmerz für den,
der im Herzen der Dichter seines Traumes geblieben ist. Wohl erzählten wir
einander, daß die oder jene Zeitschrift ein Gedicht oder eine Novelle ange-
genommen habe, aber das bedeutete nicht viel: das neue Gedicht, das uns gelungen, einander vorzulesen oder aufzusagen, einzig das war's, wonach wir
brannten. Und dann sprachen wir von den anderen Dichtern, den vergangenen und den mitlebenden. Stefan George, Detlev von Liliencron, Gerhart
Hauptmann, Richard Dehmel, Arno Holz, Ricarda Huch waren verehrte

oder umstrittene Gestalten. Aber sie lebten fern, drüben im Reich; sie berührten uns nur durch ihre Bücher. In Wien jedoch wohnten, uns unnahbar, die großen Dichter der vorigen Generation, die sich alle in unzugängliche Einsamkeiten entzogen hatten.

Nicht mehr waren Hugo von Hofmannsthal, Arthur Schnitzler, Hermann Bahr, Richard Beer-Hofmann im Literatur-Kaffeehaus zu erblicken; auch Max Mell zeigte sich niemals dort; und ich blieb meinem Gelübde, es zu meiden, unverlockt treu. Eben um dieser Entferntheit willen wurden uns die älteren Dichter noch verehrenswerter. Von uns allen besaß Stefan Zweig die schönste Ehrfurcht. Mit welcher Begeisterung las er mir aus dem gerade erschienenen «Siebenten Ring» Stefan Georges die herrlichen Landschaftsgedichte vor, in denen uns der neue, starktönende Reim «Oktober–Zinnober» als eine Entdeckung überraschte. Aber nicht nur die berühmten Dichter bewunderte er: jeden Hervortretenden begrüßte er als einen jüngeren Boten des nämlichen Genius, dem wir dienten.

Hugo von Hofmannsthal nahm die Mitte unserer Gespräche ein. Was konnte wunderbarer, was geheimnisvoller, was sprachmächtiger sein als «Der Tod des Tizian», «Der Tor und der Tod», die wenigen Gedichte? Und seine Prosa, wie sie alles überbot, was an Schönem aus unserer Sprache gewonnen worden war! Das «Gespräch über Gedichte» erzog uns; aber wie konnten wir hoffen, unsere Gedanken je zu solcher Höhe aufzuschwingen, in der Clemens und Gabriel sich über das «Jahr der Seele» unterredeten? Ein Fürst der Dichtung hielt hier großen Hof; sein prunkvolles Zeremoniell verbarg sein Wesen, das wie ein Bergwerk sein mußte: anders wäre ihm die Sprache nicht aus solchen Adern gespeist worden. Daß er bisweilen schwer, ja kaum verständlich blieb, ziemte so feierlicher Hoheit. Man sagte ihm Hochmut nach, aber wem anders als ihm gebührten «Vogelflug und die Länder der Sterne»? Ginzkey tadelte, daß er Stellen aus Volksliedern in seine drei kleinen Lieder übernommen hatte; doch hatte nicht Goethe mit dem «Heidenröslein» und der «Wonne der Wehmut» das Nämliche sich gestattet? So oft man eines seiner so schön gedruckten Bücher aufschlug, konnte man eines «Traumes von großer Magie» gewärtig sein. Das Gedicht Hofmannsthals gehörte der Welt mehr als dem Ich. Sein Erlebnis war die Welt, die Fülle ihrer Schicksale: erschüttert von dieser unbegreiflichen Fülle einzelner Leben, übersah er, dem die Welt eine Bühne war, sein eigenes. Er stand über die Brücke gebeugt; da er die Welt nicht fassen konnte, schaute er ihre Spiegelbilder im vorüberziehenden Element; und alles ward ihm zum Vorüberzug, «wie von Scharen wilder Vögel das Spiegelbild in einem tiefen Wasser».

Noch hatte keiner von uns ihn kennen gelernt, außer Benno Geiger, der in Rodaun wohnte. Wie er geschildert wurde: von vollkommenster Bildung, doch schwierigem Naturell, überaus liebenswürdig, oft freilich jäh abbre-

chend, das Gespräch im Hohen und Höchsten haltend, wo jedem anderen
der Atem versagte, dann achtlos es hinwerfend, abhängig vom Wetter, unfähig bei Südwind, leicht beengt von Gesellschaft, stolz, doch unsicher, ließ
er eine Begegnung eher fürchten als wünschen. Zum ersten Mal sah ich ihn,
als der Buchhändler Hugo Heller in dem kleinen Rückraum seines Ladens
seine Dichterabende eröffnete. Als Erster der jungen Dichter war Stefan
Zweig zur Vorlesung eingeladen worden, und noch fühle ich die Welle ehr-
fürchtigen Erschreckens in mir und allen, als das Gerücht auftauchte, daß
Hofmannsthal anwesend sei. Und dann erblickte ich ihn. Seine Gestalt schien
höher als sein Wuchs; sein Gesicht mochte allerdings wenig von seinem
Dichtertum verraten, aber in dem großen, braunen, italienischen Auge, darin zuweilen eine frühe Scheu, ja, Angst umirrte, würde einer, der gewagt hätte,
zu beobachten, schon den Seher wahrgenommen haben. Seine Unterlippe
hing habsburgisch nieder; sein dunkles Haar war gescheitelt; ohne Schnurrbart hätte sein Antlitz, das fast ein harmonisches genannt werden konnte,
vielleicht bedeutender ausgesehen. Er sprach hastig, mit lauter, hoher Stimme, die oft in Diskant umschlug; seine Bewegungen waren nervös; seine
Kleidung unauffällig vornehm; seine ganze Erscheinung und sein Gehaben
entsprachen dem Aristokratismus seines Wesens. Güte desavouierte seinen
angenommenen Hochmut in seinem Lächeln. Eine seiner charakteristischen
Gebärden war, im Gespräch auf seine manikürten Fingernägel niederzublik-
ken; und indem ich mich an diese Geste erinnere, kommt mir die Schönheit
seiner Hände zum Bewußtsein. Adelig war er, wie seine Kunst. Auf den ersten,
oberflächlichen Blick mochte er im Äußeren manches mit Stefan Zweig ge-
mein haben; daß dies von anderen zu oft erwähnt wurde, verdroß ihn, und
seine Abneigung verhärtete sich zu gelegentlicher Ungerechtigkeit, ja Aber-
kennung.

Nun hatte er dem Jüngeren die große Auszeichnung erwiesen, seiner Vorlesung beizuwohnen, und wir alle fühlten uns dadurch mit erhoben. Hofmannsthal eröffnete Zweig, daß er wahrscheinlich nicht zu lange würde bleiben können, da er von seinem Zug nach Rodaun abhänge; doch lud er ihn ein,
ihn zu besuchen, was wir als ein höchstes Glück erachteten. Dann saß er in der
ersten Reihe und hörte der lyrischen Erzählung von der Liebe eines Knaben
zu, die mir ganz überaus gefiel. Der Saal war verdunkelt; eine kleine grüne
Lampe erhellte das Tischchen des jungen Dichters, und ich hoffte, daß Hofmannsthal die schöne «Geschichte in der Dämmerung» zu Ende hören
könnte. Doch plötzlich brachen er und seine Frau auf, mit Gebärden bedeutend, daß nur ja keine Störung eintreten möge, und mir war es, als ob alles
anders geworden sei: schon fehlte er mir, den ich vor einer Stunde noch gar
nicht gekannt hatte. So war er sogleich die Mitte, wo immer er weilte.

Erneute Beschäftigung mit Hofmannsthal erhob mich über Alles, was mich in meiner frühen Zeit anging. Gleichwohl las ich ihn nicht ohne Einwand. So sehr mich die erlauchte Feierlichkeit der Rede, der groß anrollende oder leicht verhauchende Vers, das Auffunkeln unvermuteter Blicke aus inneren Bergwerken voller heimlicher Schätze, zauberisch verflüchtigte Schauungen einer fast nachlässig dargebotenen Schönheit, der Adel eines nur Auserwählten zugedachten Traumes begeisterte – Kaufleute in Tausendundeiner Nacht stellten mit so achtlosem Stolz ihre Reichtümer aus –, so vermißte ich doch oft ein persönlich erlebendes Ich, das mir auch den Gesichtszügen des Dichters zu mangeln schien. Bewunderung, Verehrung, ja, Liebe kamen über diesen Einwand nicht hinweg. Es dünkte mich eines größeren Essays wert, diesen Gedanken kundzugeben und den Freunden zugleich zu beweisen, daß selbst die höchste Schätzung mit Gerechtigkeit, Aufrichtigkeit und Mut zu vereinbaren sein müsse.

Als ich meinen Aufsatz vollendet und meiner Schwester vorgelesen hatte, trug ich das Manuskript in das schöne barocke Haus der Bräunerstraße, darin einst Hebbel gewohnt und nun die Redaktion der «Österreichischen Rundschau» waltete. Karl Glossy begrüßte mich mit der Liebenswürdigkeit seines alten Wien, das er zuletzt allein noch vertrat. Sein glattrasiertes, slawisch bestimmtes Gesicht war das eines zum Hofrat aufgestiegenen, gebildeten, gemütlichen Bürgers der liberalen Ära. Das weiße Haar, das ihm lang herabfiel, gab ihm etwas von einem Künstler, einem Schauspieler, und auch sein Mund war der eines Gernredenden. Bei jedem Besuch konnte man sicher sein, durch Stunden im Gespräch, das er allein führte, festgehalten zu werden. Als Jüngling hatte er Grillparzer gekannt, dessen Zeit um ihn stillzustehen schien; der Glückwunsch, den er dem achtzigjährigen Dichter im Namen der Universitätsstudenten ausgesprochen, war ihm zum Schicksal geworden. Seither diente er der Poesie Österreichs. Ihm verdanken wir die endgültige Ausgabe der Dramen Ferdinand Raimunds, die Kenntnis der Zustände des älteren Wiener Theaters, der vormärzlichen Zensur, der Revolution von 1848. Bis in sein hohes Alter ward der fleißige Gelehrte seines lokalen Themas nicht überdrüssig. Nun saß er an seinem Schreibtisch, schob die Brille in die Stirn, sah, daß mein Essay von Hofmannsthal handelte, äußerte sich erfreut, und während er weitschweifig Erinnerungen an Hermann Bahr, Max Burckhard, Arthur Schnitzler, den jungen Hofmannsthal zum besten gab, flog er das Manuskript durch, das er behielt. Ich wollte mich erheben, doch war er mitten im Zug des Erzählens, und obwohl fast alles, was er mitteilte, mich anging, ermüdete ich doch daran.

Mein Aufsatz war erschienen und hatte die Zustimmung der Freunde gefunden. Stefan Zweig versicherte mir, daß Hugo von Hofmannsthal mir schreiben würde; aber ich nahm das nicht an: hatte ich doch vor einiger Zeit bei ihm angefragt, ob ich ihm ein Gedicht für die von ihm und Richard Strauss herausgegebene Zeitschrift «Morgen» einsenden dürfe, und eine von anderer Hand geschriebene, fast kränkende Abweisung erhalten. Um so freudiger erstaunte ich, als ich alsbald wirklich einen Brief in fremder Schrift empfing, dessen Stempel «Rodaun» an dem Absender keinen Zweifel ließ. Es waren nicht die schönen Züge Rilkes, nicht die gewollt persönlichen Dehmels, sondern eilige, schwebende Zeichen, die vier Seiten überdeckten. Ich las und las wieder diese Worte:

Rodaun, 2. XI.

Sehr geehrter Herr,
es wird Sie nicht überraschen, zu hören, daß mir ein Aufsatz von diesem Standpunkt aus und in diesem Ton auffallend war, im angenehmen Sinn natürlich. Diese Dinge, der ganze Complex von Dingen, die sogenannte dichterische Erscheinung, all dies ist ja wirklich höchst problematisch – mir natürlich, der ich auf die problematischeste Weise, als Subject, damit verknüpft bin, ganz ebenso sehr wie Ihnen, und dergleichen zu behandeln, erfordert eine Eigenschaft, die unendlich selten ist: Tact.

Ich würde mich sehr freuen, Sie einmal zu sehen. Ich weiß nicht, ob es unbescheiden ist, wenn ich Sie bitte, einmal nachmittags herauszukommen? Immerhin ist das Haus, die Umgebung, die Kinder eine angenehmere Atmosphäre als wenn man sich in der Stadt träfe.

Nur bin ich im Augenblick so außerordentlich wenig wohl; es ist eine schon seit Monaten stagnierende Krankheit oder Halbkrankheit, die Nerven vor allem. Ich hoffe, daß dies in absehbarer Zeit verschwinden wird, vielleicht in dem Augenblick, wo ich die Arbeit an dieser Prosacomödie endlich hinter mir habe.

Vielleicht, wenn es Ihnen der Mühe wert ist, geben Sie mir in der ersten Hälfte Dezember ein Lebenszeichen?   Ihr ergebener Hofmannsthal.

Wie ich wartete, bis die gewährte Zeit gekommen war! Würde er mich nicht vergessen haben nach so vielen Wochen? Und wie sollte ich mich bei ihm melden? Damals war meine Unsicherheit so subtil, daß ich Briefe an verehrte Menschen immer wieder überschrieb. Meine Schüchternheit wurde eine der vielen Zerstörerinnen meiner Jugend. Das Wenige, das Gott mir erlaubte, versagte ich mir selbst.

Auf meinen endlich abgesandten Brief erhielt ich diese Antwort mit dem Poststempel vom 13. Dezember 1908:

Sehr geehrter Herr,
eben sehe ich im Einlauf, der sich angesammelt hat, Ihre freundlichen Zeilen, und wenn Sie mit meinem durch miserables Befinden sehr reducierten Kopf vorlieb nehmen wollten, so werden Sie mir ein *großes* Vergnügen machen,

wenn Sie mich morgen nachmittag zur Theestunde aufsuchen. Sie haben einen
Zug ab Südbahnhof 3h 23 bis Rodaun, mit Umsteigen in Liesing.

Ihr ergebener Hofmannsthal.

In die Landschaft meines frühesten Sommeraufenthaltes fuhr ich hinaus.
Durch diese Wälder war ich als Knabe mit meinem Vater gewandert. In ihrer
Lichtung hauste die tausendjährige Stadt Mödling, wie eine Mutter, die ihre
Kinder in die Wälder ausgesandt hat, Beeren und Blumen zu suchen. Und sie
blieben verwunschen dort und siedelten sich an unter Föhren, Tannen und
Buchen. Das romanische Stift Heiligenkreuz, die gotische Kirche in Percht-
toldsdorf, die Ruine Liechtenstein, uralte Häuser in Mauer tragen immer noch
Sankt Othmars Botschaft durch die heute wie damals unentweihte Waldnatur
hin.

Je näher ich Rodaun kam, um so ängstlicher wurde mir zu Mut. Ich hatte
den langen, schwarzen Rock an, und diese Einengung steigerte meine Befangenheit. Neben dem bekannten Gasthaus von Johann Stelzer, in dem
sogar Erzherzoge abstiegen, stand ein älteres, schmuckloses, einstöckiges
Haus, dessen weißgelblicher Anstrich an Kaiser Franzens Zeit erinnerte. An
einem niederen Tor läutete ich an. Ein altes Weiblein, gleich dem reisigsam-
melnden des «Vorspiels», öffnete mir. Durch einen Hof wies sie mich zu der
Türe des Hauses, die sich auftat, und über eine innere Stiege eilte ein noch
junger, sorgsam gekleideter Herr, eilte Hugo von Hofmannsthal mir entgegen.

Vor Verlegenheit sah ich kaum, wo ich mich befand. Liebenswürdig hieß
mich der Dichter willkommen und leitete mich die Stiege aufwärts zu seinem
Arbeitszimmer, dessen Geräumigkeit den an bürgerliche Maße Gewohnten
großartig dünkte. Das letzte Licht des Wintertages fiel in den schönen Saal,
barocke Bilder und farbige Rücken der Bücher an den Wänden und in einem
kleinen drehbaren Gestell erhellend. Es leuchtete auf dem Schreibtisch über
dem Fenster, und ich dachte, was wohl an neuem Unsterblichen hier im Entstehen begriffen sein möchte. So oft ich in diesen Saal eintrat, machte die Ehrfurcht mich wie blind. Ich kann darum Hofmannsthals Haus und Arbeitszimmer nicht genau schildern. Seine Persönlichkeit forderte die gesamte
Aufmerksamkeit. Zugleich erhob und bedrückte sie die Seele des Besuchers.
Und wie hätte er sich gefreut, wenn ein Wort des Verständnisses über seine
Möbel und Bilder geäußert worden wäre! Das Glück, bei ihm zu sein, sein
Gesicht zu sehen, seine Stimme hören zu dürfen, schloß alles Nebensächliche
aus. Was würde er von sich und seiner Arbeit erzählen? Und wie würde ich
ihm gewachsen sein?

Ich saß in einem der Fauteuils nahe dem Ofen, und er ging zunächst auf
und ab. Eile schien zu seinem Wesen zu gehören. Sie war in seiner schnellen

Rede, seinen Gebärden, seinen Blicken. Seine Stimme klang unschön durch ihre Höhe. Das Saloppe des österreichischen, aristokratischen Gehabens teilte sich seiner Aussprache mit, die zuweilen in die Mundart geriet. In seinem blanken, braunen Auge zuckte dann und wann ein unruhiger, fast mißtrauischer Schein. Der dunkle Schnurrbart ließ die Regelmäßigkeit der Züge, die edel waren, nicht genug würdigen. Hofmannsthal stand damals in seinem 35. Jahr. In seinem Gang, seiner Haltung, dem Abfall seiner Schultern war etwas von einem österreichischen Kavallerieleutnant, das Herman Bang in seiner wundervollen Beschreibung einer Probe von «Der Tor und der Tod» gut bemerkt hat. Sein Gesicht, in dem manche die Kennzeichen des Dichtertums vermißten – wohl nur solche Physiognomen, die es auch in Shakespeares Bildnissen nicht ergründen –, mochte das eines fremden Gesandten sein. Und ein Gesandter einer sehr fremden Macht ist er zeitlebens geblieben.

Zuerst fragte er nach mir. Meine kunsthistorischen Studien interessierten ihn. Von Wickhoffs und Dvoraks Wirksamkeit zeigte er sich unterrichtet. Daß ich Gedichte schrieb, war ihm bekannt. Er billigte, was ihm davon zu Gesicht gekommen, erkundigte sich nach meinen Plänen, ich gab Antwort, doch konnte ich ihn offenbar nicht genug anregen, denn er setzte von einem Thema zum andern über. Von diesem Teil des Gesprächs ist mir das meiste entsunken. Auch wurden wir alsbald in das Nebenzimmer zum Tee gerufen. Nervös stellte er mich seiner Frau vor. Seine damals noch unerwachsene, überaus scheue Tochter Christiane trat ein; es entspann sich eine Konversation, die ihn anstrengte; und sowie es nur anging, erhob er sich und bat mich in sein Arbeitszimmer zurück.

Hier nun redete er von sich selbst. Mir im Fauteuil gegenüber sitzend, ein Bein über das andere geschlagen, fragte er mich, weshalb ich sein Trauerspiel «Das gerettete Venedig» als rhetorisch getadelt habe. Nicht ohne Mut verteidigte ich meine Ansicht. Nachdenklich hörte er zu, meinte, daß es sich vielleicht doch nicht ganz so verhalte, und erzählte, daß man seiner «Elektra» einen ähnlichen Vorwurf gemacht hätte. Nun seien aber gerade heute englische Kritiken eingelangt, besonders eine in der «Times» lobte er als verständnisvoll. Müsse es nicht so sein, daß nur in der Sprache der tragische Ablauf sich vollstrecke? Es schien, daß diese Problematik seiner Begabung ihn beunruhigte. Auch machte ihn die Erwartung unsicher, mit der damals alle Welt von ihm die Einlösung des Versprechens forderte, das man in den «Kleinen Dramen» nicht dankbar genug wertete: denn daß eben die «Kleinen Dramen» bereits Erfüllung waren, erkannte niemand. Hörig dem törichten Entwicklungsgedanken der Zeit, verlangte jedermann, daß ein Künstler mit jedem neuen Werk das eben Geleistete überbiete, und Hofmannsthals Ungeduld verlangte es auch von sich selbst, obwohl er wußte, wie sehr unwesentlich ein solcher Anspruch sei. Sein höheres Selbst befand sich im Einklang mit der unsterblichen Jugend seines Genius. Insofern er seiner Zeit mitverpflichtet war, mußte er sich zu gesteigerter Anstrengung drängen; sein natürliches Talent erwiderte darauf mit Ermüdung, unter der er litt, und da er die Krankheit seiner frühverstorbenen Mutter geerbt hatte, die zu vorzeitiger Verkalkung der Adern führte, seine Nerven überdies durch den Kampf mit seiner sich versagenden Kunst angespannt und so empfindlich wurden, daß sie dem Südwind nicht widerstanden, ja, daß sie, wie die Goethes das Erdbeben von Lissabon, das von Messina spürten, so kann wohl behauptet werden, daß er an seiner allzu früh und reich begnadeten Jugend unterging. Er mißverstand seine Gnade und wollte sie ganz durch gute Werke aufwiegen, ja, ersetzen. «Der Tor und der Tod» erfüllte sich ihm, anders als er dieses tiefe Werk ersonnen, anders auch, als er es gedeutet: denn er starb an dem, wozu er nicht zureichte. Der Helm seines Turms war durch Luft von dem höchsten Geschoß getrennt; der Dichter mußte abstürzen, und nicht von der Spitze, die ihm verwehrt war.

Von seiner Krankheit sprechend, verbarg er seine Beunruhigung über sie nicht. Er wußte nicht, was es sei, das ihm das Zusammensein mit anderen so erschwerte. Damals war ich jung genug, solche Zustände unvorstellbar zu finden. Heute sind sie mir nur zu bekannt. Seine Nerven ließen sein Herz oft mühevoll zu seiner natürlichen Güte gelangen. Sie störten ihm alles und jedes, selbst den Umgang mit seinen vertrautesten Freunden. Von Grillparzer hatte er nicht nur den Geist der Poesie, auch den Incubus geerbt. Ich begreife, wie sehr ihn jede fremde Gegenwart von dem Einzigen, das er brauchte, seinem Traum, abhielt. Und was denn war sein Leben noch, wenn es nicht Muße besaß, zu träumen? Doch die Welt ließ ihn nicht in seinem Eigentum. Er wehrte sich; allein seine eigene Freude an der Welt verband sich mit den Widersachern gegen den Genius in ihm. Die Spannung wurde zu straff für seine Zartheit. Er mußte unterliegen.

Er fragte mich, ob ich seine «Kleinen Dramen» kannte? Die Auskunft, daß mir einige unbekannt seien, befremdete ihn. Mit plötzlichem Entschluß sprang er auf, lief zum Bücherständer und suchte zu unterst nach den beiden Bänden. «Es sind meine letzten», sagte er lächelnd, eilte zum Schreibtisch und schrieb die bescheidene Widmung ein, die um eine «freundliche Erinnerung» an meinen ersten Besuch in Rodaun bittet. Gleich danach wurde ihm sein Vater gemeldet, und ich hatte mich zu verabschieden.

Über die Stiege hinabgehend, nahm ich eines der dort hängenden großen Gemälde wahr. Ich fragte, ob es ein Roos sei, und er bestätigte es. Im nächsten Augenblick kam ein schlanker alter Herr die Treppe herauf. Hofmannsthal stellte hastig vor; ich höre ihn noch: «Mein Papa – Herr Braun» sagen. Überhöflich half er mir in meinen Mantel, dankte mir für meinen Besuch, schärfte mir ein, wie ich zur Bahn oder Dampftramway käme, drückte mir die Hand, und dann trat ich in die winterliche Nacht hinaus. Die Sterne funkelten über und zwischen kahlen Bäumen; ich hörte ein Wasser fließen; aus den Häusern strahlten Lichter: die Erde schien mein Erlebnis mit mir zu feiern. Ich war bei dem Dichter Österreichs gewesen.

*

Diese Erinnerung erweist mir wieder, wie sehr mein erster Besuch bei Hugo von Hofmannsthal in seinem Rodauner Ansitz durch meine zu große Verehrung und Befangenheit nur ein schwebendes Erlebnis gewesen war. Wie in seinem Gedicht «Manche freilich» saß er «bei dem Steuer droben», und das empfanden, die von unten kamen, als eben jene Aussichtslosigkeit, die den Sternliebenden mitbewußt ist. Hofmannsthal galt für hochmütig; aber es war nur so, daß er nichts mehr haßte als Mangel an Distanz. Zu nahe kommen: das war es, was sein sensitives Naturell nicht ertrug. Wer ihn bloß von fern kannte und den Stil seiner Dichtung dem seines Wesens gleichsetzte, dem konnte wohl entgehen, daß er von Haus aus einfach und heiter war, daß er eben das Anmutig-Leichte, Nachlässige liebte, ja, brauchte. Wer den ersten Briefband liest, wird, überrascht, einen Ton wahrnehmen, der seit Mozart nicht in Österreich aufgeklungen. Indem aber sein Gedicht und besonders seine Prosa von Gepränge leuchtete und in erhabenen Akkorden ertönte (inmitten solchen Ernstes wirkte das achtlos, ja, wegwerfend Ausgesagte um so reizvoller, wie um die Gebärde eines schlanken Handgelenks eine dünne Goldkette), dominierte dieser «Traum von großer Magie» so ehrfuchtgebietend, daß die zweite Natur – und er besaß mehrere Naturen –, die seiner niederösterreichischen Großmutter, nicht genug eingesehen wurde.

Dies kam zu sichtbarem Ausdruck in der Eile, ja, Hast der Bewegungen und auch der Rede. Etwas Jugendliches, Schwebendes, Verschwebendes erschien und schwand in seinen Äußerungen. Konnte er irgendwo beharren? Wie ein Götterbote vertauschte er im Nu Himmel und Erde. Max Mell sagte einmal über ihn, daß ihm Behagen nicht gegeben sei, und das dünkt mich einer der Gründe, aus denen er sich selbst so selten zureichte. Von oben kommend, besaß er, was sich nur erben, nie erwerben läßt; aber – dieses Wort berichtete Raoul Auernheimer – er suchte «sich zu unterrichten», und indes er seinen aus den drei höheren Elementen gewonnenen Besitz mehrte – seine Dichtung ist bezogen auf Äther, Feuer und Wasser –, zwang er sich, von der Erde, die ihm mütterlich blieb, vieles aufzunehmen und mit den oberen Gütern zu verbinden. Er aber war ein paracelsischer Geist, und aus diesem Grunde hatte er das Gleichnis verwendet von dem «Salamander, der im Feuer wohnt».

Nach jenem ersten Besuch in Rodaun fand ich zunächst keine Gelegenheit mehr, Hofmannsthal zu sehen. Ich sandte ihm mein erstes Gedichtbuch und alle folgenden Bücher, erhielt jedoch kaum mehr als einen flüchtigen Dank.

Das war mir fast selbstverständlich, daß ein so großer Dichter meine Versuche wenig anerkennen konnte. In dem ihm befreundeten Hause Gomperz, in das ich an bestimmten Abenden kam, um der alten Dame vorzulesen, sprach ihre Gesellschafterin, Fräulein Lydia Kurz, mehrmals davon, daß er mich gern habe; Emil Lucka gegenüber allerdings verriet sie eine Äußerung Hofmannsthals, die Lucka gar kein, mir hingegen einiges Talent zubilligte. Ich litt nicht an dieser Geringschätzung; sie dünkte mich in meinem Zweifel an mir selber das gemäße Urteil.

Kurz nachdem der Krieg ausgebrochen war, meldete ich mich als freiwilliger Helfer im Kriegsfürsorgeamt und wurde angenommen. Auf meinen Recherchegängen in die Wohnungen der Armen führte ich die Listen der Bedürftigsten mit mir, und da fand ich unter ihnen den Namen der heute zu Unrecht vergessenen, früh verstorbenen Dichterin Angela Langer verzeichnet. Während ich den Gedanken erwog, Hofmannsthal um Hilfe für sie zu ersuchen, erblickte ich ihn selbst in der Uniform eines Reserveleutnants im Stiegenhaus des Amtes. Robert Michel begleitete ihn, um ihn dem Leiter vorzustellen, damit der Dichter durch eine Beschäftigung in diesem wichtigen Institut dem Militärdienst entzogen würde. Der Plan gelang, und Hofmannsthal erhielt einen besonderen Auftrag, dem er sich gern unterwand. Ich glaube, ich schrieb ihm über Angela Langer, und in der Tat erwirkte er eine Stellung für sie, die sie rettete. An eine Sitzung des Kriegsfürsorgeamtes erinnere ich mich, in der er anwesend war und zu meinem Staunen oft und leicht das Wort ergriff. Er hatte eben Welt. Mich würde kein Vorsatz dazu gebracht haben, auch auszusprechen, was ich hätte vorbringen können.

Einige Zeit später eröffnete mir Max Mell, daß Hofmannsthal für seine Arbeiten, die er zugunsten Österreichs zu leisten gesonnen war, einen Sekretär benötige und daß er da gerne an mich denke. Es war mir gleich klar, daß ich diese schöne Berufung Max Mells Anregung verdanke, und ich stimmte mit einer Freude zu, die ich heute vergebens wieder zu fühlen ersehne. Hofmannsthal empfing mich in dem Zimmer des Hauses Kärntnerstraße 51, das ihm die Familie Gomperz eingeräumt hatte, und erklärte mir seine Absichten und Wünsche. Es sollten mehrere Publikationen unternommen werden: eine Art österreichischer Inselbücherei, die er ursprünglich A.E.I.O.U. nennen wollte, eine Serie «Ehrenstätten Österreichs» und ein österreichischer Almanach. Er besprach mit mir die Themen und die Mitarbeiter. Das Merkwürdige an der Unterredung war seine besondere Feinfühligkeit mir gegenüber. Die Art, in der er die Frage meiner Honorierung erörterte, verriet eine heute unvorstellbare Vornehmheit. Er bat mich, für die Bücherei zwei Bändchen zu besorgen: eine Zusammenstellung von Audienzen bei Kaiser Joseph und von Gesprächen mit Beethoven. Später vertraute er mir, auf mein Anerbieten hin, ein drittes an: Schubert im Freundeskreis. Als letztes habe ich eine Auslese der Briefe Stifters, die freilich unter anderem Namen herausgekommen ist, für die «Österreichische Bibliothek», wie sie nun hieß, gearbeitet.

Da ihn die Verhandlungen mit einer Wiener Buchhandlung nicht befriedigten, wandte er sich an den Inselverlag, der gern zusagte, und alsbald erschien die erste Serie der gelben Büchlein mit dem weißen, schwarz, nachher grün umrandeten Schild, die seine Auswahl aus Grillparzers politischen Schriften einleitete. Ich sah damals Hofmannsthal sehr oft und korrespondierte viel mit ihm. Sein höfliches Verhalten, seine freundliche Teilnahme, seine Sympathie verminderte sich niemals; die gemeinsame Arbeit mit ihm war stets eine Freude für mich, die nicht einmal ich selbst mir trübte. Eines Abends, da er mit mir über die nächste Serie beriet, wurde ihm der Maler Franz Wacik gemeldet, der sein für die Jugend verfaßtes Buch über den Prinzen Eugen illustrierte. Da er unangesagte Besuche nicht leiden mochte, alterierte er sich über diese Störung, so daß ich ihn in einer Anwandlung wahrnahm, die seine Haltung beeinträchtigte. Ähnliche Bezeigungen von Ungeduld waren mir von anderen berichtet worden. In den Gesprächen, die er mit mir führte, erwähnte er häufig seine liebevolle Schätzung für Max Mell und Hans Carossa, den er auf eine Empfehlung Richard Dehmels hin in seinem Dichtertum erkannt hatte und seither sehr förderte. An der Mitarbeiterschaft Richard von Kraliks, dem er einen verehrungsvollen Brief schrieb, und Adam Müller-Guttenbrunns lag ihm viel, auch an der Stefan Zweigs und Emil Luckas. In dieser Zeit äußerte er über niemanden etwas Kritisches. Als er einmal in einer Zeitschrift einen Aufsatz von mir gelesen hatte, in dem ich Dehmels letzte Gedichte, verglichen mit seinen früheren, als in abnehmender Kraft stehend bezeichnet hatte, tadelte er mich in einem Brief deswegen. Es sei unstatthaft, solcher Art zu urteilen, meinte er, und heute erkenne ich, wie sehr im Recht er gewesen war.

Diese schöne Beziehung, die allerdings nie zu einer höheren geführt wurde – denn er sprach damals wenig über sich selbst und seine Arbeit –, endete im Frühling des Jahres 1915 durch die mir unabweislich gewordene Notwendigkeit, Wien zu verlassen. Es war in meinem Leben ein Entschluß reif geworden, der einen Zustand des Leidens aufheben sollte, und ich hatte Hofmannsthal zu gestehen, daß ich meine Arbeit für ihn einstellen müsse. Die Gründe, die mich zu diesem Opfer zwangen – denn ich liebte die Arbeit mit ihm, die mir seine Gegenwart ermöglichte –, gab ich nicht kund. Seine Augen bezeugten ein Mitgefühl mit mir, das auszusprechen ihm sein besonderer Takt nicht erlaubte. «Ja, wovon wollen Sie denn leben, Doctor Braun?» fragte er mich, beinahe ratloser als ich über meine Zukunft. «Ich weiß es nicht», antwortete ich. Auf die schonendste Art schlug er mir nun seinen Beistand vor. Damals galt es für peinlich, sogar einem Freund Hilfe durch Geld anzubieten. Meine Weigerung ließ er nicht zu: er wolle mir ja nichts aus Eigenem geben, versicherte er; da es aber besser sei, den Inselverlag nicht schon jetzt um eine Vorauszahlung anzugehen, werde er mir die mir zustehenden Honorare für die beiden Büchlein vorstrecken und zwar jetzt gleich, so daß ich mich für die nächste Zeit in Berlin freier bewegen könne. Er zog ein Scheckbuch aus der Tasche – nie noch hatte ich so etwas zu Gesicht bekommen – und schrieb darauf, was er mir zudachte. In meinem späteren Leben ist mir die Fülle des Guten erwiesen worden; weniges aber hat mir das Herz so berührt wie diese erste spontane Handlung der Vorsorge durch einen hochgestellten Menschen. Nicht allein weil sie von Hofmannsthal kam, sondern weil er, schweigend, was ich verschwieg, zu heilen gesucht hatte.

Dennoch schied ich nicht von der Mitarbeit an der «Österreichischen Bibliothek» aus, und die Korrespondenz mit ihm setzte sich fort. Als ich nach Wien zurückgekehrt war, bat er mich öfter zu sich. Doch sollte die Bücherreihe, infolge der geringen Anteilnahme der Leser im Reich, bald aufgegeben werden. Meine Dichtungen, die in dieser Zeit erschienen, verdienten seine Zustimmung nicht. Aber auch als die Tragödie «Tantalos» im Inselverlag herauskam, wurde mir kaum mehr als der übliche Dank erwidert.

*

Hofmannsthals Gespräch ist von vielen geschildert worden. Es hielt sich in einer Höhe, die es dem geringeren Hörer schwer möglich machte, nachzukommen. Mir vollends vereitelte meine zu große Ehrfurcht vor ihm die freie Eröffnung meines Wesens. Und er war doch heiter, leicht, liebte den Scherz, lachte gern. Dann aber entfremdete er sich wieder dorthin, wovon in «Manche freilich» die herrliche Rede geht. Was ich bewunderte, war seine Geistesgegenwart im sprachlichen Ausdruck, der ihm nie fehlschlug. Ihm gehorchte das Wort in der geselligen Unterhaltung wie im Vers. Er setzte es an die richtige Stelle; nie war es Phrase, und nichts sah er als zu niedrig an, um sein Wort zu empfangen. Einmal zeigte er mir auf dem Kohlmarkt in dem Schaufenster eines Galanteriewarengeschäftes kleine Bronzen, die er höchlich pries. Ich verstand nicht, warum er gerade darüber so begeistert sprach, habe auch die Gegenstände vergessen, nicht aber sein schönes Entzücken an ihnen. Eines Nachmittags, da wir an seinem Rodauner Fenster saßen, unterbrach ihn der Gesang eines Vogels, der so süß war, daß wir beide beseligt lauschten. Was für ein Vogel das sei, fragte ich. Und er, der im «Weißen Fächer» die Großmutter so schön über die Lerchen sprechen ließ, antwortete, während seine Züge sich erhellten: «Was wird's denn sein? Ein Meiserl.» Ein einziges Mal nur habe ich ihn ohne das klare Maß, das er sonst einhielt, sprechen hören. Das war, als er Richard Strauss von der Stallburggasse zur Galerie Harrach begleitete. Wohl muß die Nähe des von ihm so hoch bewunderten Künstlers ihn beirrt haben: denn seine Worte überstürzten sich und fanden kein festes

Ziel. Ich fühlte, daß er sich nicht dort empfand, wo allein er die andere Nähe ertragen konnte, und empfahl mich vor dem Eingang zur Galerie.

Durch den Verlust meiner Tagebücher von 1915 bis 1933 ist es mir nicht mehr möglich, die Gespräche, die mir mit den Dichtern meiner früheren Zeit vergönnt waren, im Einzelnen wiederzugeben. Zudem blieb der Umgang mit Hofmannsthal sporadisch. Er lud mich in jedem Jahr drei oder vier Male zu sich. Von selbst hätte ich es nicht gewagt, mich bei ihm zu melden, und das warf er mir einmal vor. Freundschaft verlange Oftmaligkeit, sagte er. Ich aber bezog diese Äußerung nicht auf mich.

Um so deutlicher verweilen zufällige Begegnungen in meinem Gedächtnis. Die früheste trug sich an einem Sommernachmittag nahe der Landungsstelle Zinkenbach zu, wohin ich von St. Wolfgang über den See gefahren war, um in den schönen, tiefen Hochwald zu gehen. Kaum hatte ich die Straße betreten, als zwei Radfahrer mir entgegenkamen, in deren einem ich, zu meiner heißen Freude, Hofmannsthal, in dem anderen Jakob Wassermann erkannte. Sie hielten, stiegen ab, und Hofmannsthal fragte, was ich denn hier in Zinkenbach tue. Ich wolle in den Wald, sagte ich, um allein zu sein. Ja, meinte er, das sei zuweilen schon notwendig. Denn man habe ja wenig Ruhe von den Leuten. Er gab mir den Rat, der mir oft einfällt: «ekelhaft» zu sein, um mir die Freiheit zu behaupten. Ich höre ihn noch in der leichten Mundart hinwerfen: «Gehn S' nur in Ihren Wald, Doctor Braun.» Dann saßen die beiden Dichter auf, und lang noch dachte ich seiner, als ich schon im tiefen Gras unter Tannen und Lärchen lag und das Sonett «Der Wald» mir entstand in der grünen, hallenden Stille.

Unversehens traf ich ihn eines Sonntags in München, als ich mit Erwin Rieger in die Glyptothek ging, aus der er gerade kam, und das schöne Sommerwetter tat seinem entspannten Wesen so wohl, daß er die Freude, mich zu sehen, herzlich bekundete. Als die Miniaturenausstellung in der Hofbibliothek eröffnet wurde, trat er, während der Ansprache des Regierungsvertreters, auf mich zu und nahm mich mit sich abseits, da ja bloß ein Sektionschef rede. Oft traf ich ihn im Theater, zuletzt nach Lernet-Holenias «Österreichischer Komödie» in der Garderobe des Theaters in der Josefstadt. Genau sehe ich ihn im Gespräch mit Rudolf Kassner vor der Trauerfeier für Rilke in dem nämlichen Bühnenhaus. Er hatte einen Fuß auf einen Sessel gestellt und stand so da, daß ich unwillkürlich dachte: Noch lebt er, noch haben wir ihn. Auf der Straße erblickte ich ihn mehrmals, wagte aber nie, ihn anzusprechen, weil er so von seinem Traum umfangen wandelte, daß sein eher strenges Antlitz von einem Lächeln überschwebt war. Einmal sah ich ihn auf dem Graben in Richard Billingers Begleitung: sogleich blieb er mit mir stehen und fragte mich nach meinen Dingen in seiner lieben Weise. Solche kurzen Gespräche waren ihm angenehm, längere strengten ihn an. Bisweilen bemerkte ich Angst in seinem schönen Auge. Nicht die des Feigen, sondern dessen, der sich zu gut kennt und den andern vor der Enttäuschung durch ihn bewahren möchte. Ich glaube, daß ihn jeder Umgang befremdete, schon darum, weil die Nähe seine Feindin blieb. Einmal floh er aus einer Gesellschaft, ohne Hut und Mantel, in die Winternacht hinaus, nur weil der Raum um ihn zu enge gewesen war. So sehr er Freundschaft suchte, so sehr störte sie ihn auch. Antipathien sich zu verbieten, brachte er kaum genügend Entschlußkraft auf. Als ich einen Dichter, dem er enschieden abgünstig gesinnt war, gegen ihn verteidigte, erkannte ich, zu spät, daß er meine Gerechtigkeit ungern zuließ: wieder verriet mir sein Auge, was er empfand und litt.

Er hatte mir seine endlich vollendete Erzählung «Die Frau ohne Schatten» mit einer mich ehrenden Widmung gesandt und wollte erfahren, wie sie mir gefallen habe. Deshalb lud er mich eines Vormittags in die Stallburggasse ein, und es war so herzlich schön zwischen ihm und mir, wie ich's mir erfreuender nicht hätte wünschen mögen. Doch da war über «Die Frau ohne Schatten» zu sprechen, die mich in einer zu vollkommenen Meisterschaft verfaßt dünkte, als daß sie mich hätte ergreifen können. Damals kannte ich Rudolf Kassners ähnliches Gefühl noch nicht. Lange hatte ich mit mir Rats gepflogen, ob ich dieses Erachten Hofmannsthal bekennen dürfe, und war zu der Entscheidung gelangt, es auszusprechen. Denn unwürdig schien es mir, ihn zu belügen. Immerhin zögerte ich hinaus, was gesagt werden mußte, und da er mich endlich geradezu daraufhin fragte, verbarg ich es nicht, sondern teilte es, wiewohl vorsichtig, ihm mit. Sogleich veränderte sich sein Angesicht; bestürzt sah ich ein, welche Torheit ich begangen. Er verstehe meinen Einwand nicht, versetzte er. Habe doch erst gestern Werfel ihm gesagt, daß er nie etwas Schöneres gelesen hätte. Der Zusammenhang mit mir war zerrissen. Nach einer Anstandsfrist hatte ich zu gehen, und es dauerte fast zwei Jahre, bis Hofmannsthal sein gutes Verhältnis zu mir wiederfand.

*

In Widmungsinschriften seiner Bücher, von denen mehrere mir verloren sind, und in Briefen hat Hofmannsthal mir das Dichtertum wiederholt zugebilligt, zuletzt in hohem Maß. Was von meinen Versuchen hatte ihm etwas zu sein oder zu geben vermocht? Er war der Erste, der mein Gedicht «Der Knecht mit dem Licht», das in einer Wiener Mittagszeitung erschien und das ich selbst für nichts Besonderes hielt, rühmte. Ähnlich schätzte er die «Grabschrift für einen Tiroler Kaiserjäger», die er mit den beiden Gedichten «Die Bäume des Paradieses» in den «Österreichischen Almanach» des Insel-Verlages aufnahm, was eine entscheidende Förderung für mich bedeutete. Die Romane und Dramen hat er wohl kaum gelesen: aber der Essayband «Deutsche Geister» und manches, was ich an Aufsätzen in Zeitschriften veröffentlichte, gewann seine Zustimmung. Diese erfolgte so spontan, daß ich sie nicht für die der Höflichkeit oder Ermutigung ansehen kann. Denn er nahm nie Anstand, Mißfallen zu bezeugen, oft ohne Rücksicht. Gleichwohl glaube ich, daß seine Achtung meiner Arbeit bloß eine bedingte war. Zur Teilnahme an seiner Zeitschrift, den «Neuen deutschen Beiträgen», hat er mich nie eingeladen, einmal jedoch ersucht, ihm unter meinen jüngeren literarischen Bekannten solche namhaft zu machen, die er allenfalls zu Einsendungen auffordern könnte. Dies kränkte mich schon. Ich nannte ihm damals niemanden, was mir heute als unschöner Zug des Ressentiments oder der Eifersucht – in bezug auf Hofmannsthal waren die Dichter meiner Zeit einander eifersüchtig – auf die Seele fällt. Lange verweigerte ich mich auch seinem Wunsch, die Tragödie «Prometheus» des rumänischen Dichters Eftimiu in deutsche Verse zu übertragen. Er rief mich zu sich und stellte mir vor, daß der Insel-Verlag die Dichtung drucken werde und daß eine hohe Vergütung von rumänischer Seite für meine Arbeit zu erwarten sei. Wie sollte ich mich seiner Bitte verschlossen halten, zumal meiner Armut ja mit einer so großen Summe aufgeholfen gewesen wäre? Er selbst wollte die Einleitung verfassen, und das beruhigte mich bei meiner endlichen Annahme. Diese war die einzige dichterische Beschäftigung, der ich mich nicht mit ganzem Einsatz unterzogen habe, obwohl der «Prometheus» mich mit einer merkwürdigen Affinität zu meinem «Tantalos» überraschte. Es war aber beglückend, ein Buch gemeinsam mit Hugo von Hofmannsthal herausgeben zu dürfen.

Das sind Erinnerungen aus der Jugend eines Dichters, der noch keine Reife erlangt hatte, da Hugo von Hofmannsthal ihn seines Umgangs würdigte. Was konnte ich einem solchen Geist bieten? Er spendete mir; aber nahm ich an? Als ich erwähnte, ich hielte ein gewisses Gedicht von mir nicht mehr aufrecht, tadelte er mich darum. Er ändere nichts an seinen Versen und lasse sie in der Gestalt, in der sie zu ihm gekommen waren. Es war während dieses Gesprächs, daß er erklärte, es gebe keine ungedruckten Gedichte von ihm. Das «Lied der Welt» las er mir aus dem Manuskript vor. Da es mich entzückte, sagte er, frohgelaunt, daß er es nicht geschrieben, sondern empfangen habe. «Was singt sie denn?» habe er sich gefragt, und dann habe sie ihm eben zugesungen, was jetzt dastehe.

In der Zeit, als der Unterrichtsminister in dem Palais am Minoritenplatz an bestimmten Nachmittagen Vorlesungen österreichischer Dichter veranstaltete, wurde auch ich eingeladen, etwas von mir vorzutragen. Ich kann mich nicht erinnern, wer die beiden anderen Autoren gewesen waren. Da der schöne Saal sich füllte, gewahrte ich, erschreckt und erfreut, Hugo von Hofmannsthal eintreten. Hinter den letzten Sesselreihen blieb er stehen, er sprach mit Richard Beer-Hofmann, der vor ihm saß, nahm aber nicht selbst Platz. Ich wurde als Erster auf die Estrade gebeten und las eine Auswahl aus den kurz vorher entstandenen «Salzburger Sonetten» vor, sehnlich hoffend, daß Hofmannsthal sie nicht mißbilligen werde. Als ich geendet hatte, kam er auf mich zu, dankte mir, lobte die Gedichte, reichte mir die Hand und verließ den Saal, ohne die anderen Dichter mehr anzuhören.

Eine einzige Dichtung von mir hat Hofmannsthal geliebt: die Geschichte «Die Magd vom Chiemsee». Als er sie im «Neuen Merkur» las, schrieb er mir sofort seinen Beifall. Später, da ich ihm den kleinen Band Erzählungen, der sie enthielt, schickte, antwortete er mir, daß die zweite Lektüre ihm den schönen Eindruck nur bestätigt habe. Auch die Novelle «Der Gärtner von Sievering» anerkannte er, dagegen weniger die Legende «Wunderstunden», die ihn allzu romantisch und deren Diktion da und dort «zu weich aufgenommen» anmutete. Hofmannsthal war ein klassischer, trotz dem «Bergwerk von Falun» kein romantischer Dichter.

*

In seinen Gesprächen wog Literarisches vor, doch nie ohne Hinblick auf das Leben. Obschon er das Private seiner Existenz nur selten berührte, brachte es seine Persönlichkeit mit sich, daß es besprochen werden mußte. So erzählte er mir seine väterliche und mütterliche Abstammung, die ja manches in seiner Poesie erläutern hilft. Bei dem Leichenbegräbnis seines Vaters sah ich ihn, sehr bleich, in die Schottenkirche eintreten. Daß die Ehe das notwendige Band zwischen den Geschlechtern sei, stand ihm nicht nur als Katholiken fest. Zu seiner Religion bekannte er sich, meinte aber einmal, daß er sich schon eine Weiträumigkeit vorbehalte. Er liebte die Aristokratie, weil sie ihm eine Sphäre der Distanz und des Maßes verbürgte. Wenn er sich in dem Habit des Franziskaners vom dritten Orden begraben wünschte, so war das keine Pose, wie es der Unverstand hinstellte, sondern entsprach einem Hang zur Demut, der ihm tief eignete. Als junge deutsche Wanderschauspieler mittelalterliche Mysterienspiele darstellten und sangen, bewegte ihn diese ferne Schönheit so sehr, daß er jedem zuhörte, der etwas darüber zu sagen hatte. Ich vergesse nicht den Ausdruck seiner Miene, da ein junger Bankbeamter ihm darlegte, was ein lyrisches Gedicht eigentlich sei.

Zu der zeitgenössischen Dichtung äußerte er sich souverän. Die deutsche war für ihn die dualistische an sich; einerseits wurde sie ihm als eine künstlerische durch Stefan George, andererseits als eine eher volkliche durch Gerhart Hauptmann repräsentiert. Das seien die großen Gestalten, an denen er sich orientiere. Als überragend sah er Knut Hamsun, den er einem Mammut verglich, und Selma Lagerlöf an. «Warum haben wir heute keine solchen Wesen mehr?» fragte er traurig. Von der deutschen Literatur im Gesamten behauptete er, daß wir im Grunde keine besäßen, wenigstens nicht im Sinn der anderen Nationen. «Wir haben Goethe und Ansätze.» In seinen letzten Jahren las er Lessings Dramen, um von ihnen zu lernen. Besonders studierte er «Minna von Barnhelm» und «Nathan der Weise», der, wie er mir lächelnd sagte, in Wahrheit ein Lustspiel sei. Unter den Zeitgenossen rühmte er Richard Beer-Hofmann, Thaddäus Rittner, dessen heute ungerechterweise nicht gedacht wird, und Bert Brecht, von dem er Georg Büchners unmittelbaren Stil fortgesetzt fand.

Am liebsten las er wohl Französisch, das er vollkommen beherrschte und sprach. Alte kleine französische Bouquins lagen auf kleinen Kästen seiner Wohnung in der Stallburggasse. Als der Penclub Edouard Herriot in Wien begrüßte, hielt Hofmannsthal die französische Anrede an den Staatsmann. Und als der Kulturbund einen Abend für Paul Valéry veranstaltete, führte er den Vorsitz. «La parole a Monsieur Paul Valéry», höre ich ihn verkünden, wobei er den Namen auf der ersten Silbe betonte. Augenblicke, Worte, Fühlungen: die Erinnerung bewahrt einige, aber bedeutendere sind ganz in die Vergangenheit eingeschwunden.

*

Mein letzter Besuch bei ihm war mein schönster. Er war heiter gestimmt: denn er hatte das Werk, das ihm durch sein ganzes Leben vorgeschwebt war, das «Große Welttheater», vollendet. Er wünschte, es Max Reinhardts Sekretärin, die er gleichfalls eingeladen hatte, und mir vorzulesen. Es war ein sonnenheller Nachmittag, die Luft leicht («und die leichten Winde wehn»), ein guter Stern leuchtete unsichtbar über Rodaun. Und dann las er uns aus dem Manuskript die ganze Dichtung vor. Seine in der Höhe oft abgleitende Stimme, der das schnelle Sprechen anstand, wurde sonor durch die Verse, die er mit Feuer sprach. Das war zu fühlen, wie er in seine Vision versank, die – sogleich, nachdem er angehoben, wußte ich es – für immer beschworen war.

> *Trotzigem Warum*
> *Bleibt der saphirene Gerichtshof stumm.*

Höre ich noch den wundervollen Reim in seinen Worten? Er, der so Erhöhte, so Entfernte, wie war er mir jetzt nahe! Wie war er nur Dichter, nur Träumer! Durch zwei Stunden las er vor. Ich begriff, was mir geschenkt wurde. Und ich verhehlte nicht, was ich fühlte.

Sein Gesicht blieb erhellt. Ich war aufgestanden, zum Fenster getreten, das Herz erregt von der Schönheit des Werks, und sagte ihm, daß sein Drama eben das sei, das wir all die Zeit über erwartet hatten. Dieses Lob war das einzige, dessen er bedurfte. Hatte er mir doch schon früher von einer Bäuerin erzählt, die vom Land nach Salzburg zu seinem «Jedermann» gekommen und von dem Spiel wie vom Leben selbst berührt worden sei. «Ja», pflichtete er mir bei, «man muß hinter die Klassiker zurückgehen.» Wir sprachen über seine Schöpfung, verglichen sie mit der Calderons, und ich gab ihm recht,

wenn er die seine als so eigenständig erachtete, daß er dieses Mal den Namen
des spanischen Dichters auf dem Titelblatt nicht vermerken wolle. Denn sei
nicht das Wesentliche, insonders die Gestalt des Bettlers, nunmehr sein poeti-
scher Besitz? Noch nie war ein Gespräch mit Hofmannsthal in so leichter
Eintracht vor sich gegangen wie dieses sommerliche. Er war mir dankbar,
daß ich so unbedingt zu ihm und seinem Drama stand, und ich ihm für sein
Vertrauen zu mir und für den innerlichen Gewinn, den sein «Großes Welttheater» in mir gestiftet.

Nachher habe ich ihn nur mehr flüchtig gesehen. Einmal in Salzburg während der Proben zu diesem Drama, dessen Inszenierung in der Kollegienkirche mir schlecht, ja unwürdig vorkam. Aber ein einschlagender Blitz erhellte die große Szene des Bettlers dämonisch und ließ sie als die prophetische
deuten, die sie war. An dieser Stelle möchte ich auch anfügen, daß ich ihn
mehrmals öffentlich habe vorlesen hören: sein Abend in der «Urania» ist mir
nur so weit erinnerlich, daß ich ihn selbst sehe, wie er gerade das Zwickerglas
aufsetzt, um in sein Manuskript zu blicken. Völlig deutlich hingegen blieb
mir der schöne in der Wiener Werkstätte, an dem er nichts Eigenes, sondern
nur Schriften von Rudolf Pannwitz vortrug, für den er sich damals selbstlos
einsetzte. Dies gehörte zu seinem Charakter: für andere zu wirken. Das Persönliche war ihm minder wichtig, auch dort, wo er die Leistung aufs Höchste
schätzte.

Durch meinen ständigen Aufenthalt in Palermo von November bis Juli
kam ich um die Möglichkeit, ihn zu sehen. Als einmal die Emma Grammatica
seine «Elektra» spielte, beschloß ich, ihm einen Bericht über die großartige
Darstellung seiner Heldin durch die Tragödin zu schreiben. Konnte ich
ahnen, wie sehr ihn dieser Brief bewegen würde? Damals war Hans Carossa
in Palermo, und ich grüßte Hofmannsthal auch von ihm. Wie hoffte ich nun
auf einen innigeren Austausch und Verkehr, zumal ich ja auch selbst an Reife
ihm näher gelangt war. Meine Anzeige seiner Münchner Rede «Das Schrifttum
als geistiger Raum der Nation» hatte ihn als Zeichen des Einverständnisses
gefreut. Als der Aufsatz meines Schwagers Hans Prager über Shakespeares
«Lear» in der Zeitschrift «Logos» erschien, schickte ich Hofmannsthal einen
Sonderabzug und war nicht erstaunt, ihn von den bedeutenden Gedanken,
die das Tragische der Familie behandelten, getroffen zu finden. Möge dieser
letzte Brief Hofmannsthals an mich die Erinnerungen, die sich mir gleich
Träumen entziehen und die im Geist einzuholen ich versucht habe, beschlie-
ßen:

Rodaun, 3. VII. 29.

Lieber Dr. Braun,
Sie haben mir aus Palermo einen Brief geschrieben, für den ich Ihnen sehr
großen Dank schuldig bin. Es ist eine große Ehre für mich, daß Sie in dieser

Weise an mich denken, und es tut mir wohl, daß ein Mensch wie Sie mich dieser Ehre für wert hält.

Ihr Bild steht sehr rein vor mir, durch Ihr Handeln seit allen diesen Jahren und nun wieder durch das, was Sie auf sich genommen haben, um die Linie Ihres Lebens rein weiter ziehen zu können. Auch Carossas Bild ist ein reines, dessen Gegenwart in dieser Welt mich erquickt – obwohl ich ihn nie sehe und auch nicht zu sehen wünsche, und dessen Zeichen von Freundschaft, die manchmal zu mir dringen, mich tief erfreuen. Daß Sie beide einander begegnet sind und mich gemeinsam grüßen, hat diesen Tag, da Ihr Brief kam, zu einem sehr schönen gemacht. Ich danke Ihnen herzlich, lieber Freund.

Auch eine andere Annäherung habe ich erfahren, die mir wertvoll war: Ihr Schwager, Herr Doctor Prager, hat mir eine gedankentiefe Arbeit über den König Lear zugeschickt. Es ist wunderbar, wie diese höchsten Kunstwerke, als Wesenheiten einer höheren Ordnung, immer in jedem Zeitalter neue Verbindungen mit dem Menschengeist eingehen. Denn, das was hier bei der Betrachtung des Kunstwerkes erblickt und ausgesprochen wurde, hätte in irgend einem früheren Zeitalter auch von einem sehr gedankentiefen Menschen nicht ausgesprochen werden können. Die Begriffe des *Fernen* und *Nahen*, wie sie hier in einer neuen und Vieles sagenden Weise gebraucht sind, habe ich mir zu eigen gemacht und bin durch diese gewaltigen Begriffe und durch den Geist der ganzen Arbeit sehr bereichert worden. Bitte sagen Sie Ihrem Herrn Schwager für mich Dank dafür, daß er mir die Auszeichnung erwiesen hat, mich mit dieser Arbeit bekannt zu machen. – Vieles schreiben wir hin, ohne je zu wissen, wie es aufgenommen werden wird, und ob überhaupt jemand da sein wird, es aufzunehmen. Seien Sie sicher, daß jeder Ihrer Briefe von mir völlig und mit warmem Herzen aufgenommen wird.

Ihr Hofmannsthal.

Am 16. Juli 1929 war ich von einem Bergweg in das Hotel auf dem Feuerkogel hoch über Ebensee zurückgekommen, wo ich seit einigen Tagen mit meiner mütterlichen Freundin Eugenie Hirschfeld wohnte. Ein Zeitungsblatt lag auf einem der Tische: da stand, in riesigen Lettern über die ganze erste Seite hin, der Name Hugo von Hofmannsthal neben einem Kreuz. Es war der Unglückstag Österreichs, an dem vor etlichen Jahren der Justizpalast verbrannt worden war und an dem nun der Dichter, gerade als er sich anschickte, zur Leichenfeier für seinen Sohn Franz in die Rodauner Kirche sich zu begeben, von eben jenem Feind gefällt wurde, der Claudio, Jedermann, Sigismund aus dem Leben gezwungen hatte.

Ohne Hofmannsthal schien mir mein eigenes Dasein und Dichten des Einzigen beraubt, auf das es sich im höchsten Sinn beziehen durfte. Wessen Instanz sollte die grausam weggerissene stellvertreten? Aber nicht um meinetwillen allein war das Entschwundensein des Dichters unverschmerzbar. Solche Rede, die hingestürzt lag, konnte kein Nachgeborener mehr aufnehmen.

War nicht die Fügung fast die nämliche, durch die ich drei Jahre vorher Rainer Maria Rilkes Ende erfahren hatte? Mit derselben Freundin hatte ich einen Nachweihnachtsurlaub in Waidhofen an der Ybbs verbracht. Auch damals war ich von einem einsamen Gang – durch die Schneewälder – in den Gasthof eingetreten, hatte ein Abendblatt zur Hand genommen und darin, ebenso unvorbereitet, den Tod des geliebten Dichters gelesen. Wie lange Zeit hatte ich gebraucht, um die unerbittliche Wahrheit anzuerkennen! Und wie sollte ich diese furchtbare neue mit der Welt vereinbaren, die in jenem Augenblick noch die meine war? Ich trat aus dem Haus, und da schimmerte das Tal unten, die Landschaft des Salzkammergutes, die soviel beigetragen zu dem eigentümlich Schönen seines Verses, in dem traurigen Licht, das nicht von der Sonne herrührt, sondern von unserem leidenden Herzen. Wie frühe Maler ohne äußere Lichtquellen Hell und Dunkel verteilt haben, so gewahrte ich das «zu sehr geliebte Tal» und die Berge wie in «Der Tor und der Tod» mit ihren Wolkenschatten dahin liegen, verwaist, wie ich selber mich fühlte ohne den, der mir die schönste menschliche Gabe verliehen: ihn so verehren zu dürfen wie niemanden sonst außer ihm. Und niemanden nach ihm.

HANS CAROSSA

Führung und Geleit

Als ich einmal, nach Mitternacht, in meine Wohnung heimkam, fast zu
müde, um noch eine Kerze anzuzünden, fand ich unter eingelaufenen Post-
sachen einen Brief in sehr gewöhnlichem, graugrünem Umschlag, wie ihn
Geschäftsleute verwenden; die Adresse war mit Schreibmaschine geschrieben, desgleichen der Name des Absenders: Hofmannsthal, Rodaun bei Wien.
Es war gerade zu jener Zeit nicht selten vorgekommen, daß Linzer oder
Wiener Familien, wenn sie auf ihren Ferienreisen einige Tage in der Passauer
Gegend verbrachten, mich als Lungenarzt in Anspruch nahmen, und gerade
damals hatte sich eine Nichte Adalbert Stifters, eine hektisch hübsche Dame
mit jugendlichem Gesicht und schneeweißem Haar in meine Behandlung begeben. Ich glaubte daher, irgendeine erkrankte Person aus Hofmannsthals
Verwandtschaft wolle sich meiner Heilkunst anvertrauen, und erschrak ein
wenig beim Lesen der Zeilen, die nicht dem Arzt, sondern dem unbekannten
Autor galten und ihn zur Einsendung von Gedichten für eine neue Zeitschrift
aufforderten. Auf dem Tische lag, vom Nachmittag her, ein Heft aufgeschlagen, worin «Erlebnis» und «Botschaft», noch mit Loris unterzeichnet, ab-
gedruckt waren, und nun zündete ich die sämtlichen Lampen, Lämpchen und
Kerzen an, die sich in der altmodischen Wohnung fanden, und las, bevor ich
schlafen ging, noch einmal die großen magischen Verse. Die Beglückungen,
die von dem Dichter seit Jahren über mich gekommen, sie lebten mit allen
ihm zugedachten Dankesworten wieder mächtig auf, und obwohl ich wußte,
daß der Brief durch Dehmel veranlaßt war, so empfand ich ihn doch wie einen
Gegengruß, als hätte mein geistiges Andrängen, unterirdisch weiterwirkend,
Antwort erhalten. Bei der dritten oder vierten Mitteilung waren die Maschi-
nenzeilen bereits durch die Handschrift ersetzt, und in ihren scheinbar vagen,
fliehenden, dabei jedoch sehr bestimmten, mit keiner anderen verwechselba-
ren Zügen erschien erst ganz das echte Epistolare dieser Briefe, die sich nun
als ein unentbehrlich erquicklicher Grundstoff meiner Lebensluft beimeng-
ten. Wie festlich wurde der trübste mühsamste Tag, wenn eines jener weißen,
bläulichen oder grauen Blättchen ins Haus gekommen war! Und wenn dieser
Verkehr niemals zu einem persönlichen Zusammentreffen führte, so war er
deshalb nicht weniger beständig. Die Scheu, einen rein geistigen Bezug zu
gefährden, hält ja öfters den Suchenden, Werbenden, Veränderung Wünschen-
den so gut wie den Besitzenden, in goldener Ordnung Wohnenden vor allzu
großer Nähe zurück. Mir jedenfalls war es genug, ob fern oder nah, einen
großen Meister der Sprache in der Welt zu wissen, der mein Treiben beach-

tete, einen Eingeweihten, der mich unmerklich bald zum Selbstvertrauen, bald zur Bescheidung anhielt und mir auf so zarte wie verläßliche Weise zu verstehen gab, worauf es nach seiner Meinung für mich ankam. Sachlich, nie kleinlich war sein Tadel, sein Lob aber von der Art, daß man es annehmen durfte. Wenn mancher andere bedeutende Dichter in den Strophen eines Neuen vor allem sich selber sucht und entzückt ist, sobald er sich findet, hingegen enttäuscht, falls er seine Spuren vermißt, so kann das berechtigt sein; Hofmannsthal aber wußte von sich selber abzusehen, er erkundete den Boden, dem das Gewächs entstiegen war, und prüfte es von diesem her.

So viel geistige Freiheit aber konnte nur ein Mann aufbringen, der die Gegenwart nicht überschätzte, der mit allen echten Werken der Vergangenheit vertraut war. Was damit gemeint ist, wird jeder spüren, wenn er die paar unvergleichlich schönen Seiten liest, welche Hofmannsthal der Insel-Ausgabe Deutscher Erzähler als Vorwort mitgegeben hat. Er sah weit über das eigene Jahrhundert hinaus; darum hatte er den Mitlebenden so viel zu sagen. Wie stärkend war seine unverhoffte Zustimmung, wenn er sich durch eine Deutung in Vers oder Prosa getroffen fühlte! Wie vermochte er das Wort eines andern aufzufassen und auszulegen! In einer kleinen Veröffentlichung war die Rede gewesen von der Unersetzbarkeit irdischer Begegnungen, die zur rechten Sternstunde erfolgen, und von einem dunkel geahnten Gesetz, wonach keine der wahrhaft geistigen Potenzen einer Epoche gewaltsam ausgeschaltet werden könnte, ohne daß dadurch auch die übrigen ihre Wirkungskraft verlören. Das Gedruckte war erst einen halben Tag in meiner Hand, als Hofmannsthals leidenschaftliche Bekräftigung eintraf. Nie, so schrieb er damals, höre das Geheimnis der Kontemporaneität auf, ihn zu beschäftigen, weder im Leben noch in der Arbeit, er sehe in ihm den Schlüssel zum geistigen Dasein, soweit es auch zugleich menschliches Dasein sei.

Das wunderbare «Nie-außer-Hörweite-Sein», das treuliche Ernstnehmen eines Ungekannten, der sich selber nicht jederzeit ernstnahm, dies gab mir trotz mancher Lebensbedrängnis eine nicht geringe Sicherheit. Nebenher ging immer ein klarsichtiges Erraten, wie es menschlich um einen stand, und die freiwilligste Förderung in der Welt, wovon man oft erst spät und nie durch ihn selber erfuhr. Anton Kippenberg, dem Leiter des Insel-Verlags, empfahl er warm die Drucklegung meiner Gedichte und lenkte mir so einen der schönsten folgenreichsten Glücksfälle zu, die meinem Leben beschieden waren.

Amoretten, die um Säulen schweben

Es war nicht nur der Garten unserer Kinderheimat und nicht allein die schönen Kirchen, deren Tore sich abschiednehmend schlossen, als meine Schwestern und ich die kaum noch erfaßten Stätten unserer Kindheit und Mädchentage verließen, um in die «Große Welt»: nach Berlin zu gehen. Es war vor allem das kleine Schlößchen in der Badgasse in Rodaun, in dem Hugo von Hofmannsthal mit seiner Gattin und den Kindern lebte; das heitere Haus, das mich recht eigentlich entließ und hinüber führte in die neue Welt – Berlin –, dessen erregender Atem mir entgegen brauste und meine Schritte beschwingte, wenn ich in den großen, breiten Straßen mich neugierig erging und die vielen, vielen Wohnungen mir vorstellte, in denen Menschen lebten, die sich zwar ein wenig anders gaben, als ich es gewohnt war, was wahrscheinlich dazu beitrug, daß ich das erstemal meiner selbst als Wienerin und Kind meiner Zeit mir bewußt wurde.

So erlebte ich wie nie zuvor das Leben der vielen ungekannten Mitlebenden in einer großen Stadt, ich spürte traumhaft mitlebend ihren Schlaf, ich witterte den Geruch der Fische, die sie in ihren Küchen bereiteten, ich gedachte ihrer häuslichen Beschäftigungen, ob sie nun Wäsche bügelten oder Blumen begossen auf den Balkonen ihrer neuen Häuser. Alte Häuser hatten wir in Wien genug, aber Häuser, die so komisch ausschauten wie die Bauten am Kurfürstendamm, und Häuser mit Holzstiegen, in denen uns freundliche Wirte empfingen und entzückt über unsere wienerische Aussprache lachten, das gab es nur hier zu erleben. Und da waren so große Warenhäuser, in denen alle Schätze der Erde ausgebreitet vor mir lagen, die ich glaubte kaufen zu können, weil ich das erstemal über Geld verfügte und darum mir alles schön und preiswert erschien.

Wieder zurückgekehrt nach Wien, da war ich ja einfach zu Hause, verwurzelt, aber noch nicht wissend um die Wurzeln, weil sie noch so tief in der Erde saßen und ich den Duft der Blüten, die sie trieben, als selbstverständlich einsog und veratmete. Und als ebenso selbstverständlich erlebte ich die Begegnungen mit einem Menschen wie Hugo von Hofmannsthal, so daß ich heute ergriffen, erstaunt mich frage: was konnte ich ihm, was er mir bedeuten, die ich noch so jung und kindisch war? Dieser außerordentliche Mensch, dessen junges Genie Erstaunen bei den reifen Geistern hervorgerufen und den seine Zeit bald aus der Schar der Dichter und geistigen Persönlichkeiten herausgehoben hatte. Aber auch sein Herausgehobensein über die anderen war für mich nur ein natürlich Gegebenes, es war ja eben der «wunderbare Dichter», so wie ich es nur natürlich fand, selbst herausgehoben zu sein vor den Tänzerinnen; denn in meiner jugendlichen Ursprünglichkeit reagierte ich auf manches noch höchst naiv. So hatte Hofmannsthals empfindliches Zurückweichen vor der Außenwelt, seine Distanz zu dem Allzudirekten, Zeitgemäßen ihm im weiteren Umkreis die Bezeichnung «kalter Ästhet» eingebracht, worüber er mit seinen Freunden herzlich lachen konnte und ich wohl am unbeschwertesten gelacht habe, weil die Verbindung von «kalt» und «Ästhet» von mir noch gar nicht richtig verstanden werden konnte. Aber Hofmannsthal kalt? Ja Herrgott, da empörte sich in mir alles! Ich erlebte ihn in seiner Familie und bekam wie alle, denen er sich freundschaftlich zuneigte, nur seine zarteste, ja fast ängstliche Fürsorge um mein rechtes Wohlergehen zu spüren, was ich allerdings auch gelegentlich mißverstand, denn ich war damals bei aller mir innewohnenden Ehrfurcht auch eine «kecke Person», und Hofmannsthal war ja kein ehrwürdiger alter Herr mit langem Bart, hatte nur eine leicht melancholische, indische Beschattung auf der Oberlippe, aber sein Jung- und Altsein zugleich konnte mich gelegentlich verwirren. So stand auch das erste Kennenlernen von Hofmannsthal und mir in diesem Zeichen des Mißverstehens, als er einer Vorführung unserer eigenen Tänze im Atelier eines Jugendfreundes beiwohnte und nachher, auf mich zukommend, statt nur Begeisterung über meine Darbietung zu äußern, mich fragte, ob meine Schwestern und ich uns nicht einer leichten rhythmischen Unsicherheit beim Lannerwalzer schuldig gemacht hätten. Worauf ich kühl antwortete, daß dies wohl kaum möglich wäre bei unserer Musikalität. Schon am nächsten Tag aber erhielt ich von ihm einen so zarten Brief mit einer entschuldigenden Erklärung und der Bitte, ihn und seine Familie in Rodaun zu besuchen.

So kam ich in sein Haus, und da waren drei Kinder, das jüngste ein einjähriges Buberl, Kinder, die mich genau so interessiert und neugierig betrachteten, wie meine Schwestern und ich auch alle Großen uns angeschaut haben. Das war heimatlich und bekannt, aber im Haus selbst, oh, da war es so schön, wie ich es noch nie gesehen hatte, schön wie in einer Stifter-Erzählung. Da war das mittlere dreifenstrige Zimmer mit den tiefen Fensternischen und den mit Fresken bemalten Wänden, die ländliche Idyllen darstellten, den weißgoldenen Möbeln und den kleinen Tischen, auf denen kostbare Kunstgegenstände fremder Erdteile sich verträumten. An diesen Raum anschließend war Hofmannsthals Arbeitszimmer mit den weißen Bücherregalen hoch hinauf die Wände, und davor sein Schreibtisch, so feierlich schön wie in einem alten Stift, daneben aber wieder ganz beruhigend die dunkelblauen samtenen Sitzgelegenheiten, Divan und Fauteuils, in denen ich so manches Jahr behaglich gesessen bin beim schwarzen Kaffee oder Tee und getragen, gehegt von gutem Zusammensein meinen Blick schweifen ließ durch die tiefen Fensternischen, hinaus ins Dämmern des Abends, dem Heimziehen der Wölkchen zusah und mich versicherte... daß alles gut war. Wenn es dann ganz dunkel geworden, wurde in der Ecke die Petroleumlampe angezündet, die in einer großen chinesischen Vase eingebaut war und gerade genügend Licht dieser Ecke gab, in der nie mehr als sechs Personen versammelt waren. Und das warme Licht der Lampe verriet Hofmannsthal meine glückliche Bewegtheit, wenn er uns Gedichte vorlas, und meinen Dank für die Gnade der Schönheit, deren hoher Mittler er war. Besser kann ich heute nicht das Leben meiner Jugend deuten, und ich frage mich manchmal, wie eine heutige Jugend einstmals über ihre Jugend aussagen wird.

In dieser Häuslichkeit erlebte ich auch die Gespräche mit Hofmannsthal über Goethe, Balzac, Dickens, Dostojewski, Tolstoi und die skandinavischen Dichter, die alle damals in vollendeten Übersetzungen erschienen waren. Aber auch über die Dichterin der Gartenlaube, die Marlitt, sprach ich mit ihm, diese ewige Jungfrau in ihren Romanen, die ihre Heldinnen nur bis zur glücklichen Hochzeit führte und vor der Ehe scheu haltmachte. Er hatte sie auch in seinen Knabenjahren gelesen und verstand mich gut, wenn ich ihm etwas beschämt eingestand, daß ich sie noch manchmal lese und dann – animiert durch sein Ergötzen darüber – ihn fragte: «Ist sie nicht vielleicht doch wie ein zartes, verdrecktes Goldaderl im Gestein?» Darüber war er nun fast gerührt und jetzt auch interessiert, seiner Erinnerung an die Marlittromane nachzugehen, von mir natürlich lebhaft unterstützt, sodaß wir schließlich uns beide lachend überboten in der Erinnerung an drollige Auswüchse ihrer Schreibweise und ich den Sieg davontrug, als ich einen der Liebeshelden der Romane zitierte, der zu seiner Braut sagt: «Oh süßes Weib, wie entzückst du mich...»

In den Gesprächen aber über das Wesen des Tanzes und der Pantomime, da erlebte ich ihn als wahren geistigen Tänzerpartner von einem so seltenen Einfühlungsvermögen, wie ich es später bei keinem anderen erlebt habe, und aus diesen Gesprächen entstanden die sublimen Tanzdichtungen, die Hofmannsthal für mich erdachte: «Amor und Psyche», «Das fremde Mädchen»; und von hier ging ich mit dem Geschaffenen hinaus nach Berlin, um es dort im Theater wirklich werden zu lassen. Es war ja auch die Zeit, da im Tanzenden der schöpferische Künstler erwachte, nach einer Zeitspanne, in der die Tanzkunst im Formalismus erstarrt war und es kaum mehr Künstler des Tanzes, dafür aber mehr und mehr ihrer Bedeutung und Sendung bewußte Fachleute gab. Und das, was eine Persönlichkeit wie den Maler Degas in seinen Ballettbildern wohl hauptsächlich inspiriert haben dürfte, war vielleicht nicht das eigentliche Wesen des Tanzes, sondern diese drollige Sicherheit der Fachleute gewesen, und dadurch ist uns in seinen Bildern eine Seite dieser Zeit der achtziger Jahre so lebendig aufbewahrt geblieben. Um die Jahrhundertwende aber erhob sich in den Geistern der Dichter, Künstler, Architekten und Musiker, und besonders in der Kunst des Tanzes, ein wahrer Frühlingssturm.

Von Amerika kamen die Tänzerinnen Isadora Duncan und Ruth St. Denis, hier in Europa waren meine Schwestern und ich die ersten Ergriffenen einer neuen Deutung der Tanzkunst, und das russische Ballett erlebte in den großen russischen Künstlern seine Renaissance. Noch gab es für diese Darbietungen keine Kritik, sondern nur hymnisches Kündertum, noch war das, was sich darstellte, nicht «modern»; ein Überzeitliches hatte wirkend eingegegriffen in die Zeit. Das erklärt auch die Anteilnahme der damaligen Dichter, Künstler und Musiker und erklärt auch die Begeisterung einer Persönlichkeit wie Hugo von Hofmannsthal für den Tanz. So war auch in unseren Gesprächen über Tanz noch keine Polemik, man entdeckte immer neue Freuden und sah Beziehungen zu den mythischen Zeiten und geistige Verwandschaft zu fernen Völkern, wie denen Chinas, und so meinten Hofmannsthal und ich, daß in den Bildern der großen chinesischen Maler das sublimiert Körperliche in Pflanze, Tier und Mensch hinführe zu dem, was der Tanzende mit seinem Körper auszusagen hätte. Aus diesen Betrachtungen entstand die Dichtung des Balletts «Die Biene», zu der Clemens von Franckenstein die Musik komponierte. Es war eine Märchendichtung, in der ein chinesischer Gelehrter, verführt von der Bienenkönigin, Frau und Kinder verläßt und im Reich der Bienen das Ausschweifende im Liebeserlebnis bis zur Erstarrung des Winterschlafes mit den Bienen erleidet. Bis zu dieser tragischen Verdichtung hatte Hofmannsthal sein Ballett geführt, und nun stand er vor der Lösung... und konnte sie nicht sehen. Da war es mir gegeben, die ich bisher begeistert seinem Weg gefolgt war, daß ich plötzlich eingebungshaft die Lösung fand und Hofmannsthal und ich uns dieser Gemeinsamkeit an der Dichtung, die gar nicht vorgesehen war, aufs höchste erfreuten.

Es war damals überhaupt eine Zeit, die besondere und schöne Blüten trieb, bevor der Weltkrieg schicksalsschwer ausbrach. Es scheint mir heute fast wie ein euphorischer Zustand vor dem Erlöschen, wenn ich an die Fülle der Ereignisse im Kunstleben denke. Debussy kam nach Wien, seine Oper «Pelléas und Mélisande» wurde aufgeführt, der «Rosenkavalier» von Richard Strauss-Hofmannsthal erregte Entzücken, und die Musiker Schönberg und Anton von Webern fanatisierten ihre Anhänger und Gegner zu wilden Kämpfen im Konzertsaal... Die Zeit, in der die Maler Klimt und Kokoschka die Kunstkenner exaltierten und ihr Gefolge das Wiener Kunstgewerbe neu belebte und die Wiener Werkstätte gründete... Ein Ereignis möchte ich besonders erwähnen, es war die große Ausstellung namhafter in- und ausländischer Graphiker, die Erwin Lang ins Leben rief. Im Rahmen dieser Ausstellung hielten Persönlichkeiten wie Rudolf Kassner und andere Vorträge. Und hier war es, daß ich bei einer Vorlesung des Dichters vom tieferen Wesen Hofmannsthals, wenn auch nur ahnend, etwas erfaßte, als er vor geladenem Publikum aus seinen Prosaschriften den Brief des Lord Chandos vorlas und ich einen Blick in eine Geistwelt wagen durfte, die mich erschreckend-wunderbar berührte, und ich darüber zu niemandem hätte sprechen können. Es war eine Geistsphäre, in der ich mich nur zaghaft vortastete und die ich von nun an nie mehr ganz vergessen konnte. Als bald darauf Hofmannsthal und ich in heiteren Gesprächen begriffen durch die Straßen Wiens gingen (wahrscheinlich war damals ein guter Luftdruck, kein Föhn, der ihn sehr irritieren konnte), sagte er plötzlich so lieb zu mir: «Nicht wahr, Greterl, wir beide werden einmal heitere alte Leute sein?» Da war ich im Moment etwas fassungslos. So wie am Tag plötzlich ein Traum der Nacht aufhuschen kann, war die ferne Geistsphäre im Brief des Lord Chandos auf einmal lebendig da, und ich konnte nichts sagen. Seit seiner Vorlesung dieses Briefes ging neben Hofmannsthal Lord Chandos auch leise mit, sie waren eine Zeit für mich nicht mehr ganz zu trennen, und manchmal entstand zwischen beiden eine von mir unbegriffene Kluft. Aber davon konnte er nichts wissen und immer mehr verstehe ich, daß wir alle für ihn, sowohl seine liebe Gattin als auch Erwin Lang und Max Mell, daß wir alle für ihn wie begabte Kinder waren, mit denen er gerne zusammen aß, lachte und sprach und die er gerne beschenkte, auch das wieder auf seine eigene Art, und wir darum so fröhlich lachen konnten, als er uns einmal knapp vor Weihnachten eröffnete, daß wir diesmal nichts von ihm bekämen, weil alles, was ihm eingefallen, nur für Max Mell passe. Und wenn ich mich heute frage, was ich ihm, so kindlich wie ich damals noch war, bedeuten konnte, was wir alle, ohne es zu wissen, in ihm anriefen, so war es vielleicht das Kind, das noch rein in ihm lebte und sich sehnte, mit uns Kind sein zu dürfen.

Und wie gut verstand er es uns anzuhören, wenn wir mit unseren drängenden Fragen und Gedanken zu ihm kamen, und als er einmal zu mir sagte: «Gretl, Sie haben eine gute Eigenschaft. Sie sind aufmerksam, Sie hören gut zu», da war ich fast erstaunt, weil ich es so selbstverständlich fand, ihm immer zuhören zu wollen und mich aber auch ein bissl beschämt erinnerte, daß ich gelegentlich recht eigensinnig auch meine Anschauung gegen ihn behaupten konnte. Aber das hat ihn wohl eher amüsiert, dieses Wichtignehmen meiner eigenen kindlichen Persönlichkeit ihm gegenüber, und ihm wahrscheinlich die Möglichkeit zur notwendigen Entspannung seiner Gemütskräfte gegeben. Und diese Möglichkeit zur Entspannung muß ja jeder schöpferische Mensch berücksichtigen. So war es ihm eben auch wichtig, bei unserem Aufenthalt in Stuttgart anläßlich der Proben zur Premiere der «Ariadne auf Naxos», die eingebaut war in Molières «Bürger als Edelmann», den Max Reinhardt inszenierte, wenn es irgendwie möglich war, die Abende für uns zu retten und fern vom Trubel der Proben unser Nachtmahl allein einzunehmen, wo dann beim guten Tokayerwein, den ich so gerne trank, er sich von mir die ernsten und heiteren Zwischenfälle berichten ließ, die heraufbeschworen wurden von der gespannten Situation, die sich bei einem Gastspiel lauter berühmter auswärtiger Künstler im Landestheater ergeben mußte.

An einem der Abende nach der Premiere waren alle Mitwirkenden beim Intendanten eingeladen, welche Einladung durch die Anwesenheit der Königlich Württembergischen Familie und des Prinzen August Wilhelm besonders geehrt wurde. Und welche Quelle der Heiterkeit für Hofmannsthal, als er mich plötzlich entdeckte – neben der Königin sitzend: ich war nämlich etwas verspätet gekommen und hatte mich dann schnell auf einen leeren Sessel gesetzt, um nicht störend aufzufallen bei dem Liedervortrag von Richard Strauss, den dieser selbst begleitete – und hörte, wie ich unbeschwert mit der Königin sprach, ich wußte ja nicht, wer sie war, sie hatte keine Krone auf dem Haupt. Und er hörte, wie ich zwei junge, rosa gekleidete Prinzessinnen, die sich nach meinem kleinen Sohn erkundigt hatten, eifrig fragte, ob sie auch Kinder hätten. Darüber konnte er noch lange seinen Spaß mit mir treiben und verwundert tun, warum ich nicht an die Königin selbst diese Frage gestellt hätte.

Der Weltkrieg brach aus, erschreckend für mich, erschütternd für ihn, der wohl verstand, daß dem grauenhaften Geschehen eine noch nicht übersehbare tragische Auswirkung folgen werde. Er, der vielleicht einer der zutiefst bewußten Österreicher war, der seinen Glauben, daß Österreich seine Bedeutung behalten müsse, nicht aufgeben konnte und der diesen Glauben mehr und mehr gefährdet sah und, von Zweifel angefochten, retten wollte... So war er vielleicht schwerer getroffen als wir anderen, aber wie ernst nahm er teil an allem was uns, seine Freunde, durch den Krieg persönlich bedrohte, denn über allem war es das Allgemein-Menschliche, das ihn sehr anging, und es drängte ihn, darüber zu sprechen, so daß er mich fragen konnte: «Greterl, glauben Sie, daß nachher alle wieder gemütlich ihre Knödel essen werden?» Und ich, die ich meinen eigenen Mann draußen im Kriege wußte, mit ängstlicher Heftigkeit ausrief: «Ja, hoffentlich, hoffentlich dürfen wir wieder ohne Krieg – leben!» Hofmannsthal schwieg gleich, verstehend, daß ich – noch zu jung, zu betroffen von der Angst vor möglichen, drohenden Verlusten – noch nicht seine bange Geistfrage begreifen konnte.

Der Krieg währte vier Jahre, das Alltägliche verwob sich, sein Recht fordernd, mit dem Geschehen des Krieges, und jeder ging, soweit er nicht direkt in das Kriegsgeschehen hineingerissen war, den Anforderungen nach, die das Leben an ihn stellte. Hofmannsthal hatte sich seine Aufgaben gestellt und brauchte Entspannung, aber auch seinen Humor, um der immer ernster werdenden Lage gefaßt ins Auge blicken zu können. Auch ich mußte meine Tanztourneen weiter führen, und unter immer schwierigeren Umständen, denn zu Ende des Krieges brach die schwere Grippeepidemie aus und ich wußte nicht, ob ich nicht auch von dieser Krankheit fern von Wien ergriffen werde und ängstigte mich auch um die Daheimgebliebenen, wenn ich am Morgen, angekommen in einer der deutschen Städte, gelegentlich der Meldung bei der Polizei erfuhr, wieviele Opfer wieder die Epidemie am vorigen Tag gefordert hatte. Doch gingen die noch Gesunden ins Theater, Entspannung suchend vom täglichen grausigen Geschehen. Es war auch die Zeit der immer schwerer werdenden Nahrungssorgen, die Menschen hungerten bereits und mußten darum so viel vom Essen sprechen. Hofmannsthal brachte auch dafür Verständnis und Nachsicht auf, wenn er sich diese leidigen Gespräche mit Humor verbrämte und sagte: «Greterl, ich seh nur mehr viele, viele Erdäpfelnudeln rollen über den Tisch...»

Es folgten die Jahre nach dem Krieg, Österreich war klein geworden. Die Länder, die die alte Monarchie umschlossen hatten, waren abgefallen, und der Kern Österreich war empfindlich bloßgelegt. Ihn zu schützen und zugleich wirksam im besten Sinn zu erhalten, das bedurfte vorsichtiger Führung und Glauben an diesen Kern. Hugo von Hofmannsthal hatte diesen Glauben, und er war einer der ersten Anreger zu der Idee der Salzburger Festspiele. Und allmählich kamen aus aller Welt, über den Ozean die Menschen nach Salzburg, die sahen seinen «Jedermann», sie verliebten sich in die österreichische Landschaft und nahmen mit in ihre Länder, was sie fassen konnten. Er schenkte uns Dichtungen wie das zauberhafte Lustspiel «Der Schwierige», sein «Welttheater» wurde in Salzburg zu den Festspielen aufgeführt, und er dichtete den «Turm», der in Wien erst ein Jahr, bevor sich der Todestag des Dichters zum 20. Mal jährte, die ihm gemäße Aufführung erlebt hat.

Jahre gingen, die Zeit erfüllte sich, und wir können nur ahnen, wie Hugo von Hofmannsthal allmählich herauswuchs aus ihr. Und er, der Zarte, er hielt noch stand, als sein Sohn ihm genommen wurde, und er hätte sich weiter gemüht und noch manches serene Wort seinen Freunden geschenkt. Diese Bemühung blieb ihm erspart. Als der Katafalk seines Sohnes aus dem Hause getragen wurde, stürzte Hofmannsthal zusammen und erwachte nicht wieder in diesem Leben. So durfte er, zusammen mit seinem Sohn, vor den Höchsten treten.

Und wir, wir blicken ihm nach, durch tiefe Fensternischen in den verdämmernden Abend.

HELENE v. NOSTITZ

Notizen aus den Kriegs- und Revolutionsjahren

Am Abend stehen wir vor Hofmannsthals Haus. In den sanft rosa Barock-Räumen leuchten schon matte Lampen und Kerzen. Hier wird Österreichs Seele gespürt und gehütet. Wir sitzen im Kreis in Hofmannsthals Schreibzimmer, und er beginnt in der suchenden Art, mit der er immer tiefer in das Wesen der Dinge dringen möchte, indem er sie umwendet, stark beleuchtet und dann wieder in den Schatten zurücksinken läßt, uns Wien, dies Österreich darzustellen, in dem wir nun leben sollten und das er so glühend liebt. Welche schillernde Vielseitigkeit offenbart dieses so schwer greifbare Gebilde unter seinen Worten. Einzelne Gestalten wie Joseph Redlich, «Ferch» Coloredo, Gräfin Thun und Fürstin Marie Taxis tauchen auf.

«Und Wien besitzt wirklich noch eine Gesellschaft, die ein Gesicht hat. Die Menschen haben Stil und Allüren, wenn sie auch sonst manchmal nichts anderes haben. Aber diese Gesellschaft ist wirklich da, man muß mit ihr rechnen.» Wir schauen auf den dämmernden Garten hinaus, wo diese anderen Bäume stehen an Mauern, die schon dies etwas Südliche an sich haben, das nicht Norddeutschland sein könnte, und ziehen dann, durch den mondbeschienenen Hof und das alte Portal des kleinen Palais, dem für uns noch so geheimnisvollen, farbenreichen Wien wieder entgegen.

*

Einmal führte uns Hofmannsthal in seine kleine Stadtwohnung hinter oder vielmehr unter dem Stephansdom. Denn über dem Haus stand die Macht des Turmes, der vielleicht schönsten europäischen Kirche. Die kleine Wohnung war ganz eine Äußerung von Hofmannsthals Wesen. Grauseidene Vorhänge deckten das ganze Zimmer, auch die Wände, die Tür, und trennten es entschlossen von der Außenwelt. Als einziger Schmuck stand ein großer chinesischer Teller von phantastischer Pracht da. Der schillernde Drache, welcher in märchenhafter Schönheit noch farbigere und köstlichere Blumen umkreiste, hatte diese «largesse» und Kraft, die nur Zeichnungen Altchinas aufweisen und die, wie seine Gräber, den Umfang und die Unberührtheit seiner Kultur ausdrücken. Im anderen Zimmer hing noch ein Stilleben van Goghs über einem Bett, das im «Rosenkavalier» hätte stehen können. Oh, diese Gegend um den Stephansdom! Immer wieder entdeckte man neue Barockwunder; und in der Nähe war Mozarts Haus, wo er den «Figaro» schrieb.

*

Am Abend desselben Tages sprach Hofmannsthal in einem öffentlichen Saal über Österreichs Dichter und das geheimnisvolle Walten der Geschehnisse, die wir als Politik bezeichnen. Der Hintergrund eines tragischen Ereignisses – die Ermordung des Ministerpräsidenten Grafen Stürgk – das die Atmosphäre noch durchzitterte, gab seinen Worten einen besonderen Klang. Sein Gesicht war blaß und erregt. Wenn irgendeiner, so vermittelte er uns immer wieder die heimliche Macht all dieser Dinge, die sich um eine düstere Tat drängen und die die Gewalt von Leben und Tod uns plötzlich stark spüren lassen.

*

In Rodaun war jetzt der Philosoph Pannwitz erschienen, der die Unrast der Zeit verkörperte. Die Fülle der Bilder und Gedanken, die er stundenlang ununterbrochen mitteilte, wirkten wie ein Wassersturz. Ein Anhalten war nicht möglich. Ich entsinne mich noch einer gemeinsamen Fahrt im Tramwagen. Auf dem vereisten Boden rutschten wir aus und fielen hin. Er aber sprach, unbekümmert, über die größten Fragen weiter auf uns ein. In ihm spiegelte sich schon der neue Menschentypus der Unrast, der in der Verwirrung der Welt nicht genügend Form findet, um das Gleichgewicht zu gewinnen, dessen er bedarf, um wirklich zu schaffen. Hofmannsthals sinnende Vertiefung stand oft ratlos vor dieser eruptiven Gewalt, die dort sprengen wollte, wo er noch an Aufbau glaubte.

RICHARD BILLINGER

Erinnerung an Hofmannsthal

Gerne erinnere ich mich vergangener Zeiten. Mag sein, daß die Jahre immer mächtiger werden und der Garten der Jugend voller nieverwelkender Blumen prangt.

Hugo von Hofmannsthal sah ich zum ersten Male in seinem Schlößchen in Rodaun. Ich fuhr mit meinem Freunde Erwin Lang, dem bedeutenden Holzschneider und Maler, zu dem berühmten Manne. Es wurde in dem großen Saale Tee getrunken. Das Eis schaute in den dämmerigen, nur vom Kaminfeuer erleuchteten Raum. Es war draußen frostkalt, der Ostwind, den der einsame Dichter über alles liebte, blies um die Ecken. Ich hatte nur das Gefühl des Winters in mir, ich hörte mit halbem Ohr die weichen, leisen Worte des Gastgebers, ich sprach, von ihm freundlich aufgefordert, ein paar Gedichte, die vom Erleben in meinem elterlichen Hause und Heimatdorf berichteten. Die Verse reimten sich gut, die Glut eines fernen, ewigen Götterfeuers schien aus den Worten zu leuchten. So glaubte es der Zuhorchende und nickte dem Wagenden gütig und ermunternd zu. Lippen, die Verse zu sprechen versuchen, noch dazu selbstgeschaffene, sind immer scheu, schüchtern, es will, auf so kindlich-ungeformte Weise oft, das Urwort zutage treten und der Neugierige lauschte auch weiter, als ich ihm sagte, ich möchte am liebsten Sprüche oder Gebete oder Beschwörungsreime neu erfinden und erdichten. Also bei der Urmelodie der Sprache anheben und meinen Herzschlag nach diesen versunkenen Gesetzen zum Tönen bringen.

Ich sah die vielen Bücher seiner Bibliothek und den wie vom Geheimnislichte des Genius umlichteten Schreibtisch. Ich ließ mir sagen, daß der Dichter, hat er das Herz sich vollgefüllt, diesen erlesenen Raum meidet und in die kleine Gartenstube geht, die ihm für sein hartes Worteschaffen bei einer Rodauner Wäscherin seine hilfereiche Gattin Gerty gemietet hatte.

Auf der Heimfahrt, in der fenstervereisten Badener Elektrischen sitzend, starrte ich in eine dunkle Zukunft, ich wußte nicht, ob ich den schmalen Weg finden würde, der zu der Golgathahöhe des wirklichen Dichters führt. Ich haßte das geschriebene Wort, ich hütete mich, etwas, was ich in mir zum Reimen brachte, niederzuschreiben, und erst später, im Atelier der Tänzerin Grete Wiesenthal, stenographierte die Tochter Hofmannsthals, Christiane, ein paar vor der großen Tanzschöpferin gesprochene Gedichte mit.

Es war das Wien der Nachkriegsjahre verdüstert. Erst allmählich drang das Licht eines wieder gesicherten Lebens in die Herzen und die, die an die Zukunft glaubten, nannten und kannten sich und immer wieder mündeten die

Gespräche, hoffnungbergenden Worte in den Namen des Großen von Rodaun, als eines Bewahrers der Genien, Behüters der frommgebliebenen Herzen.

Ich traf Hugo von Hofmannsthal eines milden, regnerischen Aprilvormittages in der Stallburggasse einmal, zufällig oder nicht zufällig, und der an diesem Vormittag Aufgeschlossene bat mich, ihn auf seinem Spaziergänge durch die ihm vertrauten alten Wiener Straßen und Gassen zu begleiten. Ich mußte ihm von meinem Perchtenspiele erzählen, das ich auf seinen Wunsch für die Salzburger Festspiele zu schreiben versuchte. Er schaute auf alte Firmenschilder, kaufte sich beim Bäcker Uhl eine Semmel, nannte Wien den Pulsschlag, den lebendigen, Österreichs, das ja nach dem verlorenen Kriege arm und wie ein Rumpf, den man seiner Glieder beraubte, dalag. Der österreichische Mensch, weltgeöffnet und doch wie in gesicherten Grenzen ruhend, leuchtete, so schien es mir, aus dem unscheinbar Gekleideten, der den Regenschirm, nun die zagende Sonne auf einmal schien, zuschloß und über die pfützennassen Gehsteige dahinschritt. Es wehte Heimat aus dem mich Weisenden und Mutzusprechenden, der schon die Krone des Erfolges aufs Haupt sich setzen konnte und der Berühmtheit den Zoll abstatten mußte. Wien schien mir einen heimlichen Herrscher zu besitzen und die totgewordenen Habsburger ruhten selig in den Särgen der Kapuzinergruft. Es leitet ja doch der Geist die Geschicke der Völker, der Weise, auch wenn er nicht auf die Kriegstrommel schlägt und vor Kanonenrohren paradieren muß.

In Salzburg saß ich mit Hofmannsthal im Caféhausgarten an der Salzach. Er ließ seinen «Jedermann» am Domplatz spielen, das Spiel vom Leben und Sterben des reichen Mannes. Es war heiß. Das Bett der Salzach lag wie ausgetrocknet. Der edle Kaffeetrank mundete. Die Sonne lag wie in einer roten Blutlache im Westen. Von den Türmen klang das Glockenschlagen. Es wurde kaum etwas gesprochen. Es war dies gar nicht notwendig. Mit Hofmannsthal konnte man schweigen, konnte trotzdem sich gelten lassen. Er wußte ja doch von einem, er hatte es erraten, wo das Herz den Triumph träumte, warum ein Auge von innen aus leuchtete. Er wußte von den Geschehnissen, die der Erde eigen waren, mehr als Zeitungspolitik und Ehrgeiz der Äußerlichen, ein plötzliches Aufwehen des Abendwindes, ein Vogelruf, ein liegengebliebenes Rosenblatt bekundeten ihm mehr als alle um ihn aufgehäuften Zeitungsstöße. Es nährte seine Nähe das Gute in einem, die Hoffnung hob wieder die heimlich-gesunkene Fahne.

Ich lag in der alten Badeanstalt, die am Rande des Leopoldskroner Schloßteiches vor Jahrzehnten als «Militärschwimmschule» errichtet worden war. Die Schwüle des Julimittages lastete auf den spärlichgewordenen Badegästen. Der Untersberg leuchtete im Gewitterblau eines nahenden Föhns. Der Schweiß perlte von den nackten Leibern der Badenden. Es sagte ein Jemand neben mir zu seinem Nachbar: «Schad' um ihn. Es ist nicht zu fassen. Es ist aber wahr, Hofmannsthal ist tot. Es hat ihn bei der Beerdigung seines ältesten Sohnes der Schlag getroffen.» Ich hörte es. Ich glaubte es. Die Sonne glitzerte scheinheilig auf das trübgrüne Wasser des Teiches. Schwalben flogen wie von Gespenstern getrieben. Auf der Moorstraße hob sich haushoch plötzlich der Staub. Es ächzte der Föhnsturm heran. Die Badenden flohen, nun es plötzlich Schatten geworden war, in die alten, angemorschten Badekabinen. Es war keine Zeit mehr, dem Ungewitter zu entfliehen. Es drosch der faustdicke Regen auf die Holzschindeln. Man war selbst wie in einem Todessarge eingeschlossen. Und doch: man lebte, man hörte das Heulen des Windes, das Schlagen des Regens. Man atmete den Duft des Wassers. Man lebte, lebte... Und der, der das Leben so lang in so holdseligen Versen besungen hatte, war tot, Hugo von Hofmannsthal, dieser Jemand sagte es und es sagte es ein Zweiter und Dritter – war von der Erde gegangen, die er über alles liebte, mit ihrem Donner und Regen, Wind und heiligen Sonnenschein.

HERBERT STEINER

Begegnung mit Hofmannsthal

Wenige Monate nach der Begegnung mit George lernte ich Hugo von Hofmannsthal kennen. Man hat lange ihn und George zusammen genannt. Aber wie völlig verschieden waren sie! Anders als für George stand für Hofmannsthal der Dichter nicht der Menschheit gegenüber: er war ein Teil von ihr; zwischen ihm und dem Nicht-Dichter gab es zahllose Übergangsformen. Hofmannsthal befand sich nicht in hartem Gegensatz zu Welt und Zeit, an denen er litt und die er liebte, stellte sich nicht wie George außerhalb und jenseits der Gesellschaft. In wie vielfältiger, wie gegensätzlicher Weise haben die Dichter *einer* Generation das Problem der dichterischen Existenz zu bewältigen versucht! In einem Brief Hofmannsthals heißt es: «Wieder produktiv werden – das sagt sich leicht, aber es heißt: mit seinem ganzen Ich hinüber in eine andere Welt, Kinder und Vater, Haus und Wirtschaft und Briefzeug mit behutsamen Fingern ablösen. Der namenlos beglückende Einklang zwischen Außen und Innen, Ich und Welt – ohne den möchte ich nicht leben. Der Einsame kommt leichter zu solchen Augenblicken, ich bereue aber nicht, daß ich ein Mensch bin wie andere Menschen, Kinder habe, ein Haus für sie aufrechterhalte – so befremdlich es mir manchmal ist.»

Die Dichtungen seiner Jugend – «Der Tor und der Tod», «Der Tod des Tizian» – hatten eine Generation bezaubert. Als ich zu ihm kam, war er noch nicht vierzig – es war zwanzig Jahre her, seit er berühmt geworden. Der Klang seiner Sprache hatte mich zuerst in seinen Bann gezogen, mich wie so viele vor und nach mir, hatte mir eine Tür nach innen aufgetan. Noch wußte ich nicht (oder nur halb), daß Klang und Schönheit nicht sich selber dienen, daß sie eine Seelenlage, ein Erleben aussprechen sollten, so genau als möglich aussprechen. Darum auch verzweifelte er immer wieder an der Sprache. Aber von dieser Sphäre seines Innern sprach Hofmannsthal nicht oder fast nie. Er trat einem gegenüber als ein Weltmann, dessen Gespräch leicht hinglitt und aufblitzte. Der Angehörige einer Gesellschaft von vielfältiger Schichtung, reicher Bildung – er war es gewiß, aber zugleich war das eine Hülle, die ihn verbarg.

Er wußte, daß er von wo anders herkam, nicht völlig dieser Welt angehöre. Die tiefsten Ahnungen der Menschen gehen ja über die Bindungen von Zeit und Raum hinaus. Etwas in uns scheint uns Dauer zu verbürgen, wo doch alles schwindet, wir selbst nicht mehr die sind, die wir waren. Die Jugendgedichte Hofmannsthals sprechen immer wieder das Staunen, die Bestürzung aus über dieses Hingehen: «Wie kann das sein, daß diese nahen Tage / Fort

sind, für immer fort und ganz vergangen» – das Staunen über Vergänglichkeit und Tod, und zugleich über die Schönheit der Welt.

In erhöhten Augenblicken war ihm, als könne er alles umfassen, als schlüge
sein Herz in der Landschaft, im Berg, im See, in dem Vogel, der hoch oben
schwebt, und mit dessen Adler- oder Falkenblick der Dichter alles umfing.
Ein Gedicht aus seinem Nachlaß spricht davon:

> *Ich ging hernieder weite Bergesstiegen*
> *Und fühlt im wundervollen Netz mich liegen,*
> *In Gottes Netz, im Lebenstraum gefangen,*
> *Die Winde liefen und die Vögel sangen.*
>
> *Wie trug, wie trug das Tal den Wasserspiegel!*
> *Wie rauschend stand der Wald, wie schwoll der Hügel!*
> *Hoch flog ein Falk, still leuchtete der Raum:*
> *Im Leben lag mein Herz, in Tod und Traum.*

So empfand er sich, als Spiegel der Welt. Und zuweilen vermochte ihm der
abendliche Glanz auf einem kleinen Fluß oder eine bröckelnde grasbewach-
sene Mauer ebendieses Gefühl der Gottnähe, des Einsseins mit den Dingen,
des Eindringens in den Kern der Dinge zu geben, oder, wie es in jener Briefstelle heißt: «den namenlos beglückenden Einklang zwischen Innen und
Außen, Ich und Welt.»

Hofmannsthals Intellekt zitterte rastlos wie eine Magnetnadel, sein Geist
war reich an Entwürfen, die einander drängten, verdrängten, so daß wohl
vieles in glücklichen Stunden zusammenschoß, was dann unvollendet blieb,
indes neue farbige Eindrücke über den Spiegel glitten. Unvollendet – denn
er wollte nicht äußerlich abschließen, was ihm gegeben worden.

*

Ich hatte ein Wort von Hofmannsthal erhalten und wurde freundlich empfangen. Es war ein schwüler Frühsommernachmittag, und der Druck der
Witterung war ihm sehr empfindlich. Dies war wohl mit schuld an der nervösen Hast, die ihn Bewegungen rasch wiederholen, ein Buch nehmen, hinlegen,
zurücklegen, wieder aufnehmen ließ.

Kopf und Haltung wirkten jugendlich, das Gesicht war von anmutigem
Schnitt, kaum auffällig, wenn man nicht näher zusah. Man hätte ihn leicht für
einen Norditaliener oder Franzosen halten können. Die Familie von Hofmannsthals Vater war halb jüdisch, halb aus oberitalienischem Stadtpatriziat,
die Vorfahren der Mutter waren österreichische Weinbauern, ein Urgroßvater kam aus Schwaben, *also* war er selbst ein richtiger Altösterreicher und
Wiener. Denn das Wien von vor 1918 war doch die einzige übernationale
Großstadt Europas, ein Querschnitt europäischer Struktur, deutsch gewiß,

aber in keinem engen oder leicht zu fassenden Sinne, offen vor allem nach Süden und Osten, mehr als nach Norden, vor allem nach den katholischen und mediterranen Ländern hin. Dieses vielfache Erbe stellte sich sofort in Hofmannsthal dar, in seiner ganzen Art. Die Stimme war seltsam, nicht wohlklingend, so wohlwollend sie auch sein konnte, leicht hoch, Lage und Rhythmus vielfach wechselnd, zuweilen an den Tonfall mancher Schichten des Offizierskorps und des Adels erinnernd – als wollte auch sie verbergen, daß er ein Dichter war.

Das Gespräch begann mühelos. Ich höre noch eins der ersten Worte: «Wie jung Sie sind! Was wollen Sie später tun, wenn Sie nicht mehr Ihre Jugend wie eine Fahne vor sich werden hertragen können?» Er besann sich darauf, wie man in diesem Alter sei, wie er selbst damals gewesen. Ich weiß nicht, ob ich völlig verstand, was er meinte, ich glaube es nicht; erst viel später sah ich etwas davon ein. Ich verstand wohl ebensowenig die Zurückhaltung, die sich vor großen Worten und scheinbaren Resultaten scheute, und das Wohlwollen hinter allem leichten Scherz. Aber die Sätze haben sich mir eingeprägt. «Jugend», sagte er, «hat einen starken Sinn für Atmosphäre – auch für die Atmosphäre um Menschen. In Ihren Jahren sah ich viel einen Polen, fühlte, was um ihn herum war, seine Abenteuer, seine Frauengeschichten – ich spürte es gleich, wenn ich in sein Zimmer trat. Und da war eine alte Frau, deren ganzes Leben ich aus der Luft um sie herum fühlte, ihr Sterben-Müssen. Seltsam, das junge Leben irgendwie gekettet an das verrinnende, erkaltende. – Später ist das nicht mehr so. Es ist wie wenn man auf der Straße die Gaslaternen sieht. Jede der Flammen ist von einem Dunstkreis umgeben, vergrößert. Nimmt man sein Glas und sieht hin, so bleibt nur die kleine Flamme übrig. So geht's, wenn man in ein reiferes Alter kommt. Man sieht die Dinge schärfer und kleiner. Aber auch das hat seinen Reiz.»

Er sprach von den Krisen der Jugend, von dem Engländer, der ihm beim Tennisspielen erzählte, wie er in einer düsteren Zeit den «Tor und Tod» gelesen und sich gesagt habe: Wenn der, der das geschrieben hat, weiterleben konnte, muß ich es auch versuchen.

Wie seine Aufsätze und Briefe, waren seine Betrachtung und sein Gespräch völlig untheoretisch, auf sittliches Erfahren und Erfassen des Lebens gerichtet. Von Casanova, dem «Abenteurer» seines frühen Spiels, sagte er: «Was mich an ihm interessierte, war ein Mensch, der leicht weitergeht – wie über einen Sumpf – wo jeder andere einsinkt.»

Ich fragte nach einem unendlich begabten, bedeutenden, tief zwiespältigen Mann, dessen Werke mich durch viele Jahre beeinflußt und beschäftigt halten – und der, wie ich nun erfuhr, ihn selbst ebenso angezogen wie befremdet hatte. Er sprach lange von ihm und entwarf ein Porträt, zart, ohne die von Natur scharfen Züge zu verschärfen, mit leisem Humor, nicht ohne Hoffnung.

Er hätte wohl sagen dürfen, daß das Gesicht jenes Mannes zuweilen einem von fahlen Blitzen mitten entzweigerissenen Gewitterhimmel glich. Er sagte: «Es wechselte wie Wasser unter dem Wind.» Von den vielen Versprechungen, mit denen jener auftrat, war noch fast keine erfüllt. Hofmannsthal sagte nur: «Ich glaubte fast, er werde zu denen gehören, die vorübergehen, die vor der Wirklichkeit versagen, die nichts auszuführen vermögen.»

Ich hatte in einer Zeitschrift, mit der er sich vorübergehend befaßte, ein schönes Gedicht gelesen; drunter stand ein unbekannter Name: Hans Carossa. Ich fragte, ob das ein Pseudonym sei. Hofmannsthal erwiderte: «Nein, das ist ein Arzt, ein richtiger Landarzt, der in seiner Kalesche zu den Kranken fährt, und dann und wann tropft ein Gedicht.»

Damals war er selbst nach einigen Jahren des Schweigens als ein Anderer hervorgetreten; scheinbar brach seine Entwicklung ab. Viele, die seine Werke liebten und bewunderten, fanden, er habe sich selbst aufgegeben. Die Welt seiner Opern schien ihnen seiner nicht wert, der «Jedermann» nichts als die spielerische Aneignung ausgelebter Formen. Erst viel später ergab sich ein anderer, gerechterer Blick, so auf diese Dichtungen wie auf die seiner Jugend, die man ihm nun als Vorwurf entgegenhielt. Er war auch darin groß, daß er sich nicht wiederholen wollte, daß er sich immer andere Aufgaben stellte, das einmal Getane hinter sich ließ. Daß er gerade damals eine der schönsten deutschen Erzählungen schrieb, die unvollendet bleiben sollte und erst aus seinem Nachlaß veröffentlicht wurde, den «Andreas», das konnten wir freilich nicht wissen.

In jener Zeit bin ich ihm öfter begegnet, in Vorträgen, auf der Straße, in seinem Haus. Alle späteren Jahre suchte ich seiner inneren Laufbahn zu folgen und lebte mit seinem Werk, wie es sich langsam entfaltete. Als ich mich wieder an ihn wenden wollte, war es zu spät. Nach seinem Tod habe ich viele seiner Manuskripte und Aufzeichnungen sehen, viele in einer Zeitschrift, mit der man mich betraut hatte, veröffentlichen dürfen. Einmal noch bin ich in Rodaun gewesen, im Mai 1938. Es war fast nichts anders geworden in dem kleinen Ort. Da stand das Hofmannsthalsche Haus. Vor mehr als einem Vierteljahrhundert hatte ich es zuletzt betreten. Ich schien mir nicht alt. War es wirklich so lang her seit damals?

ERWIN LANG

Hofmannsthals fördernde Freundschaft

Er bietet eine Rose freundlich lächelnd an, der kleine Rokoko-Kavalier aus
Porzellan, den mir Gerty von Hofmannsthal als Abschiedsgeschenk zurück-
gelassen hatte. Wie oft mag der Blick des Dichters diese kleine Figur gestreift
haben, welche Inspirationen nahmen ihren Ausgang von solchen Blicken!
Nun erzählt sie mir von Hugo und Gerty, von ihr, der ich doch einst sagen
mußte: Eile, fliehe vor der Unerbittlichkeit unserer Feinde! – Dann ging sie
den Weg in Grinzing hinunter und wendete noch einmal den Blick zurück,
die Frau des ruhmreichsten Dichters unseres Landes, unserer Zeit, – Tränen
fließen über ihr Antlitz.

Hofmannsthal war der letzte große Österreicher jenes großen Reiches,
dessen Ausstrahlungen so weithin wirkten und das zugleich das empfangs-
bereite Herzstück Europas war. Viele Eigenschaften, die er für den Österreicher einmal angeführt hat, können auch für ihn selbst gelten, wie: Frömmigkeit, traditionelle Gesinnung, Handeln nach Schicklichkeit, Hineindenken
in andere. In seiner geistigen Sphäre erschienen sie uns als tiefe Gläubigkeit,
Verständnis für die productiven Naturen seines Landes, Wirken in der Gesellschaft, um diese Personen zu gemeinsamen großen Leistungen zu verbinden, Einblick in die historischen Voraussetzungen, aus denen heraus sich
endlich alles dem genius patriae entsprechend entfalten konnte.

Den so Gesinnten traf das Jahr 1918 besonders hart, eine Cäsur in seinem
Werk bezeugt dies. Sein Glaube half ihm, den Schlag zu überwinden. Er erkannte, daß die österreichische Idee weiterhin darin bestehen müßte, Uni-
versalismus zu betreiben. Der nun eingeschlagene Weg führte ihn und uns
mit ihm zu den Salzburger Festspielen. Mit ihnen erwies er vor aller Welt die
Lebensfähigkeit Österreichs. Der Weg dahin war keineswegs leicht oder von
Anfang an klar zu sehen. Viele Persönlichkeiten, wie z.B. vor allem der von
ihm verehrte Erzbischof von Salzburg, mußten für die Idee gewonnen werden, und erst die vereinten Kräfte konnten alle Schwierigkeiten besiegen. Ich
erinnere mich noch gut daran, daß ursprünglich Dürnstein an der Donau als
geeignete Örtlichkeit für Aufführungen sich darbot. Reinhardt und ich wurden vom Dichter eingeladen, die Möglichkeiten an Ort und Stelle zu sondie-
ren. Das herrliche Barockportal des Stiftes mit den mächtigen flankierenden
Sandsteinfiguren schien uns als sehr geeigneter Hintergrund für das Spiel
vom «Jedermann». Auf der Terrasse hoch oberm Strom ließ der köstliche
Wein und die wärmende Sonne alles noch verführerischer erscheinen. Der
begeisterte Reinhardt drängte zu weiterem Handeln, gleich mußte ich mit ihm

zum Abt von St. Florian eilen, dem Dürnstein untergeordnet war, um ihn für unsern Plan zu gewinnen. Doch blieb dies alles nur eine der Stationen auf dem Weg nach Salzburg.

Es ist kein Zufall, daß die Erinnerung an Hofmannsthal bei seinem allgemeinen Wirken, bei seinem Verantwortungsgefühl, bei seinen Taten zur Ausbreitung des Geistigen in der Welt einsetzt. Seine Persönlichkeit steht hier in so hellem Licht, daß sie uns leichter verständlich ist. Die geheimnisvollen Antriebe aber, die den Dichter zu seinem Werk zwingen, sind unergründlich. Wir kennen die kristallene Reinheit und den strengen Ernst seines Wesens, wie es uns in der Sprache seines Werkes enthüllt wird. Woher aber ihre überzeugende Macht kommt, erfahren wir am besten durch ihn selbst: «Alle Worte, die nur Schall sind, wenn wir das Ding in ihnen suchen, werden hell, wenn wir sie leben. Im Tun, in ‚Taten', lösen sich die Rätsel der Sprache.» In dieser Anschauung ist die Verbundenheit von Leben und Werk ausgedrückt. Diese Identificierung stellt den Dichter mit seinem Werk vor sein Gewissen – im Glauben an eine letzte prüfende Instanz, die dereinst das endgültige Urteil über uns fällen werde.

Der Mann, der solchermaßen strebte, war von zartestem Körperbau. Schon atmosphärische Schwankungen konnten ihn in Unruhe versetzen. Mit dem ungünstigen Wetterwechsel wurde seine Stimmung immer gedrückter – endlich die Arbeit gehemmt. Sein empfindlicher Organismus konnte die selbstaufgebürdeten Lasten kaum tragen. Grundlose und unüberwindliche Traurigkeit erfaßte den Dichter. Aus solcher Stimmung heraus hat er mir einst nach Südtirol geschrieben: «Sind hier nun den 8ten Tag ohne Sonnenstrahl, Gerty noch keinen Schritt aus dem Zimmer, eine wahrhaft peinliche Lage. Mir kommt es darauf an, innerhalb der nächsten Zeit irgendwo hinzukommen, wo ich *arbeiten* kann, also heiße Sonne, nicht die entsetzliche bleigraue Finsternis, eventuell bleibt Venedig. Vielleicht kannst Du mir aus dortiger Kenntnis irgend welchen Rat geben.» In Zeiten aber, in denen er sich wohl fühlte, genügte ihm der bescheidenste Arbeitsplatz. In Aussee in Obertressen, wo er viele Sommer verbrachte, hatte er sich in einem Gebüsch, unweit der Straße mit ihrem Verkehr, ein kleines Holztischerl aufstellen lassen, an dem saß er dann und arbeitete. Hier versank für ihn die ihn umgebende Welt und die seine entstand. Nur Kinder bringen noch soviel Kraft der Phantasie auf, um unterm grünen Blätterdach im Hag den stillen Raum für ihre Traumwelt zu finden. Gedieh unter günstigen Umständen die Arbeit, dann wuchsen die Kräfte, und nichts schien ihm nun gefährlich werden zu können. «Mir ist bei dem einen und dem andern Wetter wohl und über die Freude, lebhaft und mit Phantasie zu denken und ungestört zu sein, wird mir der Tag fast zu kurz und es ist mir um jeden leid, wenn ich abends in dem Dachzimmerl die Lampe auslösche.» In solchen Zeiten strömte er über von

Gedanken, Einfällen und Gesichten. «Zuweilen tritt etwas so stark an mich heran, daß jedes Gefühl meiner selbst darüber erlischt, so neulich die Größe und Reinheit eines Künstlers wie Cézanne, aus wenigen ganz dürftigen Nachrichten, wie er gelebt hat und gesucht und gesucht und gesucht und immerfort gemeint, nichts gefunden zu haben, und als fünfzigjähriger Mann geweint vor Staunen und Glück, wie ein ganz gleichgiltiger Besucher vor seine Leinwand tritt und sagt: das ist schön! das ist wahr! das lebt! Oder neulich beim Spazierengehen allein, kam ich zurück einen Wiesenhang, gehen drüben drei Mäher hintereinander gegen den Waldrand hin und ich kann die Schönheit von dem Gehen dieser drei Bauern hintereinander so spüren, daß mir fast die Tränen gekommen sind.»

Wir können, um Hofmannsthal in uns lebendig zu erhalten, nur immer wieder seine Worte aussprechen. Es erscheint mir fast vermessen, auf andere Art noch Züge seines Wesens zeichnen zu wollen. In seinem Werk steht er klar vor uns. Er selbst liebte es nicht, über das Persönliche oder Alltägliche großer Geister zu sprechen, er citierte sie lieber, indem er aus ihren Werken vorlas. In Aussee und Rodaun habe ich oft solche Vorlesungen erlebt, bei denen er sich auf ganz außerordentliche Weise belebte. Sein Geist-Wesen verdeutlichte sich. Er ließ seine Stimme mit den Versen mitschwingen, wobei er die melisch-musikalischen Elemente hörbar machte, die Verwandtschaft von Gedicht und Gesang andeutend. Man meinte dabei, die Worte würden nun zum erstenmal geformt und ausgesprochen, Geburtsstunden des Wortes. War das auch wunderbar genug, so fascinierten mich doch jedesmal aufs neue seine Hände, die außer seinen träumerischen, nachdenklich-dunklen Augen das Schönste an ihm waren. Während des Lesens erhob er sanft die Rechte und bewegte sie, als ob er mit ihr tastend etwas suchte oder berühren wollte. Die bläulichen Adern schimmerten durch die lichte Haut, unter der das nervöse Spiel der Sehnen sich abzeichnete. Die Bewegungen der Hand machten den Eindruck, als hülfen sie die Worte mitzubilden und dann zu entlassen – Flügel des Pegasus. Die Gemeinsamkeit der Entstehung von Tanz, Gesang und Gedicht schien mir durchsichtig zu werden, und Hofmannsthals tiefes Verständnis für den großen Tänzer Nijinski, die Ruth St. Denis und Grete Wiesenthal machte seine tanzende Hand offenbar. Diese wunderbare Hand, die ja auch die vielen Schriftzeichen hinzuschreiben hatte, die Worte und Gedanken eines Dichters, begrüßte den Besucher mit raschem, kurzem Händedruck, mit einer Art Scheu. Dann flüchtete die Hand zurück, als wäre sie ein selbständiges Wesen, das sich wieder bergen wollte.

Traf man hier auf Scheu und schutzloses Preisgegeben-sein, so war seine Stimme stets der Ausdruck von Sicherheit und schenkte einem bald die eigene. Nach wenigen Worten war man voll Vertrauen und fühlte sich geborgen. Im conventionellen Gespräch mag seine Stimme etwa die des Schwierigen gewesen sein, wie wir sie der Figur aus seinem Lustspiel zueignen würden. Aber beim Lesen verwandelte sie sich, erhob sich in andere, bezaubernde und geheimnisvollere Regionen.

Seine Scheu vertrug nicht den plötzlichen und unerwarteten Besuch, er liebte es, zu erwarten, für seinen Besucher etwas Schönes oder Bedeutungsvolles vorzubereiten. Erwartungsvoll blickte er einem oft schon aus dem Fenster seines Rodauner Schlößchens entgegen, kam gleich selbst zum liebevollen Empfang die Treppe herunter. Manchmal führte er mich gleich in den Garten, der leicht ansteigend hinterm Haus lag, und zeigte mir die blühenden Tulpen, die in allen Farben leuchteten. Nun schnitt er die schönsten ab und machte einen Strauß, wie ihn die begabteste Gärtnerin nicht binden könnte; darin war er unübertreffbarer Meister, und es ist bezeichnend, daß er an diese vergänglichsten Geschenke so viel Liebe zu verschwenden wußte, daß sie unvergänglich in der Erinnerung bleiben. Während er so an seinem Geschenk für mich sich beschäftigte, sah er mich mit kurzen Blicken von der Seite an und labte sich an meiner Freude. Dazu war ich ja eingeladen worden. Dann führte er mich in sein Arbeitszimmer, da wollte er nun eine Menge hören; ich mußte von Billinger, dem Musiker Hauer, dem Maler Faistauer und Gütersloh erzählen oder, was ihn besonders interessierte, vom Leben der einfachsten Menschen, worin er mir besondere Kenntnisse zutraute. Dann wurde besprochen, was für die «Guten» (er sagte «der gute Faistauer» usw., als ob er einen Titel vergäbe) getan werden könnte, denn darin fand er einen Teil seiner Lebensaufgabe.

Am schönsten war es, wenn er vorlas und ein Zwiegespräch sich daran knüpfte. Niemals gab's ein Zusammentreffen mit ihm ohne das Gefühl gesteigerten Daseins. Er strebte im Gespräch, bei solchem Zusammensein, bis zum Äußersten, zwang zur größten Concentration. Dabei gelang es ihm, in geistige Bezirke vorzudringen, die sich dem geschriebenen Wort entziehen. Er selbst wußte das sehr wohl und hat einmal darüber gesagt, daß er die Bedeutung und das Äußere einer im Gespräch vorgebrachten Geschichte wohl trocken und einzeln im Gedächtnis habe, «aber das was uns im Augenblick entzückte, das Eigentliche, das Geistige, das Musikhafte davon, das ist mir geisterhaft entschwunden». In der Richtung fiel auch eine Bemerkung von ihm, nachdem ich ihm die ersten Gedichte von Billinger überbracht hatte, von denen er tief berührt, fast erschüttert war. Ein paar Tage später erhielt ich die Zeilen: «Natürlich fühlt man sich auch bewegt, etwas zu äußern. Kann dies mündlich geschehen, gegen Fremde oder Freunde, so bleibt noch alles rein und freudig. Greift man, um darzulegen, zur Feder, so treten sehr abgeleitete Verhältnisse ein – alles wird zusammengesetzt und trüber, die Scheinwelt tritt in ihre verlogenen Rechte und die schöne, heitere Wirklichkeit verdunkelt sich»! Natürlich beschloß er gleich, etwas zu unternehmen, damit der junge

Dichter an der richtigen Stelle in Erscheinung trete, er dachte an den Insel-verlag. Es war schon sehr schwer gewesen, Billinger zur Niederschrift seiner Gedichte zu vermögen, da er sie ursprünglich nur selbst vortragen wollte, «sagen», wie er sich ausdrückte. In vielen arbeitsreichen Nächten, bei denen mich Billinger zur Controlle benützt hatte, ob er es so niedergeschrieben habe, wie ers «gesagt» hatte, lag endlich eine größere Anzahl der Gedichte vor. Ich überbrachte sie Hofmannsthal, der Billinger daraufhin einlud, mit ihm die eventuelle Drucklegung beim Inselverlag zu besprechen. Billinger war der Einladung gefolgt und mußte nur ein paar Augenblicke im Rodauner Salon warten, wo ihm die Tochter des Hauses Christiane die Zeit einstweilen ver-kürzte. Da bat er sie, ihn seine Niederschrift der Gedichte noch rasch einmal durchschauen zu lassen. Mit einigen eiligen Blicken überflog er seine Verse – dann trat er mit einem ruhigen, großen Schritt zum Ofen und warf das Manu-script in die lodernden Flammen. Was die beiden Dichter dann im Arbeitszim-mer miteinander gesprochen haben, wissen wir nicht. Darüber ist uns Billin-ger noch die Erzählung schuldig, die eine seiner wunderbarsten werden könn-te. Aber wir wissen, daß Hofmannsthal bald darauf Gedichte von ihm in der Schweiz öffentlich vorlas und an seinem weiteren Werden immer Anteil nahm. Er wollte auch etwas fürs Theater von ihm: «Wenn er dazu zu bringen wäre, einen schon in sich geschlossenen Stoff als Drama zu behandeln, den vor ihm schon andere behandelt haben, so daß nicht die Last der rohen Er-findung auf ihm läge, z.B. der Genoveva-Stoff.» Er erwartete auch ein Spiel für Salzburg von ihm, auf das wir auch heute noch hoffen.

Es wäre gut für uns, die Ziele nicht zu verlieren, auf die uns Hofmannsthal hingewiesen hat. Wir müßten begreifen, daß er Wegweiser und Vorbild für uns bedeutet. Wie die Venetianer dem Goldoni ein Theater errichtet haben, müßten wir unser Hofmannsthal-Theater erbauen. Sein Name würde uns die Verpflichtung auferlegen, dem Geistigen so zu dienen, wie er es uns vorge-lebt hat. Es dürfte nicht nur ein Theater sein, sondern es müßte ein Sammel-punkt für die bedeutendsten Werke aller Künste sein, von wo aus sie ihre Ausbreitung fänden. Die Kraft, die er, der Einzelne, für solches Tun auf-brachte, müßten wir, indem wir uns unter seinem Namen vereinigten, wieder wirksam werden lassen.

Als ich Hofmannsthal kennen lernte, bereitete sich die letzte Wende in seinem Werk vor. Sein eigenwilliges, vom Genie überglänztes Jugendwerk schien schon in historischer Vergangenheit zu liegen. Die Pilgerfahrt nach Griechenland war eben getan, nach jenem archaischen, in dem die göttliche Offenbarung schon so nahe ist, daß sie uns aus den Sculpturen wie eine Ah-nung des Kommenden entgegenleuchtet. Göttliche Gegenwart scheint fühl-bar nahe. Noch lastet Schicksal ohne Erlösung auf der griechischen Mensch-heit. Doch wurde die griechische Geisteswelt die Brücke, auf der uns der christliche Erlösungsgedanke erreicht hat. Hofmannsthal hat sie erkannt und überschritten und wurde der, dem wir den «Jedermann», «Das Salzburger große Welttheater» und endlich den «Turm» verdanken. An Stelle der Idee des unumgänglich waltenden Schicksals tritt die des Werdens durch Überwindung der auferlegten Prüfungen und der Erlösung durch den Glauben.

Wie oft hat er mir nicht von seiner Beunruhigung beim Anblick der ungeprüften Debütanten des Lebens gesprochen. Mit dem Fortschreiten der Jahre tauchte der Kerngedanke der Prüfung in Gesprächen und Briefen bei ihm immer häufiger auf. Einmal beim Überschauen eines gelebten Jahres schien ihm sein ganzer Inhalt als «Gewinn gar nichts anderes – und was beigemischt war an Schmerzen und Prüfendem, das ist doch das, wodurch alles kostbar wird und veredelt, denn das Mühelos-Glatte ist das Gemeine.» Niemand dürfe unzufrieden sein mit der Rolle, die ihm hier zugeteilt ist oder mit dem Schweren, das ihm dabei aufgelastet wird. Auch die Berufung des Künstlers sah er vom Standpunkt der aufgetragenen Bewährung an, auf einem Weg, auf dem «tapfer und still auszuharren das Geziemende und Anständige ist.»

Solche Gesinnung tut uns heute not. Die Worte, die er an mich einst ins Elend der Gefangenschaft richtete, klingen heute fast noch bedeutungsvoller und gelten nicht nur mir, sondern vielen, die sie hören wollen:

... könnte ich Dir die Hand geben und Dir ins Gesicht sehen und Dir mit einem Blick so viel Freude und Hoffnung als möglich mitteilen und meine eigene innere Zuversicht, daß wir alle, die Völker und auch die Einzelnen, aus diesen Prüfungen reiner und schöner hervorgehen werden! Wären es denn Prüfungen, wenn sie nicht dunkel und verworren und beinahe unerträglich wären! Denkst Du auch immer, Erwin, wie jung Du bist, und daß scheinbar verlorene Jahre in einer wunderbaren Weise gewonnene Jahre sein werden?
Dein Freund Hugo.

Dieser Freund Hugo wartet auf alle, die sein Werk lesen wollen, um sie bei der Hand zu nehmen und dorthin zu führen, wo wir seinen Glauben, seine Liebe und seine Hoffnung mit ihm teilen können.

OLGA SCHNITZLER

Hofmannsthal und Arthur Schnitzler

Als zarter knabenhafter Jüngling ist er eines Tages in Begleitung seines Vaters im Kreis der Freunde erschienen – er besucht noch das Gymnasium, und so muß er für die Öffentlichkeit ein Pseudonym wählen – unter dem Namen «Loris» sind seine ersten Dichtungen erschienen. «Gestern», seine erste dramatische Studie, war so gut wie vollendet, auch manche der frühen Gedichte, in denen sich der vollkommen eigene Ton, die hohe Künstlerschaft unleugbar und überzeugend ankündigten. «Es war einfach stupend», berichtet Schnitzler.

Auf vielen Spaziergängen erzählen die Freunde einander von ihren Stoffen, ihren Plänen – und es wird ihnen ein lebhaftes Bedürfnis, den geheimnisvollen Gesetzen der Produktion – bei jedem von ihnen grundverschieden – im Gespräch nachzugehen. Die Einfälle des jungen Loris stehen sofort mit allen Nuancen bildhaft vor seinem inneren Auge da, während Schnitzler sich dem Spiel seiner Einbildungskraft hingibt wie einem Abenteuer, das ins Ungewisse führt. «Ich wundere mich», gesteht er, «daß Sie zugleich am zweiten und fünften Akt schreiben können. So sicher bin ich meiner Gestalten nie. Es kann ihnen doch im dritten Akt etwas einfallen oder gar passieren, wovon ich im zweiten noch nichts Rechtes weiß. Selbst wenn eine genaue Skizze vorliegt, wage ich es nicht und habe gewiß auch keine Lust dazu! Ich will mit ihnen weiterleben und erleben – Gedanke für Gedanke und Tat für Tat, wie sie selber. Ich darf manches vorausahnen, aber wissen darf ich's nicht.»

Die Gespräche werden oft mit kindlich-komischen Bemerkungen von Loris eingeleitet, und immer spricht er in seinem eigentümlichen, über die Dinge wegschwebenden Ton, der jede tiefere Anteilnahme leugnen möchte. Schnitzler nennt ihn einmal scherzhaft einen Virtuosen der Beiläufigkeit.

An einem Oktobertag – gegen klimatische Schwankungen seit jeher höchst empfindlich – sagt Loris in seinem minaudierenden Tonfall: «Heute ist in der Luft etwas von der Stimmung des Ehemanns, der im dritten Jahr der Ehe erkennt, daß seine Frau doch nicht so ist, wie er sich einbildete.» Oder, hochmütig, in einem herbstlichen Wald: «Die Natur hat für mich nicht die Ehre, ein Künstler zu sein» – Worte, die Schnitzler lächelnd aufhorchen lassen. Auch spricht er einmal über kernlose Menschen – Hülsenmenschen nennt er sie – und definiert andere, die zwar kernhaft sind, sich selber aber nicht so erscheinen, weil ihre Hülsen nur lose oder gar nicht mit diesem Kern zusammenhängen; ein Seelenzustand, der ihm offenbar viel zu schaffen gibt und den spätere Zeiten als «Spaltung der Persönlichkeit» bezeichnen werden. In einem Gespräch über Ekstasen: die Gefühle seien ihm verhaßt. Der Verkehr mit Schnitzler bewegt sich anfangs auf einer rein geistigen, nie persönlichen Ebene, aber bald zeigt sich von Schnitzler aus eine tiefere Bindung, die sich fast in kleinen Anfällen von Eifersucht bemerkbar macht. Er ist zuweilen Loris gegenüber unfrei, kann sich im Gespräch nicht so geben, wie er möchte, fühlt sich von einem Frosthauch seltsam angeweht, und da die Freunde nicht ungern über die Art ihrer Beziehungen sprechen, gesteht er einmal diese Befangenheit ein. Loris antwortet unbewegt: «Das ist eigentlich ganz gut so – ich fühle das Gleiche gegen Jüngere, von denen ich etwas halte.» Von ihm selbst gilt damals, was Vittoria von Cesarino sagt («Der Abenteurer und die Sängerin»):

Er ist noch halb ein Kind, und seine Zunge
Ist wie der Speer des Halbgotts, dessen Spitze
Die tiefsten Wunden schlug und wieder heilte.

Auf einem gemeinsamen nächtlichen Spaziergang empfindet Schnitzler so recht, wieviel ihm Loris bedeutet. Ihm gegenüber hat er bald das stärkste Bedürfnis und auch die Fähigkeit, sich auszusprechen. Aber auch Loris beginnt, von sich und seiner Kindheit zu erzählen. Mit acht Jahren habe er die Krisen durchgemacht, die sonst Sechzehnjährige erleben, und mit siebzehn sei er mit ganz fertigen Anschauungen und Vorurteilen aufgewacht. «Man muß es erlebt haben, um zu wissen, wie unheimlich das ist», fügt er hinzu, als spräche er von einem andern.

So distanziert er auch zu den Menschen steht, weiß er doch mit auffallender Hellsichtigkeit das Wesentliche von ihnen – tief schlummernde Dinge, die erst sein Wort ans Tageslicht bringt. Eines Tages sagt er dem um zwölf Jahre älteren Schnitzler auf den Kopf zu: «Ich finde, Arthur, es bildet sich irgend etwas Starres in Ihnen – Sie fangen an, Masken zu tragen. Da muß eine tiefe Störung zugrunde liegen. Vielleicht müßten Sie trachten, aus der gewohnten Umgebung fortzukommen und in einer Sphäre zu leben, in der Sie rein menschlich gelten könnten.»

Die beiden Freunde, Schnitzler und der junge Loris, definieren einmal den Begriff der Wirklichkeit – kein Zweifel, ihre Beziehung zur Realität ist eine vollkommen verschiedene: Hofmannsthal, aus tiefer Antizipation wie aus einer Prä-Existenz schon in frühester Jugend mit einem Wissen beladen, das sich in unmittelbarer Begegnung mit der Welt mehr gestört als bestätigt fühlt, von einer so schmerzhaft erregbaren Empfindlichkeit, daß er gezwungen ist, eine gläserne Mauer um sich aufzurichten, soll er sich bewahren – und Schnitzler, immer zunächst aus der Erfahrung schöpfend, herumgerissen und ewig im Kampf zwischen Instinkt und Erkenntnis. Wenn Schnitzler sagt, das Wesen des Kunstwerks bestehe darin, daß der sonderbare Kontrast zwischen dem Alltäglichen und Unheimlichen, das darüber ist, mit Klarheit ge-

geben werde, und Hofmannsthal halte seiner Meinung nach diese beiden
Sphären nicht genügend auseinander, so wird für Hofmannsthal «... gerade
das Gewohnte und Alltägliche ... immer merkwürdiger, ja unheimlicher»,
und vertraut sieht ihn die Welt erst an, wenn er imstande ist, «fortwährend
die Realität in ein erhöhtes zweites Dasein umzuformen.» Er spricht von der
«immer erstaunlichen Wirklichkeit», die er «durch den Geist zu überwinden»
sucht, denn ihm ist immer wieder «das Wirkliche nicht mehr als der feurige
Rauch, aus dem die Erscheinungen hervortreten sollen», bis er es später endgültig formuliert: «Wer die höchste Unwirklichkeit erfaßt, wird die höchste
Wirklichkeit gestalten.»

Es scheint, daß es ihm schon sehr früh unentbehrlich war, die luftigen
Geschöpfe seiner Phantasie zu Mittlern seines Umgangs mit den erdgebunde-
nen Wesen ringsum zu machen. – Sein Vater erzählt uns lächelnd, wie der
Knabe, zu dritt bei Tisch mit seinen Eltern, bei den häuslichen Mahlzeiten
eine fiktive vierte Person einführt: einen Kardinal aus längst entschwundenen
Zeiten. Mit diesem Schatten führt er nun Gespräche, richtet an ihn die Fragen,
Gedanken und munteren Bemerkungen, die er den Eltern direkt nicht sagen
mag. Er entschuldigt sich in feierlicher Form bei Seiner Eminenz, wenn beispielsweise ein Gericht aufgetragen wird, das er nicht liebt ... Wie wagt man
es nur, dem so erlauchten Gast dergleichen vorzusetzen! – Kindliches Gau-
kelspiel voll Bedeutung. – «Il faut glisser la vie», sagt er viel später. «Und
eins, glaub' ich, muß man bis zu einem dämonischen Grad lernen: sich um
unendlich viele Angelegenheiten und Dinge nicht zu kümmern.»

Die Gestalten aus Hofmannsthals frühen Dichtungen muten Schnitzler
an, als seien sie wie durch leisen Zauber aus einem Bildteppich hervorgetreten. Aus dem Getriebe des Alltags ringsumher hat Schnitzler die seinen in
eine dichterische Überrealität geholt.

*

Nach seiner Heirat hatte Hofmannsthal sein Haus in Rodaun, dem lieblich
in die Landschaft gebetteten Ort nah von Wien, begründet. Von dort kamen
an einem schönen Sommermorgen die beiden Freunde auf einem Spaziergang
nach der Brühl.

Erinnerung steigt in mir auf ... Durch mein weit offenes Fenster hörte ich
zunächst nur ihre sich nähernden Stimmen, die wohlbekannte Schnitzlers,
und eine andere erstaunlich hohe, scharfe, näselnde Stimme, Schritte auf dem
knirschenden Kies – und da standen sie nun selbst. Hofmannsthal, eine leichte
Gestalt, ein edler Kopf mit etwas vorspringendem Kinn, das dem nervösen
Gesicht einen Ausdruck von Härte gab; er sah aus wie ein Herrenreiter in
Zivil. Auf einem Spaziergang ergab sich eines jener schwebenden, hochge-
spannten Gespräche, wie nur er sie zu führen vermochte, denn er gehörte zu

den seltenen genial produktiven Gesprächsmenschen, deren Wort oft reicher ist als alles, was sie in bedeutenden Werken festgehalten haben, und ich begriff im Augenblick den Zauber, den dieses Wesen, aus Farbe, Flug, Traumestiefe und Kälte sonderbar gemischt, um sich sprühte.

Viel später erst – ich war längst Schnitzlers Frau – konnte ich die Wirkung dieses beunruhigenden, in vielfachen Facetten aufblinkenden Phänomens Hofmannsthal ahnen. Faszinierend und voll Gefahr, halb Geisterkönig und halb Kobold, so stellt sein Bild sich dar; zwischen Zärtlichkeit und Zorn schwankt das Pendel der Freundschaft für ihn hin und her.

Die Empfindlichkeit gegen alles Zufällige und geistig Unwesentliche nimmt bei Hofmannsthal mit den Jahren zu. Der Wille zur geistigen Form bestimmt ihn, beinahe nie unvorbereitet bei den Freunden zu erscheinen. Er kommt, ersichtlich auf ein vorgefaßtes Thema eingestellt, und seine beschwingte Art der Rede offenbart ihm manches, sich an dem ebenbürtigen Partner mehr und mehr entzündend, was in einsam versponnenem Denken zuweilen starr und unbeweglich geblieben war. Diese rein aufs Spirituelle gerichtete Haltung weht einen Hauch von Kühle, von Entfernung vor sich her – beinahe scheint es, als hielte er abwehrend eine Maske vors Gesicht, die sein Persönlichstes verbergen soll. Was er bei Schnitzler vorfindet, ist ein solches Maß von herzlicher Offenheit, von immer wacher Bereitschaft und Bewunderung für jede seiner Phasen, daß er, allmählich näherkommend, Distanzen und Reserven preisgibt; und nachdem er mit abwesendem Blick, die Hände am Rücken verschränkt, lang und lebhaft im Zimmer auf und ab gegangen ist, sagt er, erfreut die kostbare Beziehung spürend, leicht und scherzend: «Man sieht sich viel zu selten; wenn einer von uns tot ist, wird's dem andern leid tun» – und mit rührend hilflosem Versuch zu einer herzlichen Gebärde legt er seine schöne, starr ausgestreckte Hand eine Sekunde im Vorbeigehen auf des Freundes Schulter – eine Hand, die sich zum Griff nicht rundet, nichts Irdisches packen und nichts halten will.

Aus tiefem Formgefühl wünscht er alles Formale, ja Formelle bewahrt zu sehen. Seiner beharrenden Geisteshaltung entspricht es, «lieber eine Ungerechtigkeit als eine Unordnung zu dulden», völlig im Gegensatz zu der revolutionären, unruhig bewegten Natur Schnitzlers, die voll von Fragen, an allem Bestehenden rüttelnd, sich «in jedem Augenblick einer neuen Welt gegenübersieht.»

Hofmannsthals Vorurteile, das selbstverständliche Festhalten an allem Überlieferten, zeigen sich, als er, ärgerlich über das Schauspiel «Freiwild» und die darin angegriffene Institution des Duells, äußert: «Das sind Dinge, an die man nicht rühren soll» – eine Ansicht, die in Schnitzler lebhaften Widerspruch auslöst, einen Protest, der sich viel später in «Professor Bernhardi» Luft macht: «Die Welt ist überhaupt nur dadurch weitergekommen, daß irgend jemand die Courage gehabt hat, an Dinge zu rühren, von denen die Leute, in deren Interesse das lag, durch Jahrhunderte behauptet haben, daß man nicht an sie rühren soll.»

Immer zunächst unmittelbar dem Leben unterworfen, ist es Schnitzler auferlegt, sich um sehr viele Dinge zu kümmern, Mannigfaches auf sich eindringen zu lassen. Er ist ja nicht nur der Dichter der Liebe und des Todes, wie ihm nachgesagt wird, er ist Arzt; und sein Blick, in Diagnosen geübt, sieht mitfühlend, mitleidend in alle feinsten Verästelungen menschlicher Verwirrung, menschlicher Verschuldung, denn er ist auf Gerechtigkeit gestellt und fühlt sich mitverantwortlich an seiner Umwelt.

So kämpferisch verstrickt, so unbegreiflich Brust an Brust mit aller Wirklichkeit zu stehen, muß Hofmannsthal befremdlich scheinen. Es reißt Gegensätze auf, zeitweise Entfernung, und das Erkennen, wie jeder mit fortschreitender Entwicklung immer mehr auf sich bestehen, in seinen eigenen Sinn, in seinen Eigensinn gebannt sein muß und nur durch große Liebe und Bewunderung den andern nicht verliert. Schnitzler weiß es zutiefst: «Streben auch unsere Äste und Zweige auseinander, in den Wurzeln sind wir doch miteinander verbunden.» Einmal, während sie auf ihren Rädern durch die Landschaft fahren, versucht Hofmannsthal den Gegensatz ihres Wesens auszudrücken. Auf einer Anhöhe angelangt, während sie sinnend über die Landschaft schauen, sagt er, ein Gespräch abschliessend: «Sie, Arthur, sind der irrende leidende Mensch, und ich: Spiegel der Welt.»

Der Kreis der Freunde wird nie müde, sich mit Hofmannsthal, dem weitaus jüngsten von ihnen, zu beschäftigen; und immer wieder gibt sein Verhalten, wechselnd zwischen völliger Vernachlässigung der Umwelt und einem überraschend zupackenden Tatsachensinn, Anlaß zum Staunen. Mehr als einmal höre ich Schnitzler über ihn sagen: «Nun versuche man einmal, das alles in das Charakterbild eines einzigen Menschen zusammenzubringen!»

Während der schönen Jahreszeit begeben sich die Freunde meist in einen freundlichen Wirtshausgarten in Hietzing. Schnitzler kommt aus seiner bescheidenen Wohnung gegenüber dem Sternwartepark, Hermann Bahr von der Ober-St.-Veiter Höhe aus seinem Olbrich-Häusl, Hofmannsthal hat den weitesten Weg zur Stadt. Aus Rodaun führt nur die Dampftramway bis Hietzing, eine schmalspurige wacklige Bimmelbahn mitten durch Felder und Dörfer, ihr Nahen mit Glockengeläut und heftigem Auspuff schwarzen Dampfgewölks verkündend. Die Freunde spazieren zuerst im Gespräch durch den abendlich duftenden Schönbrunner Schloßpark. Die Frauen, sich absondernd – denn auch sie sind dabei – erzählen einander unerschöpflich heitere Geschichten von ihren Kindern.

Bahr, einmal allein mit Schnitzler, spricht ärgerlich von dem ewig sich entziehenden, immer in die eigene Welt versponnenen Wesen Hofmannsthals:

«Ein Mensch, der das Gesicht seiner Frau nicht kennt!» Schnitzler sieht es anders: «Und doch wird er vielleicht einmal ein Werk schreiben, darin das Gesicht dieser Frau so rein und wesentlich erscheint, als hätte er es ein Leben lang studiert. Menschen seiner Art bewahren Sinneseindrücke in Tiefen auf, von wo sie erst die Produktion heraufholt.»

Das Telefon ist um diese Zeit noch nicht das selbstverständliche Eindringen der Außenwelt in jedes Haus. Noch ist es nicht so ohne weiteres möglich, einander in jedem Augenblick zu sprechen. Eine kleine Mühe, eine schriftlich getroffene Verabredung, ein Weg mit schwerfällig zeitraubenden Vehikeln baut sich vor die so erwünschte, so notwendige Erfüllung des Begegnens.

So viele unruhvoll auftauchende Zweifel und Gedanken wollen mitgeteilt sein, verlangen Entgegnung oder erweiternde Bestätigung aus der Anschauung des Freundes. Es gehen also Briefe hin und her. Meist gibt Hofmannsthal den Anstoß. In seiner ländlichen Stille und Vergrabenheit in Rodaun drängt es ihn, sich mitzuteilen, ein Echo zu hören.

Das Wetter ist unfreundlich und lähmend, er hat sich in das schöne hohe Arbeitszimmer seines Hauses, eines Jagdschlößchens aus der Zeit der Kaiserin Maria Theresia, zurückgezogen. Aus den Bücherreihen rings an den Wandregalen hat er sich Hebbels Werke und Briefe geholt, er liest versunken, sucht unwillkürlich Verwandtes in den geheimnisvollen Vorgängen geistiger Zeugung, will dem Wunder der Form auf die Spur kommen, die höchst empfindlichen Kräfte ahnend bezwingen lernen, die sich jedem so verschieden offenbaren, denn wie viele tote öde Strecken lang versagen sie sich hartnäckig, um den Entmutigten unerwartet mit ihrer ganzen Fülle zu bedrängen.

Es sind Krisen der Produktion, und sie kehren immer wieder. Wie durch Zauberbann verschiebt sich der Blick, ein Auseinanderklaffen der äußern und innern Welt stellt sich verwirrend her, einer Krankheit gleich, den gewohnten Zusammenhang von Erscheinung und Ausdruck verstörend. Das Wort verliert sein Gewicht und seine Geltung, es zerfällt ihm wie Zunder unter den Händen, trifft nicht ins Herz dessen, was es bezeichnen soll, ja, der Begriff selbst wird fragwürdig, löst sich auf und verschwimmt im Chaos des Undeutbaren.

Der Brief des Lord Chandos an Philipp Bacon gibt diesen Zustand wieder. Vielleicht erweist sich Hofmannsthals hohes Dichtertum in keinem seiner Werke so stark wie in diesem Bekenntnis, wo er es unternimmt, mit unsäglich zarter Hand in Bildern voll tiefer Schönheit die Verwirrung dessen aufzuzeigen, dem die Unzulänglichkeit des Wortes wie die Grenzen des Erkennens jäh vor die Seele getreten sind ...

Man muß zusammen reisen, einander auf dem Land begegnen, um einander zwanglos viele Stunden nah zu sein. Die Winternebel liegen wochenlang bedrückend über Wien, von keinem Schimmer freien Himmels je durchbrochen. Aber der Semmering ist nah, in zweieinhalb Stunden Bahnfahrt ist man in strahlender Sonne, im Schnee, unter der tiefen Himmelsbläue des hohen Gebirges. Da oben begegnet man einander, oft ist eine ganze angeregte Gesellschaft beisammen. Otto Brahm und der Verleger Fischer kommen zuweilen aus Berlin, Jakob Wassermann ist manchmal da, Joseph Kainz wohnt wochenlang im Südbahnhotel, und nur zu einer Burgtheateraufführung fährt er nach der Stadt, um, nachdem er den Hamlet, den Kandaules, den Mephisto gespielt hat, am nächsten Morgen wieder durch den schneeglitzernden Wald zu spazieren. Einmal erscheint als Outsider der Sänger Leo Slezak, eine kleine Heiserkeit ist nach dem Verdischen «Othello» zu kurieren, und abends versetzt er die Gesellschaft mit seinen komischen Geschichten aus den Kulissen der Wiener Oper in unbändiges Gelächter.

Kainz liest eben die Memoiren des Casanova. Wie produktiv er sie liest, welche lebendig gewordene Kulturgeschichte des achtzehnten Jahrhunderts vor seiner Phantasie ersteht, das erzählt er am Abend in wunderbarer Darstellung den Freunden.

Einmal – es sind nur ganz wenige um den Tisch versammelt, unter ihnen ist Hofmannsthal – erzählt Kainz die Episode der Cristina. Er spricht an diesem Abend wie unter einer besonderen Inspiration, läßt das lieblich-urwüchsige Mädchen, die Männer um sie her, den Platz in Venedig, auf dem sie Casanova begegnet, das Schiff, den Gasthof in so blühender Wirklichkeit vor den Augen seiner Zuhörer erscheinen, daß jeder ein Mitlebender wird. Die Stunden vergehen, Mitternacht ist vorüber, als die kleine Gesellschaft sich erhebt. Hofmannsthal, völlig gefangen, geht sehr nachdenklich, nur mit kurzen Ausrufen staunender Bewunderung, an Schnitzlers Seite die langen Hotelgänge seinem Zimmer zu. «Cristinas Heimreise», so sehr in lichte Farben einer realen Welt gestellt wie keines seiner früheren Werke, ist an diesem Abend für Hofmannsthal zur dramatischen Vision geworden.

Der Sommer 1907 bringt Schnitzler und Hofmannsthal in Tirol zusammen. Im Pustertal liegt über dem Dorf Welsberg das alte Bauernbad Waldbrunn, ein einfacher Holzbau mit Veranden, von hohem Tannenwald umgeben. Früh morgens zieht sich jeder der Freunde in eine andere Richtung des Waldes zurück, denn beide arbeiten: Schnitzler an seinem Roman, der später «Der Weg ins Freie» heißen wird, und Hofmannsthal an den «Briefen des Zurückgekehrten». Gegen Abend geht man zu viert ins Tal hinunter, denn wir Frauen sind dabei, die Straße gegen Olang zu, in lebhafter Unterhaltung. Und so wie Schnitzler unfähig ist, irgend etwas über ein eben entstehendes Werk zu äußern, so ist es für Hofmannsthal ein Bedürfnis, an einem Stoff, von dem er gerade erfüllt ist, weiter zu fabulieren, ja sich im Gespräch produktiv zu steigern.

Die Landschaft wird mit einbezogen, Wirklichkeit und Vision verschmelzen zu wunderbarer Einheit. Mit einemmal, vor einer kleinen Brücke über einem reißenden Bach, stehen wir vor einem Marterl, einem bäuerlich bunt gemalten Heiligenbild: die Muttergottes mit den sieben Schwertern in einem blutroten Herzen neigt den Kopf, Christus mit der Dornenkrone trägt sein schweres Kreuz. Darunter stehen zwei Zeilen:

O meine Mutter
Ach mein lieber Sohn.

Nichts weiter. Danach entsteht eines der Hofmannsthalschen Gedichte. Es heißt: «Vor Tag».

Im September 1907, auf dem Semmering in guter Stimmung arbeitend, schreibt Hofmannsthal an Schnitzler eine scherzhafte Karte über das Entstehen des Stückes «Cristinas Heimreise»: «Es ist sehr schön. Ich finde, es ist wie von Nestroy, wenn er Schnitzler gelesen hätte und Goldoni kopieren wollen hätte. Nun im Ernst, es ist viel besser als Nestroy, Goldoni und (natürlich) Schnitzler und schlechter als nichts.» Der Herbst vergeht in gesammelter Arbeit, und er vergräbt sich, jede Einladung ablehnend. «Mein Stück ist ein recht sonderbares Ding. Wenn's nicht mißlingt – ist es viel wert, für mich meine ich ... Sehr einsam ist man in solchen Momenten, wie tief in einem Bergwerk, nur im Finstern irgendwo neben sich, aber weit, glaubt man einen andern hämmern zu hören. Sie z.B. ... Ich glaube, ich werde Sie plötzlich brauchen, zu Hilfe.»

Jahre vergehen, die schweren, düsteren, vernichtenden Jahre des Krieges.

Das kleine, sonst so still verträumte Salzburg ist in ungewohntem Aufruhr. Auf dem Domplatz wird unter freiem Himmel zum erstenmal «Jedermann» gespielt. Jedermann auf der Bühne erlebt sein Menschenlos, geht seinen Weg aus Werden ins Vergehen, aus irdischer Verstricktheit in himmlische Erlösung. Jedermann in den Reihen der Zuschauer ist angerührt von diesem Spiel, denn so verschiedenes Echo es widerhallen macht, es ist jedermanns Schicksal, das hier in buntem Spiegelbild vorüberzieht. «Jedermann!» hallt es über den weiten Platz, «Jedermann!» haucht und dröhnt es von den Türmen, und jedermann in Stadt und Land weiß sich aufgerufen und wird zum Mitspieler.

Aus dem besiegten und zerschlagenen Land, in dieser Stadt Mozarts, hat Hofmannsthal mit Hilfe von Max Reinhardt jene Kraft erweckt, die Österreichs innerstes Wesen über alle Wechselfälle der Geschichte seit jeher sieghaft auferstehen ließ: in seiner Fähigkeit, die schöne Welt als Gleichnis zu empfinden, ihr eng verbunden und ihr doch so leicht entrückt – gestaltend im Genießen und aufwärtsblickend im Gestalten.

ERIKA BRECHT

Das Theater, Hofmannsthals weltliche Mission

Von dem Verhältnis der beiden Männer – Hofmannsthal und Prof. Walther Brecht – ein wirkliches Bild zu geben, muß ich mir versagen, es spielen zu ausgedehnte geistige Gebiete da hinein, als daß ich versuchen könnte, sie darzustellen. Einige Andeutungen müssen genügen. Ohne Hofmannsthals frühen Tod hätte dies Verhältnis ohne Zweifel noch eine viel bedeutendere Reife gewonnen; erst in unserer letzten Zeit fing es an, ganz vertraut zu werden.

Für meinen Mann bedeutete Hofmannsthal unendlich viel, und nicht nur einen geliebten Freund. Denn der Literaturhistoriker erlebt nur selten den wahrhaft dichterischen Menschen in der Wirklichkeit; meist muß er ihn aus Büchern erschließen, und das ist eine dornenvolle Aufgabe, bei der man nie vor Irrtum ganz gesichert ist. Wenige Fachgelehrte werden auch, wenn sie einem wirklichen Dichter begegnen, die Selbstbescheidung und Aufnahmefähigkeit haben, wie mein Mann sie hatte, der niemals sich für befugt hielt, zu kritisieren und zu urteilen, sondern im Gegenteil mit wahrer Demut vor dem Phänomen des dichterischen Menschen stand. Hier wurde der «Traum von großer Magie» endlich einmal sichtbar, greifbar, geträumt! Man sah und fühlte ihn beglückt, zauberhaft nahe. Das war für den Deuter und Erschließer deutscher Dichtung ein immer neu erregendes und beglückendes Schauspiel.

Und andererseits war auch mein Mann für Hofmannsthal nicht nur als Mensch, sondern auch als Vertreter seiner Wissenschaft bedeutsam. Meines Wissens ist er der einzige zünftige Gelehrte, der Hofmannsthal jemals nahegestanden hat. Dieser erwartete von der Universität nicht viel Gutes, wie ja übrigens selten ein Dichter und Schriftsteller auf die Professoren gut zu sprechen ist. Er hatte noch besonderen Grund hierzu, denn die wissenschaftliche Enge des damaligen Fachvertreters hatte ihm seinerzeit die Habilitation für romanische Philologie, die er auf Wunsch seines Vaters anstrebte, unmöglich gemacht. Seitdem hat er die Wiener Universität nicht mehr betreten und war ein eher mißtrauischer Zuschauer des anerkannten Wissenschaftsbetriebes, besonders des literarhistorischen, geworden. Aber er war in dieser Haltung keineswegs starr, und wenn er auch scherzhaft die Gelehrsamkeit in der Dichtungsgeschichte ablehnte, schöpfte er doch mit Freude aus ihren Reichtümern. Ihm stand ja immer das Ganze der deutschen und der europäischen Kultur vor Augen, er wußte unglaublich viel davon, und begehrte immer mehr zu wissen und zu durchschauen. Walther nannte ihn oft: «philologorum poetissimus, poetarum philologissimus». Was für ein unabsehbares Feld bot den beiden in ihren Gesprächen die Vergangenheit in ihren verborgenen, geheimnisvollen Aspekten! Hofmannsthal lebte gleichzeitig in den verschiedensten Perioden, genau wie Walther, jede Zeit rief diese beiden an, wollte sich verständlich machen im Einzelnen, «denn auf die Einzelheiten kommt es immer an!» So schöpfte der Dichter begierig aus des Gelehrten ausgebreiteten saftvollen Kenntnissen, und Verhältnisse wurden ihm mit scharfer Genauigkeit deutlich, die er bisher wohl mit der Phantasie mehr ahnend erfaßt hatte. Er wurde nie müde, zu fragen, anzuregen, die feinsten Schattierungen einer vergangenen Geisteshaltung, etwa des Barock, herauszuarbeiten. Wenn er sich für ein neues oder altes Buch begeisterte, z.B. Nadlers Literaturgeschichte der deutschen Stämme und Landschaften, oder für Bachofen, so ruhte er nicht, bis auch mein Mann dazu Stellung genommen hatte. So entdeckten die beiden zusammen alte und neue Welten.

Was Hofmannsthals eigene Dichtung betraf, so konnte wohl kein Zweifel sein, daß noch nie ein Vertreter der orthodoxen Literaturwissenschaft sie in solcher Tiefe erfaßt hatte, wie mein Mann. Er folgte dieser Dichtung bis in die feinsten Verwurzelungen, tief ins Unbewußte hinein, und Hofmannsthal zeigte sich immer wieder froh erstaunt und beglückt darüber. – «Brecht ist einer der drei oder vier Menschen in Europa, die wirklich wissen, was ein Gedicht ist», sagte er zu Max Rychner in Zürich, wie dieser später erzählte. Aus den langen Gesprächen über ihn selbst, seine Pläne und Arbeiten, erwuchs dem Dichter wahrscheinlich schon in den ersten Jahren dieses Verkehrs eine neue Zuversicht, die er gerade in jener Zeit bitter nötig hatte. Es hängt vielleicht auch hiermit zusammen, daß ihm in den folgenden Jahren nach längerer Pause wieder Werke gelangen, die rein, frei und unbefangen in den Kern seines Wesens führten, ohne Zugrundelegung eines fremden Stoffes, wie das Märchen von der «Frau ohne Schatten» und «Der Schwierige».

Immer wieder forderte Hofmannsthal, mein Mann solle doch «die Jahrhunderte», d.h. die beabsichtigte Literaturdarstellung des sechzehnten und des neunzehnten Jahrhunderts fahren lassen, und lieber statt dessen «das Buch vom Dichter» schreiben. Von diesem Buch war oft die Rede. Hofmannsthal stellte sich darunter ein Werk vor, wie es eher einer romanischen als einer deutschen Feder entspringen würde: ganz groß angelegt, ohne Zitate oder sonstigen gelehrten Apparat, ohne jeden Anklang an Biographie; ein Buch, in dem der Prozeß des dichterischen Schaffens, selbst eine Art Dichtung, in klassischer Weise dargestellt werden sollte. Dies Werk hätte aber niemand so schreiben können, wie es Hofmannsthal vorschwebte, als er selbst. Ihn aber hätte es beglückt, aus der berufenen Feder seines Professors solch ein großzügiges Werk ans Licht treten zu sehen, in dem wahres, tiefes Wissen um das fast verlorene Kleinod des Dichterischen sich kundgetan hätte. – Es kam nicht dazu, der Professor in Wien hatte keine Zeit, Schriftsteller zu sein.

Aber auch der «Lehrer» war für Hofmannsthal eine bedeutsame Figur. In dieser Gestalt, eingeordnet in den gegenwärtigen Kulturmoment, erkannte er etwas höchst notwendig Wirksames, einen Mann, der vom Katheder aus der Jugend nicht nur Wissen beibrachte, sondern ihr auch Lebensstoff gab.

Ihm war ja immer dies das Wichtigste: daß der Nation das «Höhere» nicht verloren gehe – und wenige sahen wie er die Gefahr, daß es wirklich verloren gehen könne. Darum begrüßte er mit so hoher Freude den Lehrer, der das Höhere, unzertrennlich von seiner Persönlichkeit und von seiner Auffassung des dichterischen Kunstwerks, in den Hörsaal mitbrachte und es viele Jahre lang täglich Hunderten von jungen Menschen in die Seele zu pflanzen suchte; und viele dankten es ihm mit Begeisterung. Ein Geschenk war für Hofmannsthal daneben wohl auch die besondere Liebe, mit der mein Mann ihn selbst und die anderen Dichter der Jahrhundertwende einer neuen Generation bewußt und verständlich machte. Daß sein Bild in die Herzen der Jugend eingeschrieben wurde –und das wurde es! – mußte ja dem schon gewohnheitsmäßig Verkannten eine Wohltat sein, ihm, der die Jugend so liebte! Er konnte nie genug von den Studenten hören, interessierte sich aus der Entfernung für jeden von unseren Schützlingen – die ihn ihrerseits göttlich verehrten – und fragte bei jeder Gelegenheit: «Was sagen denn die jungen Leute?»

*

Die letzten Jahre, die wir in Wien zubrachten, waren in vieler Beziehung die schönsten. Man konnte etwas aufatmen nach den Stürmen des Krieges, der Hungersnot und der Inflation. Das Leben lenkte langsam wieder in Bahnen ein, die uns nach allem Überstandenen leidlich normal erschienen. Da fing denn bald das Theater an, eine große Rolle in unserem Leben zu spielen, und besonders auch in unserem Verkehr mit Hofmannsthal.

Für ihn war das Theater eines der ganz wichtigen, zentral bedeutsamen Dinge. Darin stand er im Gegensatz zum Stefan-Georgeschen Kreis, der das Theater verachtete und sich etwas darauf zugute tat. Gundolf behauptete sogar, daß es zum größten Teil nur dieser Gegensatz sei, der die feindlichen Heerlager scheide. Er lehnte es schaudernd ab, mit uns in die herrliche Vorstellung von «König Lear» im Josefstädter Theater zu gehen, aber statt dessen ging er an diesem Abend ins Kino, das erlaubte Stefan George seinen Jüngern.

Hofmannsthal liebte das Theater mit einer Hingabe, über die er nicht zu diskutieren brauchte; für ihn stand es fest, daß ein Dramatiker ohne lebendige Schaubühne ein Unding ist. Darin verstand ich ihn besonders gut, da ich ja auch durchaus imstande war, dem Theater vorübergehend meine Seele zu verschreiben. «Sie sind ja auch so ein Theaternarr!» sagte Hofmannsthal oft billigend zu mir...

217

An der Oper dirigierte neben Schalk, dem eigentlichen Direktor, auch Richard Strauss; oft habe ich ihn den Taktstock heben sehen in seiner steifen Weise, und die Mozartschen Opern, die vorher ziemlich heruntergekommen waren am Kärtner Ring, blühten unter ihm auf zu unbeschreiblicher Klarheit und Süßigkeit. Auch die Sänger und Sängerinnen sangen und spielten ganz anders, wenn sie seine Augen auf sich gerichtet fühlten, sowohl in Wien wie später in München. Neben Mozart dirigierte er vorzugsweise seine eigenen, das heißt auch Hofmannsthals Opern. Das war ja einer der Gründe, die unsern Freund zu der Zusammenarbeit mit Strauss geführt hatten: der Zugang zur Bühne war ihm damit gesichert. Seine dramatischen Werke waren früher oft heimatlos gewesen (in unserer Zeit war das schon nicht mehr der Fall); durch Strauss konnte er sicher sein, wenigstens in seinen kleinen Musikdramen in einer ganz neuen Art auf der Bühne fortzuleben. Die großen Erfolge der «Elektra» und des «Rosenkavaliers» lagen schon zurück; in unserer Zeit komponierte Strauss die «Frau ohne Schatten», später die «Ägyptische Helena» und zuletzt, nach Hofmannsthals Tode, die im Manuskript fertige «Arabella».

Das anfangs nahe Verhältnis zu seinem Komponisten war für Hofmannsthal durch manches getrübt worden; er hatte darauf verzichtet, sich mit Strauss über die Texte im einzelnen auszusprechen. Er schickte sie ihm, wenn sie fertig waren, und änderte wohl auf Wunsch noch manches, aber keines der späteren Libretti ist so gemeinsam zur Vollendung gebracht worden wie der «Rosenkavalier». Das merkt man auch. Strauss hat ein außerordentlich sicheres dramatisches Urteil, und zum guten Teil durch seine Vorschläge sind besonders die Aktschlüsse im «Rosenkavalier» so treffsicher geworden. Wir versäumten keine Gelegenheit, diesen einzigartigen Zusammenklang wienerischer Grazie mit geistreicher, tiefströmender Musik auf uns wirken zu lassen. Die Erscheinung Octavians, silberschimmernd mit der Rose wie ein Traumgebilde, zu den Sphärenklängen der Philharmoniker, war ein Fest, das man nur im Wiener Opernhaus so erleben konnte...

Die «Ägyptische Helena» las der Dichter uns zuerst in seinem Zimmer aus dem fertigen Schreibmaschinenmanuskript vor, lange ehe sie fertig komponiert war, etwa 1924. – Er las sehr gut. Seine im Sprechen oft etwas hohe Stimme war beim Vorlesen vertieft und außerordentlich modulationsfähig. – Uns beiden machte die Helena einen großen Eindruck, etwa in der Art des «Sommernachtstraums», leicht, schwebend, märchenhaft. Sie wirkte unglaublich musikalisch, wie eine Art neuer «Zauberflöte», mozartisch. Später, bei der Erstaufführung in München, war sie nicht wieder zu erkennen, war zu einer hochpathetischen Oper im Stile Wagners geworden. Alles Zarte, Zerbrechliche – barock aufgebauscht: die Muschel, die Wüstenszenen, als Spuk und Traum erdacht, wirkten mit der gewaltsamen Orchestermusik vergröbert und allzusehr in die Länge gezogen. Wir waren sehr enttäuscht von dieser Komposition. Hofmannsthal wollte davon aber nichts hören; für ihn war die Hauptsache, daß das große fertige Werk dastand und wirkte, er kritisierte nicht gern. Die Strauss'sche Musik hielt er für durchaus der Zeit entsprechend und stellte seine eigenen Vorstellungen, die er vielleicht von der Oper gehabt hatte, bescheiden zurück. Doch sagte er nach dieser Premiere von Strauss, über den er nur selten sprach: «Dieser Mann komponiert mit den Nerven. Er fühlt nicht immer, was im Text ist, aber er ist ohnehin so voll von Musik, daß sie nicht den Weg durch seine Seele braucht, sie quillt ihm aus den Fingerspitzen. – Er kann von Leipzig einen ganzen Tag nach München mit dem Auto fahren und dann abends seine Premiere dirigieren – beneidenswert! – Insofern hat er wieder keine Nerven.»

Auch die «Josefslegende» in einer prunkhaften Vorstellung in der Staatsoper und die spätere Fassung des «Bürger als Edelmann» mit reizender Musik im Redoutensaal der Hofburg, erinnere ich mich mit besonderer Freude gesehen zu haben.

Von den beiden Staatstheatern war es also vor allem die Oper, die für Hofmannsthal eine Rolle spielte und die er liebte. Er war mit Schalk und seiner Frau befreundet, Strauss war wenigstens vor der Welt sein nächster Mitarbeiter, mit manchen Sängern stand er gut, z.B. mit der Gutheil-Schoder, die in wunderbarer Weise die Potiphar in der «Josefslegende» darstellte, ohne ein Wort, fast ohne eine Bewegung, und nur durch Haltung und Gesichtsausdruck die grausame, eiskalte Leidenschaft selbst war. Sogar das Operngebäude, den herrlichen Schwung der großen Logenbalkone, liebte Hofmannsthal und öffnete auch mir einmal die Augen dafür. – Weniger erfreulich war sein Verhältnis zum Burgtheater, was in der Vergangenheit begründet lag. – Als nach dem Kriege die Direktion des Burgtheaters öfters wechselte, kam auch der Gedanke auf, Max Reinhardt zu berufen. Dieser Gedanke – ich weiß nicht, ob er ursprünglich von Hofmannsthal ausging oder nicht – zündete jedenfalls bei ihm und es kam eine Zeit voller Aufregungen, bis sich's entschied, daß Reinhardt das Burgtheater nicht übernahm. Reinhardt war in dieser Zeit viel in Wien und brachte eine Reihe von «Mustervorstellungen» in den Redoutensälen der Hofburg heraus, wohl im Hinblick auf die Übernahme größerer Aufgaben.

*

Zu welchem Zeitpunkt eigentlich der Gedanke der Salzburger Festspiele auftauchte, weiß ich nicht mehr, noch ob er von Reinhardt oder von Hofmannsthal stammte; vermutlich von beiden zusammen. Die Enttäuschung des gescheiterten Burgtheaterprojekts führte zu weiteren, noch schöneren Plänen; von diesen kamen zur Ausführung die Salzburger Festspiele und die Übernahme des Josefstädter Theaters durch Reinhardt. Beides zusammen war eine große Bereicherung und Erneuerung des österreichischen Theaterlebens, das ja wirklich in mancher Beziehung vom alten Ruhme zehrte, ohne schöpferische, neue Wege finden zu können. Daß diese nun von Berlin aus beschritten wurden, war vielen nicht recht; es fehlte auch nicht an Widerstand gegen Hofmannsthals Ideen, und er stand oft allein in seiner Vaterstadt. Als aber dann die Festspiele einmal gegründet waren und einen Jahr für Jahr anwachsenden Fremdenstrom nach Salzburg zogen, als in der Josefstadt ein neues, modernes und entzückendes Theater erstand, in dem man Abend für Abend überraschende Eindrücke haben konnte, da schwiegen die bösen Zungen doch eine Zeit lang. Man konnte nicht leugnen, daß der in den schweren Jahren ermatteten alten Theaterkultur mit Kraft und Mut ganz neue Impulse zu Hilfe kamen, daß ein frischer Wind in die Segel stieß.

Für unsern Freund war dies alles eigentlich viel zu aufregend, und so viel Freude er an dieser Tätigkeit für das Theater hatte, so sehr hat sie ihn gewiß auch geschädigt. Wenn er bei uns war, sprach er nicht viel von der unendlichen Mühe und den nervenzermürbenden Schwierigkeiten, die so große Unternehmungen immer, und ganz besonders in Wien und Österreich mit sich bringen, wo alles stets kompliziert ist; aber er ließ doch durchblicken, daß seine freiwillige Tätigkeit keine leichte war. Sein nur auf das Positive gerichteter Geist sah aber immer das Ziel vor sich, und daraus zog er Nahrung für sein Herz. Besonders die Salzburger Festspiele beschäftigten ihn lange vor ihrer Verwirklichung, und er konnte uns stundenlang von den beabsichtigten Darstellungen großer Werke erzählen. Ihm schwebte z.B. eine Mustervorstellung der «Räuber» vor, ein «Faust II» (den ja Reinhardt später auch wirklich in der Winterreitschule in Salzburg inszeniert hat), ein «Wozzek», «Fiesco» und vieles andere. Diese nur in der Phantasie geschauten Aufführungen stehen mir fast wie wirkliche in der Erinnerung, nur durch Hofmannsthals suggestive Vorfreude. Er besetzte dann schon die Rollen, überlegte lange mit uns die einzelnen Schauspieler, und brachte nur durch sein starkes Herausholen aus einer Geisterwelt voll Glanz und Leben die Dichtungen so zur Anschauung, daß ich noch heute glaube, die «Räuber» in einer prachtvollen Vorstellung gesehen zu haben, die so nie stattgefunden hat.

Für ihn mußten diese inneren Bilder sich verkörpern, und darum war ihm Reinhardt so wertvoll und wichtig. Denn Reinhardt war eben der Zauberer, der mit einem Wink seines Stabes Geisterwirklichkeiten auf den nüchternen Erdboden stellen konnte. – Hofmannsthal bewunderte Reinhardt schrankenlos; viel zu sehr, nach dem Urteil mancher Freunde, die der Entstehung dieser Freundschaft von Anfang an zugesehen hatten. Seit es Reinhardt gab, konnte Hofmannsthal sich seine eigenen Werke nur von ihm inszeniert vorstellen, und er wartete mit rührender, ihn innerlich aufzehrender Geduld, bis der allmächtige Bühnenmonarch den Augenblick für das Herausbringen eines neuen Dramas für günstig erachtete. Es dauerte oft jahrelang, ehe die richtige Konstellation gegeben erschien, oder sie trat auch gar nicht ein, wie beim «Turm». – Fand Reinhardt, daß ein neues Stück nicht bühnengerecht sei, dann verstümmelte der Dichter mit Todesverachtung seine eigenen Kinder, an die sonst niemand auch nur mit Worten rühren durfte. Wir sahen mit Entsetzen im Josefstädter Theater das reizende Lustspiel «Cristinas Heimreise» in einer wunderhübschen, sorgfältigen Aufführung in erster Besetzung – aber in geköpftem Zustande. Der dritte Akt, der dem kleinen Stück erst seinen Sinn verleiht, fiel einfach weg. Reinhardt hatte in einer früheren Berliner Aufführung gefunden, daß das Stück durch ihn zu lang werde. Durch diesen dritten Akt aber wurde das bis dahin durchaus leichtfertig wirkende Lustspielchen eine Verherrlichung der Ehe; ohne ihn eine wirklich peinliche Verführungsgeschichte, über deren Leere auch die anmutigen Einzelheiten nicht hinwegtäuschen konnten... Mein Mann sprach darüber zu Hofmannsthal, fand aber kein Verständnis; Reinhardts Machtspruch behielt Recht. Ähnlich ging es dann später mit dem letzten Akt des «Turm».

Ein reiner Erfolg war hingegen das «Große Welttheater» in Salzburg. Wir lernten die Anfänge dieses Werkes, das den Dichter durch viele Jahre begleitet hat, schon während des Krieges kennen. Hofmannsthal führte uns an einem besonders schönen, heißen Sommertag in seinem Garten ganz auf die Höhe, wo an der Mauer, am Kirchplatz ein kleines baufälliges «Salettl», ein zweistöckiger Pavillon stand. Man kletterte eine überaus wackelige Stiege hinauf zu einer gedeckten Holzlaube, wo Tisch und Stühle, verfärbt und sonnenverbrannt, in Einsamkeit und Stille träumten. Hier, in der ihm besonders lieben Unsichtbarkeit des sommerlichen Schlupfwinkels, las er fast feierlich aus dem Bleistiftmanuskript die ersten Szenen des «Großen Welttheaters» vor. Es war eine wunderbare Stunde, in der eines der größten Symbole menschlicher Dichtung, als Ausdruck für die letzten Dinge, mir zum ersten Male begegnete und sich unauslöschlich eingrub...

Im Sommer 1922 fanden die Festspiele zum ersten Male in Salzburg wirklich statt. Auf dem Domplatz wurde der «Jedermann» gespielt (wie schon ein- oder zweimal früher), und das «Große Welttheater» in der Kollegienkirche. Hofmannsthal hatte selbst vom Erzbischof Rieder die Erlaubnis hierzu erwirkt. «Warum soll Frau Welt nicht in der Kirche auftreten und singen», hatte der Kirchenfürst gesagt, «hat doch auch David vor der Bundeslade getanzt!» – Dann begann der Bau des ersten hölzernen Festspielhauses durch Clemens Holzmeister.

Im Sommer 1925 waren wir in den Bergen, am Zeller See, wo uns eine Karte von Hofmannsthal erreichte:

14. 8. 25. Freitag

Kommen Sie doch zu einer der letzten Vorstellungen herein, und über-
nachten hier, es wird *nie* wieder so schön werden, das ist ein seltener Glücks-
fall! Drahten Sie das Datum!   Ihr Hofmannsthal

Wir fuhren durch das von der Salzach überschwemmte Land nach Salzburg, und erlebten tatsächlich etwas Unvergeßliches.

Salzburg erschien in diesen Tagen selbst wie eine Art Bühne, auf der die
Festspielgäste auftraten. Überall sah man bedeutende Gestalten unter Regen-
schirmen – denn es regnete so ununterbrochen, wie nur je im lieben Salzburg –
Dichter, Schauspieler, z.B. Hermann Bahr im wallenden Bart und in einer
Art Mönchskutte, berühmte «Geistesriesen» aus ganz Europa, untermengt
mit den eleganten Engländern und Amerikanern, die ihre Schrankkoffer
durch die ganze Welt schleppen ließen. Eine festliche, erwartungsvolle
Atmosphäre erfüllte die engen Straßen. Alles strömte dem neuen Festspiel-
hause zu, das einfach, schön, aus braunem Holz an der Bergwand stand, angebaut an den merkwürdigen, aus dem Felsen heraustretenden Hof der Winterreitschule, mit dem es ein Ganzes bildete. – Im Innern entfaltete sich dann
eine Pracht von Toiletten, ein Glanz von Diamantendiademen und ungeheuren Perlenschnüren, daß ich mich in meinem alten Seidenkleidchen gern unsichtbar gemacht hätte. Wir saßen aber, wie immer, in der vordersten Reihe,
unsere Billetts hatten wir aus dem «Österreichischen Hof», dem Hauptquar-
tier der Festspiele, geholt.

Vor uns wuchs die Rückwand des Hauses empor, als eine Art gotischer
Dom. Dieser Bühnenhintergrund war für das «Welttheater» bestimmt und
unübertrefflich schön, ein Ansteigen und Sich-Übersteigen von braunen
Holzgalerien, in Absätzen bis zu einem gotischen Türmchen, wie ein Sakra-
mentshäuschen, im Mittelgrund; dies alles wieder überwölbt von einem gewaltigen Spitzbogen, über dem sich als höchster Absatz der Himmel auf-
baute. Auch für das «Mirakel» war dieses Bühnenbild geeignet.

Das Spiel begann und war unbeschreiblich groß und schön. Es wurde
wirklich «nie wieder so»! – Sechs Figuren, die Symbole für die Menschen-
welt und ihr Treiben im Angesicht Gottes, standen auf der tiefsten, eigentlichen Bühne, und lebten ihr Leben: der König, der Reiche, der Bauer, der
Bettler, die Weisheit (im Gewand der Nonne) und die Schönheit. Sie glaubten, allein zu sein, waren aber von Geistermächten überall umgeben. Vorn
am Proszenium der Bühne saß «Frau Welt», eine übermenschliche Erscheinung (Bahr-Mildenburg) mit ihrer Laute, in den Falten des Vorhangs verbarg sich der «Widersacher», eine Art Mephisto, in mittlerer Höhe wartete
der Tod, und hoch oben standen die gewaltigen Engel, alles, was geschah,
mit ihren Blicken umgreifend. Die Empfindung von wirklicher Himmels-

höhe war so zwingend nahegebracht, daß der Engel, eine Erscheinung sanfter göttlicher Schönheit, von ungeheuren Bergesspitzen herabzuschweben schien, während man ja mit den Augen sah, daß er nur eine Treppe herabstieg. – Eine derartige Suggestion erinnere ich mich sonst nie im Theater erlebt zu haben. – Und über den Engeln wieder ahnte man erst das Reich «des Meisters», das verhüllt blieb und sich nur in «ungeheurem Licht» ankündigte gegen Schluß hin. – Alle Schauspieler waren auf überschauspielerischer Höhe; das Ganze für empfängliche Augen und Ohren jene Mischung von Gottesdienst mit reiner, großer Kunst, wie sie die geistlichen Schauspiele des Mittelalters gezeigt haben mögen. – Das «Mirakel» von Vollmöller erfreute die Augen mit reichem Prunk und ausgesucht schönen Frauen, im Reinhardtschen Stil des prachtvollen Schaustücks. Aber es war nur ein Beweis mehr, wer eigentlich die Seele der Festspiele war. – Als Drittes wurde das feine und fromme «Apostelspiel» von Mell gegeben, das wir in der gleichen Besetzung schon in Wien gesehen hatten.

Dies war also das Theater ersten Ranges, wie es unserm Freund am Herzen lag. Auch für ihn konnte es, als Theater, ja nur ein Symbol für «das Höhere» sein, und insofern auch nur von untergeordneter Wichtigkeit. Aber Theater hat eben nur dann Wert, wenn es ersten Ranges wirklich ist, wenn es möglichst rein eine hohe Welt der Seele und des Geistes spiegelt. Einen solchen Spiegel zu schaffen, das kann zur Mission werden, und dies war Hofmannsthals weltliche Mission, für die er leidenschaftlich wirkte: daß das Theater auf höchster Stufe stehen und sich erhalten sollte, einer der Pfeiler unserer abendländischen Kultur. Diese Kultur war ja sein innerstes Anliegen, sie sah er bedroht und um sie litt er Angst und Kummer; er wußte, daß wir am Rand des Abgrunds standen. Oft drehten die Gespräche sich um dies Herannahende, Schwere, Bedrohende. Mein Mann lebte noch ganz in der Tradition seiner geliebten Universität und im Glauben an die Wissenschaft; noch ohne Bruch, in scheinbar gesicherter Gedankenwelt. Und möglicherweise war diese Ungebrochenheit für den wissenderen Dichter oft ein Trost und eine Stütze.

BERNHARD PAUMGARTNER

Bei den Salzburger Festspielen

Obwohl der Kreis meiner künstlerisch tätigen Kameraden in meiner Wiener Universitätszeit intensiv mit Literatur und Theater befaßt blieb – wir hatten in einem Wiener Atelier sogar einen Verein «Österreichische Bühne» gegründet, der Aufführungen veranstaltete – obwohl wir gute Beziehungen zum Musiktheater unterhielten, daneben auch zu bedeutenden bildenden Künstlern jener Zeit vor dem ersten Weltkrieg, die voll war mit Problemen, Plänen und Kontroversen, haben wir damals nähere Beziehungen zu Hugo von Hofmannsthal nicht gefunden. Karl Kraus' bösartige Broschüre von der «Demolierten Literatur», die ungefähr alles das in polemischer Konzentration enthielt, was uns bewegte, hatte uns mit Für und Wider in nicht gelinde Aufregung versetzt. Wir fühlten uns ehrlich jung, neuen Ufern zustrebend; die Gruppe um Schnitzler, Bahr, Hofmannsthal, Salten und Zweig dünkte uns dagegen, im Gegensatz zu vielem, was wir in der Tonkunst und in den bildenden Künsten erlebten – Berg und Webern, Loos, Schiele und Kokoschka – schon ein wenig alt geworden, obwohl die meisten jener Künstler damals noch in den besten Schaffensjahren standen. Als ich etwas später als Solokorrepetitor der Hofoper die Arrangierproben zur Wiener Erstaufführung des «Rosenkavalier» spielte, lernte ich dabei einmal auch Hofmannsthal flüchtig kennen. Während ich auf der Riesenbühne durch rücksichtsloses Trommeln auf einem uralten Klavier Solisten und den Chor zusammenzuhalten hatte, war Hofmannsthal die ganze Zeit still im dunklen Zuschauerraum geblieben. Nur einmal kam er kurz auf die Bühne, mit dem Bühnenbildner Roller und dem Regisseur Wymetal einige Einzelheiten zu besprechen. Obwohl er dabei eifrig und nachdrücklich eine Sache zu vertreten schien, fiel mir die Stille seines Wesens auf, während rings herum die Bühne, wie immer in solchen kurzen Pausen, grob lärmte. Ich wußte nicht recht, war es Zurückhaltung oder die ein wenig linkische Gebärde eines Grandseigneurs in dieser, gleichsam von ihm selbst geschaffenen Umwelt. Denn ein Teil der Künstler lief schon kostümiert herum. Die wichtigsten Dekorationsstücke des zweiten Akts waren aufgestellt und hell angeleuchtet. – Ich glaube, man hat das befolgt, was er gewünscht hatte. Jedenfalls war es nichts Entscheidendes.

Jener erste Eindruck der «Stille um Hofmannsthal» ist mir geblieben, als ich ihn, Jahre später, unter ganz andern Umständen zu Salzburg wieder erleben durfte. Es war in den zwanziger Jahren, als der «Jedermann» als Standardstück der jungen Salzburger Festspiele unter Max Reinhardt auf

dem Domplatz weltberühmt wurde. Selten genug war Hofmannsthal, meist
von Aussee kommend, dort zu sehen. Er hielt sich in der Nähe Reinhardts
auf, der immer von der ersten Zuschauerreihe aus, in der ruhigen, sichern
Art, die seine Regieführung auszeichnete, die Proben leitete. Mir war die
Musik anvertraut. Chor und Orchester waren in der Vorhalle des Doms, dem
Zuschauer durch das Podium versteckt, klangprächtig aufgestellt. Hofmannsthal lobte das, was ich zur eigentlichen Bühnenmusik Einar Nilsons, um
rahmend, aus alten, zu Dom und Kostüm passenden Stücken zusammengestellt und bearbeitet hatte, mit freundlichen Worten.

In den nächsten Jahren gesellten sich andere Spiele geistlich-moralischen
Inhalts, wenn auch nicht mit gleich nachhaltigem Erfolge, zum «Jedermann»:
Calderóns, von Hofmannsthal umgearbeitetes «Salzburger großes Welt-
theater» in der Kollegienkirche, später unter dem riesigen gotischen Bogen
des aus der Winterreitschule rasch adaptierten Festspielhauses, später das
Vollmöllersche «Mirakel» an gleichem Orte. Einmal hatte ich eine kleine
Kontroverse mit Roller. Ich hatte die gesamte «gotische Herrichtung» leise
kritisiert, in deren Rahmen das in Mentalität, Wort und Gebärde so ausgesprochen «frühbarocke» Welttheater sich abzuwickeln gezwungen war.
«Eigentlich haben Sie damit vollkommen recht», sagte mir Hofmannsthal
bei dieser Gelegenheit. «Wissen Sie, Reinhardt und Roller machen das Ganze
mit solcher Freude, so prächtig, so lebendig, daß alles zeitlos wird. Somit soll
man den Schwung der Leistung nicht mit gelehrten, vielleicht ein wenig
pedantischen, wenn auch berechtigten Einwänden stören.»

Inzwischen hatte Max Reinhardt sein Schloß Leopoldskron mit großarti-
gem Aufwand eingerichtet. Die zahlreichen Abende, die er dort seinen Künstlern und Gästen gab, bedeuteten die letzte fürstliche Glanzzeit des seither
leider so rasch verkommenen Gebäudes. Am interessantesten waren die
Stunden, die wir, alle, die zu seinem engern Stabe gehörten, nach den Vorstellungen und späten Proben, oft bis in die Morgenhelle hinein, dort zu-
bringen durften, manches Notwendige nochmals zu besprechen, Neues zu
überlegen, vorzubereiten, zu kritisieren, Pläne auftauchen zu lassen usw.
Den mitarbeitenden Künstlern, seinem Dramaturgen, Dr. Hoch, dem getreuen Hilfsregisseur Menzel, dem Komponisten Einar Nilson, dem Sekretär der Festspiele, Dr. Kerber, den Bühnenbildnern und technischen Leitern,
Musikern und Schauspielern gesellten sich dann auch Reinhardts literarische
Freunde und Berater: Beer-Hofmann, Vollmöller, der elegante, immer lebhafte Franz Molnár, damals mit der bildschönen Schauspielerin Lily Darvaes
verheiratet u.a. In dieser, immer sehr bewußten, nicht immer stillen Runde
scharfer Beobachter, Besserwisser und Beurteiler saß Hofmannsthal immer
ein wenig im Dunkel, selten, nie aufgeregt sprechend, alles, was er sagte, in
schönen, runden, nicht auffallend gesetzten, aber klar disponierenden Wor-

ten, immer klug und überlegt. Auch wenn es leidenschaftlich wurde, blieb jene wundervolle Stille um ihn, die mir am meisten an seinem Wesen imponierte, das Wertvollste, was meine Erinnerung an seine Erscheinung mitnehmen durfte.

Max Reinhardt und Hofmannsthal

Ich sehe mich noch mit einem Hammer in der Hand auf den großen Stein klopfen, der der Grundstein für das künftige große Festspielhaus sein sollte. Es war ein großer Kreis von Idealisten, Gönnern, Künstlern, Regierungsmitgliedern rund herum versammelt und es herrschte die gehobene Stimmung, die solche Anlässe begleitet. Der Baumeister Pölzig hatte wundervolle, großartige Pläne gemacht, und der ganze künstlerische und wirtschaftliche Aufschwung Salzburgs lag in der Luft, daß man sie hätte schneiden können.

Es war ein schöner, heißer Tag, und ich hatte das Gefühl, durch die ehrende symbolische Handlung, die mir anvertraut war, auch bereits etwas getan zu haben. Nachdem Reden und Begrüßungen und Abschiede gewechselt worden waren und jeder in seine Himmelsrichtung sich in Bewegung setzte, ging ich mit Reinhardt und Hofmannsthal des Weges. Ich glaube, daß nicht gesprochen wurde, bis Reinhardt ganz still, aber entschieden so halb vor sich hin sagte: «So. Das kommt niemals zustande...» Und auf diesem Heimweg erklärte er, daß alles Bleibende aus einem Provisorium wächst: mit einem Wort, daß es nur ein Weiterbauen, Anbauen oder Umbauen gibt. Er erzählte, wie in seinem Leben alles angebaut wurde und noch niemals ein Grundstein etwas gegründet habe.

Ich habe ein ziemlich unberechenbares Gedächtnis, und es sind keineswegs die sogenannten wichtigen Dinge, auf die ich mich besonders gut besinne. Dieses Gespräch aber und das Zuhören Hofmannsthals vor allem sind mir in lebendigster Erinnerung. Reinhardt hatte die große alte Winterreitschule in Salzburg in seinen Gedanken und fing auf diesem Heimweg an, sie umzugestalten in das «provisorische» heutige Schauspielhaus. Der Umbau der Reitschule sollte den «Jedermann» auf dem Domplatz vor Regen schützen, und durch diese kleine Hintertüre, durch diese einfache praktische Erwägung sollte sich eine großartige Idee, ein von diesen Männern zutiefst verstandener Gedanke realisieren. Ich glaube wirklich, daß zwischen diesen beiden hier eine Art Schöpfungsakt stattfand, wobei es offen bleibt, wo das weibliche, wo das männliche Element war. Reinhardt hat an Hofmannsthal zutiefst die unendliche Bereitschaft geliebt und verehrt, die er fast als seine schönste Eigenschaft empfand. Er sprach unsagbar oft von Hofmannsthals unbeschreiblich fruchtbarer Empfänglichkeit, ja geradezu von seiner hellseherischen Kraft, die ihn zu fast mystischen Durchleuchtungen von Menschen und Situationen befähigte. Er sagte oft, das könne nur ein Dichter spüren, es sei seine eigentliche Begabung. Hofmannsthal hat soviel gespürt, daß er fast daran zum Märtyrer wurde.

Ich erinnere mich noch an einen Abend viel später in Leopoldskron, als so vieles von dem damals Vorgefühlten zur Wirklichkeit geworden war. Es war einer dieser Abende während der Festspiele, an denen sich die Bekannten und auch viele Unbekannte aus allen Ländern in sehr großer Zahl eingefunden hatten. Hunderte von Kunstinteressierten und Künstlern waren in dem ersten Stockwerk des Schlosses versammelt. Es war wie in einem Bienenkorb. Ein unbeschreibliches Durcheinander von Stimmen, Lachen, Sprechen, Kommen und Gehen. Hofmannsthal unterhielt sich, der große Weltmann, in allen Sprachen souverän und in seinem Element. Nun geschah es, daß eine Dame der Gesellschaft, mit besonderer Energie begabt, ihn in eine Ecke gezogen hatte und mit ihren persönlichen Interessen bedrängte. Sie war eine verhinderte Sängerin, der aber große geldliche Mittel zur Verfügung standen. Ihre gesellschaftliche Position hatte darum einiges Gewicht. Sie ließ nicht locker und redete und redete und brachte es fertig, Hofmannsthal in eine derartige Verzweiflung zu bringen, daß er sich plötzlich einfach mit physischer Gewalt durch die Menge losriß und durch die Säle rannte, vor Schmerz nach seiner Frau rufend: «Gerty, Gerty!»

In diesem Ausbruch war unvergeßlich das ganze Leid, aber auch die ganze geniale Empfindsamkeit für das, was um ihn war, enthalten. Wir haben oft nachher darüber gesprochen und Reinhardt konnte nicht genug über Hofmannsthals polyphones inneres Gehör sprechen. Er behauptete, daß er effektiv fähig sei, in einem Saal, der von Hunderten von Menschen angefüllt ist, jeden einzelnen zu spüren und um ihn zu wissen.

Ich habe immer das Gefühl gehabt, daß Hofmannsthal mehr und vielstimmiger zu hören begabt war, als dem Menschen eigentlich erlaubt ist. Das symphonische Ganze bis an die äußerste Grenze des Erträglichen zu fühlen war er begnadet und verflucht. An die Rolle des Einzelschicksals im Drama hat Max Reinhardt ihn immer wieder erinnert. Auf dieser Basis beruhte die tiefe Beziehung dieser beiden Künstler.

GUSTAV WALDAU

Wie ich Hofmannsthal kennenlernte

Man hatte mich eingeladen, bei einem im Belvedere stattfindenden Rout eine der jüngsten Arbeiten Hugo von Hofmannsthals, den Essay über den Prinzen Eugen von Savoyen, vorzulesen. Bei dieser Vorlesung erging es mir eigentümlich. Als ich mit dem Manuskript zum Pult trat, vom gedämpften Beifall eines Publikums begrüßt, dem ich halb oder ganz fremd war, war ich für meine Aufgabe präpariert, wie sich der Schauspieler eben für eine Rolle zu präparieren pflegt. Obwohl es sich nicht um einen freien Vortrag handelte, hatte ich die Dichtung Wort für Wort auswendig gelernt. Aber die merkwürdige Übereinstimmung des Vorzulesenden mit dem Vortragsmilieu, dem goldenen Prunksaal des Prinz-Eugen-Palais, warf mir mein Konzept vollständig um. Mitten im Lesen empfand ich die Schönheiten der kleinen Dichtung ganz neu. Schon nach den ersten Sätzen fiel alles Gelernte von mir ab, sozusagen im Stegreif machte ich mir eine ganz andere Auffassung zurecht und kam derart in Schwung und Feuer, daß ich förmlich selbst empfand, wie ich von Satz zu Satz künstlerisch über mich hinauswuchs. Das war, ohne daß er selbst anwesend gewesen wäre, meine allererste Begegnung mit dem Dichter Hugo von Hofmannsthal, dessen leider kurz genossene Freundschaft ich heute zu meinen größten Erlebnissen zähle.

Erst Jahre später habe ich ihm diese Episode erzählt. Damals stand ich in künstlerischer Hinsicht an einem Wendepunkt meines Lebens. Es war bei den Vorarbeiten und Proben zur Josefstädter Aufführung des «Schwierigen». Wie es überhaupt dazu kam, daß gerade mir, dem Münchner, die Darstellung dieser für Hofmannsthal wie für Wien so überaus symptomatischen Gestalt anvertraut wurde? Der Dichter hatte sein eben vollendetes Lustspiel seinem Jugendfreund, dem in München als Generalintendant der Königlichen Bühnen wirkenden Freiherrn von Franckenstein, geschickt. Von ihm bekam ich es zu lesen. Und ich muß sagen, daß mich selten eine Dichtung so wie diese von der ersten Manuskriptseite an zu fesseln vermocht hat. Dieses Interesse steigerte sich im Weiterlesen bis zur Begeisterung. Zunächst wurde mir natürlich klar, daß die Darstellung dieses wienerischen Aristokraten eine unerhört schöne und interessante Aufgabe für mich wäre. Aber auch sonst fesselte mich dieses Werk aufs höchste. Obwohl kein Wiener, empfand ich die Lebensnähe dieser Figur und die ungewöhnliche Sicherheit, mit der hier der Dichter das Atmosphärische eines altwienerisch-aristokratischen Milieus getroffen hatte. Nur eines habe ich in der ersten Freude des Lesens nicht geahnt: daß dieses graziöseste Lustspiel der heutigen deutschen Bühne für mich und meine künstlerische Weiterentwicklung etwas wie ein Markstein werden sollte!

Als mir Reinhardt dann die Rolle des Schwierigen anvertraute und ich zur Probenarbeit nach Wien kam, begannen sich zwischen Hofmannsthal und mir die ersten persönlichen Beziehungen anzuknüpfen. Der Dichter wohnte den Proben seines Werkes bei und lud mich in sein Rodauner Haus. Mit Stolz darf ich sagen, daß ich mir damals die Freundschaft dieses Mannes erwarb. Er, obwohl der an Jahren etwas jüngere, hat in unserem Verhältnis die ihm so sehr gemäße Rolle des Gebenden, ich die eines bloß dankbar Empfangenden gespielt. Was in mir als Darsteller, bis dahin nur in Ansätzen, vorhanden sein mochte, hat er mir erst bewußt gemacht. Er hat mir in Gesprächen, die sich oft bis tief in die Nacht ausdehnten, als Mentor den Weg gewiesen, den ich seither gehe und auf den ich ohne seine Führung vielleicht nie gelangt wäre.

Bei dieser Führung bewährte sich der Dichter interessanterweise auch dann, wenn er sich auf mein spezielles, das schauspielerische Gebiet begab. Ich staunte oft, wie ungemein bewandert Hofmannsthal in allem Technischen unseres Metiers war. Aber eigentlich waren ja alle, die den Proben zum «Schwierigen» beiwohnten oder auf der Bühne standen, von dem tiefen Verständnis des Dichters für die Möglichkeiten wie die Grenzen der schauspielerischen Individualität überrascht. Da war nichts von der ihm gern nachgesagten aristokratischen Lebensfremdheit! Wäre Hofmannsthal nicht ein großer Dichter gewesen, würde aus ihm einer unserer bedeutendsten Regisseure geworden sein. Fast schien er das zu wissen. Wenn ihn etwas vom Professionisten des Theaters unterschied, war es vielleicht seine bei Theaterproben etwas verblüffende, ruhige und geduldige Nachgiebigkeit, mit der er sich die Einwände des Schauspielers zunächst gefallen ließ. Aber auf Umwegen brachte er auch den Widerstrebenden schließlich dorthin, wo er ihn haben wollte. Undenkbar, daß es in Hofmannsthals Gegenwart je zu dem gekommen wäre, was wir in unserer Metiersprache einen Krach nennen. Das lag sowohl an seiner geistigen Überlegenheit wie an dem außerordentlichen Takt seines Wesens, dessen hervorstechendste Züge eine uns alle bezaubernde Zartheit des Empfindens, Wärme und Güte waren.

So hat sich erst bei den Proben, dann beim intimeren Zusammensein in dem unendlich stimmungsvollen Rodauner Schlößchen zwischen uns ein menschliches Band geknüpft, das weit dauerhafter als die sonst übliche Bindung zwischen Autor und Darsteller gewesen ist. Auch nach dem «Schwierigen» sind wir immer wieder zusammengekommen. Und durch Hofmannsthal habe ich erst so richtig die beiden Städte verstehen gelernt, die er am meisten geliebt hat: Wien und Salzburg. In Salzburg sprach er mit mir, bald nach der Wiener Aufführung seines «Schwierigen», über seinen Lieblingswunsch:

dieses Lustspiel einmal auch im Rahmen der dortigen Festspiele zur Aufführung bringen zu können.

Die Verwirklichung dieser Idee hat er leider nicht mehr erlebt. Wohl aber die von ihm eigentlich unerwartete Freude, daß sein so typisch österreichisches Stück in der Wirkung durchaus nicht bloß auf Wien beschränkt blieb. Der «Schwierige» hat in München ebenso gefallen wie hier und er wurde zum größten Erfolg einer Berliner Saison. In der damals von Reinhardt geleiteten Komödie spielten wir dieses so eminent wienerische Lustspiel en suite sechzigmal. Und diese Aufführungen blieben für mich auch deshalb denkwürdig, weil es mir in der Rolle des «Schwierigen» gelang, auch in Berlin künstlerisch festen Fuß zu fassen. Also wieder ein Erfolg, den ich dem großen Freund verdanke!

In dankbarer Erinnerung an diesen zu früh von uns gegangenen Mann kann ich nur immer wieder sagen, daß ich das, was man «künstlerische Reife» nennt, eigentlich durch Hofmannsthal und seinen «Schwierigen» erlangte. Und heute noch ist es mein Schmerz, daß ich dem Dichter meine Erkenntlichkeit nie so richtig zum Ausdruck bringen konnte: Männerfreundschaften sind wortkarg! Aber die Erinnerung an gemeinsam getane Arbeit und die Stunde in Rodaun wird immer mein kostbarster Besitz bleiben.

ERHARD BUSCHBECK

Bahr und Hofmannsthal im Gespräch

Die Kunst des Gesprächs gibt die angenehmsten Selbstdarstellungen, die man von jemandem erleben kann. Sie entzündet sich am Zuhörer, erzeugt seine Teilnahme und verbreitet schnell eine Atmosphäre von Anregung und Beglückung, die den Raum zwischen Menschen wunderlich erwärmt und zum Klingen bringt. Gleichwohl ist sie eine besondere Gabe und keineswegs ein Gradmesser für das Talent eines Dichters oder Denkers, ja es gibt solche von hohem Rang, denen sie völlig abgeht, die stumpf im Gespräch bleiben oder es nur unbeholfen zu führen vermögen, trotzdem sie dem geschriebenen Wort höchsten Glanz verleihen. Trifft die Gabe des Gesprächs aber in einem auch von den Gaben des Dichters und denen eines Philosophen gesegneten Menschen zusammen, dann wird sie zu einem Ereignis seltener Art und verschafft einen Genuß, der seinesgleichen nicht hat.

Ich habe in meinem Leben zwei große Künstler des Gesprächs kennengelernt: Bahr und Hofmannsthal. Für beide konnte ein wirkliches Gespräch zu einem künstlerischen Vorgang werden, in dem sie sich, so flüchtig er an sich auch war, mit dem ganzen Einsatz ihrer Persönlichkeit zu bekennen versuchten. Die Voraussetzungen für die Gespräche waren in diesen Fällen sehr verschiedener Art: bei Bahr eine langjährige Freundschaft zu einem älteren Begleiter auf unzähligen Wanderungen, bei Hofmannsthal durch meine Stellung am Burgtheater gegeben, die Unterredungen über Stücke und Theaterpläne notwendig machten und ihm nicht unerwünscht schienen. Stellte in dem einen Fall die weite Salzburger Landschaft mit ihren Bergen und Ebenen den Rahmen, so war er in dem anderen durch Zimmer gegeben, in die mich der Dichter gebeten hatte, sei es in seinem Wiener Absteigquartier in der Stallburggasse Nr. 2 oder in Hotelräumen des «Österreichischen Hofs» in Salzburg.

Bahr führte ein Gespräch aus innerem Bedürfnis, er mußte sich sprechend äußern. Darum diktierte er auch seine Stücke, Romane und Essays. Es lag ihm nicht, am Schreibtisch zu sitzen und mit dem Bleistift zu gestalten. Er mußte es redend tun, daher auch die Leichtigkeit seines Dialogs, wie überhaupt die aus einem inneren Zwange kommende Bevorzugung der Dialogform. Wohl mußte man dabei gelegentlich auch eine gewisse Flüchtigkeit mit in Kauf nehmen, sie wurde aber aufgewogen durch das Sprühende eines augenblicklichen Einfalls, die Unversehrtheit der Inspiration und die absolute Unmittelbarkeit ihres Ausdrucks.

Während Bahr nie um einen Anlaß verlegen war und jedes Gespräch auch ohne einen solchen führen konnte, brauchte Hofmannsthal einen ganz bestimmten Anlaß, um in ein wirkliches Gespräch zu kommen. Konnte Bahr ein Gebiet zunächst von allen Seiten abtasten und durch glänzend erzählte Episoden schlaglichtartig beleuchten, um schließlich auf jenen springenden Punkt zu kommen, der ihm den dankbarsten Zugang zu den Tiefen eines Problems bot, so hielt sich Hofmannsthal gleich von Anfang an streng an die gegebene Linie, steckte ebenso vorsichtig wie sicher die Grenzen des Themas ab, bevor er seinen Kern enthüllte. Bahr argumentierte daher gern durch Beispiele, und wenn es nicht anders ging, auch durch Anekdoten, Hofmannsthal mit Feststellungen, die Klarheit bezweckten und von ihm aus apodiktisch sich formten. Wo Bahr bereit war, jederzeit auch den «Gegensinn» gelten zu lassen, ja sich von ihm seltsam angezogen fühlen und ihn noch in seiner Ablehnung fast liebevoll umarmen konnte, dort lehnte Hofmannsthal eine andere Beurteilung strikte ab, und es zeichnete sich eine stolze Festigkeit in ihm ab, die mitunter als Hochmut hätte erscheinen können, wäre sie von seinen Gedanken nicht vorher so gründlich unterbaut worden.

Dabei war die Strenge Hofmannsthals mit Liebenswürdigkeit der äußeren Form gepaart, die unvergleichliche Anmut seines Gesprächs ließ kein Unbehagen aufkommen, und wenn er gerade ein künstlerisches Todesurteil ausgesprochen hatte, wußte er nachher lächelnd zu fragen, ob er denn nicht recht hätte. Die Schärfe seiner Formulierung hob er damit nicht auf, er gab eine bittere Pille zu schlucken und schien von einer naiven Freude durchdrungen, daß sie wunderbar süß geschmeckt haben mußte. Das Unbedingte der geistigen Haltung war von einer äußersten Verbindlichkeit seines menschlichen Umgangs begleitet. Verkörperte sich in Bahr das souveräne Wissen um die Gesprächsform, so stellte Hofmannsthal in solchen Augenblicken ihre Unschuld dar.

Ein Gespräch zwischen den beiden Dichtern habe ich nur einmal beobachten können, im September 1918, als Bahr der Vorsitzende eines Dreierkollegiums des Burgtheaters war und damit über dessen Planungen zu entscheiden hatte. Da kam eines Nachmittags Hugo von Hofmannsthal in das kleine ebenerdige Büro Bahrs im Burgtheater und trug ihm die Absicht vor, jedes Jahr ein Werk Calderóns für das Burgtheater zu bearbeiten und mit dieser Verpflichtung die seinerzeit von Schreyvogel begründete Tradition in der Pflege der spanischen Klassiker fortzusetzen, die hier auf einen verwandten fruchtbaren Boden gefallen wäre und im Werke Grillparzers ihre bleibenden Spuren hinterlassen hätte. Bahr war an sich nicht gegen den Plan und sträubte sich nur gegen eine solche vertragsmäßige Festlegung seines Spielplans und die damit gegebene Blankovollmacht für den Dichter. Es kam nicht zu der von Hofmannsthal gewünschten vertraglichen Bindung – mit der er wohl auch seinen eigenen Arbeitswillen festlegen wollte –, als Frucht der damals in ihm vorhandenen Idee ist aber wohl «Das Salzburger Große Welttheater» und «Der Turm» anzusehen.

Die beiden Dichter, früher in den Jahren des Café Griensteidl, auf Radpartien und bei manchen anderen Gelegenheiten sehr häufige Gesprächspartner, schienen in dieser Unterredung um ein wirkliches Gespräch nicht sonderlich bemüht. Zwei Meister in diesem Fach, die sich nicht erst voreinander zeigen mußten, sie verständigten sich lieber mit knappen Werkangaben und in der Terminologie der ihnen nun einmal gemeinsamen Werkstatt. Jeder Teilnehmer des Gesprächs will ja nicht nur sich zeigen und eine ihm augenblicklich naheliegende Sache fördern, sondern auch den andern entdecken und die ihm sich zuneigende Seite dieses Gegenstandes kennenlernen. An jenem Nachmittag schien es, als wäre dieser Anreiz zwischen den beiden nicht mehr vorhanden, als hätten sie diese Kunst zu oft schon aneinander geübt, und sie könnte ihnen nichts Neues mehr bringen. Das Gespräch fand keinen Anlaß, die Flügel zu heben, sie nahmen unwillkürlich eine natürliche Ruhestellung ein und es genügte ihnen, sich in einer freundschaftlichen Unterredung zu verständigen.

In den folgenden Jahren ergaben sich für mich öfters Anlässe, mit Hofmannsthal über Theaterangelegenheiten Gespräche zu führen, und ich konnte dabei die große Kunst bewundern, mit der er einen Gegenstand zu erörtern wußte. Es handelte sich um Aufführungspläne des Burgtheaters bezüglich «Ödipus und die Sphinx», «Cristinas Heimreise» und «Der Schwierige», die sich schließlich nicht verwirklichten, und in Bezug auf die Molière-Übersetzung von «Die Heirat wider Willen», die dann am Schönbrunner Schloßtheater herauskam, und «Elektra», die unter der Direktion Max Paulsen endlich ins Burgtheater einzog. Spätere Gespräche betrafen den «Turm», und sie blieben vergeblich, weil sich Hofmannsthal für den König niemanden anderen als Bassermann denken konnte. Es blieb immer seine Stärke, daß er sich nicht zu opportunistischen Lösungen verstand, er mußte die Überzeugung restloser Erfüllung haben, sonst verzichtete er lieber auf eine Aufführung. Der Vertreter des Burgtheaters bei solchen Gesprächen mußte allerdings auch feststellen, daß zwischen dem Dichter und dem Institut seit den Tagen Schlenthers, der es nicht verstanden hatte, die repräsentativen Dramatiker Wiens dem Burgtheater enger zu verbinden, eine Entfremdung eingetreten war, die ihm manche Möglichkeiten, die hier vorlagen, einfach unbekannt erscheinen ließen. Das gegenseitige Vertrauen, das zwischen einem Theater und allen an ihm beteiligten Faktoren herrschen muß, war hier einmal gestört worden und diese Tatsache nicht leicht wieder zu überbrücken.

Ein besonderes Kapitel der Gespräche stellte ein Projekt dar, das durch Alfred Roller an das Burgtheater herangebracht worden war. Im Nachhang zu den ersten Salzburger Festspielen ist von Roller und Hofmannsthal der

Plan erwogen worden, eine Art Freundschaftspakt zwischen dem Deutschen Theater in Berlin und dem Burgtheater in Wien herzustellen. Das Wort Fusion wäre dafür viel zu weitgehend gewesen, denn die beiden Direktionen sollten durchaus selbständig bleiben, Max Reinhardt jedoch die Möglichkeit geboten werden, auch am Burgtheater wesentliche Vorstellungen zu inszenieren und dabei neben dem großen Ensemble des Instituts auch einige der besten Berliner Schauspieler beschäftigen zu können, wie anderseits auch die prominenten Burgschauspieler bei Reinhardt in Berlin aufgetreten wären und Albert Heine, der Direktor des Burgtheaters und sein erster Regisseur, fallweise am Deutschen Theater Regie geführt hätte. Hofmannsthal schwebten dabei Theaterfeste vor, die den wesentlichen Bestandteil beider Bühnen das ganze Jahr über gebildet hätten und sowohl in Wien wie in Berlin gezeigt werden konnten. Die Festlichkeit der Theaterkunst stand Hofmannsthal bei allen diesen Gesprächen als das vorherrschende Element vor Augen, ohne das ihn Theater überhaupt nicht zu interessieren vermochte. Und Max Reinhardt stellte sich ihm als Garant solcher Gesinnung dar. Das Projekt war im Spätherbst 1920 so weit gediehen, daß in Berlin schon Verträge unterzeichnet und zahlreiche Schauspielerverpflichtungen dem Projekt angepaßt wurden – die erste Arbeit Max Reinhardts am Burgtheater sollte die Inszenierung von Büchners «Dantons Tod» sein. Während die Abmachungen zwischen den Theatern vor dem Abschluß standen, wurde Albert Heine schwankend und sah immer mehr organisatorische Schwierigkeiten auftreten, so daß das Projekt schließlich zu einem Hauptgrund seines Rücktrittes wurde. Sein Nachfolger Anton Wildgans sagte es dann auch ab, weil er in ihm eine Gefährdung der Struktur und damit des Bestandes des Burgtheaters erblickte. Als wesentlich bescheidenere Frucht dieser großen Pläne kam es dann zu den Vorstellungen Max Reinhardts im Redoutensaal und in ihrer Folge zur Übernahme des Theaters in der Josefstadt. Hofmannsthal, der mit seiner ganzen Beredsamkeit die geistigen Momente des Planes vertreten und seinen ideellen Kern den Beteiligten eindringlich vor Augen geführt hatte, war während der langen Verhandlungen und der in allen praktischen Auswirkungen bald unübersichtlich gewordenen Vorarbeiten immer mehr in den Hintergrund getreten.

Hofmannsthals Bestreben war es immer, einen Raum absoluter Wertungen zu erreichen und in ihm sich frei zu bewegen. Er schlug im Gespräch den direktesten Weg dazu ein. Dem Dichter, der die «Berührung der Sphären» geschrieben hatte, galten nur die Objekte, der Autor geistvoller Komödien, der im «Selbstbildnis» und in «Summula» von sich Rechenschaft gab, hielt sich jedoch nicht minder an die Subjektivität von Persönlichkeiten, wie sie in ihren höheren Bemühungen aufschlußreich zwischen den Sphären standen.

EGON WELLESZ

Hofmannsthal und die Musik

Hofmannsthals Verhältnis zur Musik war das des Dichters, der aus dem Ringen mit dem Wort Erholung in jenem Medium fand, das er in der Rede über Beethoven «Sprache über der Sprache» nennt. Man konnte ihn nicht musikalisch gebildet in jenem Sinn nennen, in dem es die Wiener Gesellschaft zum großen Teil war, deren Gespräche sich, einer alten auf das achtzehnte Jahrhundert zurückgehenden Tradition folgend, so stark um Dinge der Musik bewegten – um ein neues Werk, um eine Aufführung in der Oper, um die Interpretation einer klassischen Sinfonie durch einen Dirigenten, um die Stimme eines Sängers. Sein Sinn war auf das Vollendete in der Kunst gerichtet; der Kreis dessen, was er an Musik hören wollte, war begrenzt auf jene Musiker, die Vollkommenes gaben. Darum stand ihm Mozart am höchsten, und was er in seiner «Rede über Beethoven» von Mozart sagt, gibt seine Einstellung am klarsten wieder: «Aus den Tiefen des Volkes war das Tiefste und Reinste tönend geworden; es waren Töne der Freude, ein heiliger, beflügelter, leichter Sinn sprach aus ihnen, kein Leichtsinn; seliges Gefühl des Lebens; die Abgründe sind geahnt, aber ohne Grauen, das Dunkel noch durchstrahlt von innigem Licht, dazwischen die Wehmut wohl – denn Wehmut kennt das Volk –, aber kaum der schneidende Schmerz, niemals der Einsamkeit starrendes Bewußtsein.» Für Hofmannsthal ist Mozart der Einzige, Beethoven der Gewaltige, unschuldig noch, aber störrischen Gemütes, der «Wortführer, gewaltig wie Moses und doch beschwerten, behinderten Mundes». Er bewunderte Beethoven, aber gerade das, was den Musiker seiner Zeit an Beethoven so sehr fesselte, das Durchbrechen der Form, das Aufreißen des Abgrundes, verstand er, aber ließ es sich nicht zu nahe kommen. Daher auch seine innerliche Abneigung gegen Mahler, in dem das rhetorische Element von Beethovens Musik eine weitere Steigerung erfahren hat, und sein Vorbeigehen an Schönberg, der das Zerklüftete der Zeit in seiner Musik zu deutlich aussprach.

In Richard Strauss – zur Zeit ihrer Begegnung noch ein kühner Neuerer – sah Hofmannsthal, divinatorisch wie es nur ein Dichter sehen kann, den großen Repräsentanten deutscher Musik, der, geistig geleitet, den Weg zu klassischer Vollendung mochte finden können. Aus dieser inneren Vision ist die Zusammenarbeit Hofmannsthals mit Strauss zu verstehen. Sie ist ein Teil der großen Konzeption, die der Erneuerung des deutschen Theaters galt und die in der Durchführung des Festspielgedankens in Salzburg gipfelte. Wie wichtig Hofmannsthal diese Aufgabe nahm, die Oper aus der Sphäre des

Wagnerischen Musikdramas in die der österreichischen Tradition zurückzuführen, kann aus dem Briefwechsel Strauss-Hofmannsthal ersehen werden.

In unsern Gesprächen über Musik und die Komposition seiner Dichtungen
durch Richard Strauss kam Hofmannsthals Einstellung klar zum Ausdruck.
Am beglücktesten war er über die Musik zum «Rosenkavalier» und zu
«Ariadne auf Naxos» in der zweiten Fassung. Ich fragte ihn einmal, was ihn
dazu bewogen habe, der Oper «Ariadne» das Vorspiel vorangehen zu lassen.
Er sagte, die Figur der Zerbinetta mit ihrer großen Koloraturarie sei ihm
marionettenhaft erschienen, es fehlte ihr die menschliche Wärme, die eine
Figur wie die Philine in Goethes «Wilhelm Meister» so bezaubernd mache;
deshalb habe er den Gedanken gefaßt, der Oper eine Szene vorangehen zu
lassen, in der Zerbinetta für einen Augenblick ein zartes Gefühl für den jungen Komponisten zeigt; dieser Moment genüge, um die Figur der Zerbinetta
lebendig zu machen. Wie sehr der Ariadne-Stoff aus Hofmannsthals zentraler
Vorstellungswelt kam, möge die folgende Bemerkung des Dichters zeigen.
Er sprach einmal davon, wie stark die Figuren seiner Dramen in ihm lebten
und wie lange Zeit es oftmals brauche, bis eine sich ihm offenbarende Figur
sichtbare Gestalt annähme. Er habe die erste Anregung zur Behandlung des
Ariadne-Stoffes schon als junger Dichter empfangen, als er im Einakter «Der
Abenteurer und die Sängerin» die Schlußverse des Cesarino schrieb, der seine
Mutter singen hört:

> *Lorenzo, schnell! sie singt so wundervoll,*
> *mir bleibt das Blut in allen Adern stehn!*
> *Sie singt das große Lied der Ariadne,*
> *das sie seit Jahren hat nicht singen wolln!*
> *die große Arie, wie sie auf dem Wagen*
> *des Bacchus steht! o komm, Lorenzo, komm!*

In unseren Gesprächen war oft von der Musik zu «Die Frau ohne Schatten»
die Rede, die Hofmannsthal als eine neue Zauberflöte imaginiert hatte. Seiner
Vorstellung gemäß sollten die Gesänge des Kaisers und der Kaiserin von
einem zarten «Mozart-Orchester» begleitet werden, die des Färbers und der
Färberin von einem volleren. Der Musiker weiß, daß diese schöne dichterische
Vision kaum durchzuführen ist; sie würde der Phantasie des Komponisten
Fesseln anlegen; aber sie ist aufschlußreich für die Anlage des Textes.

In der Zeit, als er die «Ägyptische Helena» dichtete, sprach Hofmannsthal
öfters über die Vorzüglichkeit der italienischen Libretti und las die Textbü-
cher der Verdi- und Puccini-Opern. Ich glaube, er stellte sich die «Ägyptische Helena» als eine musikalische Fortsetzung der von Richard Strauss in der
«Ariadne auf Naxos» begonnenen Linie vor, geschlossener und einfacher als
die Oper, die uns vorliegt; doch war er von der Musik, die Strauss zu dem

Text geschrieben hat, sehr ergriffen und sprach viel von der Schönheit der Szene, in der Helena erwacht und zu Menelaus herabsteigt.

In den ersten Jahren unserer Bekanntschaft sprach ich mit Hofmannsthal vielfach über meine eigenen musikalischen Pläne, vor allem über den Wunsch, ein Ballett zu komponieren. Hofmannsthal kam auf einen Stoff zu sprechen, der ihn schon seit langem beschäftigte, die Sage vom jungen Achill, der unter den Töchtern des Königs von Skyros, als Mädchen verkleidet, von seiner Mutter verborgen gehalten wird, damit er nicht am trojanischen Krieg teilnehmen müsse. Aber Odysseus kundschaftet ihn aus. Als Kaufmann verkleidet kommt er auf die Insel, bietet den Mädchen, deren Ballspiel er unterbricht, Geschenke an, zuletzt einen verborgenen Gegenstand, den er nur auf das Drängen des ungestümen Achill enthüllt. Es ist ein Krummschwert. Achill, zum Mann erwachend, ergreift es und tanzt mit ihm den Schwerttanz, der sich bis zum «Ausdruck der Selbsttötung, höchstem Gebrauch der Waffe», steigert. Da erfaßt ihn Odysseus; er und seine Gefährten werfen die Mäntel ab und stehen gepanzert, als Krieger, da. Sie stoßen die Mädchen zurück, heben Achill auf einen Kriegswagen und entführen ihn. Zurück bleibt das zerstörte Mädchenidyll.

Hofmannsthal schwebte ein Griechenland vor, vom Orient aus gesehen: eine reine, unschuldige Welt, die von dem listenreichen Odysseus wissend gemacht und zerstört wird. Sinnfälliger Ausdruck der orientalischen Welt ist das krumme Schwert. Der Stoff bezauberte mich sehr. Hofmannsthal arbeitete ihn aus und gab ihn mir zum Geschenk. Ich vollendete die Partitur des Balletts zu Ostern 1922.

Der nächste Stoff Hofmannsthals, den ich in Musik setzte, war sein Jugenddrama «Alkestis». Er selbst bearbeitete nur die erste Szene für die Opernbühne und überließ es mir, die weiteren Veränderungen in der von ihm angedeuteten Weise vorzunehmen. Sein Rat war immer wieder: «Streichen Sie, streichen Sie so viel als möglich. Lassen Sie nicht mehr als ein Siebentel stehen. Denken Sie immer an das Goethesche Wort, daß ein Zeug für die Musik weitmaschig sein müsse.» Ich habe mich an den Rat gehalten.

Je mehr Zeit seit dem Tode Hofmannsthals dahingegangen ist, desto klarer erkennt die Welt die Bedeutung seiner Persönlichkeit. Auch seine Einstellung zur Musik, seine Auffassung vom Wesen der Oper, seine Urteile über Musiker seiner Generation werden heute besser verstanden als in einer Epoche, in der er allein in den Gebieten deutscher Sprache mit dem Maßstab ewiger Gültigkeit an ein Kunstwerk herantrat, aus seinem innersten Gesetz es billigend oder verwerfend. Wer wie er auf solchen Höhen schwebt, kann, dem Adler gleich, nur das Große erblicken. Vergangenheit und Gegenwart haben nichts Trennendes, sie sind koexistent in der Seele des Dichters. So sind für ihn auch die Grenzen zwischen den Künsten aufgehoben. Für ihn ist der zweite Teil «Faust» die «Oper aller Opern». Er sieht in dem Theater, wie er selbst über Goethes dramatische Sendung sagt, eine festliche Angelegenheit. Darum sind seine Dramen musikhaft, sie postulieren Musik, eine Musik allerdings, die immer hinter dem zurückbleiben wird, was der Dichter imaginierte. Denn wo die Sprache so voll zarter und gewaltiger Musik ist, kann der Musiker nur Diener sein.

RICHARD STRAUSS

Zum 50. Geburtstag

Rotterdam, d. 29. Jan. 1924

Verehrter lieber Freund.

Ich habe mich absichtlich an keiner literarischen Kundgebung zu Ehren Ihres 50. Geburtstages beteiligt, weil ich das Gefühl nicht bannen kann, daß Alles was ich Ihnen in Worten sagen könnte, banal wäre im Vergleich zu dem, was ich Ihnen als Componist Ihrer herrlichen Dichtungen schon in Tönen gesagt habe. Daß es Ihre Worte waren, die aus mir das Schönste, was ich an Musik zu geben hatte, herausgeholt haben, darf Ihnen eine schöne Befriedigung gewähren und so mögen denn Chrysothemis, die Marschallin, Ariadne, Zerbinetta, die Kaiserin und nicht zuletzt, «bewundert viel und viel gescholten» H. mit mir bei Ihnen eintreten und Ihnen vor allem danken, für Alles, was Sie mir von der Arbeit Ihres Lebens gewidmet und in mir gefördert und zum Leben erweckt haben. Daß sogar die Mitwelt jetzt endlich anfängt, die Größe und Schönheit Ihres für mich geleisteten Werkes zu erkennen, dafür kann Ihnen der sensationelle Erfolg, den Ariadne, Dichtung und Musik, vorige Woche 2 Mal in Amsterdam (in mustergültiger Aufführung durch unser prächtiges Wiener Ensemble und Mengelbergs herrliches Orchester) errungen hat – eine besondere Geburtstagsfreude sein. Es war frappant, wie schnell und mit welchem Humor das allerdings theatralisch durch keinerlei Verismo verdorbene und seit 25 Jahren nur mit bester Musik genährte holländische Publicum speciell die Dichtung aufgenommen hat. Ich habe nie im Vorspiel so laut, oft und herzlich lachen hören wie hier und nach dem I. Akt brach ein Beifallssturm los, wie in Wien kaum nach der 40. Aufführung. Jetzt glaube ich an die Zukunft der Ariadne – gerade im Ausland.

Die Aufführung soll zusammen mit Rosencavalier bald wiederholt werden und der Plan der Erbauung eines großen Deutschen Opernhauses in Amsterdam nimmt greifbare Gestalt an. Roller soll den Grundplan entwerfen.

So sende ich Ihnen denn für heute nur noch meine herzlichsten Wünsche für ein gesundes, langes Leben voll froher Arbeit und voll der Freuden, die Sie erhoffen und verdienen, mit zunehmender Eroberung der «Valutaländer» wird es bald auch daran nicht fehlen. Ihren lieben Brief habe ich in Amsterdam erhalten und erwarte bei meiner Rückkehr nach Wien (12. Februar) mit Freuden das fertige Werk. Heute Nachmittag fahre ich über Brüssel, Mailand direct nach Rom.

Sitze ich erst im Belvedere, bringt mich keine Valuta der Welt mehr im Winter aus meinem botanischen Garten heraus.

Leben Sie wohl und genießen Sie den festlichen Tag mit dem für derlei «Lebensabschnitte» nötigen Humor und gedenken Sie dabei auch ein wenig

Ihres treuesten Bewunderers Dr. Richard Strauss

Herzliche Grüße Ihrer lieben Familie.

Der Librettist

Nach dem Tod des treuen, genialen (von Presse und Zunft 30 Jahre lang bekämpften und beschimpften – nach meinem zähen Festhalten und nach seinem allzufrühen Tode nun endlich als «mein wahrer Dichter» anerkannten) Hugo von Hofmannsthal mußte ich resigniert bekennen, mein Opernschaffen sei beendet. Nach dem Ausnahmefall der «Salome» von Oscar Wilde, den zuerst der Wiener Lyriker Anton Lindner als verkappten Operntext erkannt hatte, war der einzige Hofmannsthal der Dichter, der neben seiner poetischen Kraft und seiner Bühnenbegabung das Einfühlungsvermögen besaß, einem Componisten Bühnenstoffe in einer der Vertonung zugänglichen Form darzubieten – kurz ein «Libretto» zu schreiben, das gleichzeitig bühnenwirksam, höheren literarischen Ansprüchen genügend und componierbar war. Mit den ersten deutschen Dichtern, sogar mit d'Annunzio, habe ich geliebäugelt und verhandelt, wiederholt mit Gerhart Hauptmann – und in 50 Jahren (schon Paul Heyse hat es einmal schriftlich bekannt) habe ich nur den wundervollen Hofmannsthal gefunden. Er hatte nicht nur die Erfindungsgabe, musikalische Sujets zu erfinden, er hatte, obwohl selbst kaum «musikalisch» (gleich Goethe für Musik von hellsichtiger Intuition) einen Spürsinn dafür, welcher Stoff im gegebenen Falle meinem Bedürfnis entsprach, der einfach erstaunlich war...

RUDOLF KASSNER

Erinnerung an Hugo von Hofmannsthal

Ich bin Hofmannsthal das erstemal Anfang 1902 begegnet. In seinem Rodauner Haus, wohin mich Hermann von Keyserling brachte. Jahre also, nachdem ich schon der Bezauberung durch seine Gedichte und einige Aufsätze unterlegen war. Ich sage Gedichte, denn auch seine kleinen Dramen nahm ich für solche. Seinen Aufsätzen habe ich unter anderem den ersten Hinweis auf englische Dichter wie A. C. Swinburne und den Ästheten und Essayisten Walter Pater verdankt, auch auf andere, von denen später mein erstes Buch gehandelt hat, das im übrigen auch die Brücke war, die mich, da mir jede andere Verbindung mit ihm gefehlt hat, zu Hofmannsthal hinüberführen sollte.

Ich habe das Wort Bezauberung gebraucht: Was junge Leute damals in erster Linie anzog und gefangen hielt, waren begreiflicherweise zunächst Probleme, soziale, ethische, wie so etwas einer Jugendlichkeit entspricht, die Nietzsche las, Ibsen und Hauptmann auf der Bühne sah und Maeterlinck eine Zeitlang für einen Mystiker hielt. Von eigentlichen Problemen nun konnte bei Hofmannsthal nicht die Rede sein. Hofmannsthal kam mir damals sehr reif vor, über Probleme oder deren Lösung durch den Dichter hinausgehoben, mit großer Sicherheit allem den Rang anweisend, was von vielen für ein Zeichen von Dekadenz ausgegeben wurde. Dekadenz gehörte auch zu den Problemen, war eines der vielen Schlagworte dieser so überaus literarischen Epoche der neunziger Jahre. In der ersten Rezension, die mein vor Gesundheit, wie mir vorkommt, strotzendes Buch erfuhr, wurde auch ich davor gewarnt, vor der müden, späten Weisheit Marc Aurels, wie es, wenn ich mich recht erinnere, in der Zeitung zu lesen stand. Ohne das ging es damals offenbar nicht. Hofmannsthal galt also für dekadent, wahrscheinlich habe auch ich etwas Ähnliches erwartet, bevor ich sein Haus betrat, und vielleicht sogar im Augenblick Ausschau gehalten nach dem Becher mit Edelsteinen, in den er nach der Legende seine Hand zu legen pflegte, sooft er, am Schreibtisch sitzend, der Inspiration harrte. Als ich sein Haus verließ, wußte ich, daß er kein Dekadent sei, hingegen sehr reif in seinen Formulierungen, dabei aber erregt, ja unsicher in den Gebärden, leicht zu stören, im Moment ausweichend, dann aber mit dem Blick auf einen zustoßend, indem er eine lange Satzreihe plötzlich abbrach, müde, und den, zu dem er redete, ansah mit einem Blick, darin Angst lag.

Diese Angst im Auge Hofmannsthals war dann immer ganz plötzlich da. Oft nach Ausbrüchen großer Heiterkeit. Ich bin, meine ich, im Leben keinem begegnet, dessen Gespräch witziger gewesen wäre. Sein Gesicht erschien zuweilen von Ausbrüchen des Humors, der guten Laune wie überschwemmt, wovon nur ein verhältnismäßig geringer Teil in seine Komödien übergeflossen ist. Er war gewiß kein Kämpfer, zudem würde es lächerlich sein, Kämpfertum oder Kämpfergebärden von einem zu verlangen, dem es gelungen war, fast alle Positionen im ersten Ansturm zu nehmen. Und trotzdem war das Leben seines Geistes ein großes Mühen, ein größeres, als die meisten von denen, die über ihn urteilen, vermuten dürften, und dieses sein Mühen hängt auf das engste mit der Angst zusammen und mit dieser wiederum das, was unmittelbar weder wie Mühe noch Angst aussieht: seine grenzenlose, fast saugende geistige Sympathie. Die Frage ist erlaubt, ob es je noch einen solchen Leser geben werde, wie er ihn in «Der Dichter und diese Zeit» schilderte und wie er selber – was hier entscheidend ist – einer war. Er war der Leser voll des höchsten Kunstverstandes, das heißt: er wußte, daß Verstehen so viel bedeute wie Verstehen der Einheit des Ganzen und daß darum zum Verstehen eines gehöre, was so wenige damit, mit dem Verstande, zusammenzubringen wissen: Einbildungskraft, die in unserem Falle nur ein anderer Ausdruck für Teilnahme und Geistesgenerosität war.

Wenn er einmal ablehnte, so geschah es sicherlich zunächst aus diesem allerhöchsten Kunstverstand heraus, aber doch gelegentlich mit der Heftigkeit im Tone, die jenem eignet, der sich vor der eigenen Sympathie in acht zu nehmen hat. Das Überschwengliche in seiner Prosa ist durchaus ein ihm Gemäßes. So schreibt er über Dilthey, wie Nietzsche über Heraklit oder Parmenides schreiben durfte: mit einer Bewunderung und alles vorwegnehmenden Sympathie, die in diesem Fall der Gegenstand kaum verträgt. Es war ihm auch nicht so sehr um das richtige Maß zu tun, wie um die Erregung und Wollust des Eindringens und der geistigen Besitznahme.

Er sah den Menschen, und er sah das Werk, und zwar beides mit gleicher Schärfe im Überschwang. Denn ich brauche nicht hinzuzufügen, daß sein Überschwengliches niemals ohne Kontur, den bestimmtesten, ist. Wenn ihn trotzdem der Weg vom einen zum anderen weniger bekümmerte oder zu bekümmern hatte als etwa den sozusagen berufsmäßigen Kritiker, so war er doch einmal in dem schönen Gespräch über die Charaktere im Roman und Drama auf ein Verbindendes zwischen Mensch und Werk gekommen, und zwar auf den Begriff des Dämonischen. Dessen Bedeutung jener am besten einsehen wird, der aus Hofmannsthals Schriften weiß, daß für ihn überhaupt das Artgemäße wichtiger und entscheidender war als die Persönlichkeit und auch mit dem ihm eigenen Ästhetizismus besser zusammenging. Hier war er «österreichisch» und nicht «deutsch». Sein Überschwang war, noch einmal, niemals Überspannung, vor der ihn eine große Scheu erfüllte, weshalb er auch zu keiner Zeit ein Verhältnis zu Richard Wagner oder Nietzsche finden konnte.

Ich bin nach Rodaun meist zum Tee gekommen und über das Abendessen
geblieben, zu dem meist Beer-Hofmann mit seiner Frau erschien. «Kommen
die Bären?» fragte Hofmannsthal jedesmal, bevor er sich vor dem Abendessen für eine Stunde zurückzog. Beer-Hofmann besaß, verglichen mit Hofmannsthal, ein geringes Wissen, kannte keine Geschichte, keine Sprachen,
las auch die geliebten französischen Romane, Flaubert, in Übersetzungen,
doch was er wußte, wußte er genau und verstand er durch und durch, auch
dort, wo es nicht um das Theater, sondern um Menschen ging, die er kannte.
Der Sinn des Lebens lag für ihn in seinem Judentum, in seiner Frau und im
Theater, Schauspieler, Burgschauspieler, in der Bühnenausstattung, im Kostüm einer Rolle. Ein ganzes Jahr lang lief er mit Ideen zu einer Aufführung
und Ausstattung des «Macbeth» herum und suchte jedem, der ihm zu folgen
willig war, plausibel zu machen, wohin die Agraffe aus Rubinen am weißen
Gewand der Lady Macbeth am besten zu placieren wäre.

*

Das Verhältnis von Hebbel zu Grillparzer betreffend, hatte Beer-Hofmann
das kluge Wort, daß man mit Grillparzer besser lebe von Tag zu Tag und
Hebbel einen überanstrenge. Beer-Hofmann besaß eine viel engere Welt als
Hofmannsthal, und so hatte er weniger Schwierigkeiten, sich in ihr mit
eigenem Geschmack zurechtzufinden und einzurichten. Ich erinnere mich
noch, wie Hofmannsthal zu mir nach einer Vorlesung von Schnitzlers «Ein-
samem Weg» sagte: «So etwas möchte ich einmal geschrieben haben.» Nach
den Jahren des Krieges empfand er das Stück als schal, ja unleidlich. Mir kam
«Der einsame Weg», da ich ihn wiedersah, wie ein Laden mit Zetteln vor,
gelben, an die Schaufenster geklebt: Ausverkauf. Man hat damals nach 1918
und vorher viele solche Zettel kleben gesehen an Schaufenstern, vor denen
man einmal Jahre vorher gerne stehen geblieben war...

Hofmannsthal war sehr empfindlich, was das Soziale, wie er sich ausdrückte, dessen Darstellungen in den zeitgenössischen Romanen anbelangt. Er fand
letztere mit Recht in den meisten deutschen Romanen der Zeit ungenügend,
ja oft in einem besonderen Maße dort ganz miserabel, wo Ansprüche auf
Geltung innerhalb des rein Literarischen erhoben wurden. Robert Hichens
«December Love» ist vielleicht nicht Literatur oder was man so nennt, aber
welche Beherrschung des Sozialen, der Gesellschaft, der sogenannten Welt
im Vergleich etwa zu Heinrich Mann, dessen Geschriebenes Hofmannsthal
später als unerträglich empfand!

*

Hofmannsthal hatte wohl in seiner frühesten Jugend, dem Knabenalter kaum
entwachsen, Schopenhauer gelesen, wie die meisten Menschen damals, er
dürfte wohl auch das eine oder andere Kolleg über Philosophie an der Wiener

244

Universität gehört haben, vielleicht mit mehr Eifer als ich, Nietzsche hatte ihn nie beschäftigt oder gar beunruhigt. Er durfte wohl früher als andere im deutschen Sprachbereich das Sich-übernehmen in «Also sprach Zarathustra» gespürt haben. Auch würde er nicht Stefan Georges Ansicht geteilt haben, daß Nietzsche lieber hätte dichten sollen, daß in ihm der Dichter dem Denker geopfert gewesen sei, was alles Unsinn ist. Auch hier hat ihn sein Gefühl für Grenzen, für Ordnung in dem bedeuteten Sinne nicht im Stich gelassen. Ich darf ihn wohl meinen besten Leser nennen. Mein Werk war, da er starb, kaum zur Hälfte in Erscheinung getreten, ich habe das spätere seinem Urteil im Geiste zu unterwerfen nie ganz unterlassen. Es war noch vor dem ersten Weltkrieg, da ich ihm meinen Begriff des Dramas, vielmehr des dramatischen Menschen (in Verbindung mit dem staunenden), anläßlich des Erscheinens der Neuauflage der «Moral der Musik» näher zu bestimmen versucht habe. Wir kamen dabei auf Henri Bergson zu sprechen, der damals auf dem Gipfel seines Ruhmes stand, man ist versucht zu sagen: in Mode war. Seine Kollegs an der Universität waren das Rendez-vous der elegantesten Damen von Paris. Hofmannsthal sah ein, durchschaute, wie Bergsons Begriff des élan vital, das, was ich Drama nenne, störe, unterbreche, nicht so: gar nicht aufkommen lasse, daß Welt mit so etwas im Leeren auszulaufen veranlaßt sei, zu einer Attrappe werde, ganz und gar dazu, zu etwas ohne Inhalt, auch daß die schöne Sprache, die man bei Bergson mit Recht rühmte, nicht dazu dienen könne, dergleichen zu verdecken. Es war mir nicht gegeben, bei élan vital an etwas anderes zu denken als an ein Feuerwerk, an etwas, das die Menschen herbeilocken soll, um vor ihnen zu verpuffen. Heißt Drama nicht soviel wie nicht ohne weiteres verpuffen? Ich hatte den dramatischen Menschen, wie er in der «Moral der Musik» bezeichnet wird, mit dem staunenden verkuppelt, denn im Staunen verpuffen wir nicht. Das ist etwas Großes. Ohne das, was wir Welt nennen und was Ordnung, Art, Grenze einschließt, müßten wir sofort verpuffen. Darum das Drama, die Balance in allem Dramatischen. Es war immer schön und ersprießlich, mit Hofmannsthal über derlei ins Gespräch kommen zu können.

In meiner Erinnerung lebt noch der folgende Ausspruch, die Psychoanalyse betreffend. Hofmannsthal sprach sich nicht dafür und nicht dagegen aus. Das wäre nicht seine Art gewesen: ein direktes Dafür oder Dawider. Sondern er sagte nur: «Das, was die wissen, das wußten oder wissen wir doch schon lange.» Er verstand unter «wir» die Dichter und die darüber hinaus sind wie der junge Lord Chandos in dem unsterblichen Brief. Hofmannsthal sah stets auf das Ganze, zum Ganzen hin, und er hatte das Gefühl, daß die Psychoanalyse das Ganze auf ihre Art aufreiße und damit die Ordnung störe, welche ihrerseits nur um des Ganzen willen und im Ganzen, zum Ganzen hin bestünde. Um dieses Ganzen willen, um der Ordnung des Ganzen willen wären dann auch die Bilder, die Metaphern wesenhaft und mehr als bloßer décor. Hofmannsthal war damals, als ich ihm das erste Mal begegnet bin, von solchen Fragen nach den Bildern, den Metaphern, deren Wesenhaftigkeit und Verhältnis zur Sprache beunruhigt, was ihn wohl auch zu meinem Buch über die englischen Dichter zog, das, ein Jahr vorher erschienen, sich damit in der Hauptsache beschäftigt.

*

Als ich das letztemal im Frühjahr 1929 mit ihm zusammentraf, kurz bevor er seine letzte kleine Tour in das geliebte Oberitalien antrat, kamen wir im Gespräch auf Virginia Woolfs «Mrs. Dalloway». An diesem vielleicht mehr merkwürdigen als bedeutenden Buch hat mich vor allem und mehr als das andere, auch Eigene und Kostbare das Bemühen der Dichterin angezogen und beschäftigt, die Idee und Kunstform, den Stil des Tristram Shandy, auf den man jetzt in England zurückzukommen scheint, wiederzuerwecken. Doch gerade hier dünkt mich der Roman zu versagen und hinter seinem Vorbild unendlich zurückzubleiben, ja dessen Wesentliches gar nicht einmal richtig erfaßt zu haben. «Wer wird sie aber auch gleich mit einem so großen Genie vergleichen?» erwiderte er auf diesen meinen Haupteinwand.

Er hatte von seinem Gesichtspunkt aus ganz recht, da es ihm von daher aus nur auf die Art und auf das ankam, was sich dem Geschmack an sich anbietet. Wie sollen, wie können wir aber zu einem Maßstab kommen ohne ein Äußerstes, ein fast tödlich Äußerstes? Wie zur Wirklichkeit ohne Idee? Das, was Hofmannsthal in seinem oben erwähnten Gespräch, worin Balzac das letzte Wort hat, das Dämonische nennt, ist nicht Idee und damit auf keine Weise zu verwechseln. Denn um dieses Dämonische als Mittelpunkt und Kern schlägt sich die Welt der Freude, des Genusses, des Leidens, der Zu- und Abneigung, was aber alles nicht die Wirklichkeit ausmacht, zu der es erst kommen kann, wenn an die Stelle des Dämonischen das Ideelle tritt. Dieses steht zu jenem wie Persönlichkeit zu Art.

Ein Avis für die künftige Philologie Hofmannsthalscher Texte: er gebrauchte auch im Gespräch das Wort: «Wirklichkeit», «wirklich» fast nie. Um so häufiger die Worte: Gebärde, Ton, Sprache, Leben...

Als ich ihn kennenlernte und dann durch Jahre hin verhältnismäßig oft sah, hatte er die überaus glänzende Epoche seiner Jugendproduktion hinter sich. Wohl stand er noch im vollsten Lichte eines sehr frühen, nie angezweifelten Ruhmes, doch ging dieser von einem relativ beschränkten Zirkel aus und überschritt ihn noch nicht. Der Kreis um Stefan George sah sogar darauf, daß dies nicht geschehe. Hofmannsthal aber hatte es sich in den Kopf gesetzt, mehr zu wollen als *den* oder irgendeinen Kreis, er wollte die Öffentlichkeit, die Gesellschaft, die Nation, soweit diese sich in einer Gesellschaft zu verkörpern vermag, er wollte, kurz gesagt, das Theater – schließlich der ein-

246

zige Ort, von dem aus ein Dichter, wenn er nicht Romane schreiben will, zu einem unpolitischen Volk, wie es die Deutschen und die Menschen Österreichs waren und sind, reden konnte. Zur Öffentlichkeit gehört aber der Kampf, gehört der Erfolg. Hofmannsthal wollte den Erfolg.

Man war damals, zumal in Deutschland mit dessen Mangel an öffentlicher Meinung und der eigentümlichen Mischung von Idealismus und Hämischem, geneigt, einen Gegensatz zu konstruieren zwischen Stücken, die Erfolg haben und keine Dichtung bedeuten, sondern mehr oder weniger schlecht sind, und den erfolglosen, die Dichtung sein sollen und dafür gehalten werden. Diese Konstruktion hielt Hofmannsthal für das, was sie war: für den Ausdruck einer etwas hämischen Gemütsanlage, die sich hinter Idealismus versteckt zu halten weiß. Eine Abendgesellschaft in Wien bei Freunden. Nach der «Elektra» in Berlin, die damals noch ohne die Musik von Richard Strauss aufgeführt wurde und des Erfolges nicht ermangelte. Ein Professor der Wiener Universität, der für seine Übersetzungen aus dem Indischen, eine Bearbeitung der Sakuntala, vergeblich nach einem Verlag fahndete, tritt nach dem Essen an Hofmannsthal heran und redet ihn auf die «Elektra» hin an, ihn beglückwünschend. «Und Sie haben sogar Erfolg gehabt!» schloß er. Worauf Hofmannsthal, jede Möglichkeit einer weiteren Auseinandersetzung über das, was Erfolg oder keinen bedeutet, abschneidend, nur kurz erwiderte: «Ich schreibe Stücke nicht, damit sie keinen Erfolg haben.»

Hofmannsthal war kein Debatter, was Deutsche fast nie oder doch so wenig sind, daß man sich geneigt fühlt, auch die Sprache, den deutschen Satzbau, dafür mitverantwortlich zu machen. Die deutsche Sprache gibt das Sinnige besser wieder als jede andere, dieses Sinnige, Sinnvolle entzieht sich aber der Debatte, allem Debattieren. Der Deutsche hat für «groß» nur ein Wort, der Engländer drei: great, big, tall. Das Sinnvolle ergibt sich aber notwendigerweise aus dem Sparsamen. Doch wie immer: Hofmannsthal verstand sich dafür auf eines: Menschen zu plantieren, wie man sich in Wien gerne ausdrückt, auszudrücken pflegte. Was freilich oft übel aufgenommen wurde von dem im Augenblick wenigstens Wehrlosen. Man geht, um ein Beispiel zu geben, irgendwo am Land spazieren, in Aussee oder sonstwo in der Sommerfrische. Lauter Dichter oder solche, die es sein möchten, es aber bestenfalls zum Kritiker, wenn auch in der ersten Zeitung des Reichs, bringen. Man schwärmt also in Gesellschaft von Dichtern, zitiert, zitiert auch Dante und schließt ein Zitat mit: Wie Dante doch so schön singt! Worauf Hofmannsthal, sechzehn- oder siebzehn- oder achtzehnjährig, mit seiner hohen Stimme entgegenhält: Dante singt nicht. Die Folgen davon nach Jahren sollen die schlechten Kritiken in der genannten ersten Zeitung gewesen sein.

Hofmannsthal suchte, was sich von selbst versteht, das Theater nicht nur darum, weil er eine Familie zu erhalten hatte, sondern auch aus inneren Gründen: weil er aus dem bloß Subjektiven, aus lyrischer Befangenheit, herauswollte. Dem Ringen um das Theater, um eine umfassendere Öffentlichkeit entsprach, heißt das, der Kampf um sich selber, gegen sich selber. Seine ganze damals und heute bewunderte Jugendproduktion kam ihm unwirklich vor, zerging ihm, wie er sich einmal zu mir ausdrückte, im Mund. Liebte er doch solche Bilder, die auf das sinnlichste Empfinden des Schmeckens zurückgehen. Was man nebenbei seinem Gesicht ansehen mußte, darin Mund, Lippen und Zunge in dem Maße mehr sich vordrängten, als er älter wurde. Sein Kinn deutete nicht auf Eigensinn hin, sondern war bloßes Postament des Mundes, dessen Schweres, Dichtes dann von den wundervollen Nasenflügeln aufgehoben, gelöst erschien. Von einem Buch André Gides sagte er einmal zu mir: Es ist so, wie wenn man in Glas beißt. Womit er wohl bedeuten wollte, daß hier Problem und Anschauung nicht in der richtigen Mischung vorliegen. Wenn wir von der Sinnlichkeit eines Dichters reden, so meinen wir damit wohl, daß dieser von der Anschauung und nicht vom Problem ausgeht. Hofmannsthal unterstrich das Sinnliche, um nicht dem Problemhaften, irgend einem, zu unterliegen. Grillparzer war der erste, dem es auffiel, wie sehr das Österreichische am Sinnlichen, Anschaulichen, das Norddeutsche am Problemhaften hängt. Das Richtige ist wohl das Goethische, will sagen: ein Problem mit den Augen fassen, die Idee ganz im Sinnlichen, im Anschaulichen aufgehen lassen.

In seinem imaginären Brief des Lord Chandos an Lord Bacon, der in seiner Kraft nirgends, in seiner Schönheit nur von dem ersten Teil des Andreas-Fragments erreicht wird innerhalb seiner wundervollen Prosa, kommt alles das zum Ausdruck: die Verzweiflung darüber, in seiner Begabung, im Wort als ein Gefangener zu leben. In diesem Gefühl des Gefangenseins lag für ihn ein Problem, sein Problem, das Problem der Seele an der Schwelle des Religiösen.

Hofmannsthal schrieb also Dinge für die Bühne und dann welche für sich, die aber nicht bekennerhaft, sondern traumhaft waren, und zwar von echter eingeborener Traumhaftigkeit, wie das genannte Romanfragment, das eben darum gar nicht vollendet werden *konnte*. Damit gehört er dem zwanzigsten Jahrhundert an, das sich im Traum durch ihn bekennt. Dieser Traum kommt wohl vom romantischen des neunzehnten Jahrhunderts, geht aber über ihn hinaus. Er, Hofmannsthal, sage ich, schrieb für die Bühne. In seinem letzten Stück, «Der Turm», sieht es so aus, als ob er beides zusammenfassen wollte: die Bühne und das, was ich das Traumhafte nenne. Viele sehen darin einen Gipfel der Gestaltung; mir scheint es nicht ganz erweckt zu sein. Er selber hat daran mehr gehangen als an andern Produkten seines Geistes, wie eine Mutter oft an einem kranken Kind mehr hängt als an den gesunden.

Was Hofmannsthal in seinen Stücken nicht gelingen wollte, ist die Peripetie, der Umsturz, die Umkehr. Ich schrieb ihm das einmal, nachdem ich sein «Salzburger Welttheater» gelesen. Er nahm es gut auf, wie er überhaupt Kritik niemals abgelehnt oder übel aufgenommen hat. Gewiß ist Peripetie das Schwerste am Drama, sie gelingt eigentlich nur dem Besessenen, im Zustand der Besessenheit, und sie kann nicht recht gelingen, wenn der Dichter einen gegebenen Stoff einzukreisen sucht wie der Jäger das Wild. In jenen Jahren zu Anfang des Jahrhunderts, da ich ihn verhältnismäßig viel sah, ist es bei ihm vornehmlich um Stoffe gegangen: bei ihm und bei dem mit ihm eng befreundeten und ihm benachbarten Richard Beer-Hofmann, der um diese Zeit den «Grafen von Charolais» herausbrachte mit dessen verfehlter, ja durchaus miserabler Verführungsszene, die zugleich die Peripetie im Stück anzeigt. Ich schrieb damals dem Dichter, dem ich menschlich sehr zugetan und dessen Verstand in Dingen der Kunst bewunderungswürdig war, daß sein Drama für mich stets ein Torso bleiben werde, daß ich es, heißt das, nur bis zu der genannten, mir unerträglichen Szene mit Genuß lesen könne. Er sah es nicht ganz ein und verschanzte sich hinter der Psychologie. Doch damit, mit Psychologie allein, macht man keine Peripetie, dazu gehört mehr.

Hofmannsthal schrieb in diesen Jahren «Das gerettete Venedig», «Oedipus und die Sphinx», «Elektra» und begann im Geiste sich mit dem «Jedermann» zu beschäftigen, auf welchen Stoff ihn Clemens von Franckenstein brachte, der das alte Mysterium «Everyman» in London gesehen hatte. Man hat ihm zeit seines Lebens vorgeworfen, daß er seine Stoffe nicht aus sich selber, aus persönlichem Erleben, sondern aus schon Gedichtetem nehme, daß es bei ihm niemals um ein persönliches Motiv gehe, so etwa wie in den vielen Stücken Gerhart Hauptmanns um den Mann zwischen zwei Frauen. Dagegen ist nun das eine zu sagen, daß sich bei Hofmannsthal das persönlichste, besser: tiefste Erleben, wie gesagt, im Traum vollzog, bei ihm viel heftiger, entschiedener als etwa bei Rilke, der kein Träumer im Sinne einer Traumbesessenheit war, und dann, daß bei Hofmannsthal, bei seiner umfassenden Geistigkeit, es allein auf das ankommen müßte, hätte ankommen müssen, was er mir gegenüber einmal «Welt hinter der Welt» genannt hat. Ich erinnere mich dieses Gespräches sehr gut. Es war bei meinem letzten Besuch in Rodaun, ich habe ihn später nur noch in Wien in der Stallburggasse oder bei mir gesehen, er begleitete mich auf dem Wege von seinem Haus zur Elektrischen, die schon seit langem an die Stelle der alten, den Freunden so geläufigen Mödlinger Dampftrambahn getreten war. Hofmannsthal glaubte in Paul Claudels «Tausch», der damals in Wien gespielt wurde, das gefunden zu haben: die Welt hinter der Welt, und hielt mir das vor. Ich hingegen meinte, daß ich das weder in diesem noch in sonst einem Stück von Claudel, am allerwenigsten in der von den deutschen Schriftstellern wie Thomas Mann gefeierten «Annonce faite à Marie» finden könne. Welt hinter der Welt sei das, was man gelegentlich auch Mythos nenne, wohl auch Konvention, als in welcher sich allemal ein Mythisches verhärtet hätte, auch so: platt geworden wäre. Diese Welt hinter der Welt sei weder durch Rhetorik wie bei Claudel, noch durch Psychologie wie bei Ibsen zu ersetzen, und von ihr sei darum in Dichtern wie Raimund und Nestroy sehr viel mehr zu finden als in allen andern unserer Zeit, vor allem mehr als in Claudel.

Und doch ist Hofmannsthal in zwei Stücken die Peripetie gelungen oder hatte er darin die Mitte erfaßt gehabt, in den Stücken, darin als Welt hinter der Welt oder als Mythos Österreich, das alte, der Albernheit Europas hingeopferte, figuriert: im «Schwierigen» und in gewissem Abstand davon im «Rosenkavalier»...

Man vergleicht gerne Hofmannsthal mit Grillparzer, und es heißt dann meist so, Hofmannsthal gebühre nach diesem der Rang. Darüber einige Worte: Rangfragen in geistigen Dingen sind oft garnicht, oft nur schwer zu entscheiden. Wie beim Placement bei einem Diner, wenn alle Teile mehr oder weniger gleichen Ranges sind...

So ist vielleicht Grillparzer, wenn man alles recht gegeneinander abwägt, nur der ältere von beiden, was darum aber keine Angelegenheit von geringem Gewicht zu sein braucht. Die größere Nähe zu den Ursprüngen ist nämlich durchaus wertbestimmend, so lange es Geschichte und damit auch ein konservatives Element in der Zeit geben wird. In einer Epoche, wo es gelegentlich den Anschein hat, als ob Geschichte im Zank und Gerede, im Bösen des Gegenwärtig-Täglichen untergehen sollte, dem Chaos und der Willkür zustrebend, ist es von einiger Wichtigkeit, sich dieses konservativen Elements als eines zur Wertbestimmung unumgänglich Notwendigen bewußt zu bleiben und dafür einzustehen. Wenn wir aber einmal davon für einen Augenblick absehen: vom Wertbestimmenden der Anciennität, und statt dessen einmal Erscheinung, Gestalt absolut nehmen, so kann einem wohl das Gesamtwerk Hofmannsthals, dessen Palette sozusagen, in manchem reicher erscheinen – denken wir nur an beider Lyrik! – als das Grillparzers. Der besseren Peripetie bei letzterem wird wiederum von dessen sehr vielen sehr unbefriedigenden, ja schlechten Schlüssen die Waage gehalten. Doch auch hier können wir vom Zeitlichen als einem Maßgebenden nicht absehen, gleicht doch Hofmannsthals reichere Farbe jener des Abends. Grillparzer war als Charakter sehr bedeutend, doch brauchte der Charakter sehr des Eigensinns, eines oft verletzenden, um bestehen zu können. Hofmannsthal fehlte jener Eigensinn Grillparzers, wenn das einmal so gesagt werden darf und richtig verstanden wird.

Hofmannsthal war in der Rangbestimmung der Geister jeder Art genau, wußte alles unterzubringen und auch dem Kleinen oder Mittleren den gebüh-

renden Platz anzuweisen. Wenn es auch gelegentlich zu beträchtlichen Über-
schätzungen kam, so waren solche temporär. Er ließ sich da, möchte ich sagen,
von der Sprache, von seiner, verleiten. Wie ihn auch seine sehr früh, im
Knabenalter begonnene, das ganze Leben anhaltende Beschäftigung mit Geschichte, das dauernd wache Interesse dafür, für mein Gefühl viel zu schnell
zu Analogien mit gegenwärtigen Lagen, Zuständen, Verhältnissen verführte.
Die Vergleiche waren dann gleich bei der Hand. So etwa: Ich verbringe jeden
Sommer durch alle Jahre einige Wochen in Lautschin. Was ist daran Wunder-
liches?! Ihm aber fiel da gleich Grimm bei Madame d'Epinay ein. Ich vermöchte es gar nicht an der Hand aufzuzählen, was mir alles bei Betrachtung
meiner Lage und Umstände früher eingefallen wäre als Grimm und alles, was
diesen mir in jedem Sinn fremden, fast widerlichen Menschen und Geist
angeht.

Ich glaube nicht, daß Hofmannsthals Zusammenarbeiten mit dem be-
rühmtesten Opernkomponisten der Gegenwart das gewiß sehr schwere Pro-
blem der Oper zur Lösung oder einer solchen auch nur den allerkleinsten
Schritt näher gebracht habe. Wo etwas wie ein Ganzes aussieht, ist diese
Ganzheit nur scheinbar. Es ist darum unendlich töricht, von Kongenialität
zu reden. In keiner Oper (die sehr reizvolle, in gewisser Hinsicht einzige
«Salome» Oscar Wildes ausgenommen, in deren ganz dichte, saturierte
Ästhetensprache Musik ebensowenig einzudringen vermag wie Wasser in
Glas, ja von welcher jede Musik direkt abfließen muß) scheint mir Musik so
gegen das Wort, gegen die ganze Bildlichkeit der Sprache zu gehen wie in der
«Ägyptischen Helena». Doch mehr als diese Beziehung zum Komponisten
interessiert mich Hofmannsthals Streben nach der Musik als ein mit seinem
Verlangen nach Mitte, nach Mythos, nach einem Allgemeinen und Binden-
den Zusammenhängendes. Man lese auf das hin einmal «Ödipus und die
Sphinx», das zu einer Musik komponiert erscheint, die zufällig fehlt und
jener Richard Wagners vage verwandt sein möchte. Man kann hier direkt von
einer Beeinflussung durch das Werk des großen Dichterkomponisten reden.

Am Schlusse dieser Erinnerung möchte ich noch ein Wort über seine Beziehung zum alten Österreich sagen. Er trug es in sich wie Grillparzer oder
Stifter, aber es war sein Leid, wie es das so vieler anderer ist, daß er sich dieses
reichen, ja wundervollen Ganzen erst als einer wirklichen oder möglichen
Mitte bewußt wurde, da es sich auflöste oder zerstört, da es Mythos wurde.
Immerhin verdankt er dieser Mitte, diesem Mutterland – denn es war ihm
mehr Mutter- als Vaterland – zwei so lebendige Figuren, wie den Schwierigen
und die Marschallin im «Rosenkavalier».

MARTA KARLWEIS

Erinnerungen an Hofmannsthal

Wir saßen, ein kleiner Kreis von Freunden, in einem schönen Hause in Italien, und das Gespräch hatte sich schon seit geraumer Zeit dem Manne zugewendet, der uns in einem gewissen Sinn an diesem Ort zusammengebracht hatte. Denn hauptsächlich die Beziehung jedes einzelnen von uns zu ihm, dem Fernen, machte das Verbindende zwischen uns aus. Trotzdem der Herr des Hauses damals in innerem Hader mit jenem entfernten Freunde lebte und ihn lange nicht gesehen hatte, war fast den ganzen Nachmittag nur von dem Abwesenden geredet worden, und über dieser Unterhaltung kam der Abend. Da sagte der Hausherr: «Wenn wir alle tot sind, wird keiner wissen, wie er war.»

Alle schwiegen betroffen. Niemand wies auf die Dichtwerke hin, die er ja doch hinterlassen würde. Nicht, daß einer von uns die Gültigkeit dieser wunderbaren Zeugnisse angezweifelt hätte! Aber gerade, weil er gar so nah zu liegen schien, war ein solcher Hinweis ganz von uns entfernt. Wir wußten allzu gut, was unser Gastfreund meinte. Überall dienen dem Schöpfer seine Taten oder seine Werke als Vorläufer und als Gefolge. Wie ein Großer der Welt verläßt er sein Haus nicht ohne sie. Auch den Leuten, die ihm begegnen, sind jene immer zu Diensten. Sie tragen die Lichter, die ihn bescheinen, mit ihnen wird er genommen wie der Kern mit der Frucht.

Der Mann jedoch, von dem wir damals in jenem italienischen Hause gesprochen hatten, Hugo von Hofmannsthal, bedurfte der Vorläufer und des Gefolges nicht. Anders ausgedrückt: Daß man seine Gegenwart als etwas Einmaliges, Niewiederholbares, Unersetzliches empfinde, dazu war keinerlei Erinnerung vonnöten. Jener unwillkürliche Prozeß, der das aktuelle Gespräch mit Bildern und Gestaltungen aus dem Werk ergänzt, dieses dem physisch Vorhandenen unterlegt, kurz, das Gelebte mit dem Geschaffenen interpretiert, wurde in seinem Beisein nicht eingeleitet. Warum? Weil das Loch nicht entstand, in das sich die Reminiszenz ergießt? Von gewissen Schauspielern sagt man, daß sie die Bühne füllen. So könnte man von Hofmannsthal sagen, er füllte jeden Raum, ja er sprengte ihn fast. Der Zauber seiner Manieren, die Leichtigkeit seiner Konversation, die nirgends haftete, niemals insistierte, der lustige Anteil an kleinen Vorkommnissen und der herzhafte an den kleinen Genüssen, die Komik gewisser Grimassen, das Kolorit der Mundart, gewisse feststehende Formeln der Vertraulichkeit – so sehr dies alles unbefangener Ausdruck der Natur war und darum eine treuherzige Wahrhaftigkeit besaß, so sehr war es, von innen her gesehen, auch ein sonderbares, auf die Umwelt bezogenes Gleichgewichtsmanöver, das ich die unwillkürliche Verlegung des Schwerpunktes nennen möchte. Denn das enorme Maß seiner Wesensenergie und ihre Wirkung auf sympathische Seelen kannte er zu gut, um nicht oft, ja in der Mehrzahl unvermeidlicher Begegnungen ihren Rückstoß ärgerlich vorauszufühlen und darum zu meiden. So kam er, der in Wahrheit ganz ohne inneren Lärm, weil ohne Eitelkeit, war, oft mit lautem Geplapper schon zur Tür herein. Einen Freund, den er tags zuvor gesehen hatte, begrüßte er in teilnahmsvollen Jammertönen, als sei dem Armen gestern seine Frau verstorben. Man mußte eingespielt sein auf diese Kasperliaden, man hatte «einen Ton miteinander». Völlig nichtige Personen ebenso wie manche bedeutendere wurden mit dem Beiwort «dieser Göttliche» bedacht, andere wieder hießen «dieser N. N. de Malheur». Dergleichen hing den Betreffenden an wie das Beiwort «eilipodes» den homerischen Rindern. Daß er einen sonderbaren Gang hatte, wußte er gut, die völlig auswärts gedrehten Füße stampften komisch daher. Ich weiß nicht, ob es Hofmannsthal-Anekdoten gibt; in einer bildsameren Epoche als der unsrigen müßten sie zu Dutzenden entstanden sein. Ich habe einmal zugesehen, wie er eine Reisetasche auspackte. Mit jedem winzigen Gegenstand drehte er sich im Kreise herum, und zwar mit beiden Füßen hintereinander, und die Stube war voll von Getrappel und hastigem, schrillem Gespräch. Am Ende stand kein einziges Ding dort, wo es hingehörte. Wer daraus den Schluß zöge, Hofmannsthal sei ein weltfremder Dichter gewesen, nach landläufigem Begriff, und sei mit dem Alltag nicht fertig geworden, der schlösse falsch. Die Sache lag viel einfacher: Ich störte ihn. Weniger ich selbst, als meine tief versteckte Bereitschaft, auszuhalten die ganze ungeheure Spannung seiner inneren Person – eine Bereitschaft, die ihn, so tief ich sie zu verstecken glaubte, wegen der Verkennung meines und seines Maßes irritieren und verdrießen mußte. Dies alles muß ganz physikalisch verstanden werden: Es ist kein Zufall, daß seine schwersten körperlichen Leiden Gleichgewichtsstörungen gewesen sind. In den letzten Jahren konnte es geschehen, daß er sich aus einer Versammlung von vielen Menschen zurückziehen und augenblicklich flach auf den Boden legen mußte. Die Mediziner mögen dafür Namen und Ursachen wissen; ich vermag nicht zu unterscheiden, was hier Spiegelung gewesen ist, das Körperliche oder das Geistige.

Er liebte sehr den Umgang mit einfachen Menschen; wo ihn das Volkhafte ansprach, nahm er auch Böses mit. Etwa sieben Jahre vor seinem Tod hielt er sich einige Sommerwochen im österreichischen Urgebirge auf, hoch oben in einem Tal, wo es durch Granitmassen und Gletscher gegen Süden abgeriegelt war. Er lebte dort ganz einsam, abends setzte er sich zur Magd in die Küche, schaute ihr zu, wie sie den Schmarrn in der Pfanne buk, und unterhielt sich gern mit ihr. Durch ihrer selbst so unbewußte Kreaturen gingen die Ströme seiner Gegenwart völlig ungehindert durch, darum wurde es ihm wohl bei ihnen. Allein nicht nur Ungeistigkeit, Enge des Horizonts und Schlichtheit der Lebensform bedingen jene eigentümliche Durchlässigkeit; sie finden sich besonders bei weiblichen Personen jedes Standes und im adeligen, der sehr aufs Körperliche gezüchtet wurde, wohl fast so häufig wie im Volk. Unwillkürlich strebte sein Bedürfnis darum jenen zu.

Daß man ihm Gefühl zeige, liebte er nicht, Zärtlichkeit erweisen sah ich ihn nicht einmal einem Kinde oder einem Hund. Hunde mochte er nicht leiden, Kinder machten ihn scheu. Manche Menschen nannten ihn «gemütlich», weil er sich händereibend auf die Ofenbank eines Landwirtshauses setzen oder im Kreise von Freunden und von jungen Leuten drollig sein konnte. Indessen war er lustig stets mit Eifer, und seine Gelassenheit grenzte sogleich an tiefe Melancholie. In Wahrheit war er gespannt, wenn er «sich gehen ließ», nur unschuldige Gemüter nahmen das nicht wahr. Ich habe an mir beobachtet, daß das magnetische Feld um ihn besonders anstrengend auf meine Nerven wirkte, wenn er sich in jener Stimmung befand, die man dem äußeren Bilde nach als die eigentliche, die behagliche, die spaßhafte bezeichnen kann.

Wen Hofmannsthal in irgend einem Augenblick in Beziehung zu sich brachte, den trieb er alsbald an die äußerste Grenze seiner Möglichkeit. Ist der Ichbezug einer so influenzierten Person sehr stark, so gerät sie leicht in einen Zustand von Blendung wie in gewissen peinvollen Träumen, in welchen die Augenlider vor Übermaß der Helligkeit nicht geöffnet werden können, mit einem Wort, sie wünscht leidenschaftlich, ihre besten geistigen Kräfte handlich zu Gebot zu haben, und vermag ihnen nicht zu gebieten. Dies aber nur nebenbei. Schon die unschuldige, also reflexionslose Anspannung allein genügt, um die eingangs erwähnten körperlichen Wirkungen hervorzurufen. Im magnetischen Feld um Hofmannsthals Person geriet eben alles zufällig gehäufte Element in Erregung und stürzte nach dem Gesetz an seinen Ort. Das Bewußtsein bebte wie eine gestraffte Membrane, Unbewußtes drang erschrocken ans Licht, stürzte aber sogleich geblendet in Nacht zurück. Daß solcher Tumult nicht ohne Rückwirkung auf den Erreger bleiben konnte, versteht sich von selbst und ebenso das Barometerhafte seiner Beziehung zu so influenzablen Personen. Wer da Stetigkeit suchte, begriff die Naturgesetze nicht, vertauschte moralische Werte mit magnetischen oder elektrischen Kräften und fügte entweder ihm Unrecht zu oder sich selbst. Und dies ist unablässig in außergewöhnlichem Maß geschehen, solange er unter uns umherging. Nie war ein Mensch im Leben mehr Trugbild seiner selbst, ohne das Mindeste an Verstellung hinzuzutun. Denn, was er um der Verletzlichkeit der Menschen willen oder aus Selbsterhaltungstrieb an Dissimulation geübt hat, betraf nur den alleräußersten Kreis seines Wesens und war nicht mehr als Beherrschung, wie sie sich unter Gebildeten von selbst versteht, und Höflichkeit. Von seinem Leben hatten wir gleichsam nur den farbigen Abglanz.

Aber im Augenblick seines Todes brannte der leuchtende Kern weiß-feurig auf vor allen Augen, die da sehen.

Gewiß hatte das hier als physikalisch beschriebene Phänomen auch seine moralische Entsprechung: Einer Natur wie der seinigen eignet Strenge als wesentliches Merkmal. Schon um das stets gefährdete, unablässig von außen wie von innen bedrohte Spiel der Lebenskräfte in Balance zu halten, bedurfte er der höchsten Vernunft, und diese bedeutet: Auswahl.

Er war tief in Europa eingegraben, und die wasserreiche Erde Österreichs nährte ihn bis in das feinste Gefäß. Dennoch schweifte sein Geist inbrünstig in die erhabene Öde des Orients, von ihm stammt auch die überraschende Bezeichnung Grillparzers als eines deutschen Orientalen (im Gegensatz zu Hebbel, dem Norddeutschen). Ein Freund, der Hofmannsthal sehr liebte, wollte in dessen letzten Lebensjahren Gebärden an ihm wahrgenommen haben, die er, der Freund, an alten, würdigen Orientalen beobachtet hatte. Dennoch glich er in späteren Jahren besonders in Gang und Nackenhaltung auffallend gewissen, nicht sehr großgewachsenen älteren Bauern österreichischer Art, und, wenn ich recht berichtet bin, stammte er mütterlicherseits von niederösterreichischen Weinbauern ab. Die blutmäßige Vertrautheit mit dem trunkenen Feuer, das im Weine wohnt, schuf vielleicht die Voraussetzung für die wunderbare Nüchternheit seines Geistes. Das Auge mit seiner seltsamen stumpfgefärbten dunklen Gleichmütigkeit und einer gewissen zuwartenden Resignation des Blickes spiegelte freilich mehr eine morgenländische Seele als eine europäische. Übrigens strömte es nichts aus, dieses Auge: die Kräfte blieben im Innern versammelt und verfügten über andere Auswege. Durch das Auge gingen sie nicht. Die Farbe der Iris war braun, aber nicht jenes von innen beleuchtete Braun, wie es österreichische und vorwiegend italienische Augen haben, sondern so, wie ich es in Kairo oder sonst in Ägypten gesehen habe. Das Gesicht hatte einige napoleonische Züge, besonders um Nase und Kinn. Die Haltung war straff und aufrecht, der Schritt innehaltend und stampfend zugleich. Nichts ist so verkehrt wie die landläufige Vorstellung von seiner Morbidität und Dekadenz. In der Unbeirrbarkeit seines Daseins war er wie ein Baum. Er wurde ja auch gefällt wie ein Baum.

Zunächst und an der Oberfläche war es die Unbestechlichkeit durch Liebe, die ihn mit der einschüchternden Aureole des Richters umgab. «Wie einer zu mir steht, ist mir völlig gleichgültig», das war der Kern unseres allerersten Gespräches. Er blieb stehen und sah mich an, als er diesen scheinbar so selbstverständlichen Satz aussprach. Wir standen in einem geöffneten Wiesenpförtchen und ich antwortete: «Ja –?» ohne die Lider zu heben und scheinbar so geistesabwesend, daß er den Satz schärfer formuliert und einprägsamer wiederholte. Ich aber war immer noch damit beschäftigt, ihn wörtlich zu erfassen, ihn zu glauben, und an diesem buchstäblich Geglaubten den Abstand zur Gesinnung der übrigen Welt zu messen. Mystiker werden erweckt durch einen Lichtstrahl auf einem Wasserkrug von Zinn. In mir entstand in dieser Wiesenpforte durch die Botschaft jenes Satzes, der völlig wie ein Gemeinplatz klingt, der Keim zu einem Maßstab der Vollkommenheit. Er entstand aber dadurch, daß die persönliche, sittliche Kraft, die hinter diesen Worten hervorschlug, mich zwang, sie zu glauben, buchstäblich und so, wie ein Zauber geglaubt wird. Ich schluckte sie gewissermaßen, aß sie auf. Wir gingen auf die Wiese hinaus, die Pforte fiel zu. Nie würde ich dank der Kraft meiner Liebe und Verehrung ein Jota an Wert oder an Zuneigung bei ihm gewinnen. Ich entsinne mich deutlich, daß ich in der heißen Augustsonne fror; er hat später zuweilen den Kopf geschüttelt über meine ewig kalten Hände. Sie waren aber nur kalt in seiner warmen, trockenen, wunderbaren Hand.

Als Richter empfanden ihn alle, auch die Nächsten unter seinen Freunden, die vergleichsweise Vertrauten. Er selbst war sich gewiß der cherubinischen Grausamkeit seines Intellekts bewußt. Niemand konnte sich ihr entziehen (ausgenommen eine Einzige, Sie erraten, wer), darum flüchteten alle ohne Ausnahme so gern in seine Irrtümer oder in das, was man seine Unberechenbarkeit und seine Vorurteile nannte. Sie waren das unerschöpfliche Gespräch aller, die ihn liebten, und je mehr man davon redete, desto wärmer wurde die Liebe. Es war nicht Freude des Kleinmachens – an ihr wärmt sich die Liebe nicht –, sondern Zuflucht vor der unmenschlichen, niemals in Schlaf gewiegten Kraft des Richters. In ihm agierte sie ohne sein Zutun und nicht zu seiner Lust. Dieses «nicht zu seiner Lust» hebt ihn weg von allen, die verliebt sind in die Schärfe ihres Schwertes, denn seine Spottlust hatte nichts damit zu schaffen und nistete obenauf in der Region der Kasperliaden. Manchen Königen alter Zeit, besonders orientalischen Herrschern, deren Thron unter allen Umständen auf Menschenschädeln und Gebein gegründet ist, wird in Lied und Überlieferung die große Milde ihrer Sitten nachgerühmt. Eine solche Milde leuchtete besonders in Hofmannsthals letzten Lebensjahren unbeschreiblich schön aus seiner Höflichkeit hervor, aber wer sie mit Weichheit verwechselt, geht irre. Er selbst hat gesagt: «Reif werden heißt schärfer trennen und inniger verbinden.» In seiner Jugend, als ich ihn noch nicht kannte, wird dieses «trennen» in höherem Maße «von sich abtrennen» bedeutet haben.

Er hat gesagt: «In der Jugend findet man das sogenannte Interessante merkwürdig, im reifen Alter das Gute.» Das Böse ist nun freilich schon deswegen interessant, weil Jago unvergleichlich seltener vorkommt als Desdemona. Hofmannsthals Empfindlichkeit für das Böse muß in der frühen Jugend bis zur Gefährdung lebhaft gewesen sein, in der mittleren, verschleierten Periode etwas stumpfer, in den letzten Jahren kehrte sie gekräftigt und gesteigert wieder. Als er fast noch ein Knabe war, entschied die Art, wie ein von ihm unsäglich hochgehaltener Mann, in gewisser Art der «man of destiny» seiner Jugend, nach einem Hunde trat, der ihn belästigte, unwiderruflich über sein Verhältnis zu diesem Mann. Noch als er mir, gut fünfunddreißig Jahre später, die Szene andeutete, verzerrte sich sein Gesicht und er brach schleunig ab. Nicht lange vor seinem Tod begegnete ihm in einer großen Gesellschaft eine durch sozialen Aufstieg und Reichtum bekannte Person, die sich zur Erreichung eines bestimmten selbstsüchtigen Zweckes seiner zu bemächtigen, ihn von den übrigen abzusondern und in einem abseits gelegenen Zimmer zu einer Unterredung zu zwingen verstand. Plötzlich bot sich der in den glänzenden Sälen versammelten Menge ein sonderbares Schauspiel: Mit allen Zeichen schreckensvoller Verstörtheit stürzte Hofmannsthal vorwärts durch die Räume, wie blind laut und durchdringend den Namen seiner Gattin rufend, die bestürzt herbeieilte und sich mit ihm in den Wagen und von dem Schloß, ja von dem Orte wegbegeben mußte. Sie selbst berichtete uns zwischen Lachen und Ärger den absurden Auftritt. Er saß dabei, sah nicht auf, berührte ein paarmal seine Stirn mit den geschlossenen Fingerspitzen, stieß wiederholt den Atem durch die Nase und sagte nur: «Ihr wißt nicht, wie ungeheuerlich die ordinäre Kraft des Bösen in der Frau gewesen ist.»

Alles in ihm reagierte heftig, Kinnlade und Mundpartie verrieten sogar eine gewisse Gewaltsamkeit. Ein- oder zweimal wurde ich Zeugin von Zornausbrüchen, wo der Brand wie Schwefelflamme aus einem Vulkan heraufschlug. Dem Feuer war er sicherlich verwandter als dem Wasser, und zwar dem Feuer gleicherweise von unten wie von oben. Gewisse Leuchterscheinungen seines Gehirns haben ihre Entsprechung nur im Blitz, und daher rührt offenbar das eigentümliche optische Mißverständnis, aus dem zuweilen von Hofmannsthals leuchtenden Augen gesprochen worden ist. Das Auge leuchtete nicht. Es war fast glanzlos.

Die geschwinde Schärfe, mit der er innerlich verneinen konnte, sowie die zornige Grundbeschaffenheit seiner Natur brachten es mit sich, daß er in späteren Jahren wiederholt und nur halb im Spaß versicherte, er habe sich entschlossen, ein «mürrischer» Greis zu werden. Dieses Wort «mürrisch» artikulierte er so mit Lust am Zermalmen, wie ein Knabe Nüsse aufbeißt. Als seine Kinder klein waren, ließ er sie davonlaufen mit der Weisung, gegen fremde Menschen nur recht mürrisch zu sein, ja recht mürrisch, damit nicht durch ihre Vermittlung allerhand Volk ins Haus gezogen käme, wie im Märchen «Schwan kleb an». Ganz verstehen kann das Pittoreske solchen Auftrages freilich nur, wer die vollkommene Höflichkeit des Auftraggebers gekannt hat.

Mit Verächtlichem befaßte er sich nicht, den Aussätzigen mit den Lippen zu berühren war nicht seines Amtes. Hier wie überall kannte er seine Grenzen. Ich glaube nicht, daß er je das Opfer des Intellektes gebracht hat. Als Gast an unserem Tisch wurde er einmal ungeduldig, ja zornig, weil jemand die Gabe des Verstandes zur höheren Ehre der Gemüts- und Seelenkräfte klein gemacht hatte.

Viel von der Tapferkeit des Forschers war ihm eigen. Erst jenseits davon ist zu verstehen, wenn er sagt: «Darin, daß er so vieles nicht zu sehen geruht, tritt die große Haltung eines Autors hervor.» Und genau um das Maß dessen was er «nicht zu sehen geruht», ist der Dichter, die Ebenbürtigkeit der Charaktere vorausgesetzt, nicht größer, aber schöner als der Forscher.

Er war in jedem Augenblick seines Lebens und in jeder Handlung Dichter, ein Fall von musterhafter Reinheit in dieser allergemischtesten Welt. Dichter war er auch, wenn er sich alljährlich wochenlang abmühte, um der Sache willen – die «Sache» war die Rettung des Gedankens «Österreich» – während der Salzburger Festspiele den Weltmann, ja den Diplomaten zu machen. Aber er spielte den Weltmann nur, und er spielte ihn als Dichter, wie hätte es anders sein können, da ja jede Handlung, jeder Ausspruch von ihm als Dichter, als Seher getan wurde. Wie wörtlich dieses zu verstehen ist, ermißt vielleicht nur, wer die Fülle der Mißverständnisse, des Ärgers, der Qualen, die ungereimten Eifersüchte der Freunde, ihre und seine Verstimmungen gekannt hat, die notwendig, ja schicksalhaft aus dieser krampfhaften Hingabe an die Welt entstanden. Nicht anders geartet war sein Verhältnis zum Theater, denn das Theater war ihm doppelt – als Dichter und als Österreicher – Platzhalter der realen Welt und darum ein so unangemessener Ort wie diese. Eine solche Behauptung mag sinnlos klingen, wenn man seine Liebe zum Theater bedenkt. Aber diese Liebe war ein Teil des Leidens.

Es kann nicht mißverstanden werden, wenn ich sage, er war «mehr» Dichter als selbst Goethe, gleichsam der chemischen Formel nach quantitativ «mehr», so wie Hölderlin es «mehr» war, der denn auch im Wahnsinn geendet hat. Unnütz, sich dabei gegen den Vorwurf unsinniger Wertung zu verwahren; er selbst hat sich, was das angeht, mit Ernst und ausdrücklich als «keinen großen, sondern durchaus als einen mittleren Dichter» bezeichnet. Man wird seinem hohen Verstand nicht gerecht, wenn man solchen Ausspruch landläufig mit Bescheidenheit erklärt; sich bescheiden heißt, auch sich genug sein, und genau das ist größte Größe im gesetzlichen Maß. Aber dieses Maß ist ein Ring, der das Lebendige umschließt; im Tode wird er gesprengt und eine neue Dimension schauert herein. Darum gilt Hofmannsthals Wort über sein Maß jedenfalls nur für den Lebenden. Seit seinem Tode ist er unaufhaltsam ein großer Dichter geworden.

Jedoch, was bedeutet es heute, in jedem Augenblick seines Lebens ein Dichter zu sein? Selbst Homer war mit Blindheit geschlagen, dessen Gesang noch blühend von Lippe zu Lippe wuchs. Ist in der christlichen Ära der Dichter überhaupt möglich? Shakespeare war in seinem Werk kein Christ, in unseren Tagen ist es George nicht. Eine verrückte Frage, nicht wahr? Niemals werde ich die Geistesklarheit besitzen, den Urgrund dieser Frage aufzuhellen. Welchen Raum hat in der Lehre Christi der Dichter? Er steht der Geisterwelt am nächsten, das unterscheidet die seine von den anderen Künsten, kein Seher hat je gesungen oder gemalt. Aber das Christentum kennt nur Diener Gottes, nicht Seher. Der Seher setzt ein Allmächtiges voraus: das Schicksal; das Christentum einen Allmächtigen: Gott. Wie kann die allmächtige Person ihre Absichten erschauen lassen durch den Seher, da sie solche ja gnadenweise kundtut den Geringsten nach ihrem Gefallen? Heilige und Märtyrer sind niemals Seher, besäßen sie die Gabe, sie müßten sie opfern. Das Urwesen des Dichterischen stammt aus transchristlicher Schicht, und daß es ungemischt in Hofmannsthal erschienen war, macht seine Einzigkeit aus und zugleich die Urfremdheit seiner tiefsten Seele unter uns anderen. Denn es war eine Nacht von Fremdheit in ihm, vor der ihm selber schauderte, die offenbarte sich nicht einmal oder ein anderes Mal, sie verließ ihn nie! Und daß er «ganz vergessener Völker Müdigkeiten» nie abtun konnte von seinen Lidern war nicht bezaubernd hingesungene Romantik und Dekadenz, sondern das Ungeheuerliche einer bewußt gelebten, jahrtausendealten transchristlichen Präexistenz. Sein Sittliches aber wurzelte völlig im Christlichen, die dichterische Ausbildung der christlichen Tugenden und ihre unablässige Betrachtung beschäftigte seine reifen Jahre, oder vielmehr, diese Beschäftigung drang mächtig aus der Tiefe empor. Sein Leben hatte er ihnen ja längst anheimgegeben; eine Familie gründen heißt, auf die – heidnische – Alleinzigkeit des Sehers verzichten, heißt, ins Leben gehen, heißt, sich der Ordnung fügen. Wäre das unbändige Urwesen des Dichters weniger rein, wäre es vermischter, gebrochener in ihm gewesen, wäre er nicht «mehr» Dichter gewesen als Goethe – die Synthese wäre geglückt, wir besäßen ihn noch – freilich nicht ihn, aber das Erz, das sein Element gebunden hätte.

Zurück und wieder zurück treibt es mich zur heilsamen, trockenen Bescheidenheit der Wirklichkeiten.

Es war nicht gut, dem Dichter auf einsamen Gängen zu begegnen, oft ging er im Zickzack an einem vorüber, blicklos, redete man ihn gar an, so fuhr er zusammen wie ein Schlafwandler, ungemein heftig bekam der Unvorsichtige dann den Rückstoß zu spüren, denn der Mechanismus des «Leichtmachens» in Hofmannsthal setzte in solchen Momenten aus. Vollends in der Dämmerung oder gar in der Dunkelheit schlich oder lief man besser an ihm vorbei. So kam ich einmal nach Einbruch der Herbstnacht aus dem Wald vor seinem Haus, ich hatte seine Frau besucht, während ich sicher wußte, daß er nicht daheim war. Ich trug eine kleine Laterne in der Hand, darin brannte ein Kerzenstümpfchen. Aus dem Walde tretend, hörte ich den Hügel hinauf einen stapfenden Schritt, hie und da stolperte er, ein Stein rollte, die Nacht war wie eine Höhle so tief. Abermals rollte ein Stein. Da sollte er, nachtblind wie er war, mit seinen kurzsichtigen Augen noch durch den Wald, in dem die Finsternis hing wie dicke schwarze Tücher. Nun kam er zu mir heran, aber seitab, er hatte das Licht gesehen und wich aus. Ihn anreden? Ach, wie er das haßte! Würde er nicht diese unberechenbare, schweflig aufflammende Abneigung auf mich werfen, die ihn störte? Aber der Wald! Und die dicken, tückischen, schlangenhaften Wurzelstränge! «Herr von Hofmannsthal», sagte ich mit Herzklopfen. Er blieb stehen. «Marta», meldete ich und hob die Laterne, damit er mich sehen könnte. Da sah ich auch, daß er nicht zusammengefahren war. Er blickte ruhig und freundlich aus dem Lichtkreis zu mir herüber. «Herr von Hofmannsthal!» wiederholte er, «wie das klingt!» «Nehmen Sie meine Laterne», sagte ich schnell, «im Wald ist es unmöglich ohne Licht.» «Aber Sie?» «Ich bin ja jetzt im offenen Tal. Ich sehe den Weg genau. Gute Nacht.»

Er wünschte mir gleichfalls eine gute Nacht und ging mit der Laterne dem Wald zu. Ich lief ein paar Schritte bergab, dann blieb ich stehen und sah zurück. Das kleine Licht warf einen großen Schein und darin bewegte sich ein Kern. Ich sah ihm nach, bis der Wald ihn aufnahm. Dann ging ich weiter und nachhaus.

WILLY HAAS

Traum und Wirklichkeit

Allmählich konzentrierten sich meine Träume mehr und mehr um eine einzige Gestalt: die Gestalt Hugo von Hofmannsthals. Es war ein schwieriger, oft gehemmter und gestörter, gleichsam ein klippenreicher und stürmischer Traum, ein Traum voller Vorbehalte und Hindernisse. Aber es war gewiß der stärkste und vielleicht der einzig wahre Traum meines Lebens. Eine Zeile aus einem Essay von Hofmannsthal oder sein kleines «Reiselied» oder eine Szene aus «Cristinas Heimreise» oder «Der Schwierige», eine bloße Skizze wie «Lucidor», eine Seite seines unvollendeten Romans «Andreas» konnten mich bis zum Rand selig machen: ich kannte kaum ein Glück wie dieses, ich kenne es auch heute nicht.

Es ist schwer zu sagen, worin dieses einmalige, nicht wiederkehrende Glück bestand. Hofmannsthal war mir ein Lebensspender, ein Baumeister und Bildner, der in mir selbst wirkte: ein Geist der Entelechie. Er wäre es mir vielleicht auch dann gewesen, wenn ich ihn nicht für einen großen Dichter gehalten hätte. Er verbreitete ein klares Licht, in dem man selbst zu leuchten glaubte. Seine Anmut erzeugte Anmut, seine Perspektiven öffneten immer neue, immer weitere Perspektiven, selbst seine unermeßliche, tausendfältige und wundervoll richtig eingesetzte Bildung, seine Gabe der historischen Kombination und Analogie, immer überraschend und originell, machte durstig und neugierig nach mehr Bildung... sein Werk war ein unauflösliches Gewebe von Rezeptivität und Aktivität, von Geformtem und Formendem, Gestaltetem und Gestaltendem, Gebilde und Bildung, Eingefangen- und Bereichertwerden.

Wo ich seinen Namen zuerst las, weiß ich nicht – es gibt keinen Traum, der einen Anfang hat: wo immer ich seinen Namen zuerst gelesen haben mag, er muß mich sofort fasziniert haben. Ich weiß, ich las als Knabe in einem Heft der Wochenschrift «Jugend», die mein Vater hielt, das Drama «Tor und Tod»: ich war berauscht und dennoch enttäuscht. Die offenkundige Anlehnung an «Faust I» störte mich, auch war es mir zu schwelgerisch, zu morbid, zu affektiert. Die frühesten Werke, «Gestern» und «Der Tod des Tizian» bedeuteten mir nichts. Einmal sah ich in der Auslage einer Prager Buchhandlung die erste Sammlung seiner Gedichte im Inselverlag und kaufte sie sofort für alle meine Ersparnisse. Aber ich wagte kaum, das feine, broschierte Buch zu öffnen. Ich las da und dort einen Vers. Ich habe, glaube ich, überhaupt nie alle Gedichte von Hofmannsthal–und es gibt ihrer so wenige!– wirklich ganz gelesen. Entweder war das Glück zu groß, und die Träume überwältigten mich, oder eine sonderbare Ehrfurcht hielt mich ab, das Buch zu öffnen. Doch jedes andere Buch, das er etwa in einem Essay zitierte, mußte ich sofort lesen; und einer interessanten Bemerkung über eine historische Gestalt, etwa über den Prinzen Eugen von Savoyen oder über den österreichischen Orientforscher Baron von Hammer-Purgstall, mußte ich nachgehen, durch alle biographischen Quellen hindurch. Was schön, was richtig, was österreichisch und fein und zart und anmutig und tief elegant war: das wußte für mich nur Hofmannsthal. Er war nun der Lenker aller meiner Träume.

Wie ich diesen Fürsten meiner Kindheit persönlich kennenlernte, das war eine Burleske, die nur das wirkliche Schicksal zustande bringt. Wir haben uns, einer vor dem andern, so lächerlich gemacht wie nur möglich.

Er sollte am Abend in Prag bei einer «Route» lesen, und die schöne und bezaubernde Wiener Tänzerin Grete Wiesenthal sollte tanzen. Es war meine Aufgabe, Hofmannsthal am Vormittag im Hotel «Blauer Stern» abzuholen und ihm das alte Prag zu zeigen, denn er kannte Prag damals sehr wenig. Ich betrat das Foyer des ehrwürdigen Hotels, in dem einmal Bismarck nach der Schlacht bei Königgrätz den Waffenstillstand mit Österreich diktiert hatte. Da saß ein Herr in schwarzem Taillenrock und Zylinder, der eifrig die «Times» las, mit Handschuhen und Spazierstock. Es konnte nur der britische Botschafter oder der Herzog von Rohan-Soubise oder der Dichter Hofmannsthal sein. Ich nahm mein Herz in beide Hände und sprach ihn an. Es war der Dichter Hofmannsthal.

Sofort begann er, weitläufig und ein wenig konfus, im ausgepichtesten Wiener Aristokraten- und Gardeoffiziers-Argot zu sprechen. Er näselte und war ein wenig sprachbehindert, wie mir schien. Ich war erstarrt vor Ehrfurcht, Schüchternheit, Ungeschicklichkeit und Staunen. Der Gang durch die Prager Kleinseite, an den vielen alten Palästen vorbei, war eine wundervolle Komödie, die ich leider mit meinem aufgeregt klopfenden Herzen nicht genießen konnte. Bei jeder Nennung eines Adelsnamens nannte er die Mitglieder der Familie, die er kannte. Als wir an dem riesigen Palast der Fürsten Thun, einem wahren Königsschloß, vorbeikamen, erzählte er in seinem aristokratischen Wienerisch: «Ah, da war ich ja schon als Einjährig-Freiwilliger geladen» (er hatte in dem vornehmsten Kavallerieregiment der österreichischen Monarchie gedient), «der arme, alte Fürst! Er war blind! Und doch war die Gesellschaft so gemütlich!! Der Kaiser war auch dabei, ein paar Minuten...» Die Vorstellung, daß der leibhaftige Steinerne Gast, Kaiser Franz Joseph I., der alles Leben um sich erstarren ließ, wo immer er erschien, bei einer «gemütlichen Gesellschaft» anwesend war, war so völlig absurd, daß ich es heute noch nicht fassen kann, wie ich diese Geschichte ohne Lachen anhören konnte.

Die Wahrheit von diesem allen ist: er war womöglich noch schüchterner als ich. Später erzählte er auf dem Belvedere mit großem Ernst über die Bearbeitung des altenglischen Mirakelspiels von «Jedermann», die er eben beendet hatte, und mit noch größerer, tiefsinniger Feinheit über die Symbolik seines neuen Librettos für Richard Strauss, «Ariadne auf Naxos», eine Oper, die mich noch heute, dank diesen Stunden, in eine Art Verzückung versetzen kann.

Der Abend war ganz schrecklich. Für die süße Grete Wiesenthal war das Podium viel zu eng, und sie blieb dreimal stecken. Hofmannsthal las seine eigenen Gedichte wie ein k.k. österreichischer Gardeoffizier, der Gedichte von Hofmannsthal vorträgt, ohne ein Wort davon zu verstehen. Dabei hatten wir für jeden Sitz des ausverkauften Saales rund zwanzig Mark gefordert und kassiert...

Das Fürchterlichste war das Nachher. Um die Gäste für die hohen Eintrittspreise voll zu entschädigen, hatte der unerfahrene, aber geschäftstüchtige Hauptarrangeur entschieden, daß jeder, der eine Eintrittskarte hatte und das teure Diner bezahlen wollte, an dem Schlußbankett mit Hofmannsthal teilnehmen durfte, so daß über hundert Gäste in dem Riesenrestaurant erschienen. Max Brod sollte den Toast auf Hofmannsthal ausbringen. Aber nach dem Hors d'œuvre erhob sich Hofmannsthal und sagte zu Grete Wiesenthal: «Greterl, wir sind müd'. Wir gehen jetzt nach Haus.» Und beide verschwanden.

Daß sich aus dieser meiner lebenslänglichen Blamage eine Beziehung tiefer, dauernder Verehrung und Treue auf meiner, und großer Güte und immer neuer Hilfsbereitschaft auf seiner Seite entwickeln konnte, die bis zu seinem frühen Tode dauerte, das scheint mir ein wirkliches Wunder. Er kam über diesen schlechten Start hinweg – nun, das mag einem so großen Mann nicht so schwerfallen –, aber auch ich überwand Scham und Demütigung, und das war sehr schwer.

*

Es waren noch viel mehr merkwürdige Antithesen dieser Art, wenn Hofmannsthal erschien. Ich sehe seine Augen vor mir, sehr weich, fast schwimmend in Weichheit, weil der Augapfel etwas zu tief unten im Weißen lag, mit einem Ausdruck größter Empfindlichkeit, nicht gerade glücklos, aber positiv unglücklich, durchaus nicht ängstlich oder feige, aber doch geradezu positiv angstvoll; sie hatten etwas dunkel Maurisches, ich finde keinen anderen Ausdruck, mir fiel immer der Titel eines alten Buches ein: «Der Letzte der Abencerragen», ohne besonderen Zusammenhang; diese Augen kamen noch von seiner Jugend her, aus der Zeit seiner einsamen elegisch-genießenden und verschwendenden Jünglinge inmitten strotzender orientalischer Buntheit, und kahler, verödeter Ängste zwischen hohen Mauern, den Helden seiner Jugendwerke – wie ja überhaupt die Augen der einzige Stempel des Dauernden in einem Gesicht sind, die abstrakte fatalistische Formel beinahe, obgleich sie wie in anderer Beziehung natürlich wieder oft das Ausdruckvollste sind. Aber sie sind formelhaft durch die Rücksichtslosigkeit, mit der sie in einem veränderten Lebenshabitus einfach stehenbleiben. Hier schienen sie einen zu schlanken, etwas hinfälligen Knaben vorauszusetzen. Aber sein Habitus war der irgendeines hohen Diplomaten, etwa eines französischen Botschafters, etwas beleibt, aber ziemlich hoch, also sehr repräsentativ, mit einem vollkommen gesicherten breiten, ruhig plastischen Antlitz und dem heruntergebürsteten Schnurrbart des Diplomaten. Was für ein seltener Gegensatz! Unruhe war um den beweglichen Mund und im Mund; Unruhe in den Augen; völlige Gelassenheit in allem übrigen, durchaus ohne künstliche Selbstbeherrschung, völlig souverän. Diese Antithese führt weit in ihn hinein. Sie bedeutet die Ausgeglichenheit als postulierte Synthese, vom Lebensgefühl postuliert, also ganz hinten im Gemütsleben als erster Instinkt; dann aber erst wieder ganz vorne, nach der äußersten Anstrengung des Verstandes, als letztes, schwer erarbeitetes Resultat. Dazwischen Unausgeglichenheit.

Seine Schrift war ein lockeres Häkelwerk aus dünnen Fäden. Vieles griff oder zuckte fast schnörklig zurück nach hinten und verschlang sich dort. Es war aus der Ferne sehr gleichmäßig, aus der Nähe sehr nervös, durchaus angemessen dieser inneren Struktur.

Merkwürdig waren seine Entwürfe, eine Formel von höchster Bedeutung. Auf einem Blatt Papier waren drei, vier Lagen Texte übereinander geschrieben, kreuz und quer, ohne jede Rücksicht auf die etwa ausgesparten Reste weißer Fläche, und daher völlig unleserlich. Sie waren gewissermaßen perspektivisch übereinandergeschrieben. Um es noch genauer zu sagen: sie arbeiteten eine Perspektive aus, wie etwa irgendeine Bühnenmalerei mit Kulissen. Sie erstrebten das Plastische aus übereinandergelagerten dichten Schichten. Das gibt nun freilich niemals körperliche Plastik, aber eben perspektivische Plastik; oder, wenn wir an seine großen, prachtvollen historischen Prosastudien denken: pragmatische Plastik, Plastik der Situation und der hinführenden, sie zusammenführenden Handlungen, Plastik der Beziehungen, Plastik der Figuren als Handelnde und Aufeinanderbezogene. Ich weiß es, wie manchmal ein heller Blitz von oben nach unten durch alle übereinandergelagerten Schichten des Manuskriptes fuhr: ein Satz von großartigster Lebenswahrheit und Fülle. Hierin war er unerreichbar. Es war weiter Raum, Klang, Echo in diesen Sätzen; sie hatten die Akustik einer stark gegliederten, tiefen, fülligen Landschaft. Das war die Art seines Denkens: bis zum Echo zu kommen, durch welches Eines zum Andern widertönt, aus seiner bloßen vollen Existenz heraus zur anderen Existenz widertönt in der inneren perspektivischen Räumlichkeit des Lebens. Etwas Anderes erschien ihm kaum denkenswert. Aber hierdurch war er ein politischer Schriftsteller ersten Ranges, ja, der erste Staatsdichter Deutschlands seit Goethe und Schiller. Freilich nicht politisch im heute beliebten Sinn. Er ging nicht vom Worte aus und führte es in Körper, Menschen, Gesellschaft, Weltaufbau aus wie die Theologie, ein Vorgang, der ebenso denkerisch als Philosophie, wie dichterisch als Weltgefühl, aber in beiden Fällen auch politisch existiert, etwa in Paul Claudel, den er sehr verehrt hat; er ging aber auch nicht vom Körper, Menschen, von der Gesellschaft aus, um sie zum antithetischen Spiel der Begriffe fortzuführen, wie der hegelianische Marxismus, von dem er gar nichts hielt. Seine Möglichkeiten lagen durchaus im Spontanen, im Versuch, im Essay; wenn ich freilich von «Spontaneität» spreche, so darf man sich nicht das Leichteste, sondern muß sich das Mühevollste darunter denken. Es waren naturphilosophische Experimente an Geschehnissen und Situationen; doch philosophierte er als Maler, Musiker, Plastiker, also mit einem scheinbar ganz heterogenen Material, an einem scheinbar ganz heterogenen, nämlich politischen oder geistesgeschichtlichen Objekt; das Unerklärliche war, daß es doch gelang, und *wie* es gelang: es sprach hier in den Essays nicht das Wort allein wie in der Dichtung, aber auch nicht das Ding allein wie in der analytischen Untersuchung, sondern es war eben jene fanatisch durchgearbeitete Synthese als perspektivische Plastik, die, selbst aus einer inneren Perspektive stärkster Gegensätze stammend, ganz hinten als Instinkt gelegen hatte und nun wieder ganz vorne als ausgearbeitetes Resultat lag. Versteht man nun dieses dichte Netzwerk aus Schriftzeichen, das gar nicht dicht genug gesponnen werden konnte, dieses Zurückzucken oder Zurückgreifen seiner fadendünnen Buchstaben, das als das Zurückzucken des Webebaumes in der Webemaschine zu deuten ist? Diese seltsame Arbeit, die perspektivische Muster flocht? Dieses Gedränge auf dem Papier, um eine weiße Kluft auch wirklich *ganz* auszufüllen?

Es war auch darin etwas Österreichisches und etwas Historisches. Nicht nur die Habsburger, sondern auch die reale Konsistenz des ganzen Österreich – als Mittelpunkt des Weltimperiums – hatten mit der Thronbesteigung der Maria Theresia aufgehört. Sie baute Österreich neu auf, nämlich als Frau und Mutter: über und in dem ganz knochigen abstrakten Skelett einer nationalitätslosen, von Ideen sorgfältig und systematisch gereinigten, rein mechanisch funktionierenden Beamtenhierarchie, die sie schuf, und die tatsächlich bis 1918 stand, ein Staat im Staat, sollte das Fleisch des Landes zusammenhalten, einfach als Fleisch, als Leben, als Blutdurchpulstes, als Gefühl – oder, sagen wir es ganz einfach: als Anhänglichkeit der realen Kinder zur realen Mutter, ohne jede historische Garantie. Das war wirklich die Idee einer mütterlichen Natur. Nicht zufällig hat gerade Hofmannsthal das Schönste und Richtigste über sie geschrieben, was je über sie geschrieben wurde:

auch er glaubte ja an das spontane Leben als höchstes gesellschaftliches und politisches Element, so wahr, als er an seine eigene Existenz glaubte. Denn darauf lief es schließlich in Österreich hinaus, als diese Kindesliebe zur Mutter Österreich mehr und mehr verschwand: Alles der Spontaneität des Tages zu überlassen, um Österreich noch eine Weile weiterzuhalten. Verfassungs-kämpfe, Nationalitätenproblem, äußere Politik: das alles waren nur Episoden des mehr oder minder geschickten diplomatischen Alltags mit seinen All-tagseinfällen von heute auf morgen, mit seinen kurzatmigen Spontaneitäten, die eben nur, aber auch nur ein wirklich dichterisches Staatsgenie wieder zur prinzipiellen Dauer hätte zurückverwandeln können. Daß Österreich solche dichterische Staatsgenies hätte haben können, ist fast sicher: Grillparzer war wahrscheinlich eines, auch darüber hat wieder Hofmannsthal ganz unver-gleichlich geschrieben, und fast jedes Wort, das er über Grillparzer als Poli-tiker schrieb, gilt auch für ihn selbst. Doch konnte sich dieses Österreich, das zwangsläufig immer nach der möglichst kleinsten Bewegung und Kombina-tion von heute auf morgen streben mußte, um nicht alles zu erschüttern, großzügige Gestalter nicht mehr leisten; so ließ es Grillparzer wie Hofmanns-thal in verbitterter Einsamkeit dahinvegetieren.

Und das eben ist der große Fluch – über Österreich wie über diese großen Menschen. Die historische Existenz eines Gebildes, das im hegelianischen Sinn «wirklich Existierende», erweist sich am schlagendsten daran: daß es wirklich lebende Menschen von seinem Schlage zeugt. Fast jedes Land hat solche repräsentativen literarischen Existenzen als Symptome einer histori-schen Konsolidierung. Auch Österreich. Sie mögen manchmal politisch recht fragwürdig agieren, hie und da auch menschlich unerfreulich sein: sie reprä-sentieren als reines Produkt die Lebensfähigkeit eines historischen Gebildes, das sie gezeugt hat, und durch die bloße Repräsentation schon, wenn durch nichts anderes, erhöhen sie wieder diese Lebensfähigkeit, indem sie sie be-stätigen. D'Annunzio war ein solches Produkt und hat als repräsentativer Italiener und als Dichter, nicht als Politiker oder Charakter, etwas für Italien gewirkt; Barrès und Péguy waren solche Produkte, und sie haben als reprä-sentative Franzosen und Schriftsteller, nicht als Politiker, viel für Frankreich gewirkt; Grillparzer und Hofmannsthal waren von derselben Klasse – reprä-sentative Rasse-Österreicher, Produkte, Kinder, Spiegelbilder Österreichs, das durch sie seine Zeugungsfähigkeit erwies; und sie starben in der Einsam-keit, obgleich ihr politisches Talent sicher viel gesünder war als das eines Barrès oder d'Annunzio.

Hofmannsthal, dessen dichterisches Gefühl fast wie eine historische Land-karte gegliedert war, in welchem jede Provinz eine Provinz der alten Monar-chie bedeutete, dessen Liebe keine Provinz hergeben wollte, nicht einmal das längst verlorene Venedig und die Lombardei, die er durch seine feinsten und beseeltesten Dichtungen für die österreichische Literatur wiedereroberte: Hofmannsthal starb in diesem hilflosen Kleinstaat, der sich österreichische Republik nennt. Das wäre für keinen von uns, die wir auch die Schwächen dieser todgeweihten Monarchie kannten, irgend besonders schlimm –, für ihn war es sicher das Allerschlimmste. Er hatte nicht nur seinen ältesten Sohn verloren, sondern auch seine älteste Mutter.

JOSEF HOFMILLER

Hugo von Hofmannsthal

Am 6. Februar 1928, am Abend nach der Uraufführung des «Turms», warteten wir auf Hugo von Hofmannsthal in der oberen Stube einer altertümlichen Einkehr im ältesten München zwischen Peters- und Frauenkirche. Es war das Übungszimmer eines Gesangvereins, an den Wänden altmodisch gerahmte Diplome, Gruppenbilder längst Verstorbener, verdorrte Lorbeerkränze, verblaßte Schleifen, Bildnisse großer Tondichter und Chorleiter. Ein alter Flügel glänzte matt in der Ecke, in der Rinne hinter dem Deckel lag der Taktstock, in die ganze Länge von Fenster zu Fenster dehnte sich ein Tisch, bei dem einem unwillkürlich das Wort Liedertafel in den Sinn kam, Gäste waren nur so viel geladen, als bequem an der langen Tafel Platz hatten. In unserer modernen Abendkleidung fielen wir aus dem Rahmen dieses vormärzlichen Lokals, aus dessen Winkeln verschollene Chöre zu klingen schienen, aber wir hatten kaum Zeit zu dieser Empfindung, denn mit einem Male war Hofmannsthal eingetreten, schon war er mitten unter uns und gab jedem mit einem freundlichen Blick die Hand und, merkwürdig, alle Feierlichkeit, jedes Gefühl des Arrangierten war im selben Augenblick wie weggeblasen, weggezaubert, und es begann ein Abend von einem herzlichen Behagen, als wären alle guten Geister dieser Musikantenstube mit eins erwacht. Es hatte sich wie von selber so gemacht, daß wir, wie es der Zufall gab, abwechselnd die Plätze neben Hofmannsthal einnahmen, Reden wurden auch gehalten, jawohl, aber ich habe niemals zwanglosere gehört, die zwangloseste hielt er selber, es wurde angestoßen, man tauschte die Plätze, begrüßte alte Freunde, stand in Gruppen, die sich fortwährend wieder lösten, neu bildeten, es war eine mozartische Stimmung geistreicher Heiterkeit. Ehe ich mich verabschiedete – ich mußte mit dem Nachtzug wieder heim –, hatte ich mit Hofmannsthal noch ein längeres Gespräch über vielerlei Gegenstände, zuletzt faßte ich mir ein Herz: «Man hat Ihnen heut Abend viel Schönes gesagt, aber das Eigentliche habe ich doch vermißt!» «Und das wäre?» «Den Vers, mit dem Schröder seine Elegie an Sie schließt: ‚Dies: wir lieben dich, Freund, wie man Unsterbliche liebt.'» Ich glaube, wir sind alle beide rot geworden, aber heute freut es mich doch, daß ich es ihm gesagt habe...

Noch einmal habe ich ihn flüchtig gesehen, als ich vor einem Jahre zum «Jedermann» und zur Neunten nach Salzburg fuhr. Es war im überfüllten Hotel, er saß allein am Tisch und blickte ins Unbestimmte. Heute lege ich, vielleicht zu Unrecht, in seine Haltung etwas von Tennysons «Crossing the Bar» hinein. Jedenfalls getraute ich mich nicht, ihn anzusprechen. Und je-

denfalls drückt diese Einsamkeit mitten im Gewirr, in der ich ihn zuletzt erblickt habe, die eine Seite seines Wesens nicht minder sinnbildhaft aus, als
jenes «Geselligsein mit Freunden», das er selbst in einem Gedichte als die
dritte der Bedingungen des Glückes genannt hat.

KONRAD BURDACH

Der Bewahrer des Erbes

Ich traure um Hugo von Hofmannsthal, der weit vor dem Ziel seines Lebens
von uns ging; um den Menschen und um den Künstler. Denn er war wie
wenige beides in Einem und jedes doch ganz. Ich traure um ihn in Leid und
Sehnsucht. Denn er besaß als Mensch und als Künstler ein Drittes, das den
schöpferischen Naturen unserer Zeit meist mangelt: innerlichen, warmen
Anteil am Erbe des poetischen und philosophischen Idealismus – der Klassik
wie der Romantik von Weimar und Jena, lebendigste Kenntnis auch der
fruchtbaren Ergebnisse der modernen Geisteswissenschaft, Fühlung mit den
Wurzeln, mit den edelsten Trieben und Kräften der deutschen Bildung.

Persönlich trat Hofmannsthal zu mir in Beziehung während des Weltkrieges. Aus den Gedichten Walthers von der Vogelweide wollte er für den
Inselverlag eine Auslese veröffentlichen und erbat von mir Vorschläge dafür,
die ich gern gewährte. Seitdem entstand zwischen uns eine geistige Verbindung, die freilich nur in kurzen Besuchen und in gelegentlichen Briefen ihn
mir nahe brachte. Er überraschte mich dabei durch seine genaue Kenntnis
und verständnisvolle Beurteilung meiner gelehrten Forschungen über Walther von der Vogelweide, die Renaissance (Dante, Petrarca, Rienzo) und
Goethe. Er war ein bewundernswert eindringlicher Leser selbst schwerster
wissenschaftlicher Untersuchungen. Meine Akademieabhandlung «Faust
und Moses», die in Fachkreisen anfangs kaum beachtet wurde, hatte er bald
nach ihrem Erscheinen sich selbst zu verschaffen gewußt und, wie er mir
später lächelnd gestand, fünfmal gelesen. Und mitten in seinen praktischen,
leider vergeblichen Bemühungen, dem alten österreichischen Kaiserreich
durch politische Versöhnung der miteinander kämpfenden Nationalitäten
neuen Halt zu gewinnen, versenkte er sich in das Studium meines Buches
über «Rienzo und die geistige Wandlung seiner Zeit». Er, der moderne
Lyriker, der Neutöner der deutschen Sprache, lebte mit empfindlicher Seele
in den großen Zeiten der Vergangenheit. Er war ein Geschichtskenner, ja
gewissermaßen ein Geschichtsforscher, in dessen Phantasie die Eindrücke
bedeutender Epochen aus seinem Geiste befruchtet und bereichert zu neuem
künstlerischen Dasein erwachten. Darum war er aber auch ein abgesagter
Feind aller großwortigen dilettantischen Geschichtsklitterungen, die in der
Gegenwart üppig wuchern.

ROBERT FREUND

Hofmannsthals letzte Pläne

«Die Arbeit interessiert mich andauernd sehr; ich habe mir schon den ganzen Stoff in sechs Hauptabschnitte geteilt und sehr viel aus Büchern ausgezogen und notiert... Briefe erreichen mich immer über Rodaun, auch wenn ich abwesend bin.»

Dies war der Schluß eines Briefes, den mir Hugo von Hofmannsthal sandte. Ich hatte ihm nahegelegt, einen historischen Roman zu schreiben, in der Art etwa von Maurois und Lyttons Strachey. Dies interessierte ihn, und so nannte ich ihm jene Gestalt, deren Durchdringung gerade ihm meiner Meinung nach am besten gelingen mußte. Und als ich ihm die Bücher nannte, deren Studium und Bearbeitung als Grundlage für den Roman dienen müßten, war Hofmannsthal enthusiasmiert von dem Gedanken, ein derartiges Werk für meinen Verlag zu schreiben. Nach zwei Tagen schon rief er mich an. Das Thema lasse ihn nicht los, er hätte in den zwei Tagen Material für dieses Buch zu sammeln begonnen. Ob ich nicht den Nachmittag bei ihm in Rodaun verbringen möchte, um in der Stille seines Heims alles durchzusprechen. So fuhr ich denn nachmittags nach Rodaun hinaus...

Hier besprachen wir die Anlage des neuen Buches und waren über alles einig, Hofmannsthal brannte darauf, dies Buch zu schreiben, und wollte sofort an die Arbeit gehen. Zu den Büchern, die ich ihm genannt hatte, war in den zwei Tagen bereits eine lange Liste hinzugekommen, die Hofmannsthal nun auch noch zu lesen wünschte.

Den Tee nahmen wir im Garten. Und hier, im Garten, erzählte mir Hofmannsthal von seinen Kindern, die so anders geartet wären wie er. Nur aufs Praktische gingen sie aus. Für Utopien und Träumereien hätten sie kein Verständnis. Der Sohn käme eben von einer Weltreise zurück, die er selbständig unternommen hatte, ohne jede materielle Unterstützung des Vaters. Hofmannsthal freute sich dieser andern Art seines Sohnes, die er verstand und schätzte. Und er sagte immer wieder, daß trotz der großen Verschiedenheit die innigste Verbundenheit zwischen ihm und seinen Kindern bestände. Er hat es mit seinem Tod erwiesen.

Der Vertrag, den er dem Piper-Verlag erst am 12. Juli gesandt hatte, legte den großen historischen Roman fest, den er nun schreiben wollte. «Philipp II. und Don Juan d'Austria.» Wer Hofmannsthal kannte, weiß, wie sehr ihn gerade diese Zeit und diese Gestalten erfüllen mußten. Einem Meisterwerk setzte der Tod gleich zu Beginn den Schlußpunkt.

WILHELM v. SCHRAMM

Das Vermächtnis des Dichters

Als ich Hofmannsthal im Frühjahr 1929 zum letztenmal sah, lag er an den
Folgen einer hartnäckigen Grippe leidend in einem halbdunkeln Münchener
Hotelzimmer, leise hüstelnd, schon wie beschattet, aber noch immer in Gespräch und Gedanken auf Werdendes, Künftiges gerichtet. Ab und zu griff
seine Hand nach der Brust. Die Stimme schien sehr belegt, es war eine Resignation in ihm, die stärker wirkte als seine sonst oft durch eine geistige Fassung
und Heiterkeit hindurchbrechende Trauer. Mag sein, daß er sich damals
schon, nachdem er lange mit den Folgen jener Grippe zu kämpfen hatte, die
ihm die schlimmste Kälte auf einer Reise zu seinen Enkelkindern gebracht –
mag sein, daß er damals bereits mit dem Gedanken an einen Abschluß ver-
trauteren Umgang hatte. Doch verbarg er diese Dinge in sich. Allein die
Handbewegung schien merkwürdig, ja schmerzlich, mit der er die Frage
nach seinen gegenwärtigen Plänen und Arbeiten in diesem Gespräch beant-
wortete.

Aber sonst hielt er sich so wie immer, wenn er nach München kam und mich
zu einem Gespräch bestellte: immer darauf bedacht, von den Gedanken, Arbeiten, Träumen der Jugend zu hören, der seine Hoffnung galt. Meist richtete
sich das Gespräch auf ein Deutschland, das wieder im Werden ist. Man konnte
niemand begegnen, der eine so reine Liebe zu diesem Deutschland hatte wie
Hofmannsthal. Es war nicht seine Art, solche Empfindung direkt auszusprechen, aber sie lebte hinter den meisten seiner Gedanken, genau so, als ob
die Sache Deutschlands auch die persönlichste, ernsteste, dringendste Sache
seines Lebens gewesen wäre. Sie war es auch. Mit tausend feinen Wurzeln
hing er mit seiner Nation zusammen. Es schien sogar, als ob das jüdische
Blut in ihm diese Beziehung und Liebe noch stärker und feiner machte. Er
hatte, das fühlte man, die politischen Schicksale der letzten beiden Jahrzehnte
wie sein eigenes Schicksal erlebt. Sie hatten ihn um und um gewühlt und von
Grund auf verwandelt. Er war Österreicher gewesen und blieb es bis zuletzt,
er hatte die Weltweite, die Lebensfreude, die sinnlich-seelische Reizbarkeit
des heitersten deutschen Stammes in sich – ihm zerbrach eine Welt mit dem
Zusammenbruch der Österreichischen Monarchie. Dafür fand er mit den
Jahren immer klarer und zugleich geistig leidenschaftlicher das werdende
Deutschland als den Besitz seines Herzens, als seine geistige Heimat: Schmach
und Erniedrigung, die es sich selber tat, hat ihn darum wie ein persönlicher
Schlag getroffen. Äußerlich ging er nicht mit der Zeit. Die Welt um ihn wurde
härter, rücksichtsloser und kälter, der Mensch isolierte sich mehr und mehr

und zerriß alle Verbindungen, die ihn sonst in der Gemeinschaft festgehalten hatten – Hofmannsthal aber wurde immer mehr der Notwendigkeit dieser Verbindung bewußt. In seiner Nähe bekamen die menschlichen Dinge und Beziehungen ihren ursprünglichen Sinn, ihre Klarheit und Schönheit zurück. Er war der Gatte, der Vater, der Freund, der Deutsche – es gab keinen besseren; er war der letzte Dichter des Herzens, der letzte Träger der deutschen Humanität.

Was wird sein, wenn er nun tot ist? Eine verbindende Kraft ist mit ihm vernichtet worden. Wer wird uns noch lehren, das Deutsche so hoch zu halten? Wer wird uns noch an den Menschen glauben machen, wer wird den Geist noch mit dem Herzen versöhnen können wie er? Zum letztenmal, scheint es, hat sich das Edle in ihm verkörpert, der innere Glanz, die menschliche Tiefe, die Bewegtheit des Herzens und jene tief musikalische Leichtigkeit trotz der inneren Schwere, die mit geistiger Kraft alle Dinge anmutig bewegen kann. Menschliches hat er verstanden und schöner gemacht. Es hat einen erlauchten Träger verloren, der ohne äußere Zeichen der Hoheit in einem seelischen Reiche herrschte und dessen Umgang allein schon sanfter und besser machen konnte. Schön war sein Werk, reich und sich immer vertiefend, mit geistiger Fracht beladen und doch auch leicht: das letzte deutsche Lustspiel, «Der Schwierige», war ja dabei, aber noch größer war der deutsche Mensch Hugo von Hofmannsthal. Er schien selbst von den besten Kräften des österreichischen Deutschtums hervorgebracht, von seinen edelsten Zügen geformt, durch seine schönsten geistigen Kräfte gemeistert. Eine natürliche Herzlichkeit ging von ihm aus. Hellsichtige Liebe ließ ihn erkennen, eine geistige Klarheit verstehen; sein Gefühl war ein Zauberstab. Sicher litt er nicht wenig, aber sein Leiden war schöpferisch, eine umwandelnde Tat. Er wollte Deutschland wieder zu einem geistigen Reiche machen. Das ist sein Vermächtnis. Als letzter Erbe und Hüter einer großen Vergangenheit warf er den ersten Funken des klaren Feuers für dieses werdende Reich in uns.

ALEXANDER LERNET-HOLENIA

Religion, Kirche, Gemeinschaft

Von bedeutendem Interesse für uns und unsere Zeit scheint mir Hofmannsthals Verhältnis zur Religion zu sein. Wenngleich ich aber gewiß bin, daß er sehr gläubig gewesen ist, hat mir dennoch niemand von Gesprächen berichten können, die er mit dem Dichter über diesen Gegenstand geführt hätte; und es existiert von ihm auch, soviel ich weiß, keine bekennende Schrift. Er mag also, in etwa, der Meinung gewesen sein, daß nichts im strengeren Sinn Religiöses in die Dichtung herübergenommen werden solle, was freilich auch wenn schon nicht auf die Abwesenheit, so doch auf die Ablehnung aller bezüglichen Problematik schließen läßt. In den Kreisen, zu denen sich Hofmannsthal zählte, war es, zumindest damals, durchaus nicht Sitte, über Religion zu reden. Sie war etwas ganz Selbstverständliches, und die Notwendigkeit, sie mit so vielen äußeren Erscheinungen zu konfrontieren, wie es uns jetzt naheliegt, war noch nicht, oder zum mindesten nicht in solchem Maße, gegeben. Wahrscheinlich hat von Hofmannsthals Zeiten bis zu den unseren der im Chandos-Brief beschriebene Zerfall der Begriffe weit größere Fortschritte gemacht als von Adams Zeiten bis zu denen Hofmannsthals. Dennoch muß schon er selbst von der wachsenden Problematik unseres Daseins eine erdrückende Menge geahnt haben...

Kurz: ob der Dichter aus Stilgefühl oder aus andern Gründen über die Religion geschwiegen hat, läßt sich wohl nicht mehr entscheiden. Es ist aber möglich, daß er, weil die Gesellschaft, der er angehörte oder wenigstens anzugehören wünschte, religiös war, das Thema nicht zur Sprache gebracht hat. Denn Diskussionen, die auch nur von einiger Bedeutung sind, führen im Rahmen der Gesellschaft, welche ernste Dinge zu erörtern gar nicht fähig ist, nur zu Mißverständnissen. Obwohl bei Hofmannsthal also das Bekenntnis zur Kirche so stark war wie bei kaum jemand anders, so fehlt das dichterisch-religiöse Bekenntnis bei ihm so gut wie ganz. Sind wir aber nicht darauf angewiesen, daß jeder die Religion auch auf dem Gebiete seines Berufs, oder gar seiner Berufung, bekenne?

Doch ist es möglich, daß Hofmannsthal dennoch bestrebt war, irgendwelchen Ersatz für dieses sein fehlendes Bekenntnis zu schaffen. So etwa haben wir im Kinderkönig, am Schluße des «Turms», gewiß eine Art von Heiland zu sehen, ja im Grunde ist die Begegnung des jugendlichen Polenkönigs Sigismund mit dem übernationalen Kinderkönig eine Begegnung zweier Heilande. Denn sind die letzten Worte Sigismunds nicht wahre Erlöserworte? «Gebet Zeugnis: ich war da. Wenngleich mich niemand gekannt hat.»

LUDWIG CURTIUS

Zu Besuch in Heidelberg

Im Frühjahr 1928 kam Hugo von Hofmannsthal zum Besuch seiner mit dem
Indologen Heinrich Zimmer verheirateten Tochter Christiane nach Heidelberg, und ich begegnete ihm öfters in unserem Freundeskreise. Keiner ahnte
damals seinen baldigen Tod. Aber als mich später die erschütternde Nachricht
traf, wurde mir erst der merkwürdige Eindruck, den mir seine Persönlichkeit
machte, verständlich. Es war nämlich, als sei um den zwar leise gealterten,
aber noch immer blühenden, sinnlich kräftigen Mann eine eigentümliche
Sphäre der Stille gebreitet, inmitten derer er sich befand und aus der er wie
aus einer Ferne mitten unter uns sprach. Wir alle um ihn, die wir bemüht
waren, ihn zu unterhalten, ihn aufzuheitern, ihn mit unseren tätigen Absichten zu verbinden, kamen mir zu laut, zu turbulent vor. Mir schien, als be-
dürften wir einer anderen Sprache als unserer gewöhnlichen, um ihn zum
Sprechen zu bringen, als sei unsere Ausdrucksweise der seinigen nicht adä-
quat, ja als müßten wir vielleicht erst von ihm lernen, wie man spricht. Er
selbst war zwar durchaus gesprächig und mitteilsam, aber er sprach mit einer
eigentümlich vorsichtigen Bedächtigkeit, die so sehr von Milde erfüllt war,
daß er, seine Worte sorgsam wählend, jedem scharfen Ausdruck auswich.
Mir fiel auf, daß, so viele Menschen und Ideen auch berührt wurden, er jedes
verurteilende Wort vermied, um ja gerecht zu bleiben und alles Menschliche
gelten zu lassen. Aber zugleich schien es mir, als kämen wir selber, aber auch
die besprochenen Menschen und Dinge als solche ihm nur mehr halb nahe,
als lebte er innerlich nur mehr mit den Symbolen des Lebens, nicht mehr mit
diesem selbst, und als nähme er überhaupt am Leben nur mehr teil, um seinen
symbolischen Gehalt zu erfahren und zu fördern. Zu der Bescheidenheit
seines Wesens gehörte es auch, daß er von seinem dichterischen Werk nicht
als von einer Erfüllung, sondern als von einer Forderung sprach, die er immer
noch nicht ganz eingelöst habe. Und in seinem Wesen, das von Güte über-
floß, lag eine durch nichts zu erhellende Trauer.

Das Wien vor dem Weltkriege war ja in ganz anderem Sinne Europa als
etwa Berlin, Paris oder London, deren europäische Rolle immer zugleich
eine politisch nationale war, in der sich also nationalistischer Geist entweder
naiv mit dem europäischen identifizierte wie bei den Franzosen oder mit ihm
in Streit lag wie bei den Engländern des Empire und wie bei den Alldeutschen. Das alte Österreich aber hatte nur Vergangenheit, keine Zukunft.
Diese Vergangenheit war aber europäischer als die irgendeines anderen Staates. Hofmannsthal war der reinste und größte Ausdruck dieses Europäertums.

Durch Geburt und Kultur hing er inniger mit Italien zusammen als selbst Jacob Burckhardt, als gelehrter Romanist, als der er begonnen hatte, als Dichter und als tief im 18. Jahrhundert wurzelnder Mensch war ihm Frankreich nicht weniger vertraut als Italien, und weil in Wien englische Kultur durch Affinität der Hocharistokratie mit der angelsächsischen einen ganz anderen lebendigen Einschlag im Leben bedeutete als in Berlin, wo Bismarck und Hof sich den Versuchen englischer Reform durch die Kronprinzessin Friedrich so leidenschaftlich widersetzt hatten, war auch Hofmannsthals Offenheit für den großen Geist der englischen Literatur etwas viel Ursprünglicheres als deutsche anglomane Strömungen mit ihrem Beisatz von Snobismus oder politisch-freiheitlicher Opposition.

Nun war nicht nur das alte Österreich zerschlagen, Wien nur mehr ein Schatten seines früheren Selbst, sondern das alte Europa, das trotz seiner Spannungen eine jahrhundertealte erlebbare Einheit war, zerstört. Vielleicht sah Hofmannsthal viel tiefer als wir übrigen, die wir von dem Willen des Wiederaufbaus so erfüllt waren, daß wir die Ohren dem Jammer um die verlorene Schöne verschlossen. Vielleicht hing seine Seele nur mehr am «Heiligen», und als ich nachher erfuhr, daß er in seinem Testament verfügt hatte, in der Tracht des Dritten Ordens des heiligen Franziskus begraben zu werden, wurde mir klar, daß er als frommer Franziskaner schon damals unter uns geweilt hatte.

MAX MELL

Letztes Gespräch in Rodaun 1929

Wir waren für den Festtag Peter und Paul zum Mittagessen nach Rodaun geladen: eine junge Schulfreundin Christianes, ein Liebling des Hauses, und ich.
Der Wagen Hofmannsthals war uns nach Hietzing, wo wir von verschiedenen Seiten ankamen, entgegengeschickt, und alles ließ sich festlich an: der
heitere Junitag, die Fahrt den sanften Bergen entgegen, und meiner Begleite-
rin duftiges lichtes Sommerkleid, das von all den Blütenmengen in den vor-
überhuschenden, nie abreißenden Gartenzeilen der Vororte gleichsam einen
Anteil in den Wagen zu ziehen schien.

Und nicht zuletzt fröhlich auch die Mienen Frau Gertys und Raimunds, die
uns an der Treppe des Hauses entgegenkamen. Raimund war unlängst aus
Amerika zurückgekommen, er sah gereift, aber blühend aus und etwas von
der festlichen Unruhe einer solchen Ankunft war noch unverkennbar im
Hause.

Frau Gerty sagte mir, ihr Mann erwarte mich in den Räumen des oberen
Stockwerks. Ich hatte ihn erst unlängst gesehen, die Begegnung war mir
noch nahe. Aber was war es? Als er mir in der Türe zu seinem Arbeitszimmer
entgegenkam und seine braunen Augen, in denen Vertrauen und Vertraut-
sein stand, mit Herzlichkeit auf mich heftete, war ich ergriffen. Was war es?
Eines Anlasses zu dieser Regung, den ich hätte gleich aussprechen können,
war ich mir nicht bewußt. Was den Verstand oder die Sinne angeht, ist nenn-
bar. Das Gefühl ist einfach da, und was dazu ursprünglich hingewirkt hat,
weiß man nicht.

In seinem Zimmer, auf dem Marmortisch, stand ein großes grünes chine-
sisches Räuchergefäß mit schwarzem Holzfuß. Raimund hatte es dem Vater
mitgebracht, er hatte die Heimreise diesmal über den Fernen Osten gewählt,
kam also von einer Fahrt um die Erde in die Heimat zurück. Was er von dieser
Fahrt erzählt hatte, war dem Vater ein großer Eindruck; aber mit besonderem
Vergnügen gab er sogleich eine Äußerung des Sohnes wieder: sowie er auf
der Fahrt über die österreichische Grenze gekommen, habe ihn, schon mit
den ersten belanglosen Worten der neuen Schaffner und neuen Mitreisenden,
eine Empfindung eingenommen: in diesem Lande seien gute Menschen. Er
sagte, er könne sich über nichts Nachteiliges auf der Fahrt beklagen; nur dieses Gefühl habe sich nirgends eingestellt als hier. Das brachte den Vater zu
heiterer Lebhaftigkeit, und sie hielt über die Mahlzeit an. Es stellte sich heraus, daß wir unlängst, ohne voneinander zu wissen, dieselbe Vorstellung des
«Don Carlos» im Deutschen Volkstheater besucht hatten, in der Bassermann

den König Philipp spielte. «Das ist ein schönes Stück!» sagte Hofmannsthal voll Liebe, und sein Bekenntnis zu diesem Werk hörte ich nicht zum erstenmal.

An die Mahlzeit schloß sich, wieder im oberen Zimmer, die heitere kleine Zeitspanne, in der man den Kaffee nahm. Die junge, temperamentvolle Freundin des Hauses, nach Menschen ihres Kreises befragt, entfaltete in ihren Antworten ebenso Witz als Charme, und das Wohlgefallen, das sie fand, konnte ihr nicht verborgen bleiben und mochte sie befeuern. Aber die Damen hatten uns kaum allein gelassen, als das Erhellende des geselligen Augenblicks auch schon von dem Dichter wich. Es war, als wolle er etwas sammeln, doch ohne Freude, was eben noch zerstreut gewesen. Er tat blicklos einige hastige Schritte im Zimmer hin und her. Nach kurzem Schweigen fragte er nach meinen künftigen Arbeiten. «Es ist jetzt alles so schwer!» rief er, stehenbleibend, aus. Und er gestand den tiefen Unmut, mit dem ihn der Anblick der Zeit und der Welt erfüllte und der ihn von der Zukunft nichts Gutes erwarten ließ. Ich wußte, daß dies weit zurückreichte; zuletzt, im beginnenden Frühjahr, war er herabgestimmt von einer Reise zurückgekommen, obwohl er ihm sehr teure Freunde besucht und bei Christiane in Heidelberg seinen ersten Enkel gesehen hatte. Jetzt eben hatte ihm die Ankunft seines Sohnes Raimund große Freude gemacht, er hatte seine Erzählungen mit Begierde aufgenommen. Er empfand darin das bestürzend Anziehende dessen, was sich ihm da wie mit einem heftigen Windstoß auftat, die Vorstellung der riesigen Räume und der menschlichen Lebensverhältnisse darin, ihr unlösliches Miteinander und was sich als Zukunft schon abzeichnete. Es war etwas Seltsames vorgefallen: der Sohn war als Bringer von Weltstoff zum Vater hereingetreten, und indem dieser sich bemühte, das Beklemmende des Wirklichen, eines unentrinnbar Wirklichen, in seiner Phantasie und seinem Geiste zu bewältigen, mühte er sich auch um die Frage, wie denn Raimund die Bilder, die in seine Seele gefallen sein mußten, aufgenommen habe und wie er damit fertig wurde. Er verglich das, was er als junger Mensch aufgenommen und was ihn gebildet, was er als dichterischen Stoff sehen gelernt hatte, mit dem, was Raimund mit dreiundzwanzig Jahren gesehen. «Der Unterschied zwischen seiner und meiner Jugend kann nicht groß genug gedacht werden.» Es war eine veränderte Welt. Seit dem Untergang des alten Staates, seit den Umwälzungen in Rußland waren aus seiner Phantasie die Bilder des Umsturzes nicht gewichen. Er hatte solche aus den beiden großen Fabeln Calderóns, die ihn seit früher Zeit beschäftigten, entwickelt und die Lösung ihrer künstlerischen Fragen und ihre erhöhte Deutung zu finden gemeint. Aber nun mußte ihm scheinen, daß damit noch nicht alles getan war, er sah der gewaltsamen Bewegungen noch kein Ende und es bangte ihm davor, wie er darin geistig existieren sollte. Seine Vorstellungsgabe liebte den Aufenthalt in poetischen Reichen. Was ihm jedoch aus der Zeit zufloß, war alles in Auflösung begriffen. Er fürchtete einen neuen Krieg. Er fürchtete, von Osten her drohe dem Abendland großes Unheil. Raimunds Bericht von der unheimlichen Masse der armen Chinesen, die sich in den Hafenstädten zusammenpreßte; dann die Menschenopfer der europäischen Völker im Kriege und das eine Beispiel, daß das Schicksal einer ihm befreundeten Dame durch den Verlust der wertvollsten ihr nahestehenden Menschen im tieferen Sinn unentfaltet geblieben; dagegen der Gedanke daran, daß die Sowjetunion jetzt Tausende von eltern- und namenlosen Kindern, die sich in dem riesigen Reich herumtrieben, sammle, um sie anzusiedeln: dies sah er und dazu die fragwürdigen und zwielichtigen Gestalten, wie die des «Manns im Dunkeln» des ersten Weltkriegs, Zaharoff, und die der russischen Abenteurerin, die sich für eine Zarentochter ausgab, und er gedachte des Gesprächs, das er auf seiner afrikanischen Reise vor einigen Jahren mit einem Scheich geführt und von dem ihm auch ein Gefühl der Unruhe geblieben war. Im Anblick des schwer Entwirrbaren in der Gegenwart war ihm der Begriff der Geschichte in einer neuen Art denkwürdig geworden. Da war ihm eben jetzt ein literarischer Vorschlag gelegen gekommen, der ihn in ein Phantasiereich führen würde, wie es ihm vertraut war. Der Leiter eines angesehenen Münchener Verlages hatte ihn unlängst besucht und hatte ihm die Frage vorgelegt, ob er nicht ein Lebensbild König Philipps des Zweiten von Spanien entwerfen wolle. Hofmannsthal hatte das Günstige eines solchen Auftrags eingesehen und schnell dazu gefunden: er hatte im Hinblick darauf die Darstellung des Königs durch einen großen Künstler wie Bassermann zu sehen gewünscht und vermochte schon zu entwickeln, wie er sich die Ausführung dachte. Das Buch sollte nicht eine wissenschaftliche Darstellung, sondern dichterisch sein und nahe an eine historische Novelle herankommen. Die Erzählung würde damit einsetzen, wie Kaiser Karl der Fünfte von St. Just aus einen Knaben aufsucht, der in der Nähe des Klosters aufwächst. Es ist Don Juan d'Austria, sein natürlicher Sohn, den ihm die Regensburgerin Barbara Blomberg geschenkt hatte. Ich wußte einiges über sie aus einer Schrift, die mir in die Hand gekommen und die sich Hofmannsthal erbat. Eine Gestalt der ferneren Erzählung sollte ein Minister sein, der durch Europa reiste und an allen Höfen Stimmung gegen König Philipp zu machen bestrebt war. Hofmannsthal erzählte lebhaft, viel von dem Darzustellenden war ihm bereits deutlich, und die Aussicht auf die zu unternehmende Arbeit belebte ihn. Er dachte, sich ihr im kommenden Herbst widmen zu können; das Gespräch wendete sich den nächsten Dingen des Sommers und einigen künstlerischen Ereignissen der jüngsten Zeit zu. Es hing im Zimmer ein meisterliches Gemälde von unbekannter Hand, das einen Mohren mit agraffengeschmücktem Turban darstellte und in der Weichheit der Schatten und der stillen Feurigkeit der Lichtstellen auf eine gewisse Nachfolge Rembrandts zu deuten schien. Hofmannsthal hatte nun gefunden, daß es ein frühes Werk von Reynolds sein könne, und mir leuchtete diese Zuweisung sogleich ein. Die schöne Anwesenheit des Bildes in dem schönen Raum mit den festen Mauern klang in das Gesprochene hinein. Zahlreicher Freunde des Hauses und ihrer augenblicklichen Lage wurde gedacht; sein Teilnehmen schien überall hervor. Doch war es nicht zu wenden, daß die Unrast, die sich ihm aus dem Anblick der Welt mitgeteilt hatte, immer durch das Gespräch geisterte.

Für den Tee war im Hof unter den Kastanien gedeckt. Hofmannsthals wollten für den Abend noch nach Wien, der Weg dahin sollte durch den Wiener Wald und also nahe an meinem Wohnhaus vorbei genommen werden. Wir traten in das Stiegenhaus; es lag in vollkommener Stille, von Sonne überschwemmt, geheimnisvoll und verschwiegen wie eine Stelle im Wald. Dadurch waren die edlen Formen, in die ein eigentlich kleiner Raum gefaßt war, eine Anrede, die ein glückliches Verbleiben von Schönheit auf der Welt wortlos versprach. Mir schien, ich hätte es nie so schön gesehen. Ich sagte es dem Freunde, und es schien ihn zu freuen. Hier war er mir vor mehr als zwei Jahrzehnten zum erstenmale entgegengetreten.

Er öffnete im Hausflur die Türe zum Zimmer Raimunds. Frau Gerty kam vom Garten her dazu und zeigte, wie es für die Anwesenheit der beiden Söhne neu instandgesetzt war und mit welchem hübschen Stoff die Lehnstühle überzogen waren. Ein Reisekoffer Raimunds stand geöffnet da und wies zahlreiche englische Bücher in schönen Einbänden. Der Vater nahm eines heraus, es war ein Sammelbuch englischer Gedichte, ein Geschenk der Lady Diana Cooper. Ein nächstes war Macaulays Geschichte von England. «Liest er das wirklich?» fragte er zweifelnd. Aber er freute sich doch daran.

Wir traten in den Hof hinaus, wo der Teetisch gedeckt war. Der friedliche Ort auf dem knappen Plan vor dem steilansteigenden Garten wirkte wieder einmal mit seinem ganzen Zauber. Er war selbst wie ein Wohnraum. Die Flügel des Hauses schränkten ihn ab, das durchsonnte Laub war ein Dach; der Garten selbst war eine Wand, eine lichte Wand aus Wiese: oft war ich zu der Zeit hier gewesen, da Blumen in Fülle die nach oben führenden Weglein umgaben, hatte wiederholt einen reichen Strauß Akelei oder Tulpen mitbekommen. Christianes Freundin hatte sich bereits verabschiedet. Frau Gerty gedachte der Meinen und sie knüpfte an den Besuch an, den sie und ihr Mann vor kurzem unserem Hause an dem westlichen Ende Wiens, in Hacking, gemacht hatten. Sie hatten beide mit meiner damals siebzigjährigen Mutter und mit meinen Geschwistern den Tee genommen und sich danach bei der günstigen Witterung auch im Garten umgesehen. Damals war ein Winkel unseres Gartens als Hühnerhof abgeteilt und es gab ein Trüppchen erst vor wenigen Stunden ausgekrochener Küchlein. Meine Schwester holte eines der kleinen, reinlich gelben Wesen, die sich noch kaum auf den Beinchen hielten, und setzte es dem Dichter in die Hand. Indes ein Ausdruck größten Ergötzens in seine Mienen stieg, deckte er zart die andere Hand darüber und rief in einer Art von Fassungslosigkeit aus: «Ich habe nie so etwas in der Hand gehabt!» – In welchen Augenblicken mag uns ein bedeutender Mann liebenswerter, ja ehrwürdiger erscheinen, als wenn wir sehen, wie ihn das Lebendige entzückt. Wir gestanden uns, als das Ehepaar – Frau Gerty mit einem großen Strauß Feuerlilien in der Hand – den Wagen bestiegen hatte, unsere Rührung über das kleine Vorkommnis ein. Nun, in der Erinnerung an manches, was Hofmannsthal mit meiner Mutter und meinem Bruder besprochen hatte, fragte er Einzelnem nach. Es war mir denkwürdig, als mir Frau Gerty nachmals erzählte, daß ihr Mann noch am Morgen des Tages, der ihn von uns reißen sollte, von dieser Unterhaltung über unser Haus gesprochen hat.

Wir traten die Fahrt an, der Himmel hatte sich etwas bedeckt, man mußte sich vorsehen für den Fall, daß es kühl wurde. Während der Wagen in das Waldtal einbog, wechselten wir noch einige Worte über jüngste Wiener Vorgänge. Bei einer Feier zu Ehren Theodor Herzls war eine Rede gehalten worden, deren Grundzug, so wie ihn die Presse ersichtlich machte, Hofmannsthal fremd war. Er kam dann noch einmal auf den Besuch aus München zu sprechen. Jener Verleger hatte den Wunsch geäußert, ein Buch über Österreich zu bringen, und war auch mit diesem Vorschlag gekommen, ohne daß die Aufgabe Hofmannsthal anzog. «Wer könnte ein solches Buch schreiben? Wildgans?» Und setzte dann mißvergnügt hinzu: «Es ist ja unnötig, daß eines geschrieben wird.» Danach versiegte das Gespräch. Es war wohl gegeben, die Fahrt ohne Ablenkung zu genießen; aber bald gewahrte ich, daß sich seine Miene verschloß, und ich hatte aus seiner Unbeweglichkeit den Eindruck, daß er nicht viel sah, sondern wieder ganz in die drückenden Gedanken sank, die nun einmal Macht über ihn gewonnen hatten. Frau Gerty mochte dasselbe fühlen.

Wir kamen ins Wiental und es ging stadtwärts. An der alten Denksäule in Hütteldorf hielten wir, ich dankte, reichte den Mantel, der mir geliehen war, in den Wagen zurück und lud noch zu den wenigen Schritten in unser Haus ein. Aber sie wollten noch in die Innere Stadt. Damals habe ich Hofmannsthal zum letztenmal im Leben gesehen.

HARRY GRAF KESSLER

Hofmannsthals Tod und Begräbnis

Berlin, 15, Juli 1929. Montag
In der «BZ» heute mittag Nachricht, daß sich Hofmannsthals ältester Sohn
Franz erschossen hat. An Hugo um halb drei telegraphiert. Abends Stroheims
Film aus dem Vorkriegs-Wien «Der Hochzeitsmarsch» gesehen. Eine geniale
Schöpfung, mit der Bosheit eines George Grosz die Hohlheit des Glanzes
Alt-Wiens und des Wiener süßen Kitsches (nebenbei auch des Hollywooder)
aufgezeigt: alles dessen, was Hofmannsthal immer geblendet und gefangen-
gehalten hat. Das gerade Gegenstück zu Hofmannsthal.

Berlin, 16. Juli 1929. Dienstag
Hofmannsthal gestorben, beim Begräbnis seines Sohnes, aus Aufregung
über seinen Selbstmord. Ich bin wie mit dem Hammer vor den Kopf geschlagen. Tragische Generation, tragischer Freundeskreis! Rathenau, Paul
Cassirer, Hofmannsthal; auch Bodenhausens Tod war in seinen letzten Ursachen tragisch. Vielleicht hat jeder Mensch eine bestimmte Summe Leides
zu absolvieren; wenn er es sich in kleinen Portionen täglich aufs Brot streicht
durch allerlei Hemmungen, Verzichte, Opfer, dann lebt er das bourgeoise
Leben; wenn er das aber nicht will, dann kommt es mit einem Male über ihn,
und dann lebt er das unbourgeoise, «romantische», «gefährliche» tragische
Leben...

Wien, 18. Juli 1929. Donnerstag
Früh hier an. Beisetzung des armen Hugo. Trauerfeier um drei in der Pfarr-
kirche in Rodaun. Sarg, Altar und Altarbrüstung verschwanden unter einem
Meer von Rosen. Alle Rosengärten Wiens müssen geplündert worden sein,
um eine solche Pracht herzugeben. Die kleine Kirche war brechend voll; ich
saß neben der Tervin und hinter dem Sohn Richard Strauss'. Strauss selbst und
Max Reinhardt fehlten auffallenderweise. Die Feier selbst war nicht sehr
stimmungsvoll trotz eines schönen Violinsolos.

Um die Kirche hatte sich eine große Menschenmenge angesammelt, Neugierige aus Wien, die Frauen in hellen Sommerkleidern, auch Amerikanerin-
nen, und viele Bauern und Kleinbürger aus der Umgebung. Es müssen einige
tausend Menschen gewesen sein, die sich auch dem Trauerzug anschlossen
und dem Sarg nach dem Friedhof das Geleit gaben, was bei dem Gedränge
und der furchtbaren Hitze allmählich die Stimmung ganz auflöste. Ich ging
mit Rudi Schröder, der trotz seiner Erschütterung ebenfalls unter den Be-
gleitumständen litt. Am Friedhofseingang entstand dann eine wahrhaft skan-
dalöse Szene. In einem wilden Gedränge versuchten Trauergäste und Neu-

gierige die Schutzleute zu überrennen und in den Friedhof einzudringen; es gab eine regelrechte Schlägerei. Schröder und ich wurden schließlich hineingelassen. Aber von irgendwelcher Trauerstimmung war keine Rede mehr, es war eine Art von Kirmes bei erdrückender Hitze. Einen Augenblick konnte ich in die Gruft blicken, als ich die Erde auf den Sarg streute. Es fiel mir auf, wie schmal und fein der Sarg aussah, unter dem der Sarg des erschossenen Sohnes hervorblickte. Dann war alles vorüber.

Ein Stück meines Lebens ist mit Hugo von Hofmannsthal dahingegangen. Noch vorige Woche hatte er an Goertz in einem Brief unser fortbestehendes Verhältnis umrissen. Gesehen habe ich Hugo das letzte Mal bei dem stimmungslosen, unerfreulichen Frühstück im Juni vor einem Jahr...

Wien, 19. Juli. 1929. Freitag Vormittags mich nach Schönbrunn fahren lassen und dort im Park Hofmannsthals «Der Tor und der Tod» gelesen. Nach dem Frühstück hinaus nach Rodaun, wo ich Gerty Hofmannsthal, Christiane, Raimund, Schröder und die Gräfin Ottonie fand. Die Familie wunderbar gefaßt, fast heiter. Gerty Hofmannsthal meint, und das ist für sie ein Trost, daß der Tod des Sohnes nicht am Tode des Vaters schuld sei; Hugo sei schon seit drei Jahren von den Ärzten aufgegeben gewesen wegen schwerer Arterienverkalkung. Hugo sei nach dem Tode des Franz ganz gefaßt gewesen, habe sein gewohntes Leben weitergeführt, viele Briefe geschrieben, viel mit ihr und Raimund über den Tod gesprochen, lange, wunderbare Gespräche, allerdings auch viel und bitterlich geweint.

Am Montag sei er zur gewohnten Zeit aufgestanden, zu den Mahlzeiten wie gewöhnlich erschienen. Als sie um drei Uhr zur Beisetzung gehen wollten und er eben den Hut aufgesetzt habe, habe er plötzlich gesagt, ihm sei schwindlig, und sich auf einen Stuhl gesetzt. Sie habe ihm den Hut abgenommen und ihn in sein Arbeitszimmer geführt. Unterwegs habe er noch einen Handschuh, den er fallen gelassen hatte, selbst aufgehoben. Im Arbeitszimmer habe er sich wieder auf einen Stuhl gesetzt. Sie habe ihn gefragt, ob sie ihm nicht seinen Kragen aufmachen solle. Er habe nur undeutlich geantwortet. Ihr sei zu ihrem Entsetzen aufgefallen, daß sein Gesicht ganz schief war. Als sie ihn deshalb etwas scharf ansah, fragte er sie: «Warum siehst du mich so an?», sei aber nicht zum Spiegel gegangen, wie er es sonst getan hätte, um selber zu sehen, ob etwas nicht in Ordnung sei. Seine Sprache sei schon auffallend schwer gewesen. Sie habe ihn auf eine Chaiselongue gebettet, und er habe dann allmählich die Besinnung verloren.

Währenddem ging die Feier für den Sohn in der Kirche weiter. Raimund sagt, als er zur Beisetzung eilte, sei er schon überzeugt gewesen, daß er seinen Vater nicht mehr lebend antreffen werde. Sowohl er als seine Mutter bezeichnen es als ein Glück, daß er nicht zu einem langen, hoffnungslosen Siechtum wiedererwacht sei. Die Gerty bedauert nur, daß er nicht mehr den Brief von Richard Strauss erhalten hat, in dem er ihm den Empfang des umgearbeiteten ersten Aktes der «Arabella» und seine Freude über die gelungene Umarbeitung aussprach.

Mit Hofmannsthal ist ein ganzes Stück deutscher Kultur ins Grab gesunken. Er war der letzte große Barockdichter, von dem Barockstamm, dessen glänzendste Blüten Shakespeare und Cervantes gewesen sind. Barock: echtes Gefühl an ein bewußt unechtes Objekt gewendet. Das Objekt ist unecht, das Gefühl echt. Zu beachten in diesem Zusammenhang auch das Zeremonielle in Hofmannsthals Schrifttum, wie er an einen Stoff herangeht; er offiziert sozusagen wie der Priester mit der Hostie, legt diesem Zeremoniell eine gewissermaßen magische Bedeutung bei, dieses namentlich in seinen Prosaschriften. Das direkte Zupacken ist ihm widerlich, unmöglich, kommt ihm respektlos und unwirksam vor. Hofmannsthal sucht Objekte, an die er sein Gefühl hängen kann («Tor und Tod»), findet sie nicht in der Wirklichkeit. Daher schafft er sich künstliche Objekte, sucht in der Kunst, in der Literatur nach ihnen. Das ist echt Barock.

THOMAS MANN

In memoriam

Ihr Telegramm geht mich um einige Zeilen an über Ihren und unseren edlen
Toten, um einen Beitrag zur publizistischen Trauerfeier, einen Nekrolog.
Ich werde Ihnen schlecht dienen können. Mein Herz ist zu tränenvoll, als daß
jetzt Worte daraus hervorgehen könnten, und die Gedanken zu vertieft und
hingelöst in ein unendliches Gefühl des Lebens, des Todes, des Schicksals
und der Freundschaft, als daß ich mich ihrer bemeistern könnte und möchte.
Viele Federn regen sich jetzt zu seinen Ehren, und seit gestern, seit ich glauben
und als Wirklichkeit zu verstehen gelernt habe, was die Natur, der Lebens-
trieb selbst während verstörter Minuten anzunehmen sich sträubte, mag ich
nichts lesen, als was von ihm handelt, von diesem Bruder in der Zeit, der nun
aus der Zeit gegangen, von seinen letzten Tagen und Stunden, und was sein
Sohn über die Tat des anderen und über den Vater mitzuteilen weiß.

Ich habe im Blatt die naiv-einsichtigen Worte des jungen Raimund unter-
strichen und lese sie immer wieder: «Mein Vater stammte aus einer anderen
Zeit. Der Krieg hat die Begriffe geändert, und er hat sich nur schwer hinein-
gefunden. Er arbeitete auch vielleicht anders, als es die heutige Zeit verlangt.
Er sprach mir über ein Stück für Reinhardt, etwas Revueartiges. Und er wollte
wieder jede Figur voll in sich erstehen lassen, ehe er an die Arbeit ging. Ich
versuchte, ihn zur Auffassung zu bringen, diese Sache als Alltagsarbeit leichter zu nehmen, rascher zu schaffen. Das wollte er nicht verstehen. Er nahm
alles ungeheuer ernst...» Junge Menschheit, neue Welt. Da ist sie und sieht
uns ähnlich, weil wir sie in die Welt gesetzt haben, spricht freundlich von uns
und sieht ein, daß wir einer anderen Zeit angehören. Es ist lieb von ihr, daß
sie uns zur Keßheit überreden möchte, aber wir sind ungelehrig – auch in
meiner Scheu und Unfähigkeit zeigt sich das, diesem Toten «rasch» ein
Nachwort zu schreiben.

*

«Der Krieg hat die Begriffe verändert, und er hat sich nur schwer hineinge-
funden.» – Als er das letzte Mal hier bei mir war, vor wenigen Wochen, hatte
er, zurück von einer Autotour nach Italien, von der er erfüllt war, einige
Tage mit Grippe im Hotel gelegen, und man sah es ihm an. Er schien gealtert,
grau geworden, seine Gesichtsfarbe war nicht die beste. Aber sein Wesen war
von einer Wärme, Liebenswürdigkeit und Anmut, daß keine Besorgnis seines
Äußern wegen aufkommen mochte und ich mich glücklich an meine erste
Begegnung mit ihm erinnert fand: vor mehr als zwanzig Jahren, als ich ihn
zuerst in Rodaun besuchte und in dem schönen, fast bühnenbildhaften Ba-

285

rocksalon seines Heims, der den Blick auf den Gartenplatz gewährt, wo er «Elektra» geschrieben, zuerst den Reiz seines Gespräches erfuhr. Ohnedies hingenommen von der Atmosphäre Wiens, dem Älteren, Milderen, Holderen, was den Norddeutschen, im bäuerlichen München Angesiedelten daraus ansprach, war ich bezaubert von der Konzentration dieser Kultur in der Person ihres Dichters. Ich verbrachte den Tag mit ihm, ich ging neben ihm durch seine Landschaft, er las mir in seinem Arbeitszimmer, wo ich eine geistvolle Plastik von Minne bewunderte, aus Lustspielentwürfen vor. Das erste Mal. Die Meinen bestätigen mir mein Entzücken von damals. Briefe und fast alljährlich wiederkehrende Begegnungen in München, Salzburg, Wien haben seitdem geistig-menschliche Beziehungen unterhalten, die nun ins Ewige gelöst sind. Habe ich sie nach ihrem Wert zu schätzen gewußt? Wie der Mensch das Leben schätzt, solang es im Fleische ist, noch unerlöst. Traurig-merkwürdig genug, wie die Materie uns die Aussicht aufs Ewige verstellt. Unsere Einbildungskraft reicht nicht aus oder sie gibt sich nicht dazu her, uns das Irdische im Licht des Todes erblicken zu lassen, da doch nur dieses Licht uns seinen Wert erkennbar machen würde. Ich habe nicht gewußt, wie Hofmannsthals Hingang mich schmerzen werde, noch habe ich ganz verstanden, was uns zusammenführte und durch die Jahrzehnte zusammenhielt. Das Wort «Freundschaft» bedürfte heute seiner Genehmigung. Aber trotz aller Unterschiede der Geburt, der Überlieferung und Lebensstimmung nenne ich, sehend gemacht durch den Tod, die Wahrheit bei Namen, wenn ich von Brüderlichkeit, von Schicksalsverwandtschaft spreche. Wären wir beide weniger «schwierig» gewesen!

*

Nun also, neulich, das letzte Mal – und das Leben verhinderte jede Ahnung, daß es das letzte Mal sein möchte, es verstellte die Wahrheit, hielt das Gefühl und seinen Ausdruck hintan – saßen wir mit den Frauen und plauderten. Wir sprachen von Deutschland, seinen Meistern, von dem Verhältnis unseres Volkes zur Politik, von der Zerrissenheit und leidvollen Gehässigkeit, die dies fremde Element in seine Seele getragen, von der Strenge der Ansprüche, die seit fünfzehn Jahren, etwa seitdem wir beide vierzig geworden, die Zeit an die Lernfähigkeit, Lernwilligkeit des deutschen Menschen stelle. Er hatte ausdrücklich und im voraus gewünscht, daß wir von diesen Dingen sprächen. Ich darf seine Konversation nicht rühmen, weil es aussähe, als bildete ich mir ein, ihm ein würdiger Gesprächspartner gewesen zu sein. Ich war entzückt wie je. Er hatte eine Art, zu verstehen, bevor man sich selbst verstanden, das im Fluge Aufgefaßte zu vervollkommnen und fortzuführen, die der Unterhaltung ein traumhaft entschwertes, übermütig pointierendes Gelingen verlieh. Hinter dem Gegenständlich-Psychologischen aber, das das Gespräch berührte, erörterte, flüchtig benannte, stand persönlich – wenn auch gemeinsam mit vielen – Durchlebtes; das Schicksal einer Generation, deren geistiger Aufbau sich vor dem Kriege vollzogen hatte, unserer Generation, die wir vierzig waren, als der Krieg ausbrach. Dahinter stand, unausgesprochen, der Gedanke an die Härte der Zumutungen, die seit fünfzehn Jahren an Herz und Hirn – sehr körperlich gesprochen – des einzelnen gestellt worden sind. Manche schlichte Konstitution ist diesen Anforderungen erlegen, die unter milderen Umständen behaglich hätte dauern können. Wir sahen bei Menschen unserer näheren und weiteren Umgebung die Abmagerung des Körpers, das sklerotische Fahlwerden der Gesichtsfarbe, sahen ein verstörtes, seiner selbst nur dumpf bewußtes Versagen, Nicht-mehr-mit-Können und Am-Wege-Bleiben. Und nun dies Hirn von umfassendster und empfindlichster Feinheit, dies kostbarste Sein, dem die Welt, der Kosmos, die Ordnung, «die Monarchie» untergeht, auf das dieser Zeittumult, dies negerhaft Neue und Junge einstürmt, welches zweifellos Leben, mit allen Rechten des Lebens ausgestattetes Leben ist, und mit dem man sich auseinandersetzen muß in dem Bewußtsein freilich, sich selbst und seine Zeit überlebt zu haben. «Der Turm», sein leidvoll-chaotischestes Gedicht, das er liebte wie sein Schicksal, ist das Denkmal von Hofmannsthals Ringen mit dem Neuen, der Revolution, der Jugend. Nahe bei ihm aber, als sein Fleisch und Blut, kann diese Jugend selbst nicht mit – überangestrengtes Österreichertum, nicht «keß» genug, beim Jazz der Zeit seinen Mann zu stellen. Ist er schuld daran? «Gott im Himmel», hört man ihn fragen, «vielleicht hätte ich überhaupt nicht Vater werden, keine Söhne haben dürfen?» Und während der «Alte», dem «es schwer wird, sich hineinzufinden», in heldenhafter Schönheit und Würde seine geistige Pflicht tut, schießt sich verzagende Jugend neben ihm eine Kugel in den Kopf. Da springt das starr gewordene Blutgefäß in dem kostbaren Hirn, und sprachlos, im Gram und Entsetzen, geht der Vater, der wundervolle Dichter zugrunde.

Tränen – Tränen.   *

Er hat die Idee des Todes geliebt zusammen mit der der Schönheit, mit der der Vornehmheit – so war es wohl österreichisch. Der Tod ist gegenwärtig in all seiner Dichtung, auch in der heiteren, und schon der Jüngling, der geistesprinzliche Knabe, hat ihn im Vers «einen großen Gott der Seele» genannt. Jede melodische und anmutsvolle Wendung seiner Prosa, seines Dialogs, seiner Lyrik ist durchtränkt von Todesschönheit. Ja, der Tod ist Schönheit und Melodie, solange die Jugend bei ihm ist, die Lebenskraft. Weicht sie von ihm, steht er zuletzt in seiner Wahrheit da, so ist er grauenvoll, das sprachlose Untergehen, ein Abgrund von Bitternis.

Nein, das ist nicht seine letzte Wahrheit. Im nächsten Augenblick ist er die

Verklärung, die Reinigung vom Irdischen, die Wiederherstellung. «Der Verewigte.» Dieser Abschied läßt uns das Wort begreifen, wie noch nie. Ich las, als er tot auf dem Ruhebett seines Arbeitszimmers lag, sei sein Antlitz befriedet und verjüngt erschienen. Warum erschütterte mich das so tief, dies «Verjüngt»? Man hat ihn in den letzten Jahren sagen hören: «Nach ,Der Abenteurer und die Sängerin' hätte ich sterben sollen. Ich hätte dann eine runde Biographie gehabt.» Er sagte das, um das Wort der Mitwelt von den Lippen zu nehmen, wo er es glaubte zögernd schweben zu sehen. Er konnte es nicht meinen, nicht sein Leben verneinen, denn er lebte ja. Und wer überwände sich, dem Worte zuzustimmen? Wer wagte es, zu wünschen, dieser Jüngling hätte nicht Mann werden und altern mögen, und es gäbe die Essays und Reden voll zauberhafter Klugheit, die Lustspiele und Opern voll klugen Zaubers, eine Welt der Bildung und Schönheit nicht? Und doch, wenn er nach den Gedichten und ersten lyrischen Spielen gestorben wäre, es ist wahr, er wäre ein Gott gewesen, unendliche Sehnsucht und Hoffnung wäre ihm nachgefolgt, sie hätte ein Jünglingsbild ewigen Reizes unter die Sterne versetzt.

Er blieb unter uns, lebte, stritt, alterte und formte, von Zeit zu Zeit das Höchste berührend, aus dem Kennerreichtum seines sublimen Geistes die Schätze, die uns bleiben. Nun starb er, und daß, wie es heißt, der Tod dies gealterte Antlitz verjüngte, das läßt ihn uns als den Herrn der Wahrheit und als Erlöser erkennen. Verewigung – Entalterung. Ein Jüngling wieder, in ewiger Anmut, geht Hugo von Hofmannsthal ins Reich der Unsterblichen ein.

FRANZ WERFEL

Hofmannsthals Tod

Angesichts des Entsetzlichen ist es noch nicht möglich, sich dieses herrlichen Menschen vollbewußt zu werden. Eines aber werden die Wissenden mit Bestürzung erkennen: Nun ist einer der allerletzten Dichter im heilig-antiken Sinn dahingegangen, den es auf der Welt gab. Er starb im Lärm einer selbstbewußten Zeit, die das höhere Gedicht als Anachronismus verketzert, in einer Zeit, da die Wortkunst sich ihrer selbst schämt und die Literatur zur Lesefutterversorgung gelangweilter Weekendler hinabzusinken beginnt, in einer Zeit der Sachlichkeits- und Aktualitätsbewegung in den Künsten, die nichts anderes ist als der Sklavenaufstand des geweckten Kommis gegen den träumenden Genius. Hofmannsthal war ein träumender Genius, er war ein Seraph, der Bote fremder Mächte in unserer Mitte. Schon seine zeitlos jugendliche Erscheinung bekräftigte dies. In den zwanzig Jahren, da ich ihn kannte, hat sich kein Zug seines schönen Gesichtes verändert. Und dann: Er war einer der allerseltensten Menschen, von dem man niemals etwas Unreines und über den man nie etwas Niedriges gehört hat. Er wurde als Dichter und als Mensch tief mißverstanden. Mit l'art pour l'art, Geschmäcklerei, Kulturkoketterie und wie die Vorwürfe alle lauten, die man einer verschollenen Mode macht, hatte er nichts zu tun. Der wahre Dichter ist meist die persongewordene Menschheitserinnerung. Mit unübertrefflicher Genauigkeit sprachen die Zeitalter aus Hofmannsthal.

Dies war weniger eine Kunst der Bildung als eine mediale Gabe. Er selber sagt:

Ganz vergessener Völker Müdigkeiten
Kann ich nicht abtun von meinen Lidern.

Als Mensch bemäntelte er die seraphische Fremdheit seines Wesens mit hundert Dingen. Ein allseitiges Interesse, praktische Mitarbeit an manchem Kunstunternehmen, unermüdliche Aufmerksamkeit, scharfer Zweckverstand, Entdeckerfreude und noch hunderterlei mehr diente dazu, sein inneres Licht gegen die Welt abzublenden. Er riß sich stets selber aus seinem Traum. Seine Freunde wissen, wie sehr sich Hofmannsthal in jeder Minute selber überwinden mußte, sie wissen, daß er eine Art Märtyrerleben geführt hat. Die Mattscheibe des Körpers und des Geistes, durch welche die Strahlen des Lebens in uns eindringen, bei ihm war sie krankhaft gelichtet. Er besaß einen allzu ungenügenden Reizschutz. Er litt unter einem Luftdruckwechsel mehr als andere unter einem Fieberanfall. Und ebenso wand sich sein Geist unter jeder Taktlosigkeit, jeder verlogenen Wendung, jedem falschen Ton. Der

Aufenthalt unter Menschen wurde für ihn zur Riesenanstrengung. Wie der geniale Dichter immer, so war auch er identifikationskrank, das heißt, er spürte alles, was in den andern vorging, als eigenes Seelenereignis. Deshalb erschöpfte ihn der Verkehr mit Menschen so tief.

Und nun dieser Tod! Zuerst erschrickt man vor der lauten, entsetzlichen Tragik. Ist es Hofmannsthal, der Selbstverberger, der so furchtbar-offen stirbt? Sogleich aber wird es klar, daß dieser Tod des Dichters ganze Wahrheit und ganze Größe bewährt. Das feinste aller Präzisionsinstrumente, das auf die geringfügigste Schwankung schon mit großem Ausschlag erwidert, bei einem solchen Schicksalssturm mußte es zerbrechen. Dieser Tod ist groß und echt.

Wohl bleibt ein Trost: Das Ende eines großen Dichters ist sein Anfang. Hofmannsthal verschwindet nicht aus unserem Leben, sondern begleitet und erfüllt uns weiter. Mag solch ein Trost auch keine Lüge sein, er tröstet uns nicht, die wir in großem Schmerz diesem entschwindenden Menschen nachstarren.

GERHART HAUPTMANN

Ein Dichter der Schönheit

Hugo von Hofmannsthal stand uns nahe. Warum musste er uns so nahe stehen? Weil sein Adelsbrief nicht von Menschen geschrieben war, weil in ihm sich die Wahrheit inkarniert hatte, wäre, ihn auch nur einen Charakter zu nennen, charakterlos. Er hatte seinesgleichen, solange er lebte, nicht. Ihm ist es gelungen, gleichviel wie oft, der höchsten Schönheit als dem wahrhaft Seienden des Plato ganz nahe zu kommen, näher als irgend jemand außer ihm: menschlich unvollendet, ist er doch hierin menschlich vollendet hingegangen. Nichts Unvollendetes ließ er zurück.

Das Unsterbliche seines Wesens hat sich uns früh manifestiert, und es besteht kein Hindernis für sein Aufstehen in das schlackenlose Schönheitsreich der Unsterblichen.

Es ist Menschenlos, im Verlust erst den Besitz in seiner ganzen Größe zu fühlen. Unser Blick war oft umnebelt, wenn wir ihn auf Hofmannsthal richteten, und auch sein Blick ist wohl zeitweilig umnebelt gewesen. Dafür war er Mensch und stand uns auch hierin nahe. Aber der reine Strahl, aus dem Quellpunkt des Urlichtes gleichsam, war durch irdische Nebel nicht zu ersticken. Wir fingen ihn auf. Er bleibt Zeit seines Lebens unser Besitz.

RICHARD ALEWYN

Hofmannsthal und Stefan George

Der Briefwechsel zwischen Hofmannsthal und George, von Robert Boeh-
ringer 1938 zum erstenmal und 1953 ergänzt von neuem herausgegeben und
durch Anmerkungen und dokumentarisches Material vermehrt, ist das Zeugnis eines Scheiterns nicht nur wegen seines kläglichen Endes, sondern weil
ihm von Anfang an Fruchtlosigkeit auf die Stirn geschrieben ist. Wenn er
trotzdem ein erregendes Dokument ist, dann dankt er es nicht seinem eigentlichen Inhalt als vielmehr den geschichtlichen Perspektiven, die er aufreißt,
und der symbolischen Bedeutung, die der Begegnung und der Verfehlung
der beiden Partner zukommt.

Das Übergewicht des Ungesagten über das Gesagte in diesen Briefen ist
ein ungeheuerliches, des Ungesagten nicht im Sinne einer nur in diskreter
Form enthaltenen, sondern im Sinne der vorsätzlich vorenthaltenen Mitteilung. Gibt es noch einen Briefwechsel, in dem so viele Fragen so wenige
Antworten erhalten, wie die vielen ausdrücklichen Fragen Hofmannsthals
an George, oder die eine ständige, stumme Frage Georges an Hofmannsthal? Gibt es noch einen Briefwechsel, dessen Partner sich so voreinander
verbergen, hinter angenommenen Masken oder vorgeschobenen Dritten?
Dessen Partner so hoffnungslos, ja so ahnungslos aneinander vorbeireden,
einander so wenig kennen? Einen Briefwechsel, der so blind von der Klippe
eines Mißverständnisses zur nächsten segelt? Der sich so mühselig von Krise
zu Krise schleppt und von Pause zu Pause, um dann doch erst nach fünfzehn
Jahren eines freudlosen Daseins glanzlos zu erlöschen?

Rechnet man den Raum ab, der der Herstellung von Mißverständnissen
gewidmet ist und ihrer Beseitigung, so bleibt wenig mehr als ein Redaktions-
briefwechsel der «Blätter für die Kunst», des von George ins Leben gerufe-
nen Organs, das die Hälfte von Hofmannsthals lyrischer Produktion aufnahm, über Hofmannsthals Beiträge, ein Briefwechsel, der sich freilich gerne
erweitert zu grundsätzlichen Erörterungen über die Formen und Grenzen
von Hofmannsthals Mitarbeit und deren Vereinbarkeit mit seiner Tätigkeit
für andere Publikationen und die beiderseitigen Ansichten über andere zeitgenössische Vertreter der Literatur, womit nun freilich schon explosives
Gelände betreten ist. Denn ihre Zusammenarbeit steht und fällt mit der
Annahme, es gebe einen neutralen Grund zwischen ihren Positionen und es
könne dazu die Dichtung gehören, die neue Dichtung, die ihnen gleichartig
vorzuschweben schien und die nur sie zu leisten vermochten.

Aber hinter der gezwungenen Höflichkeit, die diese schöne Fiktion umzäunt – der eisigen Höflichkeit zweier Duellanten –, lauert das Ungesagte, verstört ihre Stimmen und verzerrt ihre Gesichter, verrät sich in der verhaltenen Verletztheit des einen und in der beflissenen Gereiztheit des anderen, die eine wie die andere darauf wartend, in Entladungen auszubrechen, deren Heftigkeit in keinem Verhältnis zu stehen scheint zu ihrem Anlaß, in massiven Ausfällen, die sich gegen den Charakter, die Lebensführung, den Umgang des anderen richten und die seine verwundbarsten Stellen zu treffen, wo nicht berechnet, so doch geeignet sind. Es ist gar keine Frage, daß der Konflikt in tieferen Schichten wurzelt als der Ebene, auf der die Verhandlungen geführt werden, kein Zweifel, daß der Briefwechsel die innere Beziehung eher verhüllt als verrät.

In seinem größten Teil stellt er nur die fünfzehnjährige Nachgeschichte eines ersten und kurzen Einverständnisses dar, das nach wenigen Wochen in schwindelndem Tempo in einen Strudel hineintrieb und mit einer heftigen Entladung zerbrach. So verschieden die Folgerungen sind, die die Beteiligten daraus zogen, sie sind sich, selbst noch in der Entfremdung, einig gewesen, den Schleier über den Vorgängen ruhen zu lassen. Auch die Briefzettel, die in jenen stürmischen Tagen hin und her flogen, erlauben wenig mehr als die Rekonstruktion des äußeren Ablaufs. Was sich tatsächlich an jener Jahreswende von 1891 abgespielt hat, an der der vierundzwanzigjährige George, auf der Suche nach Bundesgenossen Europa durchstreifend, in Wien dem siebzehnjährigen Gymnasiasten Hofmannsthal begegnete, werden wir kaum jemals wissen. Es scheint, daß nach Tagen «wachsenden Einverständnisses» und gemeinsamer «schöner Begeisterung» für die frohe Botschaft einer neuen Kunstübung, die George aus dem Paris Mallarmés mitgebracht hatte, plötzlich eine Krise eintrat, über deren Anlaß und Wesen uns Vermutungen kaum erlaubt sind. Die von George fünfunddreißig Jahre später autorisierte Version beschreibt den Vorgang dahin, daß sich Hofmannsthal «geschickt dem liebenden Zugriff des Freundes entzog». Die gleichzeitigen Briefe Hofmannsthals lassen vermuten, daß George, der sich in einem krisenhaften Zustand befand, das Gespräch von ästhetischen auf persönliche Gegenstände lenkte, daß er dem Jüngeren Abgründe öffnete, vor denen ihn schwindeln mußte, und ihm eine Heilandsrolle antrug, zu der er keine Bestimmung fühlte.

Es ist keine Frage, daß es George todernst zumute war. Das verrät die Verhaltenheit seiner Briefe so sehr wie die Leidenschaftlichkeit seines Handelns, das vor keinem Äußersten zurückschrak. Wenn er sich in einem überraschend direkten Brief an Hofmannsthals Vater auf einem Weg begriffen bekennt, «einem Weg, der schnurstracks zum Nichts führt», so besteht nicht der geringste Anlaß, an dem Ernst seiner Worte zu zweifeln. Der Siebzehnjährige aber fühlt sich von einem Ungeheuren angeweht, in dem Lockung und Grauen sich beklemmend mischten, von dem ihn ein unheimlich hell-

sichtiges Gedicht «Der Prophet» nicht zu befreien vermochte und vor dem
er keine Rettung wußte als die Flucht in den Ausfall, in einen Vorwurf, den
George als so kränkend empfand, daß er mit einer Duelldrohung seine Zu-
rücknahme erzwang, und schließlich der Rückzug in den väterlichen Schutz.
Der Vermittlung des Vaters gelang es schließlich, den modus vivendi herzustellen, der noch fünfzehn Jahre lang dem Verhältnis das geschilderte un-
frohe Leben fristete, bis es dann endlich und reinlich geschieden wurde durch
den äußerlichsten und ärgerlichsten aller Anlässe, der nicht anders zu verstehen ist, als daß in Hofmannsthal sich abermals etwas erhob, was das Ende
wollte und herausforderte.

Aus Hofmannsthals Briefen an George ist kein anderes als ein verzerrtes
Bild des Schreibers zu gewinnen, und es gibt keinen schwereren Einwand
gegen diese Beziehung. Niemandem, der irgendeinen anderen gleichzeitigen
Brief Hofmannsthals daneben hält, kann das Maskenhafte dieser Briefe entgehen. Wo sind die Anmut, der Freimut, der Übermut der Jugendbriefe, wo
ihre Einfachheit und ihre Menschlichkeit? Hofmannsthal spricht wie einer,
der in das Auge der Meduse blickt, mit einer Starre im Gesicht, von der man
nicht zu sagen vermöchte, ist sie Ansteckung oder Abwehr. Nirgends ist
Hofmannsthal sich ferner. Nirgends läßt er sich in der Wortwahl und dem
Tonfall mehr von der Diktion des Partners beeinflussen, die wie aus dem
Französischen übersetzt klingt, einem formellen Gesellschafts-Französisch
von 1890. Es gibt keine erschreckendere Bestätigung der unheimlichen Gewalt, die von dem Wesen Georges ausging, kein erschreckenderes Zeugnis
auch für die Verstörbarkeit und Verfremdbarkeit von Hofmannsthals Wesen.

Aber wir glauben, daß auch das Bild Georges, wie es sich hier darstellt,
der Ergänzung bedarf. George war ohnehin brieflicher Mitteilung offensichtlich wenig geneigt. «Mit einem Abwesenden kann man nicht sprechen»,
pflegte er zu sagen und leugnete damit die Möglichkeit, aus der Hofmannsthals Briefe lebten. Auch mochte er am Brief das Zwanglose und Unverbind-
liche scheuen (obwohl er seine Briefe vorher aufzusetzen pflegte). Keine andere als die endgültige Prägung im Gedicht mochte ihm der Schrift würdig
erscheinen. So bleiben jedenfalls in den Briefen an Hofmannsthal die Züge
der Einfachheit, der freundschaftlichen Zartheit und der Weisheit, die doch
glaubhaft von ihm überliefert sind, verborgen hinter gefrorener Kühle und
unnachgiebiger Strenge.

Es gibt freilich einen Augenblick in diesem Briefwechsel, in dem der
Krampf sich zu lösen und noch einmal eine menschliche Begegnung sich an-
zubahnen scheint. Es ist im Sommer 1902, daß Hofmannsthal in einem Zustand selbstquälerischer Verdüsterung ausnahmsweise einmal einem Brief
ein Bekenntnis anvertraut, das das Trübste seines Wesens heraufspült. Es ist
der Ton, auf den George seit zehn Jahren gewartet hatte, und augenblicklich

verändert sich seine Stimme, indem sie eine Milde, eine Zartheit, ja eine Demut annimmt, die man nicht erwartet hätte. Er beeilt sich, dem Freund das Geständnis zu erleichtern, indem er es erwidert, indem er heruntersteigt vom Richterstuhl, um sich neben ihn zu knien. Es ist nicht der angenehmste Augenblick in diesem Briefwechsel. Denn die Aufrichtigkeit der Beichte ist eine falsche, eine bloße Hypochondrie, Ausdruck einer vorübergehenden Depression, in der er dem Druck des Lebens keine Kraft entgegenstellen zu können glaubte. Die Erstarrung löst sich nur, um einer Verzerrung Platz zu machen. Indem Hofmannsthal eine Maske abzulegen scheint, legt er nur eine andere an, die Maske Claudios. Aber es ist diese flüchtige Maske, in der die Momentphotographie des George-Kreises ihn verewigt hat.

Es ist nicht der einzige Augenblick, aber einer der charakteristischsten, in dem der Gegensatz zu einem Schema zu gerinnen versucht, unter dem beide Partner sich das Verhältnis auszulegen versuchten und das so bestechend ist, wie es falsch ist. Dieses Schema lautet etwa: der Starke und der Schwache, der Täter und der Träumer, der Asket und der Ästhet, der Erwählte und der Verworfene. Es ist heute wohl erlaubt, in der Versteinerung Georges die Maske zu erkennen, hinter der er einen großen Schmerz verbarg, und in den Schmähungen, die er seiner erfolglosen Werbung nachsandte, die tiefe Wunde, von der gesagt wird, daß sie nie verheilte. Es war einer besitzergreifenden Natur wie der Georges nicht gegeben, aus einer persönlichen Zuneigung anderes als einen sittlichen Anspruch abzuleiten und deren Nicht-Erwiderung anders zu verstehen denn als ein sittliches Versagen. Die ihm zu Bedürfnis gewordene kultische Analogiesprache mochte ihm den Vorgang verständlich und erträglich machen, indem sie die Abkehr Hofmannsthals zu einem «Abfall» stilisierte und die eigene Antwort zu einer «Verstoßung». Als «Der Verworfene» noch konnte der verlorene Freund einen vorbestimmten Platz in der sakralen Weltordnung ausfüllen, zu deren Aufbau George sich soeben anschickte.

Und Hofmannsthal? Er hat sich nie hinreißen lassen, die Schmähungen anders als durch Schweigen zu beantworten. Er hat sich in seinem Respekt vor dem Rang und dem Verdienst Georges nie beirren lassen und ihn gegen manchen Freund verteidigt. In Gesprächen und in Briefen – besonders, aber nicht allein in denen mit Borchardt – taucht Georges Name nie anders auf als wie ein Maßstab, ein trigonometrischer Punkt zur Bestimmung des eigenen Kurses. Aber es muß auch innere Gespräche mit George gegeben haben. George muß jahrelang der Gast und die Geißel seiner trübsten Stunden geheißen haben, der Stunden des Zweifels, in der die Gespenster der Insuffizienz und der Impotenz ihn heimsuchten, die keinen verschonen, der es redlich meint. Wenn immer der junge Hofmannsthal Gerichtstag hielt über sich selbst, dann nahm der Ankläger das scharfe Profil Georges an. Manchmal werden solche innere Gespräche aufgezeichnet. Dann entsteht der «Brief des Lord Chandos», dann entsteht der zweideutige Handel zwischen Jaffier und Pierre im «Geretteten Venedig», die Gespräche zwischen Andreas und dem Malteser im Roman, ja noch so extreme Schattierungen des Gegensatzes, wie sie im Verhältnis von Kreon und Ödipus (in «Ödipus und die Sphinx») und in dem von Sigismund und Olivier (im «Turm») zutage treten. Die Gestalten der herrisch Fordernden und der unheimlich Drohenden, der unfruchtbar Erstarrenden und der zerstörend Gewaltsamen in Hofmannsthals Werk, sie sind von Georges Geschlecht.

Aber – und das muß ebenso deutlich gesagt werden – sie sind nicht von ihm gezeugt. Die Wirkung Georges auf Hofmannsthal hätte nicht so stark sein können, wenn sie in ihm nicht schon präfiguriert gewesen wäre. Die Konfrontierung des Asketen und des Ästheten – abgesehen davon, daß er sie schon bei dem frühen Ibsen finden konnte, dem Ibsen des «Kaiser und Galiläer», den Hofmannsthal wie George gut kannte – erfolgt schon vor der Begegnung mit George in Hofmannsthals erstem dramatischen Werk, dem «Gestern», und ist überhaupt der frühesten geistigen Welt Hofmannsthals nicht fremd. Man kann daraus beides folgern: wie notwendig George ihm war und wie entbehrlich. George war der Name, auf den er den einen Pol eines Konfliktes taufte, der ihm eingeboren war, so daß er auch hier, um Borchardts Wort zu wiederholen, selbst den Gegensatz zu seiner Art potentiell in sich trug, der, mit ihr summiert, erst das Ganze ausmachte, was er war.

So scheint sich in dem Bild des Gegensatzes ein Bedürfnis nach Stilisierung zu bezeugen, als ob alles, was George berührte, bestimmt gewesen sei, zum Mythos zu gerinnen. So wenigstens haben beide die gegenseitige Faszination ausgelegt. Damit ist sie noch nicht erklärt. Aber tiefer zu graben sind wir nicht ermächtigt.

Eine atemberaubende Perspektive scheint sich aufzutun: Die beiden stärksten dichterischen Potenzen ihrer Zeit begegnen sich schon an der Schwelle ihres Lebens. «Eine bedeutende große geistige Allianz», so sieht George, was sich hier anbahnt. Er ist bereit, das Reich zu teilen, bietet Hofmannsthal eine Art Condominium an zum Zwecke einer «sehr heilsamen Dictatur» über das deutsche Schrifttum – eine ungeheure Möglichkeit, verpaßt allein durch das störrische Widerstreben des Österreichers, seine Unentschlossenheit, seine Halbheit. Nein, es war keine Möglichkeit und noch nicht einmal eine Wünschbarkeit. Das Wort «Diktatur» hatte in jenen Tagen noch einen unschuldigeren Klang, aber Hofmannsthal war nie fähig, in Begriffen wie Herrschaft und Gewalt zu denken. Er hätte seine Natur aufgeben müssen, hätte er George nachgeben wollen, und seine Überzeugung, eine andere und, wie wir glauben, menschlichere Auffassung vom Wesen des Dichters und seiner Aufgabe, eine Auffassung, die freilich schwerer zu formulieren und schwieriger zu leben war und die gegenüber dem herrischen Entweder-Oder Georges als die unterlegene erscheinen konnte. Wieder einmal traten die heroische und die humane Weltauffassung einander gegenüber. Es ging darum, ob der Dichter bevorrechtet sei, sich besser oder überhaupt anders zu fühlen als die gewöhnlichen Menschen, oder ob es auch ihm auferlegt sei, ein Mensch zu sein wie alle anderen.

Hofmannsthals Verbindung mit Richard Strauss, seine Arbeit überhaupt für das Theater war für George und die Seinen das Zeichen einer empörenden Selbsterniedrigung des Dichters und des Menschen. Bei dieser Verschiedenheit ist es merkwürdig, daß eine der Zumutungen des Musikers, deren er sich zu erwehren hatte: die romantische Stilisierung der Person des Künstlers, dem Anspruch, den er George verweigerte, nicht unähnlich sah. «Ich möchte nichts in mir stärken, was mich von den Menschen absonderte», läßt er den «Zurückgekehrten» sagen. Und in einem Brief an Borchardt heißt es später einmal mit freudiger Gewißheit (am 11. VII. 1912): «Ich habe darüber, daß ich ein Dichter bin, nicht aufhören müssen, ein Mensch zu sein, das ist mein unermeßliches Glück – und der Mensch in mir», fügt er hinzu, «ist nicht einsam, ist reich an Freundschaft, an Liebe und fast über sein Vermögen beglückt.»

NACHWORT

Es war vor vielen Jahren, noch zu Hofmannsthals Lebzeiten, als in Rudolf Borchardts schönem Haus in der Toscana Freunde beisammen saßen, Männer und Frauen, deren Gespräch sich bald dem abwesenden Dichter zuwandte. «Wenn wir alle tot sind, wird keiner wissen, wie er war», sagte Rudolf Borchardt, der nach seines Freundes Tod geschrieben hat: «Auf einen Menschen, den ich mit Hofmannsthal auch nur in irgend etwas hätte vergleichen können, bin ich nie gestoßen. Ich sage dies nicht im Sinne etwa eines Superlativs, sondern in dem ganz sachlichen der Bezeichnung. Er schien weder aus dem Stoffe, aus dem andere Menschen sind, noch diesen Stoff zu begreifen, noch von ihm begreifbar zu sein... Was von Shelley gesagt worden ist, daß zwischen seinen Fußsohlen und dem Erdboden immer ein Zoll Luft zu bleiben schien, galt, der Hyperbel entkleidet, auch für ihn.» Kennzeichnungen dieser Art begegnet man immer wieder, wenn von Hofmannsthal die Rede ist. Sie bezeugen das Ungewöhnliche und Einzigartige seines Wesens, das nicht nur von seinen Freunden, sondern auch von einfachen, ganz alltäglichen Menschen erkannt wurde, die vom Dichter Hugo v. Hofmannsthal keine Ahnung hatten. Stellte sich da für einen Verehrer des Hofmannsthalschen Werkes nicht die Aufgabe, solche Zeugnisse zu sammeln, die menschliche Person des Dichters der Vergessenheit zu entreißen und unserer Zeit ein «personalistisches» Dokument zu übergeben, dessen sie vielleicht dringender bedarf als mancher Detailforschung und Werkanalyse?

Seit mich, vor rund dreißig Jahren, Richard Alewyn, damals Privatdozent in Berlin, als jungen Studenten auf Hofmannsthal gewiesen hatte, hörten Werk und Person des Dichters nicht auf, mich zu beschäftigen. Unmittelbar nach Hofmannsthals Tod und in den Monaten danach sind zahlreiche Nachrufe und Gedenkartikel erschienen, die substanziellsten in der «Neuen Rundschau» und im «Inselschiff», den Zeitschriften jener beiden Verlage, die die meisten Werke Hofmannsthals gedruckt haben. Doch es gab noch viele Menschen, die Hofmannsthal nahegestanden waren, und die Wesentliches über ihn auszusagen hätten. Diese Zeugnisse zu sammeln und gesammelt vorzulegen, damit vor allem für die jüngere Generation der Mensch Hofmannsthal lebendig würde, schien mir wichtig. Aber die folgenden anderthalb Jahrzehnte (ich selbst hatte inzwischen, 1935, in einer Wiener Dissertation, bei Josef Nadler, die Beziehungen Hofmannsthals zur romanischen Welt zu klären versucht) waren meinem Plan nicht günstig, zumal ich einen Großteil dieser Zeit im Ausland verbrachte. Auch gab es innere Hemmungen. Wie oft habe ich mir in all den Jahren die Frage vorgelegt, was denn Hofmannsthal selbst zu einem solchen quasi biographischen Unternehmen gesagt hätte. Die Antwort, die ich mir geben mußte, war wenig ermutigend.

Hofmannsthals dichterisches Werk entbehrt fast ganz autobiographischer Züge, und seine im 15. Band der «Gesammelten Werke» veröffentlichten täglichen Aufzeichnungen sind alles andere als Tagebuchblätter im landläufigen Sinn, sondern ein «journal spirituel» (und nicht «intime»), ein Selbstgespräch des *Dichters*. Und da gab es, neben gelegentlichen Äußerungen wie «mir ist alles Persönliche ein Greuel» noch ein sehr eindeutiges Votum Hofmannsthals zu dem mich beschäftigenden Vorhaben. Als sich nämlich nach ihres Vaters Tod Ruth Sieber-Rilke an Hofmannsthal mit der Bitte wandte, an den Vorarbeiten teilzunehmen, die später zur Gründung des Rilke-Archivs führten, schrieb ihr Hofmannsthal (am 24. 4. 1927), daß, wenn er seinen Tod nahekommen fühlte, er Weisungen geben würde, «die fast entgegengesetzten Sinnes wären». Durch Beiseitebringen der privaten Briefe und Aufzeichnungen würde er versuchen, jedem unziemlichen Biographismus die Nahrung zu entziehen. «Mein Gedanke wäre», schrieb Hofmannsthal, «das schwer deutbare Wesen, das einmal da war, R.M.R. oder H.H., wirklich dem Tode zu überantworten, und sei es der Vergessenheit – außer in den wenigen getreuen Herzen einiger Menschen –, und die Werke ganz allein diesen schweren geheimen Kampf aufnehmen zu lassen mit den feindseligen nächstfolgenden Dezennien, diesen fast hoffnungslos scheinenden Kampf, aus dem dann, wenn er siegreich bestanden ist, ein neues geisterhaftes Wesen mit solcher Kraft als Sieger hervorgeht und unantastbar dasteht. Dieses allein scheint mir der schöne, großartige, von den höheren Mächten, die über uns walten, gewollte Prozeß.»

Die feindseligen nächstfolgenden Dezennien... Nur wenige Jahre, nachdem Hofmannsthal gestorben war, galt der Autor einiger der schönsten deutschen Gedichte und unvergleichlicher deutscher Prosa, der Herausgeber des «Deutschen Lesebuches» der «Deutschen Erzähler» und des Sammelwerkes «Wert und Ehre deutscher Sprache» in Deutschland nicht mehr als deutscher Dichter, und ein knappes Dezennium nach Hofmannsthals Tod war des Dichters Werk auch in seinem Vaterland Österreich heimatlos geworden. Aber der Geist weht, wo er will: Werk und geistige Gestalt Hofmannsthals übten und üben eine immer mächtigere Autorität, so daß man, seit im S. Fischer-Verlag die große, bisher 15 Bände umfassende Gesamtausgabe zu erscheinen begann, von einer Hofmannsthal-Renaissance sprechen hörte. Aber ist es nicht vielmehr so, daß überhaupt erst in unseren Tagen Hofmannsthals Werk *entdeckt* und als das erkannt wird, was es ist: ein Opus magnum der neueren Literatur, das letzte bedeutende Gesamtwerk eines deutschsprachigen Klassikers, das europäischen Rang hat? Jetzt schien mir der Zeitpunkt gekommen, daß auch Hofmannsthals *menschliche Person* hervorgehoben werden und hervortreten dürfte.

1947 begann ich, von Wien aus, Nachrufe, Erinnerungen und Aufzeichnungen systematisch zu sammeln. Gleichzeitig bemühte ich mich, den Hofmannsthalschen Freundeskreis zu rekonstruieren und wandte mich an alle jene, die ihre persönlichen Erinnerungen an Hofmannsthal noch nicht aufgezeichnet hatten. Dabei habe ich versucht, die einzelnen Beiträger auf diejenigen Themen und Punkte zu lenken, die in den mir vorliegenden Zeugnissen noch nicht oder ungenügend berücksichtigt waren, aber von Bedeutung schienen. Zwischen dem Herausgeber und den einzelnen Autoren dieser neuen Aufzeichnungen sind oft zehn Briefe und mehr hin und her gegangen, bis alles so war, wie es sein sollte. Daß diese Einflußnahme sich immer nur auf das Was, niemals auf das Wie und den Tenor bezog, versteht sich eigentlich von selbst, soll aber im Interesse des dokumentarischen Wertes der einzelnen Beiträge (und der ganzen Sammlung) doch ausdrücklich gesagt sein.

Da es mir um die menschliche Person des Dichters ging, mußte alles Literarkritische, das Werk Kommentierende entfallen. Bei einigen Nachrufen aus dem Todesjahr 1929 wurden die auf den besonderen Anlaß bezüglichen Stellen weggelassen. Von einigen Autoren habe ich mehrere, zuweilen zeitlich weit auseinanderliegende Beiträge aufgenommen, bzw. zu einem Beitrag zusammengezogen. Gestrichen wurde nur das allenfalls Entbehrliche. Dagegen schien mir das, was die einzelnen Künstler (denn um solche handelt es sich größtenteils) im Zusammenhang mit Hofmannsthal über ihr eigenes Schaffen berichteten, interessant genug, um vollständig mitgeteilt zu werden. Gleichen doch menschliche Beziehungen einem «Gewebe, aus dem der Faden des einen wie des anderen Webenden nicht mehr ohne Bezug auf den anderen wie den einen heraus zu schlichten ist.» – Auch sich ergänzende und wechselseitig bekräftigende Wiederholungen, etwa die Beschreibung von Hofmannsthals Äußerem, seines Gesprächs, seines Rodauner Heimes sowie die Wiedergabe gewisser anekdotischer Vorfälle wurden gerne in Kauf genommen und blieben stehen. Nicht zuletzt habe ich mir Kürzungen der meisten Beiträge deshalb versagt, weil es sich bei dem Großteil der Autoren auch um Meister der Feder handelt, die bestrebt waren, ihre Erinnerungen zu kleinen, in sich geschlossenen Kunstwerken zu formen. Lediglich die Titel einiger Essays wurden, vor allem um Wiederholungen zu vermeiden (und, soweit möglich, im Einvernehmen mit den Autoren) geändert. Aus dem Gedächtnis zitierte, von der Gesamtausgabe abweichende Titel und Verse habe ich richtiggestellt.

In diesen vielen, von so verschiedenartigen Menschen stammenden Zeugnissen werden einige wichtige Fragen nicht behandelt oder nur am Rande gestreift. So zum Beispiel ist Hofmannsthals Verhältnis zu Stefan George bisher noch nicht umfassend und unparteiisch dargestellt worden. Die einzige allgemein zugängliche Quelle ist, nach wie vor, der Briefwechsel zwischen George und Hofmannsthal, dessen zweite, ergänzte Ausgabe von 1953 wichtige Hinweise enthält.

Das gleiche gilt von Hofmannsthals Beziehung zur Musik, speziell zu seinem Partner Richard Strauss, worüber die gegenüber der Auswahl von 1926 sehr wesentlich erweiterte Gesamtausgabe des Briefwechsels von 1952 Auskunft gibt.

Über sein Verhältnis zur Religion hat Hofmannsthal mit keinem seiner Freunde gesprochen. Das war damals, im Unterschied zu heute, kein Konversationsthema. Der Berufenste, darüber zu berichten, wäre der Chorherr des Stiftes Klosterneuburg, Prof. Dr. Wolfgang Pauker, gewesen, der Hofmannsthal durch viele Jahre gekannt und mit dem er wiederholt lange Gespräche über religiöse, kirchliche und liturgische Fragen geführt hat. Alter und Krankheit haben Prof. Pauker (der inzwischen verstorben ist) daran gehindert, seine Erinnerungen aufzuzeichnen, doch geht aus dem, was mir Herr Prof. Pauker mündlich mitgeteilt hat, eindeutig hervor, daß sich Hofmannsthal während der ganzen Zeit seines Umgangs mit dem Klosterneuburger Chorherrn, die vom «Jedermann» bis zum «Turm» reichte, stets als katholischer Christ bekannt hat und es sich besonders angelegen sein ließ, in seinen religiösen Spielen, dem «Jedermann» und dem «Salzburger Großen Welttheater», nichts zu schreiben, das mit dem Dogma der Kirche nicht vereinbar gewesen wäre. Um diese Themen bewegten sich vor allem die Gespräche, die Hofmannsthal mit Prof. Pauker führte, der ihn – in Anwesenheit von drei Franziskanermönchen als Vertreter des Dritten Ordens des hl. Franziskus – auch kirchlich eingesegnet und begraben hat.

Zu Hofmannsthals 20. Todestag und im selben Jahr, in das der 75. Geburtstag des Dichters gefallen wäre, erschien in einem Wiener Verlag die erste Ausgabe meines Sammelwerkes «Hugo von Hofmannsthal. Die Gestalt des Dichters im Spiegel der Freunde» (Humboldt-Verlag, 1949). Den Hauptteil bildeten die direkten Zeugnisse jener, die Hofmannsthal persönlich gekannt hatten und ihm längere Zeit auch menschlich nahe standen. Im zweiten, als «Anhang» bezeichneten Teil war eine Reihe meist kürzerer Dokumente zusammengestellt: Essays, Notizen, Gespräche, Briefe, Widmungsgedichte, biographische Materialien sowie einige kennzeichnende zeitgenössische Urteile über Hofmannsthal, – kennzeichnend freilich mehr für die Zeit als für den Dichter. Auf diesen Teil glaubte ich, im Einvernehmen mit dem Francke Verlag, bei der vorliegenden Neuausgabe des Buches verzichten zu können. Von den 37 Beiträgen des Hauptteiles wurden 7 ausgeschieden und dafür 11 neue aufgenommen. Ihre Autoren sind: Peter Prior, Alfred Gold, Sir Robert Vansittard, Olga Schnitzler, Bernhard Paumgartner, Robert Freund, Alexander Lernet-Holenia, Ludwig Curtius, Harry Graf Kessler, Gerhart Hauptmann und Richard Alewyn. Ergänzt wurden die Beiträge von Carl J. Burckhardt, Richard Strauss, Rudolf Kassner und Willy Haas. – Einige Erinnerungsblätter, die sich auf den jungen Hofmannsthal beziehen, habe ich vor allem

deshalb aufgenommen, weil sie geeignet scheinen, das zählebige Klischee von Loris, dem blassen Ästheten und salbentrunknen Prinzen, zu beseitigen und an seine Stelle das Bild von einem sehr natürlichen, weltläufigen und gesunden jungen Menschen zu setzen, wie er uns auch aus dem ersten der beiden Jugendbriefbände (1890–1901, bei S. Fischer) entgegentritt.

An dieser Stelle möchte ich auf zwei Quellgebiete hinweisen, die für die Erkenntnis des Menschen Hofmannsthal von größter Bedeutung sind, die aber in dem vorliegenden Buch nicht berücksichtigt werden konnten: Hofmannsthals Korrespondenzen (vor allem die mit Bodenhausen, Borchardt und Burckhardt, aber auch die mit George und Strauss) sowie einige Selbstzeugnisse, und zwar weniger die immer wieder bemühten im dichterischen Werk, als vielmehr die in den prosaischen Schriften zerstreuten, etwa «Age of Innocence» (Prosa I), «Bemerkungen» (Prosa IV), die Tagebucheintragung vom 10. 10. 1906 in «Aufzeichnungen», natürlich auch «Der Dichter und diese Zeit» von 1907 (Prosa II) «Ad me ipsum» in «Aufzeichnungen» und die Münchener Rede über «Das Schrifttum als geistiger Raum der Nation» von 1927 (Prosa IV). Während bei der Interpretation des berühmten Chandos-Briefes Vorsicht geboten ist, weil er – vielleicht mehr als die *eigene* Lebens- und Schaffenskrise – die des Freundes Leopold Andrian spiegelt, sind die «Briefe des Zurückgekehrten» von 1907 (Prosa II) als ein «existenzielles» Dokument erster Ordnung zu werten. Hinzu kommen zwei resümierende Briefe, in denen Hofmannsthal seine außerdichterischen Talente und Fähigkeiten abwägt (vom 25. Juli 1895 an den Jugendfreund Harry Gomperz und vom Ende des Jahres 1900 an den österreichischen Unterrichtsminister Wilhelm Ritter von Hartel, beide in: Briefe 1890–1901).

Den Zeugnissen der Freunde sind in der vorliegenden Neuauflage zwei Einleitungskapitel vorangestellt, die das Leben und das Werk Hofmannsthals behandeln. «Werke» will nicht mehr sein als ein Leit-Faden. Über die Unvollkommenheit und Lückenhaftigkeit des Kapitels «Leben» bin ich mir vollkommen im klaren. Es ist ein erster Versuch, dem Lebensweg Hofmannsthals, Jahr für Jahr, nachzugehen und wenigstens die wichtigsten Stationen aufzuzeigen. Für eine vollständige Biographie fehlen viele, sehr viele und sehr wichtige Belege. Hofmannsthals bisher veröffentlichte Tagebuchaufzeichnungen sind esoterisch und liefern dem Biographen nur spärliches Material; zahlreiche Korrespondenzen, mehrere tausend Briefe des Dichters, harren noch der Veröffentlichung, viele hundert sind während des Krieges verlorengegangen. Eine umfassende und detaillierte Hofmannsthal-Biographie wird daher so bald nicht geschrieben werden können. Die einzelnen Beiträge dieses Buches mögen ihr als Bausteine dienen.

Den im Nachwort zur 1. Ausgabe ausgesprochenen Dank möchte ich an dieser Stelle wiederholen. Er gilt vor allem der inzwischen verstorbenen

Witwe des Dichters, Frau Gerty von Hofmannsthal, die nach anfänglichem
Zögern mein Vorhaben gutgeheißen und es durch zahlreiche Hinweise gefördert hat. Viele Wege haben mir Frau Grete Wiesenthal und Frau Hermine
Müller-Hofmann gewiesen und geebnet. Durch wertvolle Ratschläge und
unermüdliche Gewissensberatung hat Dr. Herbert Steiner, der Herausgeber
der Gesammelten Werke im S. Fischer-Verlag, meine Arbeit unterstützt. Bei
der Suche nach neuen Quellen haben sich besonders Universitätsprofessor
Dr. Richard Alewyn und Dr. Rudolf Hirsch, der Herausgeber der zweibändi-
gen Dünndruckausgabe der Werke Hofmannsthals, hilfreich erwiesen. Wichtige Lebensdaten, die ich dankbar benützte, wurden von Dr. Franz Hada-
mowsky in dem Katalog zu der Salzburger Hofmannsthal-Ausstellung des
Jahres 1959 zusammengetragen. In diesem Katalog findet sich auch der einzige
mir bekannte Stammbaum Hofmannsthals, den Herbert A. Mansfeld erarbeitet
hat. Schließlich danke ich herzlich den Autoren der einzelnen Beiträge, ihren
Erben, Nachlaßwaltern und Verlagen, die den Abdruck freundlich gestattet
haben, sowie dem Cheflektor des Francke Verlages, Dr. Helmut Bender, für
sein Verständnis, mit dem er diese Arbeit begleitet hat, und für des Verlages
nie abreißende Geduld mit mir als dem Herausgeber.

Wien, im Frühjahr 1963   *Prof. Dr. Helmut A. Fiechtner*

QUELLENNACHWEIS

(Bei Nachdrucken ist nur die Erstveröffentlichung des betreffenden Beitrages angegeben)

Edmund v. Hellmer, Hofmannsthal als Gymnasiast. *Neue Freie Presse*, 24. Juni 1937.

Peter Prior, Jugenderinnerungen. *Osnabrücker Volkszeitung*, 31. Juli 1929.

Hermann Bahr, Loris. *Studien zur Kritik der Moderne*. Frankfurt, 1894. (Mit Genehmigung des H. Bauer Verlages, Wien.)

Alfred Gold, Der junge Hofmannsthal. *Berliner Börsenkurier*, 29. Okt. 1929.

Sir Robert Vansittart, Begegnungen mit Hofmannsthal. *Neues Wiener Journal*, 6. Januar 1938.

Marie Herzfeld, Blätter der Erinnerung. *Corona*, 2. Jahr, 6. Heft, Mai 1932. R. Oldenbourg, München-Berlin.

Stefan Zweig, Aus der Welt von Gestern. *Die Welt von Gestern*. Stockholm, 1944. (Mit Genehmigung des S. Fischer Verlages.)

Robert Michel, In Uniform. *Originalbeitrag*.

Leopold Andrian, Erinnerungen an meinen Freund. *Originalbeitrag*.

Rudolf Borchardt, Erinnerungen. *Münchner Neueste Nachrichten*, 10. und 11. August 1929. – Nach zwanzig Jahren. *Neue Zürcher Zeitung*, 9. Juni 1935. (Mit Genehmigung des Ernst Klett-Verlages, Stuttgart.)

Rudolf Alexander Schröder, Erster und letzter Besuch in Rodaun. *Das Inselschiff*, Leipzig, Weihnachten 1929. Hofmannsthal im Gespräch. *Buch der Freunde*. Im Insel-Verlag zu Leipzig, 1929. (Mit Genehmigung des Insel-Verlages.)

Jakob Wassermann, Hofmannsthal der Freund. *Neue Rundschau*, S. Fischer Verlag, Berlin, November 1929. (Mit Genehmigung von Albert Wassermann.)

Carl J. Burckhardt, Erinnerungen an Hofmannsthal. *Corona*, 10. Jahr, 5. Heft, 1941, Verlag der Corona, Zürich; Begegnungen mit Hugo v. Hofmannsthal. *Die Neue Rundschau*, 65. Jahrgang, 1954 3./4. Heft, S. Fischer Verlag. (Mit Genehmigung des Autors.)

Wilhelm Müller-Hofmann, Dank an Hofmannsthal. *Originalbeitrag*.

Felix Braun, Begegnungen mit Hofmannsthal. *Originalbeitrag*.

Hans Carossa, Führung und Geleit. *Führung und Geleit*. Ein Lebensgedenkbuch. 1. Ausgabe. Im Insel-Verlag zu Leipzig, 1933. (Mit Genehmigung von Eva Kampmann-Carossa.)

Grete Wiesenthal, Amoretten, die um Säulen schweben. *Originalbeitrag*.

Helene v. Nostitz, Aus den Kriegs- und Revolutionsjahren. *Aus dem alten Europa*. Im Insel-Verlag zu Leipzig, 1925.

Richard Billinger, Erinnerung an Hofmannsthal. *Originalbeitrag.*

Herbert Steiner, Begegnung mit Hofmannsthal. *Deutsche Beiträge*, Chicago University Press 1947.

Erwin Lang, Hofmannsthals fördernde Freundschaft. *Originalbeitrag.*

Olga Schnitzler, Hofmannsthal und Arthur Schnitzler. *Spiegelbild der Freundschaft.* Residenz-Verlag, Salzburg 1962. (Mit Genehmigung der Autorin und des Verlages.)

Erika Brecht, Das Theater, Hofmannsthals weltliche Mission. *Erinnerungen an Hugo von Hofmannsthal,* Österreichische Verlagsanstalt, Innsbruck 1946. (Mit Genehmigung des Bergland-Verlages, Wien.)

Bernhard Paumgartner, Bei den Salzburger Festspielen. *Originalbeitrag.*

Helene Thimig-Reinhardt, Max Reinhardt und Hofmannsthal. *Originalbeitrag.*

Gustav Waldau, Wie ich Hofmannsthal kennenlernte. *Neues Wiener Journal,* 15. Januar 1933.

Erhard Buschbeck, Bahr und Hofmannsthal im Gespräch. *Originalbeitrag.*

Egon Wellesz, Hofmannsthal und die Musik. *Originalbeitrag.*

Richard Strauss, An Hugo von Hofmannsthal (Brief). Der Librettist. *Aus nachgelassenen Aufzeichnungen.* (Mit Genehmigung von Dr. Franz Strauss und des Atlantis-Verlages.)

Rudolf Kassner. Erinnerung an Hugo von Hofmannsthal. *Frankfurter Zeitung,* 20. Oktober 1929; *Das Physiognomische Weltbild,* Delphin-Verlag, München 1930; *Du,* Februar 1947, Conzett & Huber, Zürich; *Die Neue Rundschau,* 65. Jahrgang 1954 3./4. Heft, S. Fischer Verlag. (Mit Genehmigung von Frau Marianne Kassner.)

Marta Karlweis, Erinnerungen an Hofmannsthal. *Wiener Zeitung,* 14. Juli 1935.

Willy Haas, Der Mensch Hofmannsthal. *Die Literarische Welt,* Berlin, 26. Juli 1929; *Die Literarische Welt. Erinnerungen,* Paul List Verlag, München 1960. (Mit Genehmigung des Autors und des Verlages.)

Josef Hofmiller. Hugo v. Hofmannsthal. *Letzte Versuche.* Verlag der Corona, Zürich 1934. R. Oldenbourg, München-Berlin.

Konrad Burdach, Der Bewahrer des Erbes. *Neue Zürcher Zeitung,* 28. Juli 1929.

Robert Freund, Hofmannsthals letzte Pläne. *Neues Wiener Abendblatt,* 24. Juli 1929.

Wilhelm v. Schramm, Das Vermächtnis des Dichters. *Münchner Neueste Nachrichten,* 17. Juli 1929.

Alexander Lernet-Holenia, Religion, Kirche, Gesellschaft. *Originalbeitrag.*

Ludwig Curtius, Zu Besuch in Heidelberg. *Deutsche und antike Welt.* Deutsche Verlagsanstalt, Stuttgart, 1950. (Mit Genehmigung des Verlages.)

Max Mell, Letztes Gespräch in Rodaun. *Originalbeitrag.*

Harry Graf Kessler, Hofmannsthals Tod und Begräbnis. *Tagebücher 1918–1937.* Im Insel-Verlag 1961. (Mit Genehmigung des Verlages.)

Thomas Mann, In Memoriam. *Neue Freie Presse*, 21. Juli 1929. (Mit Genehmigung des S. Fischer-Verlages).

Franz Werfel, Hofmannsthals Tod. *Neue Freie Presse*, 21. Juli 1929. (Mit Genehmigung des S. Fischer-Verlages.)

Gerhart Hauptmann, Ein Dichter der Schönheit. *Neues Wiener Journal*, 17. Juli 1929. (Mit Genehmigung des Verlages Ullstein GmbH, Frankfurt a/M-Berlin-Wien.)

Richard Alewyn, Hofmannsthal und Stefan George. *Die Neue Rundschau*, 65. Jahrgang 1954 3./4. Heft. S. Fischer Verlag. (Mit Genehmigung von Vandenhoeck & Ruprecht. Verlagsbuchhandlung, Göttingen und Zürich.)

AUTORENREGISTER

INHALT